Val McDERMI[D]

Fièvre

Traduit de l'anglais (Écosse)
par Matthieu Farcot

Flammarion

Titre original : *Fever of the Bone*
Éditeur original : Little, Brown
© Val McDermid, 2009
Pour la traduction française :
© Flammarion, 2012
ISBN : 978-2-0812-5219-6

Aucun contact possible avec la chair
N'apaisa la fièvre de l'os

Murmures d'immortalité
T.S. Eliot [1]

---

1. Traduction de Léopold Sédar Senghor dans son recueil de traductions *La Rose de la paix, et Autres poèmes*, L'Harmattan, 2001.

Au bout du compte, tout se résout par le sang. On peut se remettre de certains torts qui nous sont faits. Les classer dans la case des leçons apprises, des dangers à éviter à l'avenir. Mais certaines trahisons exigent une réponse. Et parfois, seul le sang peut l'offrir.

Non pas que vous preniez du plaisir dans le meurtre en lui-même. Ce serait malsain. Et vous n'êtes pas malsain. Il y a une raison à votre geste. Vous le faites pour soigner les blessures de votre vie. Vous le faites car vous en avez besoin pour vous sentir mieux.

Les gens parlent beaucoup de nouveau départ. Mais peu d'entre eux en prennent réellement un. Ils pensent que déménager, changer de boulot ou de petite copine arrangera tout. Mais vous comprenez ce que ça signifie vraiment. Rayer les différents éléments de votre liste est une purification. Comme une personne entrant dans un monastère pour brûler ses biens terrestres, regarder le feu détruire ce qui la rattache au monde matériel. Et une fois que ce passé est parti en fumée, on peut prendre un vrai nouveau départ. Se laisser aller à un ensemble entièrement neuf d'aspirations et d'ambitions. Reconnaître ce qui est possible et ce qui appartient au passé.

C'est là que les coups sont rendus de façon équilibrée. Une trahison pour une trahison, une vie pour une vie, une perte pour une autre. On se sent libéré quand le dernier soupir s'éteint et qu'on peut se mettre au travail avec couteaux et scalpels. Puis, quand le sang coule régulièrement, vous avez le sentiment de faire enfin ce qu'il faut, la seule chose logique que vous puissiez faire dans ces circonstances. Évidemment, tout le monde ne verra pas cela du même œil.

Certains diraient que personne ne verra cela comme vous. Mais vous savez que ce n'est pas vrai non plus. Vous savez que d'autres vous applaudiraient pour avoir choisi cette démarche s'ils devaient un jour découvrir ce que vous avez fait, ce que vous faites. Des gens qui, tout comme vous, ont vu leurs rêves anéantis. Ils comprendraient tout à fait. Et ils souhaiteraient avoir vos ressources pour pouvoir faire la même chose.

Si cela vient à se savoir, vous pourrez lancer une mode.

CHAPITRE 1

Tel un amplificateur géant, le plafond voûté diffusait la conversation à travers la pièce. Un quartet de jazz luttait en fond, mais la concurrence était trop forte. L'air était chargé d'un bouillon d'odeurs : nourriture, alcool, sueur, testostérone, eau de Cologne, tout cela mêlé à l'haleine d'une centaine de personnes. Peu de temps auparavant, la fumée de cigarette aurait masqué en grande partie les forts effluves humains, mais comme l'avaient découvert les patrons de pubs depuis l'interdiction, les gens dégageaient en masse des odeurs bien moins agréables que ce qu'ils aimaient à croire.

Peu de femmes peuplaient l'endroit, et la plupart promenaient des plateaux de canapés et de boissons. Comme lors de n'importe quel pot de départ en retraite d'un policier, à ce stade, les cravates s'étaient desserrées et les visages empourprés. Mais les mains qui auraient pu en d'autres cas devenir baladeuses étaient retenues par la présence de nombreux gradés. Une fois de plus, le Dr Tony Hill se demanda comment donc il avait atterri là. Et ce ne serait sans doute pas la dernière fois.

La femme qui se dirigeait vers lui à travers la foule était certainement la seule personne dans la pièce avec qui il avait une réelle envie de passer du temps. C'était le meurtre qui les avait réunis, le meurtre qui les avait amenés à se comprendre mutuellement, le meurtre qui leur avait appris à respecter la pensée et les valeurs de l'autre. Néanmoins, depuis maintenant des années, l'inspecteur en chef Carol Jordan avait été l'unique collègue à

13

franchir la barrière de ce qu'il aurait sans doute qualifié d'amitié. Il s'avouait parfois que ce terme n'était pas approprié pour décrire le lien qui les unissait malgré leur passé complexe, mais même avec ses années d'expérience en tant que psychologue clinicien, il ne pensait pas pouvoir trouver de définition juste. Et ce, encore moins à cet instant et dans ce lieu où il aurait voulu ne pas se trouver.

Carol était bien meilleure que lui pour fuir les situations déplaisantes. Elle était aussi très forte pour les identifier et agir en conséquence. Mais elle avait choisi d'être là ce soir. Cet événement avait pour elle une importance que Tony ne pouvait comprendre. Certes, John Brandon avait été le premier gradé à le prendre au sérieux, à l'arracher au monde des soins médicaux et de la recherche pour le placer aux avant-postes du profilage criminel. Mais si ce n'avait pas été lui, ç'aurait été un autre. Tony était sensible au fait que Brandon défende la valeur du profilage. Mais leur relation n'avait jamais dépassé le cadre professionnel. Il aurait évité cette soirée si Carol n'avait pas insisté sur le fait que les gens s'interrogeraient sur son absence. Tony savait qu'il était bizarre. Mais il préférait tout de même que les autres ne perçoivent pas exactement à quel point. Il était donc là, un semblant de sourire aux lèvres dès que quelqu'un croisait son regard.

Carol, à l'inverse, semblait parfaitement dans son élément : elle se faufilait avec aisance à travers la foule dans une robe bleu nuit chatoyante qui faisait ressortir ses formes – épaules, seins, hanches et mollets. Ses cheveux blonds paraissaient plus clairs, même si Tony savait que cela était dû aux mèches argentées de plus en plus nombreuses dans sa crinière dorée plutôt qu'aux soins d'un coiffeur. Tandis qu'elle approchait, son visage s'animait au gré des salutations, ses lèvres souriaient, ses sourcils se soulevaient, ses yeux s'écarquillaient.

Elle arriva finalement à ses côtés et lui passa un verre de vin. Elle but une lampée du sien. « Tu bois du rouge, remarqua Tony.

— Le blanc est épouvantable. »

Il trempa prudemment les lèvres. « Et celui-ci est meilleur ?

— Crois-en mon expérience. »

Tony n'avait aucun mal à le faire, connaissant la bonne descente de Carol. « Il va y avoir des discours ?

— Le sous-commandant va dire quelques mots.

— Quelques mots ? Ce serait une première.

— Tu m'étonnes. Et comme si ça ne suffisait pas, ils ont exhumé Monseigneur la Police pour remettre sa montre en or à John. »

Tony eut un mouvement de recul horrifié qui n'était qu'en partie exagéré. « Sir Derek Armthwaite ? Il n'est pas mort ?

— Malheureusement non. Et vu que c'est lui qui a fait gravir les échelons à John pour devenir commandant territorial, ils se sont dit que ce serait sympa de l'inviter à participer. »

Tony frissonna. « Rappelle-moi de ne pas laisser tes collègues organiser mon pot de départ.

— Tu n'en auras pas, tu n'es pas des nôtres, expliqua Carol, atténuant d'un sourire le mordant de ses paroles. Tu n'auras que moi pour t'emmener manger le meilleur curry de Bradfield. »

Avant que Tony n'ait pu répondre, une puissante sono interrompit violemment leur conversation pour présenter le sous-commandant de la police de Bradfield. Carol vida son verre et se fondit dans la foule, résolue à trouver un autre verre et, sans doute, à entretenir un peu son réseau social. Inspecteur en chef depuis maintenant quelques années, elle dirigeait depuis peu sa propre brigade des enquêtes prioritaires (BEP). Il savait qu'elle était tiraillée entre sa volonté d'employer ses compétences en première ligne et son désir d'atteindre un niveau où elle pourrait influencer la politique de la maison. Tony se demanda si ce choix lui appartiendrait encore maintenant que John Brandon allait quitter la scène.

Même si sa religion lui enseignait que toutes les vies avaient la même valeur, l'inspecteur Stuart Patterson n'était jamais parvenu à appliquer ce principe aux morts. Un paumé accro à l'héro planté lors d'une inutile guerre de territoire ne l'affecterait jamais autant que cette enfant morte et mutilée. Il se tenait à l'écart dans la tente blanche qui protégeait la scène de crime du battement continu de la pluie nocturne. Pour laisser les spécialistes faire leur boulot, et éviter d'établir un lien entre cette fille morte et sa propre fille à peine adolescente.

Celle qui accaparait toute l'attention aurait pu être une des camarades de classe de sa Lily s'il n'y avait eu son uniforme, différent. Malgré les traînées d'humus que le vent et la pluie avaient collées sur le sac en plastique transparent couvrant son visage et ses cheveux, elle paraissait propre et soignée. Sa mère avait signalé sa disparition juste après 21 heures, ce qui révélait une fille plus disciplinée que Lily au niveau des horaires et une famille à la vie plus réglée. Bien sûr, il ne s'agissait peut-être pas de Jennifer Maidment, puisque le corps avait été retrouvé avant le lancement de l'avis de recherche et qu'ils ne disposaient ici d'aucune photo de l'adolescente disparue ; mais pour l'inspecteur Patterson, il était peu probable que deux filles du même collège du centre-ville disparaissent la même nuit. Pas à moins que l'une d'elles ne soit impliquée dans la mort de l'autre. Par les temps qui couraient, on ne pouvait rien exclure.

L'ouverture de la tente claqua violemment et un homme trapu se glissa à l'intérieur. Ses épaules étaient si larges qu'il ne pouvait pas fermer la combinaison de protection fournie à ses agents par la police de West Mercia. Des gouttes de pluie adhéraient à son crâne rasé couleur de thé fort et dégoulinaient sur son visage donnant l'impression qu'il avait passé la plus grande partie de sa folle jeunesse sur un ring de boxe. Il tenait fermement une feuille de papier protégée par une enveloppe plastique transparente.

« Je suis là, Alvin », indiqua Patterson d'une voix trahissant un certain désespoir teinté de mélancolie.

Le sergent-détective Alvin Ambrose avança avec précaution jusqu'à son chef sur l'allée prévue. « Jennifer Maidment, lança-t-il en levant l'enveloppe pour révéler une photo numérique imprimée sur du papier ordinaire. C'est elle ? »

Patterson examina le visage ovale encadré de longs cheveux bruns et acquiesça d'un air lugubre. « C'est elle.

— Jolie, remarqua Ambrose.

— Plus maintenant. » L'assassin lui avait volé sa beauté en même temps que sa vie. Bien qu'il se gardât toujours de faire des conclusions trop hâtives, Patterson pensa pouvoir affirmer sans trop s'avancer que la peau congestionnée, la langue gonflée de sang, les yeux exorbités et le sac plastique collé au visage indiquaient une mort par asphyxie. « Le sac était scotché fermement autour de son cou. Vraiment atroce de crever comme ça.

— On a dû l'empêcher de se débattre d'une manière ou d'une autre, dit Ambrose. Autrement elle aurait essayé de déchirer le sac.

— Aucune trace de liens. On en saura plus quand ils l'auront amenée à la morgue.

— Est-ce qu'elle a subi des violences sexuelles ? »

Patterson ne put réprimer un frisson. « Il l'a poignardée. On ne l'a pas vu au début, c'était caché par sa jupe. Puis le toubib a regardé. » Il ferma les yeux, cédant au besoin de faire une petite prière silencieuse. « Cet enfoiré l'a charcutée. Je ne sais pas si je parlerais exactement d'agression sexuelle. De destruction sexuelle, plutôt. » Il se retourna et se dirigea vers la sortie. Il choisissait ses mots avec précaution, mettant en balance le cadavre de Jennifer Maidment et ceux d'autres personnes sur la mort desquelles il avait enquêté. « Le pire cas que j'aie jamais vu. »

À l'extérieur de la tente, le temps était affreux. La fine pluie cinglante soulevée par des bourrasques de vent qui avait commencé à tomber cette après-midi-là s'était transformée en véritable tempête. Les nuits comme celle-ci, les habitants de Worcester avaient appris à redouter la montée des eaux de la Severn. C'était une inondation qu'ils attendaient, pas un meurtre.

On avait retrouvé le corps sur le bas-côté d'une aire de stationnement créée lorsque la route nationale avait été refaite quelques années plus tôt. L'ancien virage serré s'était vu assigner une nouvelle fonction en tant qu'étape pour routiers, attirés par la camionnette-gargote qui proposait des casse-croûte pendant la journée. La nuit, l'endroit servait de parking pour poids lourds accueillant généralement quatre ou cinq semi-remorques dont les chauffeurs se foutaient de vivre à la dure pour économiser quelques billets. Le Hollandais qui était descendu de sa cabine pour pisser ce soir-là avait eu droit à une sacrée surprise.

Un épais taillis d'arbres adultes et de denses broussailles cachait l'aire aux véhicules circulant sur la route. La tempête hurlant à travers les arbres trempa Ambrose et Patterson le temps qu'ils courent jusqu'à la Volvo. Une fois à l'intérieur, Patterson énuméra sur ses doigts la liste des choses à faire : « Contacte la circulation. Ils ont quelques caméras avec système de reconnaissance de plaques sur cette route, mais je ne sais pas exactement où. Il nous faut un récapitulatif de tous les véhicules qui sont passés par là ce soir. Contacte le service de liaison avec les familles. Qu'un de leurs agents me rejoigne chez la famille. Contacte le directeur du collège. Je veux savoir qui sont ses amis, qui sont ses profs, et je veux que tout soit prêt pour les interroger demain matin à la première heure. Trouve la personne qui a pris le rapport initial, qu'elle m'envoie les détails par e-mail. Contacte le service de presse et briefe-les. On parlera aux journalistes demain matin à dix heures. D'accord ? J'ai oublié quelque chose ? »

Ambrose fit non de la tête. « Je m'en occupe. Je vais demander à un des gars de la circulation de me ramener. Tu vas toi-même chez la famille ? »

Patterson soupira. « Je m'en passerais bien. Mais leur fille est morte. Ils méritent la présence d'un directeur d'enquête. Je te retrouve au central. »

Ambrose descendit et se dirigea vers les véhicules de police alignés en travers de l'entrée et de la sortie de l'aire de repos. Son chef l'observa. Rien ne semblait démonter Ambrose. Impassible, il se confrontait tête baissée à tout ce que leurs enquêtes mettaient sur leur chemin. Quel que fût le prix de cette apparente imperméabilité, Patterson l'aurait volontiers payé cette nuit-là.

CHAPITRE 2

Carol voyait bien que John Brandon était tendu. Son triste visage de limier était plus animé que jamais elle ne l'avait vu durant les heures de travail, et sa bien-aimée Maggie, à son côté, arborait ce sourire que Carol lui avait souvent connu à leurs dîners quand Brandon s'emballait sur un sujet tel un fox-terrier poursuivant un lapin. Elle échangea son verre vide contre un plein sur le plateau d'une serveuse qui passait et se dirigea vers le coin de la pièce où elle avait laissé Tony. Son expression aurait mieux convenu à un enterrement, mais elle ne pouvait prétendre en avoir espéré autrement. Elle avait conscience que ce genre d'événements était à ses yeux une perte de temps, même si elle ne voyait pas les choses de la même manière que lui.

Ce n'était pas d'attraper les criminels qui faisait avancer le monde dans la police moderne. C'était la politique, comme dans n'importe quelle grande organisation. À une autre époque, une soirée comme celle-ci aurait été prétexte à une bonne beuverie sans retenue, avec même des strip-teaseuses. Désormais, ce n'était plus qu'une affaire de contacts, de relations, de conversations qui ne pouvaient avoir lieu au poste. Elle n'aimait pas cela plus que Tony, mais elle avait un certain don pour ça. Si c'était le prix à payer pour être sûre de conserver sa place dans la hiérarchie officieuse, elle le ferait avec le sourire.

Une main sur son bras l'arrêta dans son élan. L'agent Paula McIntyre, membre de son équipe, chuchota à l'oreille de Carol : « Il vient d'arriver. »

Carol n'eut pas besoin de demander de qui il s'agissait. Le remplaçant de John Brandon était connu de nom et de réputation, mais comme il venait de l'autre bout du pays, personne à Bradfield n'avait beaucoup d'informations de première main à son sujet. Peu de policiers étaient mutés de la circonscription du Devon et des Cornouailles à celle de Bradfield. Pourquoi quitter une vie relativement calme dans une charmante zone touristique pour s'esquinter à maintenir l'ordre dans une ville post-industrielle du Nord au taux affligeant de violence à main armée ? À moins, bien sûr, d'être un flic ambitieux considérant que ce serait une bonne décision sur le plan professionnel de diriger la quatrième plus grande division du pays. Carol supposa que le terme « challenge » avait été prononcé plus d'une fois au cours de l'entretien de James Blake pour le poste de commandant territorial. Elle scruta la pièce du regard. « Où ça ? »

Paula regarda par-dessus son épaule. « Il passait un savon au chef de la Crim' il y a une minute, mais il est reparti. Désolée, chef.

— Tant pis. Merci pour le tuyau. » Carol leva son verre en guise de salut et repartit vers Tony. Le temps qu'elle se fraie un chemin à travers la foule, son verre était de nouveau vide. « J'ai besoin d'un autre verre, dit-elle en s'appuyant au mur à côté de lui.

— C'est ton quatrième, observa-t-il sans sévérité.

— Qui s'en soucie ?

— Moi, bien sûr.

— Tu es mon ami, pas mon psy, rétorqua Carol d'une voix glaciale.

— C'est pour ça que je suggère que tu bois peut-être trop. Si j'étais ton psy, je ne porterais certainement pas ce genre de jugements. Je te laisserais te débrouiller.

— Écoute, je vais bien, Tony. À un moment, après… Je reconnais qu'à un moment, je buvais trop. Mais je me contrôle de nouveau. D'accord ? »

Tony leva les mains, les paumes vers elle, en signe d'apaisement. « Ça te regarde. »

Carol poussa un profond soupir et posa son verre vide sur la table à côté du sien. Son côté raisonnable l'exaspérait. Ce n'était pas comme si elle était la seule à ne pas aimer qu'on la mette face aux aspects merdiques de sa vie. *On va voir si ça lui plaît, à lui.* Elle sourit gentiment. « Et si on sortait prendre un peu l'air ? »

Il sourit d'un air perplexe. « D'accord, si tu veux.

— J'ai découvert des choses sur ton père. Allons quelque part où on pourra parler sérieusement. » Elle regarda son sourire se transformer en une grimace contrite. Tony n'avait découvert l'identité de son père qu'après sa mort, grâce à la décision que celui-ci avait prise de léguer ses biens au fils qu'il n'avait jamais connu. Carol savait pertinemment que Tony était au mieux partagé concernant Edmund Arthur Blythe. Il tenait autant à évoquer son père récemment identifié qu'elle à discuter de sa dépendance putative à l'alcool.

« Touché. Laisse-moi te trouver un autre verre. » Le temps qu'il en prenne deux, un homme avait surgi de la foule et se tenait fermement planté devant eux, lui bloquant le passage.

Par automatisme, Carol le jaugea du regard. Des années plus tôt, elle avait pris l'habitude de dresser un portrait mental des gens qui croisaient son chemin, de mettre une image en mots, comme pour un avis de recherche ou un portrait-robot. Cet homme était petit pour un policier, costaud sans être gros. Une raie de côté dessinait une ligne blanche dans ses cheveux châtain clair soigneusement peignés. Sa peau à la fois rougeaude et pâle rappelait celle d'un chasseur de renards de la cambrousse, ses yeux noisette nichés derrière de fines rides indiquaient une cinquantaine d'années. Avec son petit nez rond, ses lèvres charnues et son menton en forme de balle de ping-pong, il avait un air d'autorité qui n'était pas sans évoquer un ancien dignitaire tory.

Elle se rendit bien compte qu'il l'examinait lui aussi de manière insistante. « Inspecteur en chef Jordan, énonça-t-il d'une voix chaude de baryton avec un léger accent du sud-ouest de l'Angleterre. Je suis James Blake. Votre nouveau commandant territorial. » La main qu'il tendit brusquement à Carol était chaude, large et sèche.

Exactement comme son sourire. « Ravie de vous rencontrer, monsieur », répondit Carol. Blake ne la quittait pas des yeux, et ce fut elle qui dut détourner le regard pour présenter Tony. « Voici le docteur Tony Hill. Il travaille de temps en temps avec nous. »

21

Blake jeta un coup d'œil sur Tony et inclina le menton en guise de vague salut. « Je voulais profiter de cette occasion pour briser la glace. Je suis très impressionné par ce que j'ai entendu sur votre travail. Je vais opérer certains changements ici, et votre juridiction est une de mes priorités. J'aimerais vous voir demain matin à dix heures trente à mon bureau.

— Bien sûr, répondit Carol. Avec plaisir.

— Très bien. C'est réglé, alors. À demain, inspecteur. » Il fit demi-tour et se fraya un chemin à travers la foule.

« Incroyable », commenta Tony. Ce qui pouvait signifier une douzaine de choses différentes, certainement justes. Et pas toutes injurieuses.

« Est-ce qu'il a vraiment dit "juridiction" ?

— Juridiction, acquiesça faiblement Tony.

— Et ce verre ? J'en ai vraiment besoin maintenant. Partons d'ici. J'ai une très bonne bouteille de sancerre au frigo. »

Tony regarda dans la direction où était parti Blake. « Tu vois les bandes-annonces où une voix dit : "Préparez-vous au pire" ? J'ai l'impression de l'entendre en ce moment même. »

L'agent de liaison avec les familles, Shami Patel, révéla qu'elle avait été récemment mutée du comté voisin des Midlands de l'Ouest, ce qui expliquait pourquoi Patterson ne la connaissait pas. Il aurait préféré tomber sur une personne habituée à ses méthodes de travail. Le premier contact avec la famille de la victime était toujours pénible ; leur chagrin entraînait des réactions imprévisibles et souvent hostiles. Et ce cas-ci s'annonçait doublement difficile : le meurtre d'une adolescente avec sévices sexuels était déjà une horreur en soi ; mais en l'occurrence, le temps ne jouait pas non plus en leur faveur.

Ils restèrent à l'abri de la pluie dans la voiture de Patterson le temps qu'il lui donne ses instructions. « Cette affaire pose plus de problèmes que d'habitude, expliqua-t-il.

— Une victime innocente, remarqua succinctement Patel.

— Cela va au-delà. » Il passa sa main dans ses boucles argentées. « Généralement, il y a un intervalle entre le moment où une personne comme cette fille disparaît et celui où on retrouve le corps. On a le temps de se renseigner auprès de la famille, d'obtenir des infos sur les allées et venues de la personne disparue. Les gens sont prêts à tout pour nous aider parce qu'ils veulent croire qu'il reste une chance de retrouver le gosse. » Il secoua la tête. « Pas cette fois.

— Je vois, dit Patel. Ils ne se sont pas encore faits à l'idée qu'elle avait disparu que nous débarquons pour leur annoncer qu'elle est morte. Ils vont être anéantis. »

Patterson acquiesça. « Et n'allez pas croire que je ne compatisse pas. Mais pour moi, le problème, c'est qu'ils ne seront pas en état d'être interrogés. » Il soupira. « Les vingt-quatre premières heures d'une enquête sur un meurtre, c'est là qu'on doit avancer.

— Est-ce qu'on a un compte rendu de ce qu'a dit Mme Maidment quand elle a signalé la disparition de Jennifer ? »

C'était une bonne question. Patterson sortit son BlackBerry de sa poche intérieure, trouva ses lunettes et ouvrit l'e-mail de l'agent de service qui avait pris l'appel de Tania Maidment, transféré par Ambrose. « Elle a téléphoné plutôt que de venir au poste, lut-il tout haut. Elle ne voulait pas laisser la maison vide, au cas où Jennifer reviendrait, parce qu'elle ne savait pas si sa fille avait sa clé sur elle. Elle ne l'avait pas vue depuis qu'elle était partie au collège le matin... » Il fit défiler le texte. « Elle était censée aller chez une amie pour goûter et faire ses devoirs, aurait dû rentrer avant huit heures, pas de problème car sa copine et elle faisaient ça souvent chez l'une ou chez l'autre. La mère lui a fait une fleur et n'a appelé qu'à et quart chez la copine. Celle-ci ne l'avait pas vue depuis la fin des cours, n'avait jamais convenu de goûter ou de faire ses devoirs avec elle. Jennifer n'avait mentionné aucun projet spécial sinon de passer au supermarché avant de rentrer chez elle. C'est là que Mme Maidment nous appelle.

— J'espère tellement qu'on l'a prise au sérieux, dit Patel.

— Heureusement, oui. L'agent Billings a pris son signalement et l'a transmis à toutes les unités. C'est comme ça qu'on a pu identifier le corps aussi rapidement. Voyons... quatorze ans, 1 m 65, mince, cheveux bruns mi-longs, yeux bleus, oreilles percées avec de petits anneaux dorés. Portant l'uniforme du collège de filles de Worcester : chemisier blanc, cardigan, jupe et blazer vert bouteille. Collants et bottines noirs. Elle avait un imper noir par-dessus son uniforme. » Il ajouta pour lui-même : « Pas retrouvé sur les lieux du crime. »

« Est-elle fille unique ? demanda Patel.

— Aucune idée. Aucune idée non plus de l'endroit où se trouve M. Maidment. Comme je vous ai dit, c'est une saloperie, cette affaire. » Il envoya en vitesse un SMS à Ambrose pour lui demander d'interroger l'amie avec qui Jennifer avait prétendu être, puis il rangea son BlackBerry et roula des épaules dans son manteau. « Prête ? »

Bravant la pluie, ils remontèrent l'allée de la maison des Maidment, un édifice mitoyen en briques du début du vingtième s'élevant sur trois niveaux, avec un jardin bien entretenu à l'avant. Les lumières étaient allumées à l'intérieur, les rideaux grands ouverts. Les deux flics aperçurent le genre de séjour et de salle à manger qu'aucun des deux ne pouvait s'offrir, tout en surfaces étincelantes, tissus somptueux et tableaux qu'on ne trouvait pas chez Ikea. À peine Patterson eut-il appuyé sur la sonnette que la porte s'ouvrit.

L'aspect de la femme qui se trouvait sur le seuil aurait choqué n'importe qui. Mais Patterson avait vu suffisamment de mères folles d'inquiétude pour ne pas être surpris par les cheveux en bataille, le maquillage dégoulinant, les lèvres mordillées et la mâchoire serrée. Lorsqu'elle les vit tous les deux avec leur air abattu, ses yeux bouffis s'écarquillèrent. Elle porta une main à sa bouche, l'autre à sa poitrine. « Oh mon Dieu ! s'écria-t-elle d'une voix tremblante, sur le point de fondre en larmes à nouveau.

— Madame Maidment ? Je suis l'inspecteur en chef... »

La mention de ce grade apprit à Tania Maidment ce qu'elle ne voulait pas savoir. Son gémissement coupa Patterson au milieu de ses présentations. Elle chancela et serait tombée s'il ne s'était rapidement approché d'elle pour passer un bras autour de ses épaules voûtées et la laisser s'effondrer contre lui. Il la ramena dans la maison en la portant presque, l'agent Patel sur leurs talons.

Lorsqu'il la déposa sur le canapé moelleux du salon, Tania Maidment tremblait comme une femme au bord de l'hypothermie. « Non, non, non, répétait-elle en claquant des dents.

— Je suis vraiment désolé. Nous pensons avoir trouvé le corps de votre fille, Jennifer », annonça Patterson en jetant un coup d'œil désespéré à Patel.

Réagissant aussitôt, celle-ci s'assit à côté de la femme décomposée et réchauffa ses mains gelées entre les siennes. « Y a-t-il quelqu'un que nous puissions appeler ? demanda-t-elle. Quelqu'un qui puisse rester auprès de vous ? »

Mme Maidment secoua la tête d'un mouvement saccadé mais clair. « Non, non, non. » Puis elle avala une bouffée d'air comme une noyée. « Son père... Il doit rentrer demain. D'un voyage en Inde. Il est déjà dans l'avion. Il ne sait même pas qu'elle a disparu. » Hoquetant, elle fondit en un torrent de larmes. Patterson ne s'était jamais senti si impuissant.

Il attendit que la violence du choc s'atténue. Cela lui sembla durer une éternité, mais finalement, la mère de Jennifer se calma. Gardant un bras autour des épaules de la femme, Patel fit un discret signe de tête à Patterson. « Madame Maidment, nous allons devoir jeter un œil à la chambre de Jennifer », dit-il, conscient de sa cruauté. Bientôt, une équipe d'experts judiciaires viendrait passer l'endroit au peigne fin, mais il voulait être le premier à inspecter les lieux où avait vécu la jeune fille décédée. Par ailleurs, la mère avait beau être anéantie maintenant, il n'était pas rare que les parents se rendent subitement compte qu'ils préféraient garder secrets certains éléments de la vie de leur enfant. Ce n'était pas qu'ils voulaient entraver l'enquête, plutôt qu'ils ne comprenaient pas toujours l'importance de choses qu'ils jugeaient sans rapport. Et Patterson ne voulait pas de cela ici.

Sans attendre de réponse, il se glissa hors de la pièce et emprunta l'escalier. Il estimait qu'on pouvait apprendre beaucoup sur la situation d'une famille à partir de son cadre de vie. Tout en grimpant les marches, il commença à se faire une première opinion de la maison de Jennifer Maidment. L'endroit bénéficiait d'un confort certain, mais sans le côté aseptisé des demeures luxueuses : un tas de lettres ouvertes était étalé sur la table de l'entrée, une paire de gants gisait sur l'étagère au-dessus du radiateur, le vase de fleurs sur le rebord de la fenêtre à mi-étage avait besoin d'être rafraîchi.

Il découvrit cinq portes fermées en arrivant au premier étage. Une maison où l'intimité était respectée, donc. Il trouva d'abord la chambre principale, puis une salle de bains familiale, puis un bureau. Toutes dans l'obscurité, dévoilant peu de leurs secrets. La quatrième porte révéla ce qu'il cherchait. Avant d'allumer la lumière, il inspira pendant un instant le parfum de la vie de Jennifer Maidment – composé entre autres d'une odeur suave de pêche teintée d'une note d'agrume.

La pièce évoquait de manière désarmante la chambre de sa fille. S'il avait eu les moyens de laisser carte blanche à Lily, il se doutait qu'elle aurait fini par choisir le même genre de déco et de meubles rose et blanc pastel. Des posters de boy et de girl bands, une coiffeuse couverte d'un fatras de produits pour tenter de se maquiller comme il faut, une petite bibliothèque pleine de romans qu'il avait vus traîner dans son propre salon. Il présuma que la double porte dans le mur du fond s'ouvrait sur un dressing bourré d'un mélange de vêtements pratiques et branchés. Les experts judiciaires auraient bien le temps d'examiner tout ça. Ce qui l'intéressait, c'étaient la coiffeuse et le petit bureau niché dans un coin.

Patterson enfila une paire de gants en latex et commença à explorer les tiroirs. Des soutiens-gorge et culottes, sophistiqués et à dentelles, ridicules de par l'innocence qu'ils masquaient. Des collants, quelques paires de chaussettes roulées en boules compactes qui ne cachaient rien. Caracos et hauts à fines bretelles, T-shirts rendus invraisemblablement moulants par le Lycra. Boucles d'oreilles, bracelets, pendentifs et colliers de pacotille soigneusement disposés dans une boîte. Un tas de vieilles cartes de Noël et d'anniversaire que Patterson ramassa et mit de côté. Quelqu'un devrait les parcourir avec Mme Maidment une fois qu'elle serait en état de surmonter son chagrin et de se concentrer.

Rien d'autre n'éveillant son intérêt, il se tourna vers le bureau. L'indispensable portable Apple était fermé, mais Patterson vit au voyant lumineux qu'il était en veille et non éteint. Le tout dernier iPod était connecté à l'ordinateur, ses écouteurs posés à côté en une boule emmêlée. Patterson débrancha l'ordinateur, rédigea un avis de saisie de pièce à conviction et glissa l'appareil sous son bras. Il balaya rapidement la pièce du regard pour s'assurer de ne rien avoir raté d'évident, puis redescendit.

Mme Maidment avait arrêté de pleurer. Elle se tenait droite, les yeux rivés au sol, les mains serrées sur ses genoux, les joues encore luisantes de larmes. Sans lever les yeux, elle déclara : « Je ne comprends pas comment ça a pu arriver.

— Nous non plus, répondit Patterson.

— Jennifer ne ment pas sur les endroits où elle va, dit-elle d'une voix morne et enrouée. Je sais que nous sommes tous persuadés que nos enfants nous disent la vérité, mais Jennifer ne ment vraiment pas. Elle et Claire, elles font tout ensemble. Elles sont tout le temps ici ou chez Claire ou de sortie ensemble. Je ne comprends pas. »

Patel tapota l'épaule de Mme Maidment. « On va le découvrir, Tania. On va découvrir ce qui est arrivé à Jennifer. »

Patterson aurait voulu être aussi confiant. La mort dans l'âme, il s'assit, prêt à poser ces questions qui ne serviraient pour la plupart à rien. Néanmoins, il fallait les poser. Et séparer le vrai du faux dans les réponses. Car il y aurait les deux. C'était toujours ainsi.

CHAPITRE 3

Carol n'avait pas menti. Le sancerre était délicieux, acidulé avec une note de groseille, frais et gouleyant. Malgré cela, Tony n'était d'humeur qu'à le siroter sobrement. Si Carol allait lui offrir des informations sur son père comme un chien dépose un journal trempé au pied de son maître, il voulait garder les idées claires.

Carol s'installa dans le sofa en face du fauteuil qu'avait choisi Tony. « Alors, tu n'as pas envie de savoir ce que j'ai découvert sur ton père ? »

Tony évita son regard. « Ce n'était pas mon père, Carol. Dans aucun sens véritable du terme.

— Ton patrimoine génétique te vient pour moitié de lui. Même le plus béhavioriste des psychologues doit reconnaître que ça a son importance. Je pensais que tu voudrais en apprendre le plus possible sur lui. » Elle avala une gorgée de vin et lui fit un sourire encourageant.

Tony soupira. « J'ai réussi à vivre toute ma vie sans rien savoir sur mon père, si ce n'est qu'il avait choisi de ne pas la partager avec moi. Si tu n'avais pas eu la présence d'esprit d'intervenir quand ma mère a essayé de m'escroquer ce qu'il m'a légué dans son testament, je n'en saurais toujours pas plus. »

Carol eut un petit rire. « À t'entendre, on croirait que tu regrettes que j'aie empêché Vanessa de t'arnaquer. »

Sur ce point, elle ne se trompait pas, pensa-t-il. Mais ce jour où, à l'hôpital, elle avait déjoué le manège de Vanessa, Carol avait cru agir dans l'intérêt de Tony. Laisser entendre qu'elle avait par mégarde créé plus de problèmes qu'elle n'en avait résolus ne ferait que la blesser. Et de ça, pas question. Pas maintenant. Jamais, même. « Je ne veux pas me montrer ingrat vu ce que tu as fait pour moi. C'est juste que je ne suis pas sûr d'avoir envie de savoir quoi que ce soit à son sujet. »

Carol le contredit d'un hochement de tête. « Tu ne veux simplement pas démonter toutes les défenses que tu as construites au fil des années. Mais ne t'en fais pas, Tony. Vanessa est peut-être un monstre, mais d'après ce que j'ai pu apprendre, ton père était tout le contraire. Je pense que tu n'as rien à craindre. »

Tony fit tourner le vin dans son verre, les épaules rentrées comme pour se protéger. Un coin de sa bouche se souleva nerveusement en un sourire amer. « Il y a forcément quelque chose, Carol. Il m'a abandonné. Et elle aussi, d'ailleurs.

— Il ne savait peut-être pas que tu existais.

— Il en savait suffisamment sur moi pour me laisser une maison, un bateau et un bon paquet de fric. »

Carol réfléchit un instant. « Si tu comptes accepter son argent, je crois que tu lui dois quelque chose en échange. »

Elle n'avait pas tort, se dit-il. Si le prix à payer pour préserver son ignorance consistait à donner son héritage à des œuvres de bienfaisance, ça valait peut-être le coup. « Je trouve qu'il a mis bien longtemps à me dédommager de ce qu'il me devait. Je ne crois pas que l'argent en compense seulement un centième. Il m'a laissé avec Vanessa. » Tony posa son verre et joignit fermement les mains. Il passait la plus grande partie de sa vie professionnelle à aider des patients à ne pas se laisser submerger par les eaux troubles de leurs émotions ; mais tout ce travail d'écoute ne l'aidait pas lorsqu'il s'agissait de lui-même. Bien qu'il eût appris à réagir de manière adéquate dans la plupart des situations en société, il n'était toujours pas sûr de pouvoir apporter les réponses émotionnelles correctes dans le contexte extrêmement tendu des relations personnelles. S'il y avait un domaine dans lequel il risquait d'échouer à « passer pour un humain », comme il avait l'habitude de le dire, c'était celui-là. Cependant, Carol méritait plus de sa part que le silence ou une attitude désinvolte. Il se remit d'aplomb et redressa les épaules. « Tu sais autant que moi à quel point je suis tordu. Je n'en veux pas à Vanessa pour ce qu'elle m'a fait.

Elle est autant le produit de son milieu et de ses gènes que moi. Mais il n'y a pas de doute dans mon esprit sur le fait qu'elle est une des raisons principales pour lesquelles je suis aussi inadapté au monde.

— Je ne trouve pas que tu sois si inadapté », contesta Carol.

C'était seulement de la gentillesse, pensa-t-il, de la fausse sincérité. « Peut-être bien, mais tu as bu au moins une bouteille de vin ce soir », répliqua-t-il maladroitement. Sa boutade fit un flop. Elle lui lança un regard furieux et il haussa les épaules pour s'excuser. « Il aurait pu atténuer l'influence qu'a eue ma mère sur moi et il ne l'a pas fait. Me donner de l'argent tant d'années plus tard, ça ne rembourse pas un centime de sa dette.

— Il a dû avoir ses raisons. Tony, ça a vraiment l'air d'être quelqu'un de bien. »

Il se leva. « Pas ce soir. Je ne suis pas prêt pour ça. Laisse-moi y réfléchir, Carol. »

Elle se força à sourire. Sachant décrypter chacune de ses expressions, il lut de la déception dans celle-ci. Peu importait qu'il l'eût aidée à remporter succès après succès dans sa vie professionnelle ; quand il était question de leur relation personnelle, il avait parfois l'impression de ne lui avoir jamais apporté que de la déception.

Carol termina son verre. « La prochaine fois, dit-elle. Ça peut attendre. »

Il esquissa un petit signe et se dirigea vers l'escalier qui séparait l'appartement en sous-sol de Carol de sa maison au-dessus. Lorsqu'il se retourna pour lui souhaiter bonne nuit, il vit son sourire s'adoucir. « Je te connais, dit-elle. Tôt ou tard, tu voudras savoir. »

Alvin Ambrose extirpa nerveusement sa carte de police de la poche intérieure de sa veste en approchant de la maison. Il savait que sa taille, sa couleur de peau et l'heure tardive – vingt-deux heures passées – allaient jouer contre lui aux yeux des gens qui vivaient dans ce « pavillon de standing » des années 1970. Mieux valait leur coller sa carte sous le nez quand ils ouvriraient la porte.

L'homme qui répondit à son coup de sonnette regarda sa montre en fronçant les sourcils. Puis il inspecta avec un soin exagéré la carte d'Ambrose. « Vous croyez que c'est une heure pour sonner chez les gens ? »

Ambrose se retint de le rembarrer et demanda : « Monsieur David Darsie ? Sergent-détective Ambrose de la police de West Mercia. Je suis désolé de vous déranger, mais nous devons parler à votre fille, Claire. »

L'homme secoua la tête avec un soupir d'incrédulité exagéré. « Je n'en reviens pas. Vous venez nous déranger à cette heure-ci parce que Jennifer Maidment traîne dehors ? Il est à peine dix heures et demie. »

Il était temps de remettre ce pauvre type à sa place. « Non, monsieur, répondit Ambrose. Je viens vous déranger à cette heure parce que Jennifer Maidment a été assassinée. »

L'expression de David Darsie passa de l'irritation à l'horreur aussi vite que s'il avait reçu une gifle. « Quoi ? Comment ça ? » Il regarda par-dessus son épaule comme s'il s'attendait à voir surgir derrière lui un nouveau cauchemar. « Sa mère a téléphoné il y a un moment à peine. » Il passa la main dans ses cheveux bruns clairsemés. « Bon Dieu. Je veux dire… » Sa gorge se serra.

« Je dois parler à votre fille, répéta Ambrose en se rapprochant de la porte ouverte.

— Je ne sais pas… C'est incroyable. Comment est-ce… Bon sang, Claire va être anéantie. Ça ne peut pas attendre demain matin ? Vous ne pouvez pas nous laisser lui annoncer ça en douceur ?

— Il n'y a pas de méthode douce. Monsieur, je dois parler avec Claire ce soir. C'est une enquête pour homicide. Nous ne pouvons nous permettre de perdre du temps. Plus tôt je pourrai questionner Claire, plus vite nos recherches avanceront. Je veux bien que vous et votre femme assistiez à notre conversation, mais elle doit avoir lieu ce soir. » Ambrose savait qu'il paraissait inflexible aux yeux des gens qui ne connaissaient pas ses faiblesses. Lorsqu'il s'agissait de faire avancer une enquête, il usait volontiers de tous les moyens dont il disposait. Il baissa la voix et, d'un ton qui évoquait le sombre grondement des tanks envahissant une ville : « Tout de suite. Si ça ne vous dérange pas. » Son pied avait franchi le seuil et Darsie ne put faire autrement que de reculer.

« Entrez », dit-il en désignant la première porte sur la droite.

Ambrose pénétra devant lui dans un salon cosy. Les canapés semblaient usés mais confortables. Sur des étagères étaient entassés des DVD et des jeux de société, tandis qu'un tas de jouets empilés au hasard occupait le coin entre le sofa et la télé grand écran. Il y avait également une table basse jonchée de Meccano et une pile de livres pour enfants appuyée contre l'extrémité de l'autre sofa. La pièce était déserte, et Ambrose jeta un regard impatient à Darsie.

« Désolé pour le bazar, dit-il. On a quatre enfants, et nous sommes tous désordonnés de naissance. » Ambrose s'efforça de ne pas juger trop sévèrement cet homme qui se préoccupait de l'état de son salon alors qu'il venait d'apprendre que la meilleure amie de sa fille avait été assassinée. Il savait que le choc provoquait des réactions imprévisibles et tordues.

« Votre fille ? »

Darsie hocha vigoureusement la tête. « Une petite minute, je vais chercher Claire et sa mère. »

Il fallut si peu de temps à Darsie pour revenir avec sa femme et sa fille qu'Ambrose se douta que ce sale poltron ne leur avait pas annoncé la nouvelle lui-même. Dans un peignoir blanc douillet par-dessus un pyjama en flanelle et chaussée d'affreuses Crocs roses, Claire, une fille toute maigre aux airs de Cosette, jouait toujours les ados blasés, tandis que sa mère semblait fatiguée plus que consternée. Ils restèrent tous trois près de la porte à attendre qu'Ambrose prenne les choses en main.

« Asseyez-vous, je vous prie, suggéra-t-il en leur laissant quelques instants pour s'installer sur le canapé. Je suis désolé de vous déranger, mais c'est important. »

Claire haussa les épaules. « Allez, quoi. On va pas en faire tout un plat. Tout ça parce que Jen s'est lâchée et qu'elle est pas rentrée à l'heure. »

Ambrose fit non de la tête. « Je suis désolé, Claire. C'est bien plus grave que ça. »

L'affolement s'inscrivit rapidement sur son visage. Par les temps qui couraient, avec ce qu'ils voyaient sur Internet et à la télé, il ne leur fallait pas longtemps pour piger. Avant qu'Ambrose ait pu ajouter quoi que ce soit, toute trace d'insouciance forcée avait disparu. « Oh mon Dieu ! gémit Claire. Il lui est arrivé quelque chose de vraiment affreux, pas vrai ? » Elle porta ses mains à son visage et ses doigts se crispèrent sur ses joues. Elle se jeta contre sa mère qui passa d'instinct un bras protecteur autour d'elle.

« J'en ai peur, répondit Ambrose. Je suis désolé de devoir vous apprendre que Jennifer est décédée plus tôt dans la soirée. »

Claire secoua la tête. « Je ne vous crois pas.

— C'est la vérité. Je suis vraiment désolé, Claire. » Son dos se raidit au moment où la fille éclata en sanglots.

« Donnez-nous une minute, demanda la mère, le visage teinté de rose sous l'effet de la nouvelle. S'il vous plaît. »

Ambrose les laissa seuls. Il s'assit dans l'escalier en attendant. Les gens croyaient qu'être flic, ce n'était que de l'action – courses-poursuites et suspects plaqués contre des murs. En réalité, le métier était surtout affaire de patience. Patterson le savait. C'était une des raisons pour lesquelles Ambrose appréciait son chef. Patterson ne répercutait par sur ses hommes la pression venue de plus haut pour que son équipe obtienne des résultats. Non qu'il ne mesurât pas l'urgence des problèmes qui se posaient à eux, simplement il estimait qu'il fallait laisser du temps à certaines choses.

Dix minutes passèrent avant que David Darsie ne sorte discrètement du salon. « Il leur faut encore un peu de temps. Vous voulez boire quelque chose de chaud ?

— Un café, s'il vous plaît. Noir, avec deux sucres. »

Il fit durer son café encore dix minutes avant que Mme Darsie ne vienne le voir. « Elle est toute bouleversée, dit-elle. Moi aussi, d'ailleurs. Jennifer est une fille adorable, sa meilleure amie depuis le primaire. Les Maidment sont comme une deuxième famille pour Claire. Et inversement pour Jennifer. Elles étaient tout le temps ensemble, ici ou chez Jennifer, ou pour aller faire les boutiques, ce genre de choses.

— C'est pour ça que Claire est un témoin si important pour nous, expliqua Ambrose. Si quelqu'un sait ce que Jennifer avait prévu pour ce soir, il y a des chances que ce soit votre fille. La meilleure chose qu'elle puisse faire pour son amie à présent, c'est de me parler.

— Elle comprend. Laissez-la se ressaisir, puis elle vous parlera. » Mme Darsie posa sa main sur sa joue. « Mon Dieu, pauvre Tania. Elle était fille unique, vous savez. Tania et Paul avaient essayé pendant une éternité avant que Jennifer n'arrive, et ils étaient fous d'elle. Non pas qu'ils la gâtaient ou quoi que ce soit. Ils étaient très stricts. Mais il suffisait de les voir avec elle pour comprendre à quel point ils lui étaient attachés.

— Nous nous demandions où M. Maidment était ce soir, glissa Ambrose, profitant de son apparent empressement à parler des Maidment.

— Il est en Inde. Il est propriétaire d'une société de fabrication de machines-outils, il est parti là-bas pour chercher des clients et tenter de survivre à la crise du crédit. » Ses yeux se baignèrent de larmes. « Il n'est même pas au courant, n'est-ce pas ?

— Je n'en sais vraiment rien, répondit doucement Ambrose. Mes collègues sont en ce moment même avec Mme Maidment pour l'aider à surmonter cette épreuve. Ils trouveront le meilleur moyen de contacter M. Maidment. » Il posa une main chaleureuse sur le bras de Mme Darsie. « Pensez-vous que Claire serait en état de me parler maintenant ? »

Claire était pelotonnée sur le canapé, le visage empourpré et les yeux bouffis de larmes. Ainsi recroquevillée, elle faisait beaucoup moins que ses quatorze ans. « Vous avez dit que Jennifer était morte, lança-t-elle dès qu'Ambrose entra dans la pièce. Vous voulez dire que quelqu'un l'a tuée, c'est ça ?

— J'en ai bien peur, répondit Ambrose en s'asseyant face à elle tandis que la mère reprenait son attitude protectrice. Je suis désolé.

— Est-ce qu'ils... Est-ce qu'elle... Ils lui ont fait du mal ? Je veux dire, bien sûr qu'ils lui ont fait du mal, ils l'ont tuée. Mais est-ce qu'ils l'ont torturée, quoi ? » Son besoin d'être rassurée était évident. Ambrose ne mentait généralement pas aux témoins, mais c'était parfois la solution la plus humaine.

« Ça a été très rapide, déclara-t-il de sa voix grave et naturellement rassurante.

— Ça s'est passé quand ? demanda Claire.

— On ne peut pas encore en être sûr. Quand l'as-tu vue pour la dernière fois ? »

Claire prit une grande inspiration. « On a quitté le collège ensemble. Je pensais qu'elle allait venir ici parce qu'on avait un devoir de bio à faire et que, d'habitude, on fait tout ce qui est sciences ici parce que mon père est prof de chimie et qu'il peut nous aider quand on coince quelque part. Mais elle m'a dit que non, qu'elle rentrait chez elle parce que son père revenait demain et qu'elle voulait préparer un gâteau. Genre, bienvenue à la maison, un truc comme ça.

— C'est gentil. Est-ce qu'elle avait l'habitude de faire quelque chose de spécial comme ça quand son père rentrait de voyage ? »

Claire haussa les épaules. « Je sais pas trop. Je me souviens pas qu'elle ait fait un truc comme ça avant, mais j'ai jamais fait bien attention. Il part tout le temps, son père. Parfois juste pour quelques nuits, mais ces derniers temps, il partait plusieurs semaines à chaque fois.

— C'est à cause de l'économie en Chine et en Inde, coupa sa mère. Il faut qu'il profite des nouveaux marchés, c'est pour ça qu'il était autant en déplacement. »

Ambrose aurait préféré que la mère de Claire reste en dehors de la discussion. Il essayait toujours de faire en sorte que ses interrogatoires se déroulent comme une conversation. C'était le meilleur moyen d'amener les gens à dévoiler plus que ce qu'ils voulaient. C'est pourquoi il détestait quand d'autres personnes interrompaient le dialogue. « Et c'est tout ce que Jennifer a dit sur ses projets ? Qu'elle rentrait chez elle pour faire un gâteau ? »

Les sourcils froncés, Claire fouilla dans ses souvenirs. « Ouais. J'étais un peu fâchée qu'elle m'ait rien dit plus tôt. Parce qu'on s'est promis de jamais se laisser tomber. "Les amis ne se laissent pas tomber", c'est notre, comment, notre devise. Je veux dire, elle m'a même pas proposé de venir avec elle pour l'aider.

— Donc, sur le coup, tu as trouvé ça un peu bizarre ? Que Jennifer t'annonce ça de but en blanc ?

— Un peu, fit Claire en hochant la tête. Enfin, rien de sérieux, hein ? Juste pas vraiment son genre. Mais j'allais pas me brouiller avec elle pour ça, vous comprenez ? Elle veut faire un truc sympa pour son père, ça la regarde.

— Où est-ce que vous vous êtes dit au revoir exactement ?

— En fait, on ne s'est pas dit au revoir. Pas tout à fait. Vous voyez, on est à l'arrêt de bus et le bus arrive, alors je monte en premier, et alors Jennifer me fait : "J'ai oublié, faut que j'achète du chocolat pour le gâteau, faut que j'aille au supermarché." Il y a une supérette à cinq minutes à pied de l'école, vous voyez ? Donc je suis déjà dans le bus et elle se faufile entre les gens pour descendre et j'ai pas le temps de comprendre qu'elle est déjà à côté du bus en train de marcher vers le supermarché. Et elle me fait signe de la main avec un grand sourire. Et elle me dit un truc du genre : "À demain". Enfin, c'est ce que j'ai cru lire sur ses lèvres. » Le visage de Claire se décomposa et des larmes coulèrent sur ses joues. « C'est la dernière fois que je l'ai vue. »

Ambrose patienta pendant que la mère de Claire lui caressait les cheveux pour l'aider à retrouver son calme. « On dirait que Jennifer n'était pas vraiment elle-même ce soir, dit-il. Qu'elle ne se comportait pas tout à fait comme d'habitude, si ? »

Claire haussa une épaule. « Je ne sais pas. Peut-être, oui. »

Ambrose, lui-même père d'un ado, reconnut là une manière de dire « absolument ». Il lui fit un petit sourire entendu. « Je sais que tu ne veux rien dire qui te donne l'impression de laisser tomber Jennifer, mais on ne peut pas avoir de secrets dans une enquête sur un meurtre. Tu crois qu'elle aurait pu aller retrouver quelqu'un ? Quelqu'un dont elle n'aurait parlé à personne ? »

Claire renifla et s'essuya le nez du dos de la main. « Elle ne m'aurait jamais caché un truc pareil. Pas moyen. Quelqu'un a dû l'enlever sur le chemin du supermarché. Ou en rentrant chez elle après. »

Ambrose n'insista pas. Il n'avait rien à gagner à la braquer. « Est-ce que vous alliez ensemble sur Internet ? »

Claire acquiesça. « On se connectait surtout chez elle. Son ordi est mieux que le mien. Et on discute tout le temps, en chat, par SMS, ce genre de trucs.

— Vous utilisez un réseau social ? »

Claire lui jeta un regard l'air de dire « À ton avis ? » et hocha la tête. « On est sur Rig. »

Évidemment. Quelques années plus tôt, ça avait été MySpace. Qui avait été dépassé par Facebook. Puis RigMarole était apparu avec une interface encore plus conviviale et l'avantage supplémentaire d'offrir un logiciel de reconnaissance vocale téléchargeable gratuitement. Il n'y avait même plus besoin de savoir taper pour accéder à une communauté mondiale de personnes du même âge et sur la même longueur d'onde, ainsi que de prédateurs bien camouflés. Ambrose essayait de garder un œil sur ses gosses et leurs contacts, mais il savait que c'était une bataille perdue d'avance. « Est-ce que par hasard tu connais le mot de passe de

Jennifer ? Ça nous rendrait vraiment service d'accéder le plus vite possible à son profil et à ses messages. »

Claire jeta un bref regard de côté à sa mère, comme si elle-même gardait certains secrets qu'elle ne voulait pas révéler. « On avait nos codes à nous. Pour que personne ne puisse deviner. Son mot de passe, c'était mes initiales plus les six derniers chiffres de mon numéro de portable. C'est-à-dire CLD435767. »

Ambrose enregistra le code sur son téléphone. « Tu ne sais pas à quel point ça nous aide, Claire. Je ne vais pas te déranger beaucoup plus longtemps, mais il faut que je te demande : Jennifer t'a-t-elle déjà parlé de quelqu'un dont elle avait peur ? Quelqu'un qu'elle voyait comme une menace ? Ça peut être un adulte, quelqu'un du collège, un voisin. N'importe qui. »

Claire fit non de la tête, la tristesse se peignant de nouveau sur son visage. « Elle ne m'a jamais rien dit de ce genre. » Sa voix était pitoyable, son air désespéré. « Tout le monde aimait Jennifer. Pourquoi quelqu'un aurait voulu la tuer ? »

CHAPITRE 4

Carol n'en revenait pas de la vitesse avec laquelle toute trace de la présence de John Brandon avait été éliminée de son ancien bureau. John avait opté pour une décoration discrète, avec une unique photo de famille et une machine à café sophistiquée pour tout reflet de sa personnalité. James Blake était clairement d'une autre étoffe. Des fauteuils en cuir, un bureau ancien et des classeurs à tiroirs en bois donnaient au lieu de faux airs de maison de campagne. Les murs étaient ornés de signes ostentatoires de la réussite de Blake : son diplôme de l'université d'Exeter encadré, des photos de lui avec deux Premiers ministres, le prince de Galles, ainsi que divers ministres de l'Intérieur et autres petites célébrités. Carol n'aurait pu dire si c'était de la vanité ou un coup de semonce à l'adresse des visiteurs. Elle réserva son jugement en attendant de le connaître mieux.

Tiré à quatre épingles dans sa tenue de cérémonie, Blake invita Carol à s'asseoir dans un des fauteuils tonneaux installés devant son bureau. À la différence de Brandon, il ne lui offrit pas de thé ni de café. Et se passa également de civilités. « Je vais aller droit au but, Carol », commença-t-il.

C'est donc ainsi que cela se passerait entre eux. On ne ferait pas semblant de vouloir tisser des liens ni de trouver un terrain d'entente. Il était évident pour Carol qu'il ne l'avait pas appelée par son prénom pour ouvrir la voie à une relation amicale mais simplement pour tenter de la diminuer en passant son grade sous silence. « Je suis contente de l'entendre, monsieur. » Elle résista à l'envie de croiser les bras et les jambes et préféra imiter son attitude ouverte. Après toutes ces années passées à côtoyer Tony, certaines choses avaient déteint sur elle.

« J'ai consulté vos états de service. Vous êtes un officier brillant, Carol. Et vous avez formé une équipe remarquable autour de vous. » Il marqua une pause, en attente d'une réaction.

« Merci, monsieur.

— Et c'est en cela que réside le problème. » Sa bouche dessina un sourire qui montrait à quel point il était satisfait de son petit jeu.

« Nous n'avons jamais considéré notre réussite comme étant un problème, rétorqua Carol, sachant que ce n'était pas tout à fait la réponse escomptée.

— Il me semble que les attributions de votre équipe consistent à enquêter sur les crimes graves perpétrés dans notre secteur qui ne relèvent d'aucune brigade nationale ? »

Carol hocha la tête. « C'est exact.

— Mais quand vous êtes entre deux enquêtes, vous travaillez sur des affaires non classées ? » Il ne pouvait cacher son dédain.

« En effet. Et nous avons là aussi remporté des victoires notables.

— Je ne mets pas cela en doute, Carol. Ce que je mets en doute, c'est le fait que vos talents soient employés au mieux sur des affaires non classées.

— Les affaires non classées sont importantes. Nous parlons au nom des morts. Nous permettons aux familles de tourner la page et nous livrons des gens à la justice après des années de tranquillité qu'ils ont volées à la société. »

Les narines de Blake palpitèrent, comme si une odeur déplaisante était venue les lui chatouiller. « Est-ce là ce que dit votre ami le docteur Tony Hill ?

— C'est ce que nous pensons tous, monsieur. Les affaires non classées sont importantes. Et leur impact sur le public n'est pas négligeable non plus. Elles aident les gens à comprendre l'engagement que met la police à élucider les crimes graves. »

Blake sortit une petite boîte de pastilles pour l'haleine et s'en fourra une dans la bouche. « Tout cela est vrai, Carol. Mais franchement, les affaires non classées, c'est pour les tâcherons. Les bêtes de trait, Carol, pas les chevaux de course pur-sang comme vous et votre brigade. C'est la persévérance qui permet de les élucider, pas ce type d'intelligence supérieure que vous et votre équipe déployez.

— J'ai peur de ne pas être d'accord avec votre analyse, monsieur. » Même si elle ne comprenait pas bien ce qui la mettait dans une telle colère, elle la sentait monter. « Si c'était aussi simple, ces affaires auraient été résolues il y a longtemps. Il ne s'agit pas seulement d'appliquer de nouvelles techniques de criminalistique à de vieilles affaires. Il s'agit d'aborder ces affaires sous de nouveaux angles, de penser l'impensable. Et mon équipe est douée pour ça.

— Peut-être bien. Mais ce n'est pas une manière valable d'utiliser mon budget. Votre brigade représente un investissement prodigieux. Vous avez une variété et un niveau de compétences et de connaissances qui devraient être consacrés à la résolution d'affaires en cours. Pas seulement les crimes les plus graves, mais aussi d'autres dossiers importants qui atterrissent sur les bureaux de la brigade criminelle. Les gens pour lesquels nous œuvrons méritent les meilleurs services. Et c'est mon travail de les leur fournir avec la meilleure rentabilité possible. Alors je vous mets en garde, Carol. Je ne vais rien changer dans l'immédiat, mais je vais surveiller votre équipe de près. Je vous mets à l'essai. Et dans trois mois, je prendrai une décision basée sur un examen rigoureux de l'avancement de vos dossiers et de vos résultats. Mais je vous préviens dès maintenant : tout m'incite à vous ramener au fonctionnement courant de la Crim'.

— On dirait que c'est déjà tout vu, monsieur, indiqua Carol en s'efforçant de rester aimable.

— C'est à vous de voir, Carol. » Son sourire fut cette fois indéniablement suffisant. « Et une dernière chose, tant qu'il est question du budget ? Vous semblez consacrer beaucoup d'argent aux consultations du docteur Hill. »

Sa colère grandissante n'était alors plus très loin d'exploser. « C'est en grande partie grâce au docteur Hill que nous réussissons aussi bien, souligna-t-elle, incapable d'éviter une certaine brusquerie.

— C'est un psychologue clinicien, pas un expert criminologue. Son travail peut être fait par un autre. » Blake ouvrit un tiroir et en sortit un dossier. Il jeta un regard à Carol comme s'il était surpris qu'elle soit encore là. « La faculté nationale de police a formé des agents en science béhavioriste et en profilage. Nous allons économiser une fortune en faisant appel à leurs ressources.

— Ils n'ont pas l'expertise du docteur Hill. Ni son expérience. Le docteur Hill est unique. M. Brandon a toujours été de cet avis. »

Il y eut un long silence. « M. Brandon n'est plus là pour vous protéger, Carol. Il a pu juger opportun de consacrer à votre... – il marqua une pause puis reprit d'une voix chargée de sous-entendus – ... *propriétaire* une part si conséquente du budget de la police de Bradfield. Moi non. Alors, si vous avez besoin d'un profileur, employez-en un qui ne nous donne pas l'air d'être corrompu, compris ? »

Patterson sentit les premiers élancements d'un mal de tête au fond de son crâne. Ce n'était guère étonnant ; il avait à peine dormi deux heures. En le voyant à la télé, avec ses cheveux argentés et son teint blême, les gens auraient pu croire que leurs téléviseurs avaient été changés pour des modèles noir et blanc. Seuls ses yeux rouges indiquaient le contraire. Il avait bu assez de café pour démarrer une Harley Davidson au kick, mais cela n'avait pas suffi à lui donner l'apparence d'un homme à qui on souhaiterait confier une enquête pour meurtre. Il n'y avait rien de plus déprimant que de tenir une conférence de presse sans rien à dévoiler de plus que les simples faits constatés après le crime.

Peut-être qu'ils auraient de la chance. Peut-être que la couverture médiatique de l'événement ferait apparaître un témoin qui aurait remarqué Jennifer Maidment après qu'elle eut dit au revoir à sa meilleure amie. Cela marquerait à coup sûr la victoire de l'espoir sur l'expérience. Mais le plus probable était qu'ils recueillent un flot de témoignages fantaisistes, pour la plupart de bonne foi mais tout aussi inutiles que ceux de ces personnes cherchant à attirer l'attention et de ces connards impénétrables qui aimaient simplement faire perdre son temps à la police.

Tandis que les journalistes sortaient en file, il partit à la recherche d'Ambrose. Il le trouva auprès de leur docile expert en informatique. Gary Harcup avait été tiré de son lit juste après minuit et mis au travail sur le portable de Jennifer. Ambrose jeta tout juste un coup d'œil à son chef puis se tourna de nouveau vers l'écran et plissa ses yeux marron fatigués pour mieux voir. « Donc, ce que vous me dites, c'est que toutes ces sessions ont été ouvertes sur des ordinateurs différents ? Même si on voit que c'est la même personne qui parlait à Jennifer ?

— C'est ça.

— Mais enfin, comment est-ce possible ? demanda Ambrose, visiblement contrarié.

— Je suppose que la personne qui parlait à Jennifer allait dans des cyber-cafés ou des bibliothèques. Jamais deux fois au même endroit. » Gary Harcup avait la même corpulence qu'Alvin Ambrose, mais c'était leur seul point commun. Alors qu'Ambrose était vigoureux, soigné et musclé, Gary était grassouillet, négligé, avec des lunettes, une tignasse brune ébouriffée et une barbe de même nature. Une caricature d'ours. Il se gratta la tête. « Il se sert d'adresses e-mail gratuites, dont les utilisateurs sont impossibles à retrouver. Aucune des sessions ne dure plus d'une demi-heure, personne ne va prêter attention à lui. »

Patterson approcha une chaise. « Qu'est-ce qui se passe, les gars ? Vous avez quelque chose pour nous, Gary ? »

Mais ce fut Ambrose qui répondit. « D'après Claire Darsie, Jennifer et elle allaient tout le temps sur RigMarole. Et Gary a réussi à accéder à toute une partie de leurs discussions sur des forums ou en chat.

— Des infos utiles ? » Patterson se pencha en avant pour mieux voir l'écran. L'odeur de savon émanant d'Ambrose lui fit honte de son état de saleté. Il ne s'était pas arrêté pour prendre une douche et s'était contenté d'un rapide coup de rasoir électrique.

« Il y a beaucoup de déchets, expliqua Gary. La parlote habituelle d'adolescents sur *X Factor* et *Secret Story*. Les pop stars et les acteurs de série. Les ragots sur leurs copains du collège. Elles discutent surtout avec d'autres ados de leur classe, mais il y a quelques personnes qui viennent d'autres secteurs de RigMarole. En général d'autres filles de leur âge fans des mêmes boy bands.

— J'entends déjà un "mais", intervint Patterson.

— Vous entendez bien. Il y en a un qui est un peu différent, répondit Ambrose. Qui essaie de rentrer dans le moule mais détonne de temps en temps. Et qui fait en sorte de ne rien révéler qui permette de le localiser géographiquement. Vous pouvez nous montrer, Gary ? »

Gary pianota sur son clavier et une chaîne d'échanges de messages se mit à défiler sur l'écran. Patterson lut attentivement, sans être bien sûr de ce qu'il cherchait. « Vous croyez que c'est un pédophile qui tente une approche ? »

Ambrose fit non de la tête. « Ça n'en donne pas l'impression. Qui que soit cette personne, elle essaie de faire parler Jennifer et ses copains, de devenir amis. Les pédophiles essayent d'habitude d'en isoler un. Ils jouent sur leurs complexes au niveau des apparences, du poids, de la personnalité, du fait d'être cool. Or ce n'est pas le cas ici. Il cherche plutôt à montrer qu'il est solidaire. Que c'est un des leurs. » Il tapota l'écran du doigt. « Il ne cherche pas du tout à abuser d'eux.

— C'est après que ça devient vraiment intéressant, annonça Gary en faisant défiler si vite les messages qu'ils ne virent plus qu'une traînée confuse de texte et de smileys. Ça date d'il y a cinq jours. ».

Jeni : Keske tu vE dire, zz ?
ZZ : On a ts D secrets, D choz ki ns ft honte. D choz ki ns tueré si nos potes savé.
Jeni : Pa moi. Ma meilleure amie C tt sur moi.
ZZ : C skon dit ts, et on ment ts.

« Les autres interviennent et ça se transforme en discussion générale, dit Gary. Mais là, ZZ propose une session de chat privée à Jennifer. Et voici. »

ZZ : Jvoulè tparlé en priV.
Jeni : Pkoi ?
ZZ : Psk je C kta 1 GRAND secret.
Jeni : T'en C + ke moi alors.
ZZ : D fois on conné pa C propres secrets. Ms jconné 1 secret ktu voudrè dire à pRsonne dotr.
Jeni : Jvoi pa dkoi tu parl.
ZZ : Connecte-toi 2m1 mm heure & on en reparlera.

« Et c'est là que s'arrête cette session, déclara Gary.

— Et alors, que s'est-il passé le lendemain ? » s'enquit Patterson.

Gary s'enfonça dans son fauteuil et s'ébouriffa les cheveux. « C'est là le problème. Quoi que ZZ ait eu à dire à Jennifer, ça a suffi pour qu'elle efface la conversation.

— Je croyais que c'était impossible d'effacer la mémoire d'un ordinateur à moins de mettre le disque dur en miettes à coups de marteau », observa Patterson. Le mal de tête s'installait à présent sous la forme d'une douleur sourde entre ses deux oreilles. Il pinça l'arête de son nez entre ses doigts pour tenter de stopper la douleur.

« C'est à peu près ça, répondit Gary. Seulement ça ne veut pas dire que c'est accessible en un clic. Je présume que cette fille n'avait aucune idée de comment nettoyer à fond son ordinateur. Mais malgré ça, je vais devoir passer un sacré paquet de logiciels sur cet engin pour essayer de récupérer ce qu'elle a tenté d'effacer.

— Bon Dieu de merde, grogna Ambrose. Combien de temps ça va prendre ? »

Gary haussa les épaules, ébranlant sa chaise. « Aucune idée. Ça peut être l'affaire de quelques heures, mais ça peut aussi me prendre des jours. » Il ouvrit les mains en signe d'impuissance. « Qu'est-ce que vous voulez que je vous dise ? C'est pas comme de réviser une voiture. Je ne peux absolument pas vous donner d'estimation valable.

— Soit, dit Patterson. Est-ce qu'on peut juste revenir à là où vous en étiez quand je suis arrivé ? Vous expliquiez à Alvin que ces sessions ont toutes été ouvertes sur des ordinateurs différents ? Existe-t-il un moyen de découvrir où sont ces ordinateurs ? »

Gary haussa de nouveau les épaules, puis il joignit les mains et fit craquer ses articulations. « En théorie oui, mais je ne peux rien garantir. Certains sites Web enregistrent les coordonnées des ordinateurs utilisés. Mais les machines changent de mains. » Il fit une moue de clown triste. « Mais il nous reste quand même une bonne chance de pouvoir en localiser certains.

— Ça nous permettrait au moins de nous faire une idée de l'endroit où ce salopard est basé, souligna Patterson. Ça doit aussi être une de nos priorités dans l'immédiat. Est-ce que vous pouvez vous occuper de ça en même temps que d'analyser l'ordinateur ? Ou est-ce qu'on doit appeler du renfort ? »

Si Gary avait été un chien, la touffe de cheveux à l'arrière de sa tête se serait dressée d'un coup. « Je peux me débrouiller, dit-il. Pendant que les programmes parcourent le portable de Jennifer, je peux commencer à rechercher les coordonnées des ordinateurs. »

Patterson se leva. « Très bien. Mais si ça prend trop longtemps, on trouvera quelqu'un pour vous aider à faire le sale boulot. »

Gary lui lança un regard noir. « Il n'y a aucun sale boulot là-dedans. »

Patterson se retint de rouler des yeux. « Non, bien sûr que non. Désolé, Gary. Je ne voulais pas vous froisser. » Il résista à la tentation de lui tapoter sur l'épaule comme il l'aurait fait avec le bâtard qu'il avait chez lui. « Alvin, je peux te toucher un mot ? »

Une fois dans le couloir, Patterson s'adossa au mur et sentit peser sur ses épaules le poids de cette enquête qui n'avançait pas. « C'est l'impasse totale, dit-il. On n'a pas un seul témoin. Elle est descendue du bus mais elle n'est jamais arrivée au supermarché. C'est comme si Jennifer Maidment s'était volatilisée entre l'arrêt de bus et le magasin. »

Un coin de la bouche d'Alvin se souleva avant de retomber. « Ça, c'est si elle allait vraiment au supermarché.

— Comment ça ? D'après ce que tu m'as rapporté, Claire Darsie a dit que Jennifer était partie acheter du chocolat pour le gâteau de son père. Elle l'a vue prendre cette direction. Jennifer lui a dit au revoir d'un signe de main.

— Ça ne signifie pas qu'elle a dit la vérité, rétorqua Ambrose, impassible. Ce n'est pas parce qu'elle est partie dans cette direction qu'elle a ensuite continué. Claire nous a dit que Jennifer n'était pas du tout comme d'habitude. Alors peut-être qu'elle avait d'autres projets. Des projets qui n'avaient rien à voir avec le supermarché. Ou avec ce gâteau pour son père. Peut-être qu'il n'y a même jamais eu de gâteau.

— Tu crois qu'elle avait rendez-vous avec quelqu'un ? »

Ambrose haussa les épaules. « Nous devons nous demander ce qui serait assez important pour pousser une adolescente à mentir à sa meilleure copine. En général, c'est une histoire de garçon.

— Tu crois qu'elle s'est rendu compte que l'intrus sur Rig était un adulte ?

46

— Je ne sais pas. Je doute qu'elle ait été si perspicace. Je pense plutôt qu'elle est allée essayer d'en savoir plus sur ce soi-disant "secret". »

Patterson soupira. « Et tant que Gary n'aura pas réussi son tour de magie, on n'a pas le moindre indice sur ce que ça peut être.

— C'est vrai. Mais entre-temps, ça ne nous fera pas de mal de bavarder un peu avec papa et maman. Voir s'il a jamais été question de gâteau. »

CHAPITRE 5

Daniel Morrison avait été gâté depuis bien avant sa naissance. On aurait difficilement pu imaginer un enfant plus désiré, et aucune dépense ou considération n'avait été épargnée pour lui offrir la meilleure vie possible. Durant sa grossesse, sa mère Jessica avait non seulement renoncé à l'alcool et aux graisses saturées mais aussi à la laque à cheveux, au nettoyage à sec, au déodorant et à l'antimoustique. Tout ce qu'on avait pu accuser d'être potentiellement cancérigène s'était vu banni de l'environnement de Jessica. Si Mike sentait la cigarette en rentrant du pub, il devait se déshabiller dans la buanderie puis se doucher avant de pouvoir approcher sa femme enceinte.

Quand Daniel était né par césarienne de convenance avec un score d'Apgar parfait, Jessica avait trouvé une justification à toutes les mesures préventives qu'elle avait prises. Elle n'avait pas hésité à partager cette conviction avec quiconque voulait l'écouter et un certain nombre d'autres personnes qui n'y tenaient pas.

Cette quête de perfection ne s'arrêtait pas là. À chaque stade de son développement, Daniel avait reçu les jouets éducatifs pour l'âge correspondant et d'autres stimulants. À quatre ans, il était inscrit dans la meilleure école privée de Bradfield, engoncé dans un bermuda en flanelle grise, une chemise et une cravate, un blazer bordeaux et une casquette qui n'auraient pas détonné dans les années 1950.

Et cela continuait. Vêtements haute couture et coiffures à la mode ; Chamonix l'hiver, la Toscane rupine l'été ; tenues blanches de cricket et chandails de rugby ; Cirque du Soleil, concerts classiques et théâtre. Tout ce que Jessica pensait nécessaire à Daniel, Daniel l'avait. Un autre homme aurait sans doute mis un frein à tout ça. Mais Mike aimait sa femme – son fils aussi, bien sûr, mais pas de la même manière qu'il adorait Jessica – et il cherchait à la rendre heureuse. Aussi, il la gâtait de la même façon qu'elle gâtait Daniel. Il avait eu la chance d'être un des pionniers de l'industrie des téléphones portables au début des années 1990. À certains moments, il avait eu l'impression de posséder la légendaire poule aux œufs d'or. Ce n'avait donc jamais été un problème que Jessica ait su dépenser son argent.

Cependant Mike Morrison commençait peu à peu à se rendre compte que son fils de quatorze ans n'était pas quelqu'un de très sympathique. Au cours des derniers mois, il était devenu évident que Daniel n'acceptait plus volontiers tout ce que Jessica décidait être le mieux pour lui. Il se formait sa propre idée de ce qu'il voulait, et le sentiment dont Jessica l'avait nourri que tout lui était dû signifiait qu'il n'accepterait rien volontiers qui ne satisfasse rapidement et totalement ses désirs. Il y avait eu quelques disputes spectaculaires, qui s'étaient généralement terminées avec Jessica en larmes et Daniel en exil volontaire dans sa suite de chambres, refusant parfois d'en sortir pendant des jours.

Mais ce n'étaient pas les querelles qui embêtaient Mike, malgré l'abattement et la colère de Jessica. Il se souvenait de disputes semblables à sa propre adolescence, lorsqu'il avait essayé de s'affirmer malgré l'opposition parentale. Ce qui l'inquiétait, c'était ce soupçon, en train de devenir une certitude, qu'il n'avait pas la moindre idée de ce qui se passait dans la tête de son fils.

Il se rappelait ses quatorze ans. Ses préoccupations avaient alors été assez simples. Le foot, qu'il s'agisse de le regarder ou d'y jouer ; les filles, dans la réalité comme en imagination ; les qualités respectives des groupes Cream et Blind Faith ; et combien de temps il lui faudrait encore avant de réussir à se faire inviter à une fête où il y aurait à boire et à fumer. Ce n'avait pas été un petit saint, et il avait eu la conviction que sa dérive par rapport aux attentes de ses parents l'aiderait à se rapprocher de Daniel quand celui-ci atteindrait l'adolescence.

Il s'était complètement trompé. Daniel n'avait répondu aux tentatives de Mike pour tisser des liens affectifs que par un haussement d'épaules, un ricanement et un refus total de jouer le jeu. Après une rebuffade de trop, Mike avait accepté à contrecœur le fait de n'avoir aucune idée de ce qui se passait dans la tête ou dans la vie de son fils. Les rêves et les désirs de Daniel, ses peurs et ses fantasmes, ses passions et ses penchants, tout cela était un mystère pour son père.

Mike pouvait seulement deviner la manière dont son fils occupait les longues heures qu'ils passaient chacun de leur côté. Et ses spéculations ne lui plaisant pas, il avait décidé d'essayer de ne pas y penser du tout. Il supposait que cela convenait parfaitement à Daniel.

Ce qu'il ne pouvait deviner, c'était que cela convenait également très bien à son meurtrier.

Mieux valait organiser certaines réunions en dehors du lieu de travail. Carol l'avait toujours su d'instinct ; Tony lui avait fourni une explication rationnelle. « Il suffit de sortir les gens de leur environnement pour que les hiérarchies soient brouillées. Ils sont alors légèrement déstabilisés mais ils essaient aussi de se faire remarquer, de s'imposer. Ça les rend plus créatifs, plus innovants. Et c'est indispensable dans un service où l'on veut aller de l'avant. Rester ouvert d'esprit et inventif est l'une des choses les plus difficiles à accomplir, surtout dans des organisations hiérarchiques comme la police. »

Dans une brigade comme la leur, il était encore plus capital de toujours garder une longueur d'avance. Comme James Blake le lui avait si ostensiblement rappelé, les unités d'élite étaient toujours beaucoup plus surveillées que les services classiques. Élaborer de nouvelles stratégies qui s'avéraient efficaces constituait donc une manière simple de désarmer les critiques. La pression était à présent plus forte que jamais, mais Carol faisait confiance aux membres de son équipe pour défendre leurs rôles aussi âprement qu'elle le ferait elle-même. Et c'est pour cette raison qu'elle se trouvait à présent en train de prendre commande des boissons dans la salle de karaoké privée de son resto thaï préféré.

Par ailleurs, elle examinait autre chose que lui avait appris Tony : les choix et la façon dont ils sont faits peuvent être révélateurs, même dans une moindre mesure. C'était donc une chance pour elle de confronter ses impressions à ses connaissances, de vérifier si les choses qu'elle croyait savoir sur son équipe étaient corroborées par leurs choix de consommations et la manière dont ils les effectuaient.

Avec Stacey Chen, ce fut un jeu d'enfant. Depuis trois années qu'elles travaillaient ensemble, Carol n'avait jamais vu leur crack en informatique boire autre chose que du thé Earl Grey. Elle en avait toujours des sachets individuels dans son élégant sac à dos en cuir. Dans les bars et les boîtes dont la carte ne proposait pas de thé, elle réclamait de l'eau bouillante, dans laquelle elle plongeait l'un de ses sachets. C'était une femme qui savait exactement ce qu'elle voulait et, une fois qu'elle en avait décidé, elle ne faisait strictement aucune concession pour l'obtenir. Il était en revanche difficile de deviner son humeur en raison de cette constance. Lorsqu'une personne ne variait jamais dans ses préférences, il était impossible de percevoir si elle était stressée ou remplie de joie, en particulier quand elle était aussi douée que Stacey pour dissimuler ses émotions. Carol avait la sensation désagréable de donner dans le stéréotype racial, mais Stacey était indéniablement la personne la plus impénétrable qu'elle eût connue.

Après tout ce temps, elle n'avait toujours presque rien à ajouter aux simples faits énoncés dans le CV de Stacey. Ses parents étaient des Chinois de Hong Kong qui avaient réussi dans la vente de nourriture en gros et au détail. La rumeur voulait que Stacey elle-même ait gagné des millions en vendant des logiciels qu'elle avait conçus pendant son temps libre. Il était certain qu'elle s'habillait comme une millionnaire, ses vêtements semblaient faits sur mesure, et on pouvait de temps en temps lire un soupçon d'arrogance dans son attitude qui révélait une autre facette de sa personnalité calme et diligente. Carol devait reconnaître que, sans le talent que Stacey déployait dans le domaine des nouvelles technologies, elle n'aurait pas choisi de travailler aussi étroitement avec quelqu'un comme elle. Mais elles avaient appris à se respecter mutuellement et établi des relations fructueuses. Carol ne pouvait plus imaginer son équipe sans Stacey et son talent.

De toute évidence, l'agent Paula McIntyre se tâtait et se demandait sans doute si elle aurait le culot de commander un verre digne de ce nom. Carol estima que Paula allait y renoncer car elle avait moins besoin d'alcool que de faire bonne impression auprès de sa chef. *Et re-bingo.* Paula opta pour un Coca. Il existait un lien tacite entre Paula et sa chef ; le métier leur avait infligé à toutes les deux des blessures qui dépassaient de loin l'expérience normale des policiers de terrain. Carol s'était vue trahie par les personnes sur lesquelles elle aurait dû pouvoir compter. Elle en avait gardé amertume et colère, et avait failli tout arrêter. Paula avait elle aussi songé à démissionner, bien que dans son cas il n'eût pas été question de trahison mais d'un sentiment de culpabilité écrasant. Elles avaient pour point commun d'avoir toutes deux renoué avec leur carrière grâce à l'aide de Tony Hill. Dans le cas de Carol, en tant qu'ami ; dans celui de Paula, en tant que thérapeute à titre privé. Carol lui en était doublement reconnaissante, notamment parce que personne n'était aussi doué que Paula pour obtenir des informations lors d'un interrogatoire. Mais en toute honnêteté, cela avait aussi éveillé chez elle un semblant de jalousie. *Minable,* se fustigeait-elle.

Et puis, il y avait Kevin. Carol se rendit compte que, maintenant que John Brandon avait pris sa retraite, le sergent Kevin Matthews représentait sa plus longue relation professionnelle. Ils avaient travaillé ensemble sur la première enquête pour meurtres en série que la police de Bradfield eût menée. En conséquence, la carrière de Carol avait fait un bond en avant ; celle de Kevin avait implosé. Quand elle était revenue à Bradfield pour monter la brigade des enquêtes prioritaires, c'était elle qui lui avait donné une seconde chance. *Il ne me l'a jamais tout à fait pardonné.*

Même après toutes ces années, elle ne pouvait lui offrir un verre sans devoir lui demander ce dont il avait envie. Durant un mois, c'était un Coca Light, le suivant un café noir, puis un chocolat chaud. Ou alors, au pub, c'était tantôt une *ale* fermentée en fût, tantôt une blonde allemande glacée ou encore un vin blanc panaché. Elle ne savait toujours pas s'il se lassait facilement ou s'il était versatile.

Deux membres de l'équipe étaient absents. Le sergent Chris Devine se prélassait sur une plage des Caraïbes avec sa compagne.

Carol espérait qu'elle avait l'esprit à tout autre chose qu'à des meurtres, mais elle savait que si Chris avait eu la moindre idée de ce qui se passait ici, elle aurait sauté dans le premier avion pour rentrer. Comme tous dans la brigade, Chris adorait son métier.

Le dernier membre de l'équipe, l'agent Sam Evans, était absent sans raison apparente. Carol leur avait annoncé à tous la réunion de vive voix ou par SMS, mais aucun des autres ne semblait savoir où était Sam. Ou ce qui l'occupait. « Il a reçu un appel à la première heure, sur quoi il a pris son manteau et il est parti », avait expliqué Stacey. Carol était étonnée qu'elle l'eût même remarqué.

Kevin avait fait un grand sourire. « Il peut pas s'en empêcher, hein ? Il pourrait être champion à la course en solitaire. »

Et ce n'est pas le moment de prouver que la BEP n'est pas tant une équipe qu'un ensemble d'individus butés que le hasard fait parfois ressembler à une bande de danseurs de country. Carol soupira. « Je vais passer la commande. Avec un peu de chance, il ne va pas tarder.

— Prenez-lui une eau minérale, suggéra Kevin. Punition. »

À ces mots, la porte s'ouvrit et Sam entra en trombe avec une unité centrale d'ordinateur sous un bras et un air satisfait. « Désolé pour le retard, chef. » Il prit l'encombrant boîtier gris à deux mains et le brandit devant lui tel le trophée du simple messieurs de Wimbledon. « Ta-da ! »

Carol roula des yeux. « Qu'est-ce que c'est, Sam ?

— Ce doit être une unité centrale de PC générique, probablement de la première moitié des années quatre-vingt-dix étant donné le lecteur de disquettes de cinq pouces ainsi que celui de trois et demi, indiqua Stacey. Avec une toute petite mémoire selon les critères actuels, mais suffisante pour les fonctions de base. »

Paula grogna. « Ce n'est pas ce que veut dire la chef, Stacey. Ce que tout ça signifie, voilà ce qu'elle veut savoir.

— Merci, Paula, mais l'arrivée de Sam ne m'a pas tout à fait ôté l'usage de la parole. » Carol toucha l'épaule de Paula en souriant pour adoucir sa remarque. « Comme le dit Paula, Sam, qu'est-ce que tout ça signifie ? »

Sam posa l'unité centrale sur une table et donna une tape dessus. « Ce joujou est la machine dont Nigel Barnes a démenti sous serment l'existence. » Il pointa le doigt vers Stacey. « Et c'est donc l'occasion pour toi de le coffrer pour le meurtre de sa femme. » Il croisa les bras sur son large poitrail et sourit.

« Je n'ai toujours pas la moindre idée de ce dont il est question », déclara Carol, sachant que c'était ce qu'elle devait dire et ayant déjà à moitié pardonné son retard à Sam. Elle savait que la tendance de Sam à suivre son impulsion était dangereuse et mauvaise pour l'esprit de corps, mais elle avait du mal à éprouver de la colère sans complexe. En effet, c'était précisément ce même caractère impatient qui l'avait tant poussée en avant au début de sa propre carrière. Elle lui souhaitait simplement de dépasser la phase de la pure ambition et de se rendre compte qu'on n'allait pas toujours plus vite en étant seul.

Sam jeta sa veste sur une chaise et se jucha sur la table à côté de l'ordinateur. « Une affaire non classée, chef. Danuta Barnes et sa fille de cinq mois ont disparu en 1995. Pas un seul témoignage valable. À l'époque, on avait eu le sentiment que son mari Nigel s'était débarrassé d'elles.

— Je me souviens de cette affaire, dit Kevin. La famille était persuadée qu'il les avait tuées, elle et le bébé.

— Tout juste, Kevin. Il n'avait pas voulu de la petite, ils se disputaient sans arrêt pour des questions d'argent. Les gars de la Crim' ont fouillé la maison de la cave au grenier, mais ils n'ont pas trouvé la moindre trace de sang. Pas de corps. Et il manquait assez de vêtements dans la penderie pour confirmer sa version, à savoir qu'elle s'était simplement fait la malle avec le bébé. » Sam haussa les épaules. « On peut pas leur en vouloir, ils n'avaient écarté aucune piste.

— Pas toutes, on dirait, fit remarquer Carol avec un sourire ironique. Allez, Sam, tu sais que tu crèves d'envie de tout nous dire.

— C'est arrivé sur mon bureau il y a six mois, le suivi de dossier habituel. J'ai voulu aller voir Nigel Barnes, mais il s'est avéré que le dossier n'était pas à jour. Il a vendu la maison il y a un peu plus d'un an. J'ai donc demandé aux nouveaux propriétaires s'ils étaient tombés sur quoi que ce soit d'étrange quand ils avaient rénové la baraque.

— Tu savais ce que tu cherchais ? » demanda Kevin.

Sam acquiesça d'un signe de tête. « Il se trouve que oui. En 97, un criminaliste vigilant a remarqué que le moniteur et le clavier de l'ordinateur ne correspondaient pas à l'unité centrale. Marque différente, couleur différente. Nigel Barnes a juré sur sa tête qu'il l'avait acheté comme ça, mais notre Stacey en herbe a su qu'il mentait parce que le moniteur et le clavier étaient d'une marque de vente par correspondance qui ne vendait que des kits complets. Et donc, à un moment donné, il y avait forcément eu une autre unité centrale. Je me suis demandé si le disque dur traînait toujours quelque part. Mais les nouveaux proprios m'ont répondu que non, la maison avait été complètement vidée. Ce sale pingre avait même emporté les ampoules et les piles des détecteurs de fumée. » Il fit une mine de clown triste. « Alors je me suis dit que c'était foutu.

— Jusqu'à ce que ton téléphone sonne ce matin », glissa Paula. Ils savaient tous à présent comment et quand se donner la réplique.

« Exact. Il s'avère que les nouveaux proprios ont décidé d'étanchéifier leur cave, ce qui demandait d'enlever tous les anciens Placo. Et devinez ce qui se cachait derrière ?

— Pas l'ordinateur, quand même ! » Paula leva les bras au ciel, feignant la stupéfaction.

« L'ordinateur. » Sam capta le regard de Stacey et lui fit un clin d'œil. « Et s'il a des secrets à dévoiler, on sait tous qui est la femme qui les trouvera.

— Je n'arrive pas à croire qu'il ne l'ait pas détruit, confia Kevin, dont les boucles rousses accrochèrent la lumière alors qu'il secouait la tête.

— Il pensait sans doute avoir entièrement effacé le disque dur, indiqua Stacey. À l'époque, les gens ne se rendaient pas compte de la quantité de données qui restent inscrites quand on le reformate.

— Quand même, on aurait imaginé qu'il l'emporte avec lui. Ou qu'il le jette dans une benne. Ou qu'il le donne à une de ces associations caritatives qui recyclent les vieux ordinateurs pour les envoyer en Afrique.

— Paresse ou arrogance. Je vous laisse choisir. Bénies soient ces deux faiblesses, ce sont nos meilleures amies. » Carol se leva.

« Beau boulot, Sam. Et des coups comme ça, on va devoir en réussir autant que possible dans les trois prochains mois. » Ils affichèrent des mines allant de la perplexité au renoncement. « Notre nouveau commandant estime que la BEP est un trop grand luxe. Que nous n'avons pas de raison d'être car tout le monde peut obtenir des résultats dans les affaires non classées sur lesquelles nous travaillons quand nous ne sommes pas totalement occupés par les affaires urgentes. Que nos talents devraient être consacrés uniquement au service de la brigade criminelle. »

Ces paroles soulevèrent immédiatement un tonnerre d'exclamations, aucune n'étant un tant soit peu favorable à la position de Blake. Leurs voix s'éteignirent, le « pauvre con » lancé par Sam concluant le tollé.

Carol secoua la tête. « Ce n'était pas utile, Sam. Je n'ai pas plus envie que vous qu'on redevienne une brigade quelconque de la Crim'. J'aime travailler avec vous tous, et j'aime la manière dont nous menons nos enquêtes. J'aime que nous puissions être inventifs et novateurs. Mais tout le monde n'apprécie pas cela.

— C'est ça le problème quand on travaille pour une organisation qui récompense le respect de la hiérarchie. Ils n'aiment pas l'individualisme justifié, déclara Paula. Les bandes de marginaux comme nous, on sera toujours sous le feu des attaques.

— Ils pourraient quand même prendre en compte notre taux d'élucidation, protesta Kevin.

— Pas quand ça les fait paraître moins efficaces, répondit Carol. Donc. On a trois mois pour prouver que la BEP est l'organe le plus efficace pour mener à bien ce que nous faisons le mieux. Je sais que vous vous donnez tous à cent pour cent sur chaque dossier dont nous nous chargeons, mais j'ai besoin que vous trouviez autre chose pour m'aider à justifier notre existence. »

Ils échangèrent des regards. Kevin recula sa chaise et se leva. « Oubliez la tournée, chef. On ferait mieux de se remettre au boulot, non ? »

CHAPITRE 6

Il pleuvait toujours à verse lorsqu'Alvin Ambrose arriva à la morgue pour récupérer son chef après l'autopsie de Jennifer Maidment. Ils avaient depuis longtemps perdu tout espoir de recueillir des indices sur les lieux du crime. La seule source d'information physique sur le sort de Jennifer était le corps même de la jeune fille. L'inspecteur Patterson trotta jusqu'à la voiture, la tête baissée et rentrée dans les épaules pour se protéger de la pluie cinglante, et se jeta sur le siège passager. Il avait le visage plissé de dégoût, ses yeux bleus étaient presque invisibles entre ses paupières gonflées par le manque de sommeil. Ambrose ne sut pas si cette réaction était due au mauvais temps ou à l'autopsie. Il fit un signe de tête en direction du porte-gobelet. « Café crème allégé », indiqua-t-il. Non pas que Patterson eût besoin de se mettre au régime.

Il eut un frisson. « Merci, Alvin, mais j'ai l'estomac trop remué pour ça. Bois-le, toi.

— Comment ça s'est passé ? » demanda Ambrose en dirigeant doucement la voiture vers la sortie du parking.

Patterson tira sa ceinture de sécurité d'un coup sec et l'attacha. « C'est jamais une partie de plaisir, si ? Surtout quand c'est une gosse. »

Ambrose se garda d'insister. Patterson allait prendre quelques instants pour se ressaisir, rassembler ses esprits, puis il ferait part à son second de ce qui lui semblerait utile. Ils atteignirent la route et Ambrose s'arrêta. « On va où ? »

Patterson, qui n'aimait pas prendre de décisions trop rapides, réfléchit. « Il y a eu du nouveau pendant que j'étais là-dedans ? »

Il y en avait eu beaucoup, tout un tas de bricoles sans grand intérêt. Des choses ne menant nulle part, des broutilles que des agents du bas de l'échelle auraient éliminées en moins de deux. L'un des rôles d'Ambrose dans leur partenariat consistait à filtrer les nouvelles données et à déterminer celles qui méritaient l'attention de Patterson. C'était une responsabilité qui l'avait d'abord effrayé quand Patterson l'avait choisi comme second, mais il avait vite appris qu'il pouvait se fier à son jugement. Le fait que Patterson s'en soit rendu compte avant lui ne faisait que renforcer le respect d'Ambrose pour son chef. « Rien qui vaille votre attention », déclara Ambrose.

Patterson soupira, en gonflant ses joues creuses. « Allons voir les parents, alors. »

Ambrose s'engagea dans la circulation en se représentant mentalement une carte du meilleur trajet. Avant le premier embranchement, Patterson se mit à parler. C'était étonnamment rapide de la part de son chef, se dit Ambrose. Ça laissait deviner à quel point Jennifer Maidment le préoccupait.

« Elle est morte par asphyxie. Le sac en plastique sur sa tête était solidement scotché autour de son cou. Absolument aucun signe de résistance. Pas de coup sur la tête. Pas d'éraflures ou de bleus, pas de sang ou de peau sous les ongles. » Sa voix était lugubre, ses paroles lentes et mesurées.

« Ça laisse supposer qu'on l'a droguée.

— On dirait bien. » Patterson changea de visage au même moment que la colère prenait le dessus sur le cafard. Deux taches pourpres lui teintèrent les pommettes et ses lèvres se crispèrent. « Évidemment, ça va encore prendre des semaines avant qu'on ait ces putains de résultats toxicos. Je te le dis, Alvin, c'est une vraie blague, la médecine légale dans ce pays. Même notre Sécu pourrie est plus rapide. Tu vas chez le médecin pour une batterie complète d'analyses de sang et tu as les résultats, quoi, quarante-huit heures plus tard ? Mais ça peut prendre jusqu'à six semaines pour obtenir un rapport toxico. Si ces foutus politiciens veulent vraiment décourager les criminels et voir grimper le taux d'arrestation, qu'ils filent du fric à la police scientifique. C'est dingue qu'on n'ait les moyens de faire appel à ces techniques que dans un tout petit pourcentage de cas. Et même quand les comptables nous donnent le feu vert, ça prend des plombes. Le temps qu'on reçoive les résultats, neuf fois sur dix, tout ce que ça fait c'est confirmer ce qu'on a déjà conclu par nos bonnes vieilles méthodes de terrain. La police scientifique devrait être là pour aider l'enquête, pas seulement pour attester qu'on a arrêté le bon bandit. Tu connais *Meurtres en sommeil* ? Et *Les Experts* ? Je suis assis devant ma télé et j'ai l'impression de regarder une horrible comédie noire. En un épisode, j'aurais utilisé tout mon budget annuel. »

C'était un de ses coups de gueule habituels, parmi quelques autres que Patterson poussait machinalement dès qu'une affaire le contrariait. Ambrose savait que le problème n'était pas vraiment ce que critiquait son chef. C'était ce que Patterson considérait comme son incapacité à faire des progrès qui puissent soulager les familles en deuil. C'était qu'il se sentait faillible. Et Ambrose n'avait rien à dire pour le rassurer face à cela. « Je te le fais pas dire » fut tout ce qu'il trouva. Il marqua une longue pause pour laisser à Patterson le temps de se calmer. « Qu'est-ce que le médecin a dit d'autre ?

— La mutilation génitale est apparemment le travail d'un amateur. Un couteau à longue lame très aiguisé. Sans doute rien d'exotique – ça pourrait être un couteau de cuisine. » Patterson ne fit rien pour cacher sa révulsion. « Il a enfoncé la lame dans le vagin et a tourné. Le médecin estime qu'il a peut-être essayé d'ôter l'ensemble – vagin, col de l'utérus, utérus. Mais il n'avait pas le savoir-faire pour ça.

— On ne cherche donc sans doute pas quelqu'un ayant des connaissances en médecine », indiqua Ambrose, aussi calme et en apparence imperturbable que jamais. Mais il sentait au fond de lui grandir lentement une colère sourde bien connue, une rage qu'il avait appris à contenir adolescent quand tout le monde présumait qu'un colosse noir comme lui serait toujours partant pour une bagarre. Car, quand il cédait aux provocations, le fait d'être un colosse noir signifiait qu'il aurait toujours tort, d'une façon ou d'une autre. Aussi, mieux valait brûler intérieurement que de finir écrasé par le besoin qu'avaient tous les autres de faire leurs preuves. Et cela incluait les profs et les parents. Il avait donc appris la boxe, appris à placer toute la force de sa fureur sous la discipline du ring. Il aurait pu aller loin, tout le monde le disait. Mais il n'avait jamais suffisamment pris plaisir à démolir ses adversaires pour vouloir gagner sa vie ainsi.

« Le toubib a dit qu'il ne demanderait même pas à ce type de découper une dinde. » Patterson soupira.

« Des signes d'agression sexuelle ? » Ambrose mit son clignotant et tourna dans la rue des Maidment. Il savait à quel point Patterson adorait sa Lily. Ils seraient sans merci, sans pitié dans cette traque si le meurtrier avait également violé sa victime.

« Impossible de le dire. Pas de traumatisme anal, pas de sperme dans sa bouche ou dans sa gorge. Si on a vraiment de la chance, on trouvera peut-être quelque chose dans les échantillons qui sont partis au labo. Mais n'y compte pas trop. » La voiture s'arrêta. Lorsque la meute de journalistes inactifs aperçut Patterson, elle se réveilla et se massa autour de sa portière. « Et c'est parti, marmonna-t-il. Des bons à rien pour la plupart. » Patterson se fraya un chemin parmi cette faune, suivi d'Ambrose. « Je n'ai aucun commentaire à faire, dit-il entre ses dents.

— Laissez la famille tranquille ! ordonna Ambrose en écartant les bras pour les tenir à distance tandis que son chef approchait de la maison. Ne me faites pas perdre mon temps à appeler les agents en uniforme pour qu'ils vous évacuent. Alors maintenant vous reculez, on va voir ce qu'on peut faire pour organiser une conférence de presse avec les parents, d'accord ? » Il savait que sa requête était vaine, mais ils essaieraient peut-être au moins de se faire un peu plus discrets pendant un moment. Et sa carrure faisait parfois son impression dans ce type de situations.

Le temps qu'il atteigne la porte, Patterson était déjà en train d'entrer. En d'autres circonstances, on aurait sans doute jugé beau l'homme qui l'attendait sur le seuil. Il avait d'épais cheveux bruns striés d'argent, des traits réguliers, et le genre d'yeux bleus un peu tombants qui semblaient plaire aux femmes. Mais ce jour-là, Paul Maidment avait l'aspect livide et hagard d'un homme sur le point de se retrouver à la rue. Mal rasé, décoiffé, les vêtements froissés et les yeux rouges, il les regarda d'un air absent comme s'il avait perdu tout sens des usages. Ambrose était incapable d'imaginer ce qu'on pouvait ressentir lorsque, descendant d'un avion avec l'idée de retrouver sa famille, vous découvriez en fait que votre vie avait été brisée à jamais.

Shami Patel apparut derrière Maidment. Elle fit les présentations. « Désolée de ne pas être venue vous ouvrir, j'étais dans la cuisine en train de faire du thé », ajouta-t-elle. Ambrose aurait pu lui dire que Patterson se moquait bien des excuses, mais ce n'était pas le moment.

Ils entrèrent en file dans le salon et s'assirent. « On prendrait tous bien une tasse de thé, Shami », dit Ambrose. Elle hocha la tête et les laissa.

« Je suis désolé de ne pas être venu en personne vous accueillir à l'aéroport, indiqua Patterson. J'avais des affaires à régler. Concernant le décès de Jennifer, vous comprenez. »

Maidment fit non de la tête. « Je n'ai aucune idée de ce que vous faites, je veux juste que vous continuiez. Que vous trouviez la personne qui a fait ça. Que vous l'empêchiez de détruire une autre famille. » Sa voix se brisa et il dut l'éclaircir bruyamment.

« Comment va votre femme ? » demanda Patterson.

Il toussa. « Elle est... Le médecin est venu. Il lui a donné quelque chose pour l'assommer. Elle a réussi à tenir le coup jusqu'à ce que je rentre, mais après ça... enfin, il vaut mieux qu'elle soit dans les vapes. » Il plaqua ses doigts écartés contre son visage comme s'il voulait en arracher la peau. Puis il reprit d'une voix légèrement étouffée. « J'aimerais qu'elle puisse rester à jamais dans cet état second. Mais il faudra bien qu'elle en sorte. Et quand ça arrivera, la situation n'aura pas changé.

— Vous ne pouvez pas savoir à quel point je suis désolé, dit Patterson. J'ai une fille qui a à peu près le même âge. Je sais ce qu'elle représente pour ma femme et moi. »

Maidment fit glisser sa main de son visage et les regarda fixement, les yeux baignés de larmes. « C'est notre seul enfant. Il n'y en aura pas d'autre, pas à l'âge de Tania. Les choses s'arrêtent là pour nous, tout est fini. Nous étions une famille, désormais nous ne sommes plus qu'un couple. » Sa voix se cassa et chevrota. « Je ne sais pas comment on surmonte ça. Je ne comprends pas. Comment une telle chose a-t-elle pu se passer ? Comment a-t-on pu faire ça à ma fille ? »

Shami revint avec un plateau chargé de tasses fumantes, de lait et de sucre. « Voilà le thé », annonça-t-elle en distribuant les tasses.

Ce rituel banal détendit l'atmosphère et permit à Patterson de faire avancer son interrogatoire.

« D'après Claire, Jennifer a dit qu'elle comptait faire un gâteau pour fêter votre retour. Qu'elle devait aller au supermarché pour acheter du chocolat. Est-ce qu'elle faisait ça d'habitude ? Préparer un gâteau pour votre retour ? » demanda calmement Patterson.

Maidment parut déconcerté. « Elle n'a jamais fait ça avant. Je n'étais même pas au courant qu'elle savait faire un gâteau. » Il se mordit la lèvre. « Si elle n'avait pas fait ça, si seulement elle était allée chez Claire comment elle était censée le faire…

— Nous ne sommes pas convaincus qu'elle ait dit la vérité à Claire », expliqua Patterson d'une voix douce. Ambrose avait toujours été impressionné par l'attention de Patterson pour les proches plongés dans les ténèbres d'une mort violente. Le seul mot qui lui venait pour décrire son attitude était « tendre ». Comme si Patterson était conscient de toute la souffrance qu'ils avaient déjà endurée et qu'il ne voulait pas en rajouter. Il pouvait être dur et poser des questions qu'Ambrose aurait eu du mal à poser. Mais derrière cela, il y avait toujours une grande considération pour le chagrin des autres. Patterson laissa ses paroles faire leur effet puis poursuivit. « On se demandait si Jennifer s'en était servi d'excuse pour que Claire ne lui pose pas trop de questions sur l'endroit où elle allait vraiment. Mais il fallait qu'on vérifie auprès de vous. Pour voir si c'était le genre de chose qu'elle faisait quand vous aviez été absent. »

Maidment fit non de la tête. « Elle n'a jamais rien fait de la sorte. On allait généralement au restaurant pour fêter mon retour quand j'étais parti plus de quelques nuits. Tous les trois. On allait au chinois. Ça a toujours été la cuisine préférée de Jennifer. Mais elle ne m'a jamais fait de gâteau. » Il frissonna. « Et ça n'arrivera jamais à présent. »

Patterson attendit quelques instants puis déclara : « On a inspecté l'ordinateur de Jennifer. Il semble que Claire et elle passaient beaucoup de temps sur Internet, aussi bien ensemble que chacune de leur côté. Vous étiez au courant ? »

Maidment empoigna son mug comme un homme saisi par le froid. Il acquiesça. « Ils font tous ça. Même si vous vouliez les en empêcher, ils trouveraient quand même un moyen. On s'est donc réunis avec les Darsie et on a insisté pour que tous les outils de contrôle parental soient activés sur les ordinateurs des filles. Ça limite les sites qu'elles peuvent consulter et les personnes qui peuvent les contacter. »

Jusqu'à un certain point, pensa Ambrose. « Elle utilisait beaucoup RigMarole », observa-t-il, prenant le relais de Patterson. Ils travaillaient ensemble depuis si longtemps qu'ils n'avaient même plus besoin de discuter par avance de leur tactique. Ils savaient instinctivement comment laisser les choses se dérouler entre eux. « Le réseau communautaire. Est-ce qu'elle vous en parlait ? »

Maidment hocha la tête. « Nous sommes une famille très ouverte. On essaie de ne pas être trop durs avec Jennifer. On a toujours mis un point d'honneur à discuter avec elle, à expliquer pourquoi on ne la laisse pas faire telle chose ou pourquoi nous n'apprécions pas telle ou telle attitude. Ça permet de maintenir le dialogue. Je pense qu'elle nous parlait plus que la plupart des ados à leurs parents. Du moins, d'après ce que nos amis ou mes collègues nous racontent sur leurs enfants. » Comme souvent chez les personnes victimes du décès soudain d'un proche, parler de sa fille semblait permettre à Maidment d'oublier brièvement son chagrin.

« Et qu'est-ce qu'elle avait à dire sur RigMarole ? s'enquit Patterson.

— Claire et elle aimaient beaucoup. Elle racontait qu'elles s'étaient fait tout un tas de copains en ligne qui regardaient les mêmes émissions et écoutaient la même musique. J'ai moi-même un compte sur RigMarole, je sais comment ça marche. C'est un moyen très simple d'entrer en contact avec des gens qui partagent vos centres d'intérêt. Et les filtres sont très efficaces. On peut facilement exclure quelqu'un de sa communauté s'il n'a pas sa place ou s'il dépasse les limites qui vous conviennent.

— A-t-elle déjà mentionné quelqu'un dont les initiales sont Zed Zed ? » demanda Ambrose.

Maidment se passa l'index et le pouce sur les paupières puis se frotta l'arête du nez. Il prit une profonde inspiration et souffla. « Non. J'en suis à peu près sûr. Vous feriez mieux de demander à Claire pour des renseignements aussi précis. Mais pourquoi cette question ? Cette personne l'a-t-elle harcelée ?

65

— Pas du tout, autant que nous sachions, répondit Ambrose. Mais on a retrouvé plusieurs échanges de messages entre eux. Il semble que ZZ suggérait qu'il ou elle connaissait un secret concernant Jennifer. Est-ce qu'elle vous a dit quoi que ce soit là-dessus, à vous ou à votre femme ? »

Maidment parut perplexe. « Je ne sais absolument pas de quoi vous parlez. Écoutez, Jennifer n'est pas une fille turbulente. Elle mène une vie assez préservée, à vrai dire. Elle ne nous a pratiquement jamais causé d'inquiétude. Je sais que vous avez déjà entendu ça mille fois, des parents qui présentent leur gamin comme un petit ange. Ce n'est pas ce que je dis. Je dis seulement qu'elle est stable. Jeune pour son âge, peut-être. Si elle avait un secret, ce ne serait pas le genre de choses que vous imaginez. Des histoires de drogue, de sexe ou je ne sais quoi. Ce serait qu'elle en pince pour un garçon, ou une bêtise de cet ordre. Pas le genre de choses qui entraîne votre mort. » Le mot ramena violemment Maidment à la réalité, et il s'effondra de nouveau. Les larmes recommencèrent à couler sur ses joues. Sans un mot, Shami prit deux mouchoirs dans une boîte et les lui glissa dans la main.

Il n'y avait plus rien d'utile à apprendre ici, se dit Ambrose. Pas ce jour-là. Peut-être jamais. Il jeta un regard à Patterson, qui lui fit un signe de tête quasi imperceptible.

« Je suis navré, dit Patterson. Nous allons devoir y aller. Je veux que vous sachiez que nous mettons tous les moyens en notre pouvoir pour résoudre cette affaire. Mais nous avons encore besoin de votre aide. Vous pourriez peut-être demander à votre femme si Jennifer lui a dit quelque chose à propos de ce ZZ. Ou de secrets. » Il se leva. « Si vous avez besoin de quoi que ce soit, l'agent Patel ici présente s'en occupera. On vous tient au courant. »

Ambrose le suivit hors de la maison en se demandant combien de temps il faudrait à Paul Maidment pour pouvoir passer cinq minutes sans penser à sa fille assassinée.

CHAPITRE 7

Tony scruta son salon et constata qu'il avait là une preuve tangible de la deuxième loi de la thermodynamique : l'entropie augmente. Il ne savait pas bien comment cela se produisait, mais des tas semblaient se former dès qu'il avait le dos tourné : livres, papiers, DVD et CD, jeux de console et manettes, revues. Que tout cela s'accumule était plus ou moins compréhensible. Mais le reste... il ne savait absolument pas comment ces choses avaient atterri là. Une boîte de céréales. Un Rubik's Cube. Un petit tas d'élastiques rouges. Six mugs. Un T-shirt. Un sac venu d'une librairie où il était certain de n'être jamais allé. Une boîte d'allumettes et deux bouteilles de bière vides qu'il ne se rappelait pas avoir achetées.

L'espace d'un instant, il songea à ranger. Mais à quoi bon ? La plupart des objets en désordre n'avait pas de place définie dans la maison, et il ne ferait donc que déplacer le bazar dans une autre pièce. Or son bureau, sa chambre, la chambre d'amis, la cuisine et la salle à manger contenaient déjà tous un capharnaüm spécifique. Seule la salle de bains était dans un état correct. Mais à vrai dire, il n'y passait du temps qu'à des fins pratiques. Il n'avait jamais aimé lire aux toilettes ou travailler dans son bain.

Lorsqu'il avait acheté cette maison, il l'avait jugée assez grande pour accueillir toutes ses affaires sans qu'elles se répandent en ces incontrôlables petits nids d'objets hétéroclites. Il avait fait repeindre toute la maison en une sorte de blanc cassé couleur d'os et il était même sorti acheter un lot de photos en noir et blanc

67

encadrées représentant Bradfield, qu'il avait trouvées à la fois apaisantes et intéressantes. Pendant environ deux jours, la maison avait eu un certain cachet. Maintenant, il se demandait si on pouvait envisager l'existence d'une loi de Parkinson de la thermodynamique : l'entropie s'étend de façon à occuper l'espace disponible.

En emménageant, il avait été si convaincu d'avoir largement assez d'espace qu'il avait tout de suite décidé de transformer le sous-sol étonnamment lumineux et spacieux en un appartement indépendant. Il avait prévu de le louer à des universitaires en congé sabbatique à l'université de Bradfield, ou à des internes en médecine engagés pour six mois à l'hôpital de Bradfield Cross. Personne pour une longue durée, personne qui vienne affecter sa vie.

Au lieu de cela, il s'était retrouvé avec Carol Jordan pour locataire. Ce n'avait pas été prévu. Elle vivait à l'époque à Londres, terrée dans un appartement élégant et froid du Barbican, coupée du monde. Deux ans plus tard, quand John Brandon l'avait persuadée de revenir dans la police de terrain, elle ne s'était pas sentie disposée à vendre son appartement londonien et à acheter un nouveau logement à Bradfield. Son installation dans le sous-sol de Tony était censée être temporaire. Mais il s'était avéré que cet arrangement leur convenait étrangement bien à tous les deux. Ils prêtaient suffisamment attention l'un à l'autre pour ne pas s'envahir. Mais il était réconfortant de savoir que l'autre ne se trouvait pas loin. Du moins pour lui.

Il décida de renoncer au rangement. Le désordre se serait de toute façon réinstallé en quelques jours. Et il avait mieux à faire. Théoriquement, l'emploi à temps partiel de Tony à l'hôpital de haute sécurité de Bradfield Moor était censé lui laisser assez de temps libre pour travailler avec la police et lire et écrire les articles et livres qui l'aidaient à rester en relation avec sa communauté professionnelle. En pratique, les journées n'étaient jamais assez longues, surtout s'il prenait en compte les heures passées à jouer aux jeux vidéo, un petit plaisir dont il croyait sincèrement qu'il l'aiderait à développer son potentiel créatif. C'était incroyable le nombre de problèmes a priori insolubles qu'on pouvait résoudre après une heure d'aventures avec Lara Croft ou l'édification d'un royaume chinois médiéval.

Les choses avaient empiré récemment, grâce à Carol. En effet, elle avait eu cette brillante idée qu'une console Wii l'aiderait à se débarrasser de cette boiterie qui le poursuivait toujours depuis l'attaque d'un patient qui lui avait fracassé le genou. « Tu passes trop de temps penché sur ton ordinateur, lui avait-elle dit. Il faut que tu te remettes en forme. Et je sais que ça ne sert à rien d'essayer de te convaincre d'aller dans une salle de sport. Au moins, une Wii te fera remuer ton derrière. »

Elle avait vu juste. Un peu trop, malheureusement. Son chirurgien aurait peut-être dressé le pouce en apprenant le temps que Tony passait désormais à s'agiter dans son salon en jouant au tennis, au bowling et au golf ou en s'adonnant à des jeux surréalistes contre des lapins bizarrement vêtus. Mais Tony sentait que son approbation ne trouverait pas d'écho chez les éditeurs dont il risquait sérieusement de ne pas respecter les délais.

Il était sur le point d'anéantir le chef des lapins dans une fusillade au cœur de Paris quand il fut interrompu par l'interphone que Carol avait installé entre leurs deux logements.

« Je sais que tu es là, je t'entends faire des bonds, annonça sa voix grésillante. Je peux monter ou tu es trop occupé à te prendre pour le Rafael Nadal de Bradfield ? »

Tony s'éloigna de l'écran avec à peine un semblant de regret et appuya sur le bouton pour ouvrir la porte. Le temps que Carol arrive, il avait replacé les manettes sur leur chargeur et servi deux verres d'eau pétillante. Carol prit le sien d'un air sceptique. « C'est tout ce que tu as à m'offrir ?

— Oui, répondit-il. Je dois maintenir mon équilibre hydrique. » Il passa devant elle en tournant le dos au salon, un déplacement calculé pour résister plus facilement.

« Moi non. Et j'ai eu une journée qui mérite un petit remontant. » Carol tenait bon.

Tony continua de marcher. « Et pourtant, tu es venue ici, sachant que j'essaie de t'aider à arrêter de boire autant. Tes actes disent le contraire de tes paroles. » Il regarda par-dessus son épaule et lui sourit pour tenter d'adoucir ses remontrances. « Allez, assieds-toi et raconte-moi.

— Tu te trompes. » Clairement bougonne à présent, Carol le suivit et se laissa tomber dans le canapé face au fauteuil de Tony.

« Je suis là parce que j'ai quelque chose d'important à te dire. Pas parce qu'au fond de moi je n'ai pas envie de boire.

— Tu aurais pu me demander de descendre chez toi. Ou de te retrouver quelque part où on sert de l'alcool », fit remarquer Tony. Il lui était fastidieux de trouver ces arguments, mais l'aider à revenir à un état où elle n'avait sincèrement pas besoin d'un verre était le meilleur moyen qu'il connaisse de lui prouver à quel point il tenait à elle.

Carol leva les bras en l'air. « Fous-moi la paix, Tony. Et j'ai vraiment quelque chose d'important à te dire. » Elle semblait sérieuse.

Une autre bonne raison pour laquelle il voulait qu'elle arrête de se réfugier dans l'alcool. Son besoin d'un verre masquait beaucoup d'autres choses – quelque chose de vraiment important qu'elle souhaitait partager avec lui, une journée particulièrement dure – et la rendait difficile à sonder. Or, Tony avait beaucoup de mal à supporter l'idée de ne pas pouvoir la percer à jour. Il s'enfonça dans son fauteuil et sourit, ses yeux bleus pétillant dans le rond de lumière projeté par la lampe de travail tout près. « Vas-y alors. J'arrête de jouer le copain casse-pieds et redeviens ton collègue intéressé. Est-ce que c'est lié à ce rendez-vous avec ton nouveau chef, par hasard ? »

Carol lui répondit par un sourire sardonique. « Gagné. » Elle exposa brièvement l'ultimatum que James Blake avait lancé à son équipe. « C'est tellement peu réaliste, jugea-t-elle, l'énervement prenant visiblement le dessus sur son sang-froid. On est entièrement à la merci de ce qui va tomber dans les trois mois à venir. Est-ce que je suis censée espérer des meurtres alléchants, juste pour pouvoir montrer comme ma brigade est bonne ? Ou trouver de fausses pièces à conviction pour élucider quelques affaires non classées très médiatisées ? On ne peut pas soumettre une unité d'investigation spécialisée à une étude de productivité.

— Non, en effet. Mais ce n'est pas ce qui se passe ici. Il a déjà pris sa décision. L'histoire de la période d'essai, c'est du pipeau, pour les raisons précises que tu viens de donner. » Tony se gratta la tête. « Je crois que tu es foutue. Alors autant faire les choses exactement comme tu l'entends. »

Il vit les épaules de Carol s'affaisser. Mais elle savait en venant le voir qu'elle devait s'attendre à ce qu'on lui parle sans détours.

S'ils se mettaient à prendre des gants l'un avec l'autre, la confiance qu'ils avaient mis des années à établir s'effriterait plus vite qu'une meringue trop cuite. Et comme aucun d'eux n'avait personne d'aussi proche dans sa vie, ils ne pouvaient pas se le permettre. « C'est ce que je crains », admit-elle dans un soupir. Elle but une longue gorgée d'eau. « Mais ce n'est pas tout. » Elle baissa le regard sur son verre, son épaisse chevelure dissimulant son visage.

Tony ferma les yeux un instant et se frotta l'arête du nez. « Il t'a demandé d'arrêter de faire appel à moi. »

Frappée par son acuité, Carol dressa la tête et le regarda, interloquée. « Comment tu as su ? Blake t'a parlé ? »

Tony fit non de la tête. « C'est l'histoire du chien qui n'a pas aboyé. »

Carol acquiesça en comprenant. « Il ne t'a pas parlé. Je t'ai présenté, il n'a pas engagé la conversation.

— Ce qui pour moi voulait dire que je ne faisais pas partie de son budget ou de ses projets. » Il sourit. « Ne t'en fais pas pour moi, il y a plein d'autres commandants qui me considèrent toujours comme un investissement valable.

— Je ne m'en fais pas pour toi, mais pour moi. Et pour ma brigade. »

Il ouvrit les mains comme on hausse les épaules. « C'est difficile de combattre un homme qui réduit tout à des questions de fric. Mais c'est vrai que je ne suis pas l'option la plus économique, Carol. Vous formez vos propres profileurs de nos jours. Tes chefs croient qu'il vaut mieux suivre les Américains – enseigner la psychologie aux flics – que de compter sur des spécialistes comme moi qui ne savent rien des réalités du métier de policier. » Seule une personne le connaissant aussi bien que Carol pouvait discerner la subtile pointe d'ironie dans son intonation.

« Ouais, bon, si on veut de la qualité, il faut y mettre le prix.

— Certains sont assez doués, tu sais.

— Comment tu sais ça ? »

Il ricana. « Je fais partie des gens qui les ont formés. »

Carol parut choquée. « Tu ne me l'as jamais dit.

— C'était censé être confidentiel.

— Alors pourquoi tu me le dis maintenant ?

— Parce que si tu dois travailler avec eux, il faut que tu saches qu'ils ont pu profiter du savoir de profileurs parmi les plus expérimentés du pays. Pas seulement moi, d'autres personnes du métier que j'estime beaucoup. Et on n'a pas encombré l'esprit de ces jeunes agents brillants avec des réflexions sur la médication de patients. Ils sont spécialisés sur un aspect de la psychologie, et ils ne sont pas bêtes. Donne-leur une chance. Ne les rejette pas parce qu'ils ne sont pas moi. » Il y avait un autre sens à ses paroles, qu'ils comprenaient tous les deux. Malheureusement pour Tony, ce n'était pas le bon moment pour rappeler à Carol le lien personnel qui sous-tendait toutes leurs collaborations professionnelles.

Elle se couvrit les yeux de la main, comme si elle voulait se protéger du soleil. « Blake a été vraiment narquois, Tony. Il a insinué que si je choisissais de faire appel à toi, c'était pour des raisons malhonnêtes. Il sait que je suis ta locataire, et il a laissé entendre que ça allait plus loin, qu'on avait quelque chose de honteux à cacher. » Elle se détourna et but encore un peu d'eau.

On pouvait difficilement comprendre pourquoi un homme dans la position de Blake voudrait déprécier un de ses agents les plus efficaces avant même d'avoir constaté par lui-même ce dont elle était capable. Cependant il l'avait fait, et il n'aurait pas pu trouver un angle d'attaque plus sensible s'il avait consulté Tony. Dans le cas de deux autres personnes ayant le même passé, on aurait sans doute vu juste en supposant qu'ils étaient amants. Mais le lien affectif qui les unissait depuis les premiers jours de leur relation professionnelle n'avait jamais pris un tour sexuel. Dès le début, il avait été franc avec elle au sujet de l'impuissance qui avait invariablement ruiné ses relations avec les femmes. Elle avait eu le bon sens de ne pas se prendre pour celle qui le sauverait. Mais malgré l'accord tacite voulant qu'ils tiennent tous deux en bride leurs sentiments, il y avait eu des moments où l'attraction entre eux avait été si forte qu'ils avaient pensé pouvoir surmonter, chez lui, la peur de l'humiliation, et chez elle, l'angoisse de ne pas réussir à cacher sa déception. Mais chaque fois, le destin avait placé des obstacles sur leur chemin. Et étant donné les atrocités auxquelles ils étaient communément confrontés dans leur métier, ces obstacles n'étaient pas de ceux qu'on franchit aisément. Il n'avait jamais oublié cette fois où elle avait baissé sa garde à cause de lui, et les ténèbres dans lesquelles cela l'avait fait sombrer. Pendant un moment, il avait cru qu'elle ne parviendrait jamais à se sortir de cet abîme. Et si elle y était arrivée, ce n'était pas grâce à lui mais uniquement au pouvoir que son travail exerçait sur elle, estimait-il. Tony doutait que Blake sache quoi que ce soit de vrai sur leur histoire, mais la rumeur lui avait fourni suffisamment d'informations pour utiliser Tony contre elle. L'idée que cela fût possible le mettait hors de lui. « Quel abruti, lança Tony. Il devrait nouer des alliances, pas s'aliéner les gens comme toi. » Il lui sourit faiblement. « Non pas qu'il y en ait beaucoup comme toi. »

Elle remua dans son fauteuil. Elle regrettait sans doute de ne pas fumer, pensa-t-il, afin d'avoir quelque chose pour s'occuper. « Il est peut-être temps que je songe à déménager. Après tout, on a toujours considéré tous les deux que ce serait temporaire. Le temps que je décide si je voulais me réinstaller à Bradfield. » Elle haussa légèrement une épaule. « Le temps que je décide si je voulais toujours être flic.

— Tu sembles avoir réglé ces deux questions, dit-il, essayant de cacher la tristesse que sa suggestion avait suscitée. Je comprends que tu puisses avoir envie d'un endroit qui serait plus chez toi. Un peu plus spacieux. Mais ne te sens pas obligée de partir pour moi. » Un sourire de travers. « Je me suis presque habitué à avoir quelqu'un à proximité à qui je peux emprunter du lait. »

Carol sourit à son tour d'un air peiné. « C'est vraiment tout ce que je suis pour toi ? Un moyen de te procurer du lait à minuit ? »

Un long silence. Puis Tony déclara : « Parfois, j'aimerais que ce soit aussi simple. Pour toi comme pour moi. » Il soupira. « Je n'ai vraiment pas envie que tu partes, Carol. Surtout si on ne travaille plus ensemble. Si on vit à des endroits différents, on ne se verra presque jamais. Je ne suis pas doué pour garder contact avec les gens et tu travailles comme une folle. » Il se leva. « Alors, ça te dit, un verre de vin ? »

Gary lécha le gras sur ses doigts puis les essuya sur son jean. La pizza était froide depuis au moins trois heures, mais il n'avait pas remarqué. Il mangeait par habitude, il mangeait pour prendre le temps de réfléchir, il mangeait parce que la nourriture était là. Il n'était absolument pas question de saveur. Il était ravi de vivre dans un monde où l'on pouvait se faire livrer à manger à sa porte 24 heures sur 24, 7 jours sur 7 sans même devoir décrocher le téléphone. Un clic avec sa souris, et il était approvisionné en plats chinois, indiens, thaïs ou en pizzas. Certains jours, il n'abandonnait son ordinateur que pour prendre les livraisons et aller aux toilettes.

Dans le milieu de Gary, son mode de vie n'avait rien d'exceptionnel. La plupart de ses connaissances menaient une existence quotidienne semblable à la sienne. De temps à autre, ils devaient sortir en clignant des yeux dans la lumière du jour pour rencontrer divers clients, mais s'ils pouvaient l'éviter, ils le faisaient. S'ils avaient constitué une espèce distincte, elle se serait éteinte en quelques générations.

Gary adorait ses machines. Il adorait se déplacer dans le virtuel, voyager dans le temps et dans l'espace sans jamais devoir quitter son petit appartement-cocon à l'odeur de renfermé. Il éprouvait un immense plaisir à résoudre les problèmes que ses clients lui offraient, mais il connaissait également de temps en temps la profonde frustration de l'échec.

Prenez ce boulot pour la police de West Mercia, par exemple. Ce qu'ils attendaient de lui consistait en grande partie en de simples opérations de calcul. Localiser certains ordinateurs, notamment. C'était le genre de choses où il suffisait d'entrer des renseignements et de mettre en route le logiciel. À la portée d'un gamin de cinq ans.

Mais remettre en ordre les restes éparpillés de fichiers effacés, c'était une autre affaire. En récupérer des fragments, déterminer lequel allait où, les assembler comme dans un puzzle chambardé : ce n'était pas de la tarte. Après une première exploration rapide, il avait dû reconnaître à contrecœur que son logiciel n'était pas à la hauteur. Il lui fallait quelque chose de mieux… et il savait exactement où le trouver. Après des années de travail dans ce monde parallèle, Gary s'était constitué un réseau d'alliés et de contacts. Il n'en aurait pas reconnu la plus grande partie s'il s'était trouvé assis à côté d'eux dans le train, mais il connaissait leurs pseudos et leurs identités numériques. Pour ce dont il avait besoin ce jour-là, Warren Davy était son homme. Warren, le type qui répondait presque toujours à vos attentes. Parmi les maîtres de l'univers virtuel, Warren était un des plus grands. Ils se connaissaient depuis leurs débuts, avant même qu'il n'existe un Internet, quand le seul moyen de communiquer dans l'infini pour les ados comme eux était les systèmes de bulletins électroniques peuplés de *geeks* et de *hackers*. Pour Gary, Warren était l'homme de la situation.

Un e-mail rapide, puis il prendrait une douche. Ça faisait un ou deux jours, et il avait remarqué que ça le démangeait aux endroits où une personne scotchée à un fauteuil de bureau surchauffait inévitablement.

Lorsqu'il revint à son poste, vêtu d'un caleçon et d'un T-shirt propres, la réponse était déjà arrivée. On pouvait toujours compter sur Warren, se dit-il. C'était non seulement un des types les plus doués de son réseau, mais aussi un des plus serviables. Gary lui devait une bonne partie des logiciels qui lui permettaient d'accéder aussi librement aux informations d'autres personnes.

> Content d'avoir de tes nouvelles, Gary. Je suis coincé à Malte pour installer un système de sécurité, mais je crois avoir quelque chose qui pourrait faire ton affaire. Je peux te le laisser à prix coûtant. Ça s'appelle Ravel et tu peux le télécharger sur le site de SPD. Utilise le code TR61UPK pour te connecter, on t'enverra la facture à la fin du mois comme d'habitude.
>
> Tu as raison, il y a un truc plus nouveau qui est sorti chez SCHEN, mais ça va te coûter environ trois fois le prix de Ravel. Je sais que la police de Bradfield teste la version bêta, donc peut-être que West Mercia pourra t'arranger le coup une fois qu'il sera opérationnel.
>
> Bonne chance pour tes recherches.

Gary leva le pouce en signe de victoire, soulagé d'être en mesure d'en mettre plein la vue à Patterson. Warren avait assuré. Mais même si c'était un crack, il avait une vision plutôt rose de la coopération entre les flics. En effet, quel que fût le marché passé entre SCHEN et la police de Bradfield, Gary savait que West Mercia n'avait aucune chance de pouvoir en profiter. SCHEN était bien connu pour ne pas dévoiler ses précieux atouts. Gary surveillait cette boîte depuis des années. Il savait même que le type qui se cachait derrière utilisait le pseudo Hexadex. Mais il n'avait jamais réussi à entrer en contact. Tout ce qu'il savait, c'était que le gars avait mis au point un logiciel analytique mortel au fil des années et qu'il avait une sorte d'accord avec les flics de Bradfield, qui semblaient toujours tester en avant-première toutes les nouvelles applications de lutte contre la criminalité de SCHEN.

Gary soupira. Il n'avait jamais eu cette forme de créativité qui avait fait entrer SCHEN dans le monde des giga-riches et Warren dans celui des méga. Mais au moins, il avait une poignée de clients réguliers qui ne savaient pas qu'il ne faisait pas partie des plus grands. Et grâce à des potes comme Warren, avec un peu de chance, ils ne le découvriraient jamais.

Daniel Morrison était avachi devant son ordinateur, une grimace boudeuse déformant ses yeux bleus et sa large bouche lippue. Sa vie était chiante à mourir. Ses parents étaient de vrais dinosaures. Son père se comportait comme s'ils vivaient à l'âge de pierre et qu'il n'y avait rien d'autre à faire que d'aller aux matchs de foot et écouter des disques. Des disques, putain ! D'accord, il y avait des vinyles rétro et cool, mais pas les trucs que son vieux aimait passer sur sa platine. Et sa façon de parler des filles… Daniel roula des yeux et rejeta la tête en arrière. Comme si c'étaient des petits anges innocents. Il se demandait si son père avait la moindre idée de ce que faisaient les filles au vingt et unième siècle. Ça lui en boucherait un sacré coin, à cet abruti, s'il savait.

Daniel aurait parié que chacune des filles avec qui il traînait en avait oublié plus sur le sexe que son pauvre con de père en avait jamais appris. Il n'arrivait jamais à décider s'il devait rigoler ou grogner quand son père essayait de lui parler de « respect » et de « responsabilité » concernant les filles. Il ne l'avait peut-être pas encore fait, mais il avait failli, et il avait toute une panoplie de préservatifs colorés et parfumés qui attendaient. Il ne voulait pas se retrouver avec un gamin pleurnichard sur les bras, non merci. Bon sang. Il avait essayé d'expliquer à son père qu'il savait ce qu'il faisait, mais le vieux n'avait rien voulu entendre de ce qu'il avait à dire. Il refusait toujours de le laisser sortir en boîte ou à des concerts avec ses potes. Il lui avait dit qu'il ne pourrait que s'ils y allaient ensemble. Comme s'il allait se pointer à une soirée avec son gros naze de père derrière lui. T'as raison, ouais. J'ai que ça à faire.

Généralement, sa mère le laissait faire à peu près tout ce qu'il voulait. Mais ces derniers temps, elle se comportait de plus en plus comme un clone de son père. À parler de devoirs, de se concentrer et autres conneries du genre. Daniel n'avait jamais rien eu à foutre des devoirs. Il avait toujours été assez intelligent pour s'en sortir sans effort. Et même si ce n'était plus aussi facile de s'en tirer au baratin dans certaines matières maintenant qu'il préparait le brevet, il se débrouillait toujours mieux qu'à peu près tous les autres sans devoir bachoter comme eux.

C'était pas comme si les examens comptaient pour ce qu'il voulait faire. Daniel connaissait déjà son destin. Il allait devenir le plus grand comique de sa génération. Il serait plus fin, plus grinçant et plus drôle que *Little Britain, Gavin & Stacey* et *Peep Show*[2] réunis. Il porterait la comédie à un niveau jamais atteint auparavant. Tous ses copains disaient qu'il était déjà le mec le plus drôle qu'ils aient entendu. Quand il avait tenté d'exposer son ambition à ses parents, ils avaient rigolé aussi. Mais pas pour les bonnes raisons. Finis les « on sera toujours là pour toi ». C'est ça, ouais.

Avec un soupir blasé, il dégagea son épaisse frange de devant ses yeux et se connecta à RigMarole. C'était en général le meilleur moment de la journée pour communiquer avec KK. Ça faisait maintenant deux mois qu'ils étaient potes en ligne. KK était cool. Il trouvait Daniel terriblement drôle. Et même si c'était juste un ado comme les autres, il connaissait deux ou trois mecs dans le milieu artistique. Il avait dit à Daniel qu'il pouvait l'aider à rencontrer des gens qui le lanceraient sur la voie des comiques célèbres. Daniel avait eu la présence d'esprit de ne pas le pousser et, comme prévu, KK s'était manifesté. Ils devaient se rencontrer bientôt, et alors la vie de Daniel commencerait à changer, en route pour la gloire. Il avait longtemps hiberné dans l'obscurité mais bientôt, il serait sous le feu des projecteurs.

Ça vaudrait le coup de supporter le côté parfois flippant de KK. Comme récemment, où il avait parlé de secrets. Quand ils étaient passés en chat privé, il n'avait pas arrêté de dire à Daniel

---

2. Trois séries télévisées britanniques. (*N.d.T.*)

qu'il connaissait ses secrets. Qu'il savait qui il était vraiment. « Jsuis le seul à savoir ki tè vrément », avait-il dit. Plus d'une fois. Comme si Daniel ne se connaissait pas lui-même. Comme si KK connaissait tout de la vie de Daniel. Ça lui avait un peu filé les jetons. Il avait raconté à KK beaucoup de choses sur lui, sur ses rêves, sur son fantasme de devenir une star, et alors ? Ça ne voulait pas dire que l'autre connaissait tous ses secrets.

Néanmoins, si KK devait être sa porte d'entrée vers le succès, Daniel estimait que ce type pouvait bien raconter tout ce qu'il voulait. Comme si ça aurait de l'importance une fois que Daniel serait partout à la télé et sur Internet.

L'idée ne lui traversa jamais l'esprit qu'il deviendrait peut-être célèbre pour une raison très différente.

CHAPITRE 8

Une semaine plus tard

Bien que ce fût la troisième fois qu'il les épluchait, Alvin Ambrose était toujours totalement absorbé par les dépositions des témoins dans l'affaire Jennifer Maidment. Ses camarades de classe, ses profs, d'autres jeunes avec qui elle avait communiqué via Rig-Marole. Des confrères de régions aussi lointaines que le Dorset, l'île de Skye, Galway et une petite ville du Massachusetts avaient questionné des ados dont les réactions étaient allées du coup de flip au coup de flip total en apprenant ce qui était arrivé à leur correspondante. Ambrose avait déjà examiné deux fois ces documents, à l'affût de la moindre incohérence, au point d'oublier le brouhaha des bureaux de la brigade. Jusque-là, rien n'avait retenu son attention.

Les agents chargés des interrogatoires avaient reçu pour consigne de poser des questions sur l'introuvable ZZ, mais cela n'avait rien donné non plus. ZZ ne s'était manifesté que sur Rig ; aucun des profs, proches ou amis n'utilisant pas le réseau communautaire ne semblait le connaître. Ceux qui avaient rencontré ZZ sur le site ne savaient rien de plus que ce que la police avait déjà établi à partir des conversations de Jennifer. ZZ était parvenu à s'immiscer dans son réseau sans rien révéler qui permette de l'identifier. C'était énervant au possible.

Une ombre couvrit son bureau et, levant les yeux, il vit Shami Patel qui faisait semblant de frapper sur une porte inexistante. « Toc toc », fit-elle avec un sourire gêné.

Si elle avait fait l'effort de venir le voir, c'est que ce qu'elle avait à dire valait certainement la peine d'être écouté. Par ailleurs, avec ses courbes généreuses et ses longs cheveux ondulés coupés au carré, elle était agréable à regarder. On ne pouvait dans l'ensemble pas en dire autant du panorama humain au bureau de la Crim'. Ambrose désigna avec empressement la fragile chaise pliante installée au coin de son bureau. « Asseyez-vous. Comment ça se passe avec les Maidment ? » Lorsqu'il était devenu évident que les Maidment comptaient parmi les rares sources d'informations à pouvoir leur ouvrir une piste sur le meurtre de leur fille, il avait contacté des collègues dans les West Midlands, d'où venait Patel, pour se renseigner sur elle. Il lui fallait s'assurer qu'elle ne raterait rien de crucial. Mais ses confrères l'avaient vite rassuré : Patel était sans doute le meilleur agent de liaison qu'ils aient connu. « Bien trop maligne pour jouer les assistantes sociales, si tu veux mon avis, avait dit l'un d'eux. Je sais pas ce qu'elle fout, à nous abandonner pour vos têtes de cons. »

Patel s'assit et croisa ses jambes au galbe parfait. Rien d'aguichant dans ce geste, constata Ambrose, presque avec regret. Il était dans l'ensemble satisfait de son mariage, mais malgré tout, un homme aimait savoir qu'il plaisait. « Ils sont vidés, dit-elle. C'est comme s'ils étaient entrés en hibernation pour conserver ce qu'il leur reste. » Elle fixa ses mains du regard. « J'ai déjà vu ça. Quand ils en sortiront, il y a des chances qu'ils nous prennent pour cible. Ils n'ont personne d'autre à qui s'en prendre, donc c'est nous qui allons ramasser à moins que nous trouvions la personne qui a tué Jennifer.

— Et on en est loin, avoua Ambrose.

— C'est ce que j'ai cru comprendre. Et la police scientifique ? Elle n'a rien trouvé ? »

Ambrose haussa ses épaules massives, mettant à l'épreuve les coutures de sa chemise. « On a quelques éléments probants. Pas de ceux qui ouvrent une piste, de ceux qui permettent de monter un dossier une fois qu'on a un suspect. On attend toujours le rapport du spécialiste en informatique, mais il est de moins en moins optimiste au fil des jours.

— C'est ce que je pensais. » Patel se mordit la lèvre et fronça légèrement les sourcils.

« Vous avez appris quelque chose par la famille ? C'est pour ça que vous êtes ici ? »

Elle s'empressa de secouer la tête. « Non. J'aimerais… C'est juste que… » Elle se tortilla sur sa chaise. « Mon copain, il est agent pour West Midlands. Jonty Singh. »

C'était une phrase courte mais Ambrose reconstitua immédiatement le scénario qui était à l'origine de la mutation apparemment étonnante de Shami Patel à Worcester. Une gentille hindoue aux parents traditionalistes et pieux qui l'avaient destinée à un gentil hindou. Et là, elle tombe amoureuse d'un Sikh. Soit ses parents l'avaient découvert et ils s'étaient brouillés, soit elle avait emménagé ici avant que la mauvaise personne ne la repère avec Jonty au dernier rang d'une salle de cinéma. En s'installant à Worcester, elle pouvait s'offrir une vie où elle ne devait pas constamment regarder par-dessus son épaule. « D'accord, répondit prudemment Ambrose en se demandant où cela allait mener.

— Vous vous souvenez de cette affaire à Bradfield l'an dernier ? Le footballeur qui s'est fait tuer, et l'attentat au match ? »

Comme si quelqu'un allait oublier ça de sitôt. Trente-sept morts, des centaines de blessés quand une bombe avait soufflé les tribunes d'entreprises du stade de Bradfield Victoria au cours d'un match de Premier League. « Je me souviens.

— Jonty a été impliqué indirectement. Avant l'attentat. Un des premiers suspects dans le meurtre était un type qu'il avait arrêté dans le passé. Il est resté en relation avec son contact dans l'enquête, un dénommé Sam Evans. Il travaille à la BEP de Bradfield. Mais donc, j'ai raconté à Jonty à quel point on était frustrés de ne pas avancer sur le meurtre de Jennifer. Je sais que je n'aurais pas dû, mais il est de la maison, il sait tenir sa langue…

— Peu importe », déclara Ambrose. Il avait confiance dans le jugement de cette femme. « Qu'est-ce qu'il avait à dire, votre agent Singh ?

— Il m'a dit que la BEP de Bradfield travaille avec un profileur qui est un facteur clé dans leur taux de réussite. »

Ambrose s'efforça de masquer son scepticisme, mais Patel le remarqua tout de même. Son débit s'accéléra. « Ce type, il a l'air exceptionnel. Sam Evans a dit à Jonty qu'il avait sauvé des vies et résolu des affaires où personne d'autre ne comprenait rien. Il est vraiment génial, sergent.

— Le chef estime que c'est du foin, le profilage. » Ambrose parlait d'une voix grondante.

« Et vous ? Qu'est-ce que vous en pensez ? »

Ambrose sourit. « Quand je mènerai la barque, j'aurai un avis. Pour l'instant, ça ne sert à rien. »

Patel parut déçue. « Vous pourriez au moins parler avec Sam Evans à Bradfield. Voir ce qu'il a à dire ? »

Ambrose fixa du regard la surface du bureau en désordre, ses grosses mains fermées comme des coquilles vides sur les piles de papiers. Il n'aimait pas magouiller dans le dos de Patterson. Mais il fallait parfois faire les choses en douce. Il soupira et prit un stylo. « Bon, comment il s'appelle, ce profileur ? »

Lorsqu'elle pénétra dans les bureaux de la brigade et trouva son équipe déjà installée autour de la table de conférences, prête pour la réunion du matin, Carol eut un sentiment partagé. Elle était fière qu'ils remuent ciel et terre pour tenter d'assurer leur avenir, mais amère car elle avait l'impression que c'était en vain. « Qu'est-ce qui se passe ici ? demanda-t-elle en faisant un crochet par la machine à café. Est-ce que les horloges ont avancé sans que je m'en rende compte ?

— Vous savez qu'on aime bien vous maintenir sous pression, chef », répondit Paula en faisant circuler une boîte de pâtisseries. Carol s'assit et souffla doucement sur son café fumant. « C'est juste ce qu'il me faut. » Difficile de dire si elle parlait de sa boisson ou du fait d'être maintenue sous pression. « Alors, du nouveau pendant la nuit ? »

« Oui » et « Non », indiquèrent simultanément Kevin et Sam.

« Eh bien, qui dois-je écouter ? »

Sam eut un petit rire étouffé. « Vous savez que si ce gosse était noir et qu'il vivait dans une cité avec une mère célibataire, personne ne s'en serait même occupé pendant la nuit.

— Mais il n'est pas noir et on s'en est occupé, répliqua Kevin.

— On ne fait que céder aux angoisses de la classe moyenne blanche, renchérit Sam avec mépris. À tous les coups, ce gamin est avec une fille ou alors il en a eu ras le bol de papa et maman et il a mis les voiles pour la grande ville. »

Carol regarda Sam avec étonnement. Étant le plus ouvertement ambitieux de son équipe, c'était généralement le premier à se lancer dès qu'il avait une chance d'améliorer son image et sa réputation. L'entendre défendre une opinion de gauche faisait le même effet que de découvrir les participants de *Secret Story* en train de discuter de la théorie de la relativité restreinte d'Einstein. « Est-ce que quelqu'un peut m'expliquer de quoi vous parlez ? » demanda-t-elle avec douceur.

Kevin consulta quelques feuilles de papier devant lui. « On a reçu ça de la Division nord. Daniel Morrison. Quatorze ans. Porté disparu hier matin par ses parents. Il n'est pas rentré de la nuit, ils étaient morts d'inquiétude mais supposaient qu'il voulait leur faire comprendre que c'était devenu un grand garçon. Ils ont appelé ses amis et fait chou blanc, mais ils ont pensé qu'il devait être avec quelqu'un qu'ils ne connaissaient pas. Peut-être une petite amie qu'il avait gardée secrète.

— C'est une hypothèse raisonnable, admit Carol. D'après ce qu'on sait des ados.

— Oui. Ils se sont dit qu'ils reprendraient contact avec lui quand il viendrait au collège hier. Mais il n'est pas venu. C'est là que ses parents ont décidé qu'ils devaient nous parler.

— Et je suppose qu'on n'a rien depuis ? Et c'est pour ça que la Division nord nous refourgue cette affaire ? » Carol tendit la main et Kevin lui passa l'imprimé.

« Rien. Il ne répond pas à son portable, ni à ses e-mails, il ne s'est pas connecté sur RigMarole. D'après sa mère, la seule raison pour laquelle il se couperait comme ça du monde, c'est qu'il soit mort ou qu'on l'ait kidnappé.

— Ou alors il ne veut pas que maman et papa le trouvent au plumard avec une nana, dit Sam avant de serrer les mâchoires avec un air de défi.

— Je ne sais pas, reprit lentement Kevin. Les garçons de cet âge veulent se vanter de leurs conquêtes. J'ai du mal à croire qu'il résiste à l'envie de raconter à ses copains ce qu'il a bricolé. Et de nos jours, ça veut dire RigMarole.

— C'est précisément ce que je me disais, dit Carol. Je crois que Stacey devrait vérifier si son téléphone est en marche et, si c'est le cas, si on peut trianguler sa position. »

Sam s'écarta de la table et croisa les jambes. « Incroyable. Un petit Blanc privilégié va s'envoyer en l'air, et nous, on se plie en quatre pour le retrouver. Est-ce qu'on est vraiment prêts à tout pour paraître indispensables ?

— Absolument, répondit Carol d'un ton cassant. Stacey, vérifie tout ça. Paula, contacte la Division nord, vois où ils en sont et s'ils veulent qu'on les aide. Vois s'ils peuvent nous envoyer leurs comptes rendus d'interrogatoires. Et au fait, Sam, je crois que tu te trompes. Si c'était un gosse noir vivant dans une cité avec une mère célibataire qui prenait sa disparition au sérieux, on en ferait autant. Je ne sais pas pourquoi tu fais une fixette là-dessus, mais arrête, d'accord ? »

Sam poussa un grand soupir, mais il hocha la tête. « Tout ce que vous direz, chef. »

Carol mit les feuilles de côté pour plus tard et regarda autour de la table. « Autre chose de nouveau ? »

Stacey s'éclaircit la voix. Les commissures de ses lèvres frémirent. Carol se dit que chez n'importe qui d'autre, ce serait passé pour un sourire satisfait. « J'ai quelque chose, dit-elle.

— On t'écoute.

— L'ordinateur que Sam a ramené de l'ancienne maison de Barnes, annonça Stacey en remettant une mèche folle derrière son oreille. J'ai passé beaucoup de temps dessus depuis une semaine. Ça a été très instructif. » Elle enfonça quelques touches sur le portable devant elle. « Les gens sont incroyablement bêtes. »

Sam se pencha en avant, ce qui fit ressortir les angles de son visage lisse. « Qu'est-ce que tu as trouvé ? Allez, Stacey, montre-nous. »

Elle cliqua sur une télécommande et le tableau blanc fixé au mur derrière elle s'illumina. Une liste apparut, dans laquelle des lettres et des mots manquaient. Un autre clic et les blancs se remplirent avec du texte surligné. « Ce programme comble les trous, expliqua-t-elle. Comme vous pouvez le voir, c'est une liste d'étapes pour tuer Danuta Barnes. Ça va de l'étouffer à envelopper son corps dans du film transparent, le lester et le larguer en eaux profondes. »

Paula siffla. « Oh mon Dieu ! fit-elle. Tu as raison. Incroyablement bêtes !

84

— C'est formidable, commenta Carol. Mais n'importe quel bon avocat nous fera remarquer que ça n'a valeur au mieux que de preuve conjecturale. Que ça pourrait être un fantasme. Ou une ébauche de nouvelle.

— Ça restera des conjectures jusqu'à ce qu'on retrouve le corps de Danuta Barnes et qu'on compare la cause du décès avec ce qu'on a ici, répliqua Sam, réticent à abandonner les possibilités offertes par sa découverte.

— Sam a raison, assura Stacey par-dessus les bavardages que ses paroles avaient provoqués. C'est pour ça que cet autre dossier est si intéressant. » Elle appuya de nouveau sur la télécommande et une carte de la région des lacs apparut. Le clic suivant révéla une carte de Wastwater qui montrait clairement les profondeurs relatives du lac.

« Vous pensez qu'elle est dans Wastwater. » Carol se leva et s'approcha de l'écran.

« Je crois que ça vaut la peine de jeter un œil, indiqua Stacey. D'après la liste, il visait un endroit où il pouvait se rendre en voiture, mais tout de même assez reculé. Wastwater remplit ces conditions. En tout cas, quand on regarde la carte, on dirait qu'il n'y a pas beaucoup de maisons alentour.

— Tu m'étonnes ! J'y suis allée, dit Paula. On est partis en week-end là-bas avec des amis il y a quelques années. Je crois n'avoir croisé personne à part la femme qui tenait le B&B. Je suis tout à fait pour un peu de paix et de calme, mais là c'était vraiment ridicule.

— Il avait un kayak, précisa Sam. Je me souviens d'avoir lu ça dans le dossier initial. Il aurait pu la coucher en travers du kayak et l'emmener à la pagaie.

— Bravo, Stacey, dit Carol. Sam, contacte l'unité de plongée de Cumbrie. Demande-leur de lancer des recherches. »

Stacey leva la main. « Ça pourrait valoir le coup de demander à la faculté de géographie de l'université s'ils ont accès à ETM+.

— Qu'est-ce que c'est ? demanda Carol.

— L'Enhanced Thematic Mapper Plus de Landsat. Ce sont des archives mondiales de photos satellites gérées par la Nasa et l'Institut d'études géologiques américain, expliqua Stacey. Ça pourrait servir.

« — Ils peuvent repérer un corps depuis l'espace ? questionna Paula. Je croyais que le seul intérêt, pratiquement, c'était que je puisse regarder mes chaînes locales dans un autre pays. Mais tu es en train de me dire que la fac de géo de Bradfield peut voir sous l'eau depuis un satellite ? C'est trop, Stace. C'est juste trop. »

Stacey leva les yeux au ciel. « Non, Paula. Ils ne peuvent pas forcément voir un corps. Mais ils peuvent faire de tels zooms de nos jours qu'on peut voir beaucoup de détails. Ils seraient peut-être capables de réduire la zone de recherche en éliminant les endroits où on est sûrs qu'il n'y a rien.

— C'est fou ! s'écria Paula.

— C'est la technologie. Il y a une faculté de géographie aux États-Unis qui pense avoir localisé l'endroit où se cache Oussama ben Laden en réduisant les possibilités à partir de photos satellites, dit Stacey.

— Tu déconnes ! fit Paula.

— Non. C'était une équipe de l'UCLA. Ils ont d'abord appliqué des principes géographiques établis pour prédire la distribution de la faune et de la flore : la théorie de la relation distance-déclin et la théorie de la biogéographie insulaire...

— Comment ? glissa Kevin.

— La théorie de la relation distance-déclin... OK, tu pars d'un lieu connu qui présente les critères requis pour qu'un organisme puisse survivre. Comme les grottes de Tora Bora. Tu dessines une série de cercles concentriques autour, et plus tu t'éloignes du centre, moins tu as de chances de trouver les mêmes conditions. Autrement dit, plus cet organisme s'éloigne de son milieu d'origine, plus il a de chances de se retrouver parmi une population peu favorable à ses objectifs, et plus ce sera dur de se cacher. La théorie de la biogéographie insulaire traite du choix d'un lieu offrant des ressources. Donc, si tu devais te retrouver coincé sur une île, tu préférerais que ce soit l'île de Wight plutôt que le rocher de Rockall.

— Je ne vois pas ce que les satellites ont à voir là-dedans, rétorqua Paula en fronçant les sourcils.

— Ils ont déterminé la zone probable où se trouvait ben Laden, puis ils ont pris en compte ce qu'ils savaient sur lui. Sa taille, le fait qu'il ait régulièrement besoin de dialyses et donc d'électricité, son besoin d'être protégé. Ensuite, ils ont regardé les images satellites les plus détaillées qu'ils pouvaient trouver et ils ont réduit la zone à trois bâtiments d'une ville précise, expliqua patiemment Stacey.

— Mais alors, comment ça se fait qu'ils ne l'aient pas encore trouvé ? » fit remarquer Kevin à juste titre.

Stacey haussa les épaules. « J'ai seulement dit qu'ils pensaient l'avoir localisé. Pas qu'ils y étaient arrivés. Pas encore. Mais l'imagerie satellite devient chaque jour plus détaillée. Chaque image couvrait avant trente mètres sur trente. Maintenant, c'est de l'ordre de cinquante centimètres. Vous seriez stupéfaits des détails que les experts analystes arrivent à relever. C'est comme si on avait une version aérienne de Google Street View pour le monde entier !

— Arrête, Stacey. Tu me donnes mal à la tête. Mais si on peut exploiter ça, je te serais éternellement reconnaissante. Touches-en un mot à ces pros du satellite, dit Carol. Mais commençons par envoyer l'équipe de Cumbrie. Autre chose ? » Les regards sombres autour de la table lui dirent tout ce qu'elle devait savoir. Elle avait horreur de se trouver dans cette position. Ce qu'il leur fallait, c'était quelque chose de percutant, quelque chose qui fasse la une, quelque chose de spectaculaire. Le seul problème, c'était que ce dont Carol et sa brigade auraient fait leurs choux gras serait la pire des mauvaises nouvelles pour d'autres. Elle avait vécu trop d'épreuves de cet ordre pour vouloir l'infliger à quelqu'un d'autre.

Ils devraient se contenter de serrer les dents.

CHAPITRE 9

Même maintenant qu'il était adolescent, Seth Viner n'avait pas perdu l'habitude d'être sincère envers ses parents. Il ne se rappelait pas avoir un jour ressenti le besoin de dissimuler quelque chose à l'une de ses mères. Certes, c'était parfois plus facile de parler à l'une plutôt qu'à l'autre. Julia était plus pragmatique, plus réaliste. Plus calme face à une situation critique, plus susceptible de l'écouter jusqu'au bout. Mais elle pesait le pour et le contre et ne se rangeait pas toujours de son côté. Kathy était l'émotive, celle qui se faisait très vite une opinion. Néanmoins, elle prenait toujours le parti de Seth – c'est mon fils, qu'il ait raison ou tort. Pourtant, c'était elle qui le poussait à persévérer, qui l'empêchait de choisir la solution de facilité face à une difficulté. Mais il n'avait jamais regretté d'avoir dit quelque chose à l'une d'elles, même ce qui le mettait mal à l'aise. Elles lui avaient appris que les secrets n'avaient pas leur place avec les gens qu'on aime plus que tout au monde.

Par ailleurs, elles avaient toujours écouté ses questions et fait de leur mieux pour y répondre. Quelles qu'elles soient, de « pourquoi le ciel est bleu ? » à « pourquoi ils se battent à Gaza ? ». Elles ne l'envoyaient jamais balader. Ça sciait parfois ses profs et médusait ses copains, mais il savait toutes sortes de choses juste parce qu'il avait eu l'idée de demander et qu'il n'était jamais venu à l'esprit de Julia et de Kathy de ne pas répondre. Il supposait que c'était lié à leur détermination de ne pas lui cacher les raisons pour lesquelles il s'était retrouvé avec deux mères.

Il ne se souvenait pas à quel moment il s'était rendu compte que c'était plutôt bizarre d'avoir deux mères au lieu d'une combinaison de parents plus classique comme une mère et un père ou un beau-père, ou une mère célibataire et un groupe de grands-parents, d'oncles et de baby-sitters. Chacun pense au départ que sa famille est normale parce qu'il n'a pas d'autre expérience pour comparer. Mais lorsqu'il était entré à l'école, il avait découvert que la famille à laquelle il appartenait était différente. Et pas seulement à cause de la couleur de peau de Kathy. Curieusement, les autres enfants semblaient presque ne pas remarquer cette différence. Il se rappelait une fois où Julia était venue le chercher à l'école lors de son premier semestre. Kathy s'occupait normalement des trajets à l'école car elle travaillait depuis la maison comme conceptrice de sites Web, mais elle avait dû quitter la ville pour un rendez-vous et Julia était donc partie tôt du travail pour venir le chercher. Elle l'aidait à enfiler ses bottes lorsque Ben Rogers avait demandé : « Qui êtes-vous ? »

Emma White, qui habitait dans leur rue, avait alors dit : « C'est la maman de Seth. »

Ben avait froncé les sourcils. « Non, ce n'est pas vrai. J'ai rencontré la maman de Seth et ce n'est pas elle, avait-il répliqué.

— C'est l'autre maman de Seth », avait insisté Emma.

Ben ne s'était pas du tout laissé démonter et avait tout de suite enchaîné sur un autre sujet. Les choses étaient restées ainsi – ça faisait partie du décor, du cours des choses, un détail anodin – jusqu'à ce que Seth atteigne neuf ou dix ans et que sa passion pour le foot le mette en contact direct avec des enfants à qui l'on n'avait pas inculqué l'idée qu'avoir deux mères était une situation normale parmi l'éventail des agencements familiaux possibles.

Un ou deux gars plus costauds avaient essayé de profiter de la situation de famille inhabituelle de Seth pour avoir de l'emprise sur lui. Ils s'étaient vite rendu compte qu'ils avaient choisi la mauvaise proie. Seth semblait se mouvoir dans une bulle d'invulnérabilité. Il se dérobait aux insultes avec une bonhomie déconcertante. Et il était trop apprécié des autres garçons pour qu'ils puissent l'attaquer physiquement. Confondues par sa confiance en lui, les brutes s'étaient ravisées et avaient choisi une victime plus facile. Mais même là, Seth avait contrarié leurs plans. Il avait un don pour que les personnes ayant autorité sachent quand de vilaines choses se produisaient sans jamais passer pour une balance. C'était, semblait-il, un bon ami et un ennemi impossible.

Il était donc entré sans heurts dans l'adolescence : gentil, populaire et direct, avec pour seul problème apparent sa grande peur de l'échec. Julia et Kathy retenaient leur souffle en attendant le retour de bâton. Elles avaient cette impression depuis le jour où Julia s'était fait inséminer. Il y avait eu de nombreux mauvais présages laissant imaginer le pire. Mais Seth avait été un enfant heureux et facile à vivre. Il avait eu la colique une fois. Juste une fois. Il avait commencé à faire ses nuits incroyablement tôt, à sept semaines. Il avait évité les maladies de l'enfance, mis à part un rhume de temps en temps. Ce n'avait pas été un bébé infernal, notamment parce que la première fois qu'il avait essayé de piquer une crise en public, Kathy était partie et l'avait laissé hurler au milieu d'une allée de supermarché, le visage tout rouge. Elle l'avait regardé depuis le bout de la rangée des céréales, mais il ne s'en était pas rendu compte sur le moment. La peur de l'abandon avait suffi à le soigner de ces crises de colère. Il lui arrivait de pleurnicher, comme tous les enfants, mais ni Kathy ni Julia ne réagissaient comme il le désirait, et il avait donc presque totalement renoncé à ça aussi.

Il avait toutefois un trait de personnalité qui l'empêchait d'être trop parfait : son flot constant de paroles, qui semblait parfois démarrer lorsque ses yeux s'ouvraient le matin et s'arrêter seulement lorsqu'ils se refermaient à son coucher. Seth était si fasciné par le monde et sa place dans celui-ci qu'il ne voyait aucune raison à ce qu'on ne veuille pas un compte rendu approfondi de chacune de ses actions et pensées, ou un récit remarquablement détaillé de l'intrigue du dernier DVD qu'il avait vu, d'autant plus s'il était sans intérêt. Parfois, tardivement, il remarquait que des paires d'yeux dans son auditoire chaviraient, ou que celui-ci avait totalement décroché et attendait qu'il conclût. Cela ne le faisait pas sourciller un instant. Il continuait jusqu'au bout, même quand Kathy posait sa tête sur la table de la cuisine et gémissait doucement.

Dans l'absolu, ce n'était pas le pire des défauts. Ses mères avaient toutes deux constaté que cela ne semblait pas avoir le même effet sur les amis de Seth que sur elles. Et elles étaient heureuses que l'arrivée de l'adolescence n'ait pas transformé leur beau garçon en une brute revêche ne s'exprimant que par mono-syllabes. La plupart de ses amis leur donnait aujourd'hui des frissons. Des petits garçons charmants qui avaient galopé autour de leur maison en jouant à toutes sortes de jeux nés de leur ima-gination s'étaient métamorphosés en créatures bougonnes et nau-séabondes qui considéraient la communication avec les adultes comme un acte déshonorant. C'était, disait Kathy, une sorte de miracle que Seth ait échappé à cet aspect précis des rites de passage à l'âge d'homme.

« Il a quand même des goûts musicaux vraiment horribles », avait signalé Julia à plusieurs reprises, comme si cela faisait contre-poids à ses qualités. Elle se demandait bien d'où lui venait son goût pour les premiers groupes de grunge ; elle était juste heureuse que ça n'ait pas trop contaminé sa garde-robe jusque-là.

« Ça pourrait être pire, répétait toujours Kathy. Il pourrait être fan de comédies musicales. »

Étant donné l'incapacité de Seth à garder quoi que ce soit pour lui, Julia et Kathy ne s'en faisaient pas pour son utilisation de l'ordinateur. Pas au point de se passer des contrôles parentaux appropriés, avec toutes les sécurités supplémentaires que Kathy uti-lisait pour protéger les sites Web qu'elle concevait. Mais elles ne le surveillaient jamais littéralement par-dessus son épaule, même si Kathy vérifiait régulièrement qu'il n'y avait pas de cinglés ou d'indésirables parmi ses contacts sur RigMarole.

Non pas que cela fût vraiment nécessaire. À table, les bavardages de Seth tournaient en grande partie autour de Rig : à qui il parlait, leurs opinions sur ce qui faisait causer les gens cette semaine, de quelle nouvelle application intéressante on lui avait parlé.

Le problème quand on tient une chronique intégrale de sa vie quotidienne, c'est que les autres finissent par faire les sourds pour se préserver. Julia et Kathy n'écoutaient plus que d'une oreille les nouvelles du monde de Seth. Une grande partie de ce qu'il avait à dire se perdait dans ses paroles déversées à la table de la cuisine. La première fois qu'il avait mentionné un nouvel ami sur Rig dénommé JJ, Kathy avait enregistré le prénom et vérifié qui il était sur le compte de Seth. Il lui était apparu comme un ado balourd ordinaire analysant les paroles de Pearl Jam et de Mud-honey, plein à la fois de vanité et d'angoisse existentielle. Aucune raison de s'inquiéter.

Et donc, JJ s'était intégré au bruit de fond pour ne devenir qu'une autre référence qu'elles pouvaient ignorer. Aussi, natu-rellement, quand Seth indiqua en passant qu'il avait rendez-vous avec JJ pour partir en quête de raretés dans les boutiques de CD d'occasion de Bradfield, cela n'éveilla aucune inquiétude.

Quand on est habitué à la sincérité, on ne se doute jamais que ce qu'on nous raconte n'est qu'une pâle version de la vérité.

Tony rechercha sur Google le site de l'agent immobilier de Worcester puis cliqua sur le bouton « Nouvelles propriétés ». La femme à qui il avait eu affaire à l'agence lui avait fait l'impression d'un de ses patients bipolaires dans une phase maniaque n'ayant pas été traitée. Elle lui avait assuré deux jours plus tôt que les photos seraient prises l'après-midi même et que l'annonce appa-raîtrait sur le site « dans les heures à venir ». Il lui avait fallu jusqu'à cet instant pour trouver le cran de regarder les informa-tions sur cette maison qu'il vendait sans jamais l'avoir vue.

Étant donné le prix de vente que l'agent lui avait suggéré, il savait que ce devait être une grande propriété, mais il ne s'était pas attendu à la colossale maison édouardienne qui lui apparut. C'était une bâtisse en briques rouges patinées avec deux profonds bow-windows symétriques et une porte imposante peints dans un jaune pâle contrasté. De lourds rideaux étaient visibles de chaque côté des fenêtres, et le jardin semblait somptueusement amé-nagé. « Occasion unique d'acquérir une magnifique maison familiale donnant sur Gheluvelt Park, proclamait le surtitre. Quatre chambres, trois pièces communes, trois salles de bains. Ate-lier entièrement équipé avec l'électricité. » Les sourcils de Tony se froncèrent et sa bouche se plissa. C'était une sacrée baraque pour un homme qui vivait seul. Il aimait peut-être recevoir. Ou peut-être qu'il aimait simplement montrer au monde l'ampleur de sa réussite. De toute évidence, Edmund Arthur Blythe n'avait pas vécu dans le besoin.

Tony se rendit compte que cette vente le ferait accéder au même statut. Il avait déjà hérité de 50 000 livres placées sur son compte, mais ce n'était qu'une fraction de ce que la maison allait lui rapporter. Il n'avait jamais imaginé avoir une telle somme à sa disposition et ne s'était donc jamais interrogé sur ce qu'il en ferait. Il n'avait pas des goûts de luxe. Il ne collectionnait pas les œuvres d'art, ne s'intéressait pas aux bolides et ne portait pas de vêtements coûteux. Il n'aimait pas particulièrement prendre des vacances et n'était nullement attiré par les destinations exotiques où il faisait trop chaud, où les canalisations étaient suspectes et qui nécessitaient de recevoir des coups d'aiguille dans les bras et les fesses avant de pouvoir monter dans l'avion. Les choses qu'il appréciait le plus étaient en fait celles pour lesquelles on le payait : soigner des patients et établir le profil d'esprits dérangés. Cependant, il allait bientôt devenir un homme riche, que cela lui plaise ou non.

« Je peux toujours en faire don », dit-il à voix haute. Les associations caritatives en mesure de mettre une telle manne à profit ne manquaient pas. Et pourtant, cette idée ne le séduisait pas autant qu'il l'aurait cru. Cyndi Lauper devait avoir raison quand elle chantait que l'argent change tout. Il reporta son attention sur l'écran.

Il y avait d'autres photos accessibles par un simple clic. Le doigt de Tony resta en suspens. Il n'était pas sûr d'être prêt pour ça. Il avait fait le choix délibéré de ne pas explorer le domaine de l'homme qui lui avait transmis la moitié de son patrimoine génétique. Il n'avait pas envie de découvrir une vie heureuse et accomplie, de mettre au jour un homme populaire et équilibré, de s'apercevoir qu'il avait été ignoré par une personne qui aurait pu faire de son enfance malheureuse et désolée une étape à peu près normale de la vie. Déterrer cette vérité ne conduirait à rien sinon à éveiller un âpre ressentiment. Être le fils de Vanessa l'avait mené vers la plus grande détresse. Sa mère, tout comme la grand-mère qui avait assuré l'essentiel des tâches quotidiennes dans son éducation, lui avaient toutes deux inculqué la certitude d'être un moins que rien, de porter en lui les germes de l'iniquité, de ne pouvoir rien espérer devenir sinon un minable semblant d'homme. Or, en tant que psychologue, il avait appris que ses expériences infantiles produisaient directement le genre de créatures qu'il passait sa vie de profileur à traquer. Il leur était plus semblable que quiconque, même Carol, aurait pu le concevoir. Elles pourchassaient leurs victimes ; il les pourchassait. Elles établissaient le profil de leurs victimes ; il faisait de même pour elles. Leurs besoins étaient identiques, soupçonnait-il.

Ceux de Tony auraient été très différents si Blythe avait fait partie de sa vie. Et il refusait d'imaginer ce que cela aurait signifié. Il avait donc tout arrangé par téléphone et par e-mail et fait en sorte que le notaire de Blythe envoie directement les clés à l'agent immobilier. Le notaire s'était comporté comme si cela était tout à fait normal, mais Tony savait que ce n'était pas le cas. Il se rendait bien compte qu'il dressait ainsi des barrières entre lui-même et l'homme qui avait refusé d'être son père. Il n'avait aucune raison de se mettre en danger, dans toute sa fragilité, pour une personne qui n'avait eu le courage de reconnaître son fils qu'après sa mort.

Et pourtant, une voix insistante au fond de lui répétait qu'un jour viendrait où il regretterait d'avoir maintenu cette distance. « Peut-être bien, s'avouait-il tout haut. Mais je ne peux pas faire autrement maintenant. » Pendant un instant, il se demanda s'il devait suspendre la vente de la maison afin que le foyer de Blythe reste intact et qu'il puisse l'explorer lorsqu'il s'en sentirait prêt. Il écarta cette idée presque avant de l'avoir totalement conçue. Il ne serait peut-être jamais prêt, et il y avait quelque chose d'immoral à laisser des maisons vides quand des gens en avaient besoin.

Agacé par son propre manque de clarté, il ferma la page sur la maison et s'empara d'un dossier de patient. C'était là qu'il pouvait se rendre utile, en intervenant dans la vie de gens dont le comportement s'était dramatiquement écarté de ce que la majorité considérait comme normal. Son expérience avec sa mère lui avait montré à quel point le monde pouvait paraître différent quand votre vision avait été radicalement déformée. Il ne savait que trop bien comme il pouvait être pénible de ne pas se sentir à sa place, comme il pouvait être terrifiant de faire face à un monde dont les règles et les usages étaient en contradiction avec ceux qui vous avaient permis de survivre. Puisque Tony avait appris tout seul à passer pour un humain, il se pensait capable d'aider les autres à surmonter leurs traumatismes. Le cas d'un trop grand nombre de ses patients était irrémédiable, mais certains pouvaient être sauvés, réhabilités et ramenés à une vie à peu près normale.

Sa lecture fut interrompue par le téléphone. Quelque peu distrait, il décrocha. « Allô ? » Carol lui avait dit plus d'une fois qu'il paraissait étonné et méfiant en décrochant, comme s'il était décontenancé par un morceau de plastique capable de sonner et de parler quand on le soulevait. « Tu me rappelles un poème que j'ai lu à l'école, avait-elle dit. "Un Martien envoie une carte à la maison", ça s'appelait. »

La personne à l'autre bout du fil parut hésitante. Elle aurait certainement donné raison à Carol. « Suis-je bien chez le docteur Hill ? Docteur Tony Hill ?

— Oui. Qui est à l'appareil ?

— Je suis l'inspecteur Stuart Patterson. Police criminelle de West Mercia.

— Nous ne nous sommes jamais rencontrés, si ? » Tony préférait toujours régler cette question. Il reconnaissait bien les visages mais les noms lui échappaient souvent. Ce ne serait pas la première fois qu'il aurait cru parler avec un parfait inconnu pour découvrir finalement qu'ils avaient dîné à la même table un mois plus tôt.

« Non. On m'a dit que vous étiez la personne à qui s'adresser en matière de profilage.

— Eh bien, il est certain que je suis l'une d'elles, indiqua Tony en grimaçant. J'ai une certaine expérience dans ce domaine.

— On a une affaire pour laquelle je crois qu'on aurait besoin de votre aide.

— West Mercia ? C'est bien Worcester, non ? » Il perçut lui-même la méfiance dans sa voix.

« Et ses alentours, oui. Mais le meurtre a eu lieu aux abords de la ville. Vous en avez entendu parler dans la presse ? C'est pour ça que vous demandez ? » Les mots de Patterson se bousculèrent dans sa précipitation, mais Tony distingua un accent marqué par un léger grasseyement qu'il associa à celui du Borsetshire dans *The Archers*[3].

« Non, je n'étais juste pas tout à fait sûr... La géographie, ce n'est pas mon fort. Mais donc, qu'est-ce qui, dans cette affaire,

---

3. Feuilleton radiophonique britannique très populaire détenant le record de durée (il a démarré en 1950 et est encore diffusé aujourd'hui). (*N.d.T.*)

vous fait penser que vous avez besoin de quelqu'un comme moi ? »

Patterson prit une profonde inspiration. « On a une fille de quatorze ans qui s'est fait assassiner et a subi des mutilations sexuelles. On enquête depuis plus d'une semaine et on n'a toujours aucune piste digne de ce nom. On a fait toutes les démarches qui nous semblaient évidentes mais ça n'a rien donné. Nous sommes désespérés, docteur Hill. Je veux boucler cette affaire, mais on n'y arrive pas par la méthode habituelle. Il me faut une nouvelle approche. » Il marqua une pause. Tony sentit qu'il n'avait pas terminé et resta coi. « On m'a dit que vous pourriez nous apporter ça. »

C'était la deuxième fois que Patterson prononçait ce « on m'a dit ». Il faisait donc appel à Tony non par conviction mais parce qu'il était sous pression. Face à un crime comme celui que Patterson avait décrit, Carol Jordan et une poignée d'autres inspecteurs de la Crim' avec qui Tony avait travaillé l'auraient appelé dans l'heure. Et ce, parce qu'ils étaient convaincus. Avec des sceptiques, la masse de travail était toujours doublée pour un profileur. Mais d'un autre côté, cela signifiait que vous ne pouviez vous en tirer qu'avec des conclusions solides et étayées. C'était toujours bon d'être forcé de revenir aux bases.

Puis il pensa *Worcester* et décela l'influence de Carol Jordan. *Elle pense ne pas réussir à m'intéresser à Blythe, alors elle me piège avec un meurtre à Worcester pour me forcer à aller là-bas. Elle se dit qu'une fois que j'y serai, je ne pourrai pas m'empêcher de fouiner.* « Puis-je vous demander qui vous a suggéré que je serais capable de vous aider ? » questionna-t-il, sûr de la réponse.

Patterson s'éclaircit la voix. « C'est un peu compliqué.

— Je ne suis pas pressé.

— Notre ALF – c'est-à-dire notre agent de liaison avec les familles... Son copain travaille pour West Midlands. Un des gars de la brigade des enquêtes prioritaires de Bradfield, un agent dénommé Sam Evans, a assuré la liaison avec lui dans l'affaire des attentats de Bradfield l'an dernier. Bref, ils sont restés en contact tous les deux et se sont revus de temps en temps pour manger un bout ensemble. Et ce Evans, il a fait votre éloge. Mon sergent, il a passé un coup de fil à l'agent Evans qui lui a donné votre numéro. » Patterson toussota pour s'éclaircir de nouveau la voix. « Et mon sergent m'a persuadé qu'il était temps d'innover.

— Vous n'avez pas parlé à l'inspecteur Jordan ? » Tony n'en revenait pas.

« Je ne connais pas d'inspecteur Jordan. C'est le chef de l'agent Evans ? »

Cette supposition, qui aurait sans doute agacé Tony dans d'autres circonstances, le convainquit que Patterson disait vrai. Ce n'était pas un coup monté de Carol Jordan. « Quelle est la cause du décès ? demanda Tony.

— Asphyxie. Elle avait un sac plastique sur la tête. Elle ne s'est pas débattue, elle était défoncée au GHB.

— Au GHB ? Comme le savez-vous ? Je croyais que c'était indétectable vu qu'on en a déjà dans le sang ?

— Pas avec de telles doses. Elle n'était pas morte depuis longtemps quand on l'a trouvée, c'était donc plus évident, répondit-il d'une voix accablée. On attend toujours les résultats d'une analyse toxicologique complète, mais à ce stade, il semblerait qu'on lui a donné assez de GHB pour rendre la tâche très facile au meurtrier. »

Par automatisme, Tony s'était mis à prendre des notes en écoutant. « Vous avez parlé de "mutilations sexuelles".

— Il lui a enfoncé un couteau. Un couteau à longue lame, d'après ce qu'on m'a dit. Il l'a complètement saccagée à l'intérieur. Qu'est-ce que vous en pensez, docteur ? Vous allez pouvoir nous aider ? »

Tony laissa tomber son stylo et remonta ses lunettes sur son nez. « Je ne sais pas. Est-ce que vous pouvez m'envoyer par e-mail les photos de la scène du crime et les rapports de synthèse ? Je vais y jeter un œil et je vous recontacte demain à la première heure. Je saurai alors si je peux vous être d'une quelconque utilité.

— Merci. Et si c'est oui, est-ce que vous devrez venir ici ? »

Un homme déjà inquiet pour son budget. « Il faut que je voie les lieux du crime de mes propres yeux, expliqua-t-il. Et il me faudra sans doute parler aux parents. Deux ou trois jours au maximum. Peut-être une nuit sur place. Deux tout au plus », indiqua-t-il, montrant qu'il comprenait. Il donna son adresse e-mail à Patterson, prit son numéro de téléphone et convint de le rappeler le lendemain matin.

Tony raccrocha le combiné et s'enfonça dans son fauteuil en fermant les yeux. La police de West Mercia voulait le faire venir à Worcester le jour même où il avait lancé la vente de la maison d'Edmund Arthur Blythe à Worcester. Certaines de ses connaissances auraient bâti toute une théorie sur la prédestination à partir de cela. Mais il ne faisait aucun cas des coïncidences. Il avait des patients qui y voyaient toutes sortes de significations fatidiques ; durant sa brève carrière de professeur d'université, il avait conseillé à ses étudiants de ne pas se laisser avoir par ces fantaisies. Qu'avait-il dit, déjà ?

« Ça nous est tous arrivé. En vacances, dans un village perdu ou sur une plage ne figurant pas dans le *Lonely Planet*, ou encore dans quelque fabuleux petit restaurant de fruits de mer recommandé par des gens du coin. Et on se retrouve nez à nez avec quelqu'un qui joue au foot avec notre frère ou prend le même bus que nous tous les matins ou qui promène son chien dans le même parc que nous. Et nous sommes soufflés. C'est la première chose qu'on raconte à notre retour : "Tu ne croiras jamais sur qui je suis tombé..." Mais réfléchissez bien. Pensez à la myriade de moments chaque jour de vos vacances où vous n'êtes *pas* tombé sur quelqu'un que vous connaissiez. Et même, pensez à la myriade de moments chaque jour, ici, où vous ne tombez pas sur quelqu'un que vous connaissez. Mathématiquement, les probabilités sont finalement très grandes que vous tombiez sur quelqu'un que vous connaissez presque n'importe où que vous alliez. Le monde est une zone de contact qui rétrécit. Chaque année qui passe, nos chances de faire une de ces rencontres apparemment significatives augmentent. Mais elles ne sont pas significatives. À moins bien sûr que vous ne soyez suivi par un maniaque, auquel cas vous ne devez pas tenir compte de ce que je suis en train de vous dire mais appeler la police.

« Ainsi, quand vos patients vous présentent leur mission comme le résultat d'événements fortuits auxquels ils ont attribué un sens, souvenez-vous que les coïncidences n'ont pas de sens. Cela arrive. Acceptez-le et ignorez-le. »

Son ordinateur émit un bip annonçant l'arrivée d'un nouvel e-mail. L'inspecteur Patterson ne perdait pas de temps, songea-t-il. Tony se laissa retomber en avant dans son fauteuil en ouvrant les yeux et en grognant. « Accepte-le et ignore-le », dit-il à voix haute.

CHAPITRE 10

Il fallut moins de trente secondes à Paula pour comprendre que la seule personne de la brigade criminelle de la Division nord favorable à l'idée de faire intervenir la BEP dans leur enquête sur une disparition était le chef. On lui avait dit de se présenter au sergent-détective Franny Riley pour qu'il la briefe. Lorsqu'elle arriva, la première personne à qui elle s'adressa haussa les épaules et fit un geste du pouce par-dessus son épaule. « Le costaud là-bas avec une clope. »

Il était évidemment illégal de fumer dans les bureaux de la police de Bradfield depuis des années. Mais le détective râblé que l'on avait désigné à Paula avait une cigarette au coin de la bouche. Elle n'était pas allumée, mais les yeux sombres et malveillants qui se levèrent sur elle jetèrent ce regard de défi menaçant d'un homme prêt à allumer son briquet à la moindre provocation. Il avait l'air d'un vétéran de la pire époque du rugby à XIII, pensa Paula en traversant la pièce. Le nez cassé mal réparé, les oreilles déformées et le cou invisible. « Je suis l'agent McIntyre, annonça-t-elle. Paula McIntyre. » Elle lui tendit la main. Franny Riley hésita un instant puis l'engouffra dans la sienne. Il avait une poigne ferme mais la peau étonnamment douce.

« Franny Riley. Je croyais que vous et votre bande étiez censés être des cracks. Je me demande bien ce qui passe par la tête du patron. À vous faire perdre votre temps et nous faire passer pour des cons. » Il se renfrogna davantage. Entre ses sourcils saillants et les poches flasques sous ses yeux, Paula se demanda comment il pouvait voir.

« Espérons-le. »

Il dressa la tête d'un air perplexe. « Pardon ?

— Je serais très heureuse que ça s'avère avoir été une perte de temps pour tous les deux si on retrouve Daniel Morrison sain et sauf avec le sourire d'un ado qui vient de tirer son premier coup. Pas vous ? » Paula prit son air le plus charmeur et sortit son paquet de cigarettes de sa veste. « Où est-ce qu'on doit aller pour fumer ici ? »

Le toit du QG de la Division nord de la police de Bradfield offrait une des meilleures vues de la ville. Construit au sommet de la colline de Colliery, le bâtiment dominait les quartiers environnants. Par temps clair, on distinguait les monuments du centre-ville, ainsi que le lointain stade Victoria et les parcs qui servaient de poumons à la ville depuis la révolution industrielle. Au nord, les landes s'étendaient à l'horizon, sillonnées de routes se faufilant entre leurs sommets arrondis. Par quelque phénomène, un abribus en plexiglas avait atterri sur le toit pour protéger les fumeurs du vent et de la pluie et leur offrir ce qui devait être l'espace fumeurs le plus pittoresque de Bradfield.

« Sympa, commenta Paula en se perchant sur l'étroit banc en plastique qui parcourait la largeur de l'abri. Est-ce que quelqu'un a signalé la disparition de son abribus ? »

Riley eut un petit rire. Un bruit étrange, rappelant un tuyau bouché dans lequel on aurait passé un furet. « Devinez. » Il avala une grosse bouffée de fumée, comme si sa cigarette était un respirateur artificiel. « Le grand chef a le vertige, donc on devrait être tranquilles ici. Alors, qu'est-ce que vous voulez que je vous raconte, agent McIntyre ?

— J'espérais que vous pourriez me dire où vous en êtes au sujet de Daniel Morrison. Histoire que j'évite de refaire le même boulot. »

Il grogna. « Je croyais que c'était comme ça que vous faisiez, dans votre brigade d'élite ? Reprendre à zéro, revoir tout ce qui a déjà été traité, puis s'attribuer le mérite ?

— Vous devez confondre avec une autre bande de branleurs, sergent. » Paula se tourna pour abriter la flamme de son briquet et allumer sa cigarette. Elle sentit ses muscles se détendre à mesure que la nicotine envahissait son cerveau. Elle avait un don pour tromper la vigilance des personnes qu'elle interrogeait. Elle savait que c'était la principale raison pour laquelle Carol Jordan l'estimait autant, mais elle s'efforçait de ne pas trop analyser le processus, de peur qu'il ne cesse de fonctionner. Aussi, sans trop y réfléchir, elle lança à Franny Riley un sourire complice. « Mais je suppose que ça, vous le savez bien. »

Elle vit Riley se décrisper. « Petite futée.

— Vous ne semblez pas très inquiet pour Daniel. Est-ce que ça signifie que vous pensez que c'est une fugue ? »

Riley haussa ses grosses épaules. « Pas vraiment une fugue. Plutôt qu'il s'offre une aventure. Comme vous disiez, on le retrouvera sans doute avec un sourire de dépucelé.

— Qu'est-ce qui vous fait dire ça ? »

Riley tira agressivement sur sa cigarette et parla en crachant la fumée. « Un sale enfant gâté. Le petit chéri de papa-maman. Il a aucune raison de mettre les bouts puisqu'il a tout ce qu'il veut chez lui. »

Paula laissa cette remarque passer pour le moment. D'après son expérience, on était généralement loin de pouvoir se faire une idée d'une situation familiale dans les premiers jours suivant une disparition. Il pouvait sembler à première vue que Daniel ne manquait de rien, mais cela signifiait aussi parfois qu'un enfant devait en supporter plus qu'on s'y serait attendu. « Vous avez exclu l'hypothèse d'un enlèvement ?

— Si c'était un kidnapping, soit les parents ne nous parleraient pas, soit ils auraient déjà reçu une demande de rançon. En plus, le père n'a pas les moyens qu'on lui demande une rançon. Il est loin d'être pauvre, mais pas assez riche pour qu'un enlèvement vaille la chandelle. » D'une dernière bouffée, Riley fit brûler sa cigarette jusqu'au filtre et écrasa le mégot sous son pied d'un air inébranlable.

« Quand l'a-t-on vu pour la dernière fois ? »

Riley bâilla et s'étira puis sortit une autre cigarette. « Il est élève à William Makepeace. Lundi après l'école, il a pris le bus pour aller en ville. Il était seul, mais deux autres ados de la même année étaient assis près de lui. Ils sont tous descendus à Bellwether Square. Les autres garçons sont allés au magasin de jeux vidéo. Ils ont dit que Daniel avait traversé la place dans la direction opposée.

— Vers Temple Fields ? » Malgré elle, Paula sentit ses poils de bras se hérisser. Ça n'avait rien à voir avec le vent frais qui descendait des landes.

« C'est ça.

— Et ensuite ? »

Riley haussa les épaules. « À vrai dire, on n'a pas lancé d'avis de recherche, donc on n'a pas eu droit aux cinq cents trublions qui vous refont un chapitre d'histoire pour vous prouver qu'ils l'ont vu. » Il s'avança jusqu'à l'ouverture de l'abri et regarda la ville, l'air d'avoir terminé son compte rendu. Au moment précis où Paula s'apprêtait à abandonner, voyant en lui un sale glandeur, Riley la surprit. « J'ai jeté un œil aux bandes de surveillance vidéo du centre-ville, dit-il. Les garçons ont dit vrai. Daniel a traversé la place et pris une ruelle qui mène à Temple Fields. » Il tourna la tête et la dévisagea. « Vous savez ce que c'est mieux que n'importe qui. Je me trompe ? »

Pendant un instant, Paula se demanda s'il faisait allusion à sa sexualité. « Pardon ? demanda-t-elle d'un ton assez sec pour indiquer qu'elle ne laisserait pas passer un discours homophobe sans répliquer.

— C'est vous, non ? Celle qui s'est retrouvée prise entre deux feux quand cette mission d'infiltration à Temple Fields a tourné au vinaigre ? »

Paula aurait presque préféré le sexisme qu'elle lui avait attribué à tort. Elle avait failli mourir dans une pièce minable de ce labyrinthe de rues et de ruelles à cause d'un meurtrier plus intelligent que même Tony Hill l'avait cru. Pour s'en remettre, elle avait dû accomplir un parcours dur et périlleux, un parcours dont, elle le savait, elle n'aurait pas vu le bout sans le soutien de Tony. Et même maintenant qu'elle s'en était plus ou moins remise, elle ne supportait pas l'idée que cela fasse partie de son passé. « C'est bien moi, acquiesça-t-elle. Et je suis au courant que la surveillance vidéo à Temple Fields est toujours merdique. »

Riley la salua d'un doigt en inclinant la tête pour la remercier de son aveu. « Mauvais pour les affaires. On l'appelle le village homo et on fait comme s'il était devenu respectable avec ses bars branchés et ses restaurants snobs, mais vous et moi, on connaît la vérité. Les sex-shops, les putains, les macs et les dealers ne veulent pas que leurs clients soient filmés. Et donc, à partir du moment où Daniel disparaît dans Temple Fields, on est baisés.

— Aucune chance de le repérer quand il en ressort ? »

Riley se gratta le ventre. « Trop de possibilités. Trop de moyens à mettre en place pour un ado porté disparu. Vous savez ce que c'est. Et ce, sans garanties. Il pourrait y être en ce moment même, pieuté dans un foutu loft. Ou il pourrait être reparti à l'arrière d'une voiture et on serait pas plus avancés.

— On est mal barrés. » Paula se leva et vint scruter la ville avec Riley. Quelque part là devant eux se trouvait la clé de la disparition de Daniel Morrison. Ça aurait aussi bien pu être en Islande, pour ce que ça leur apportait pour l'instant. « Vraiment mal barrés.

— Qu'est-ce que vous allez faire ? Interroger la famille ? »

Elle fit non de la tête. « Ce n'est pas moi qui décide. Mais je vais conseiller à ma chef d'attendre que quelque chose se passe. Il me semble que vous avez fait le tour de la question pour l'instant. »

Riley parut décontenancé. « Bonne idée, lança-t-il sans parvenir à cacher sa surprise. Si on n'a rien de neuf d'ici demain matin, on organisera sans doute une conférence de presse avec les parents. Je n'oublierai pas de vous prévenir. »

Paula écrasa sa cigarette. « Merci, sergent. » Elle sentit qu'il la suivait des yeux tandis qu'elle traversait le toit jusqu'à l'escalier de secours. Elle s'était fait un nouvel ami, pensa-t-elle. Elle n'avait pas perdu sa journée.

Tony parcourut du regard le restaurant indien bondé. Carol et lui venaient au même, à la limite de Temple Fields, depuis la première affaire qu'ils avaient élucidée ensemble, et malgré le changement de décoration et de chef, c'était toujours un des plus animés et des meilleurs. Il s'était une fois inquiété du fait que les tables étaient si rapprochées que les conversations entre Carol et lui pouvaient couper l'appétit aux gens, jusqu'à ce qu'il se rende compte que le bruit de fond était si important qu'il était impossible d'écouter ses voisins. Et c'était donc devenu un rendez-vous régulier. Tony supposait qu'ils appréciaient tous les deux la neutralité de ce lieu, une sorte de no man's land dans leur relation tumultueuse où aucun d'eux n'avait d'avantage territorial.

Il consulta de nouveau sa montre et, cette fois, en levant les yeux, aperçut Carol qui se faufilait vers lui entre les tables serrées. Ses joues rosies par la fraîcheur du soir accentuaient le bleu de ses yeux. Ses épais cheveux blonds, dont le dégradé devenait hirsute et désordonné, étaient mûrs pour une coupe. Si on lui avait demandé son avis, Tony aurait reconnu qu'il préférait la voir ainsi que parfaitement pomponnée au sortir de chez le coiffeur. Mais personne n'allait a priori lui demander son opinion, Carol la dernière.

Elle se laissa tomber sur sa chaise avec un soupir sonore, ôta son manteau d'un mouvement d'épaules et s'empara de la bouteille ruisselante de Cobra posée devant elle. Elle la fit tinter contre celle de Tony et avala une longue gorgée. « Ça va mieux, dit-elle. Ça m'a donné soif de courir pour être ici à l'heure.

— Bonne journée ? » Tony connaissait la réponse ; ils étaient là parce qu'elle lui avait envoyé un message pour l'inviter à fêter quelque chose.

« Je crois », répondit Carol. Leur serveur se glissa gracieusement jusqu'à eux, et ils débitèrent tous deux leur commande sans avoir à consulter le menu. « On vient peut-être de trouver la clé d'une affaire non classée vieille de quatorze ans. » Elle lui fit un bref exposé des nouveaux éléments accusant Nigel Barnes. « La bonne nouvelle, c'est que Stacey a réussi à restreindre les zones où les corps ont potentiellement été largués, et l'équipe de recherche subaquatique de Cumbrie est d'accord pour tenter le coup. J'ai envoyé Sam chez eux pour travailler en liaison avec eux.

— Joli. Ça devrait vous valoir le genre de gros titres qu'il vous faut pour que Blake vous fiche la paix. »

Carol fit une moue. « Je ne sais pas. Je suppose qu'il mettra simplement ça au rancart comme si n'importe quelle équipe aurait pu résoudre l'affaire, mais il aurait tort. Tu vois, la plupart des agents de la Crim', en apprenant que Nigel Barnes avait déménagé, ils ne se seraient pas donné la peine de suivre l'affaire comme l'a fait Sam. Ils s'en seraient servis d'excuse pour tout laisser tomber. Mais mon équipe est spéciale. Mes agents raisonnent de manière oblique et non linéaire. C'est difficile d'expliquer à un type comme Blake ce que ça implique sur le terrain.

— Surtout s'il refuse de comprendre », ajouta Tony.

Carol eut un sourire ironique. « Tu l'as dit. Mais ne pensons pas à ça ce soir, profitons simplement du fait que ma brigade est sur le point de remporter une nouvelle victoire.

— Tu fais du bon boulot. C'est dur de devoir dire aux familles que leurs pires cauchemars se sont réalisés, mais au moins tu mets fin à l'incertitude. Et amener les assassins devant la justice, ça vaut toujours la peine. C'est un vieux cliché, mais c'est vrai. Tu es là pour parler en faveur des morts, pour agir en leur nom. » Il lui sourit en plissant le coin des yeux. Il était content que la soirée démarre bien. Quelque chose lui disait qu'elle ne se poursuivrait peut-être pas aussi tranquillement.

Un plat chargé de *pakoras* de légumes et de poisson arriva, et ils se servirent tous les deux. Un silence respectueux régna tandis qu'ils entamaient leurs assiettes. Finalement, Tony poussa un soupir de satisfaction. « Je ne me suis pas rendu compte que j'avais si faim.

— Tu dis ça à chaque fois, marmonna Carol en mâchant sa dernière bouchée de pâte croustillante et de chou-fleur fondant.

— Et c'est vrai à chaque fois.

— Bon, et toi, comment a été ta journée ? »

Devenu hésitant, Tony expliqua : « Eh bien, j'ai le plaisir de t'annoncer que même si James Blake ne veut pas de moi, d'autres si. On m'a appelé aujourd'hui pour solliciter mes services dans une affaire de meurtre, donc il semblerait que je sois toujours demandé.

— Génial ! C'est quelqu'un que je connais ? » Carol semblait sincèrement heureuse. Il supposa que ça ne durerait peut-être pas.

« Un inspecteur dénommé Stuart Patterson. »

Carol fronça les sourcils et secoua la tête. « Ce nom ne me dit rien.

— De West Mercia. »

Une expression de surprise se figea soudain sur son visage. « West Mercia ? Tu vas aller à Worcester ? » Il discerna bien le ton accusateur auquel il s'était attendu.

« C'est là qu'on a besoin de moi, Carol. Je ne suis pas allé chercher cette mission. C'est eux qui sont venus me chercher. » Il ne voulait pas avoir l'air d'être sur la défensive mais il savait que c'était le cas.

« Rien ne t'obligeait à accepter. »

Tony leva les mains au ciel. « Je ne suis jamais obligé d'accepter. Et pourtant je suis toujours obligé d'accepter. Tu le sais très bien. Comme je viens de te dire, il ne reste que nous pour parler au nom des morts. »

Carol baissa la tête. « Je suis désolée. Tu as raison. Ça me paraît juste... Je ne sais pas. Quand j'ai essayé de te parler de ton père, tu m'as arrêtée aussi sec. Tu ne voulais pas en discuter. Et pourtant, à la première occasion, te voilà en route pour la ville où il a passé la majorité de sa vie adulte. Tu vas marcher dans les rues où il a marché, voir les bâtiments qu'il a vus, peut-être même boire dans les mêmes pubs que des gens qui l'ont connu.

— Je n'y peux rien, Carol. Ce n'est pas comme si j'étais descendu à Worcester pour assassiner et mutiler une adolescente en espérant que West Mercia m'appelle pour leur dresser un profil. C'est ce que je sais le mieux faire, c'est ce qui m'anime. Je suis bon pour ça et je peux les aider. » Il s'interrompit quand le serveur arriva avec leurs plats principaux.

Une fois qu'ils furent de nouveau seul à seul, elle lança : « Alors est-ce que tu vas faire semblant de n'avoir aucun lien avec cette ville une fois là-bas ?

— Ce ne serait pas faire semblant. Je n'ai aucun lien. »

Poussant un petit rire sec, Carol prit un bout de poulet *karahi* dans un morceau de *naan*. « Si ce n'est que tu es propriétaire d'une maison et d'un bateau là-bas.

— C'est un hasard, pas un lien. »

Elle le fixa longuement d'un air tendre et compatissant. « Tu ne pourras pas résister, Tony. Et si tu essaies, ça va te ronger le cœur.

— C'est un peu mélodramatique de ta part, fit-il pour tenter de dissiper l'inquiétude de Carol. Où est passé l'inspecteur en chef pragmatique que je connais ?

— Elle s'efforce de te faire comprendre que tu as besoin de ça. Tu passes ta vie à essayer de réparer ce qui a été brisé. Tu le fais pour tes patients. Tu le fais quand tu établis des profils pour nous. Tu le fais pour les gens auxquels tu tiens, les gens comme Paula. Et moi. Tout ce que je veux, c'est que tu sois égoïste cette fois-ci et que tu le fasses pour toi-même. » Elle posa la main sur la sienne. « Ça fait un sacré bout de temps qu'on se connaît, Tony. On sait bien à quel niveau on déraille tous les deux. Quand tu as perçu des occasions de m'aider, tu les as saisies. Pourquoi tu ne me laisses pas te rendre la pareille ? »

Il sentit sa gorge gonfler comme s'il avait avalé un piment *naga* entier. Il secoua la tête en repoussant son assiette. « Je veux juste faire mon travail. » Les mots sortaient péniblement.

« Je sais. » Carol parlait d'une voix douce, presque inaudible dans le bruit de fond. « Mais je crois que tu le ferais mieux si tu reconnaissais que tu as besoin de te réconcilier avec ton passé.

— Peut-être. » Il but un peu de bière et s'éclaircit la voix. « Peut-être que tu as raison. » Il réussit à esquisser un sourire. « Tu ne vas pas lâcher prise, n'est-ce pas ? »

Elle fit un signe de tête négatif. « Comment le puis-je ? Je n'aime pas te voir souffrir parce que tu refuses de voir les choses en face. »

Tony rigola. « Excuse-moi, mais c'est moi qui suis censé être le psychologue. »

Carol rapprocha son assiette de lui. « Et j'apprends bien. Maintenant, mange ton plat et laisse-moi te raconter ce que j'ai réussi à découvrir.

— Tu as gagné, répondit-il docilement en reprenant sa fourchette.

— Note qu'on est encore très loin d'avoir toutes les pièces du puzzle, précisa-t-elle. Mais c'est un début. Le premier point positif, c'est qu'il n'avait pas de casier. Il avait même encore tous ses points sur son permis de conduire, bien qu'il ait été condamné deux fois pour excès de vitesse en 2002. Sans doute suite à l'installation de radars sur la route principale la plus proche.

— Ensuite il a compris qu'il fallait faire attention. » Tony se remit lentement à manger, petit bout par petit bout.

« Le deuxième point positif – du moins, je pense que ça a probablement été positif pour lui, sinon pour les personnes de son entourage –, c'est que sa mort a été très rapide. Pas de maladie interminable ni de longue période de dégénérescence. Il est mort d'une crise cardiaque foudroyante. Il a participé à une sorte de rassemblement de péniches, et en retournant à son bateau, il s'est effondré sur le quai. Le temps que l'ambulance arrive, on ne pouvait plus rien pour lui. »

Tony imagina ce qu'il avait dû ressentir. La soudaine douleur paralysante. La perte de contrôle. Le moment d'agonie où il comprend que c'est la fin. Les ténèbres qui s'abattent sur lui. La terrible solitude, l'absence de quiconque comptant pour lui. Aucune possibilité de dire au revoir. Aucune possibilité de faire amende honorable. « Est-ce qu'il savait qu'il risquait d'avoir une crise cardiaque ?

— Pas vraiment. On lui avait diagnostiqué une maladie cardiaque ischémique, mais ça ne semble avoir eu aucune conséquence sur son mode de vie. Il jouait au golf, il passait beaucoup de temps à se balader sur les canaux avec son bateau, et il travaillait. Il fumait un cigare presque tous les soirs, il buvait pratiquement une bouteille de vin rouge par jour, et il aimait dîner dans des restaurants chers plusieurs fois par semaine. Ce n'est pas le comportement de quelqu'un qui espère vivre longtemps et en bonne santé. »

Tony secoua la tête. « Comment tu as découvert tout ça ?

— Je suis inspecteur en chef. J'ai appelé le bureau du médecin légiste.

— Et on t'a dit tout ça comme ça ? On ne s'est pas demandé pourquoi tu voulais savoir ça ? » Tony savait qu'il ne devait pas s'étonner du manque de respect de la vie privée que l'État offrait à ses citoyens, mais il lui arrivait encore d'être stupéfié par la facilité avec laquelle il était possible de recueillir des informations prétendument confidentielles. « Tu aurais pu être n'importe qui, ajouta-t-il.

— Il s'est interrogé, oui. Mais je l'ai rassuré en expliquant qu'on ne pensait pas qu'il y ait quoi que ce soit de fâcheux dans la mort d'Edmund Blythe, que l'on étudiait simplement la possibilité que quelqu'un dans notre secteur ait volé son identité. Il me fallait donc naturellement certains renseignements. » Elle fit un grand sourire et se servit une cuillerée de *tarka daal*.

« Tu as l'esprit bien tortueux. Je n'aurais jamais pensé à ça. »

Carol haussa les sourcils. « Tu peux parler. Je t'ai vu être plus tordu qu'un tire-bouchon dans la salle d'interrogatoire. Il y a des choses qui te viennent instinctivement quand tu cherches à te mettre dans la peau de quelqu'un, qui ne m'effleureraient même pas l'esprit. »

Il baissa la tête en signe d'aveu. « C'est vrai. Eh bien, merci d'avoir fait ça. Tu as raison, ce n'est pas la fin du monde de savoir ça.

— Il y a autre chose. Tu es d'attaque ? »

À nouveau la méfiance l'envahit et lui tiraillia le ventre. « Je ne suis pas sûr.

— Je ne crois pas qu'il y ait quoi que ce soit dans ce que j'ai découvert qui puisse te causer un problème, indiqua Carol par précaution. Je n'insisterais pas autant si je pensais que ça allait te foutre en l'air. »

Il observa les tables serrées dans le restaurant. À en juger par les visages des dîneurs, toute la vie humaine était représentée ici : l'amour, les affaires, les désaccords, l'amitié, la joie, la tristesse, les liens familiaux, les premiers rendez-vous. De quoi avait-il si peur ? Qu'avait-il à craindre d'un homme mort qui n'avait rien su de lui de son vivant ? Il se retourna vers Carol. Elle semblait ne pas l'avoir quitté des yeux. Il avait de la chance de l'avoir dans sa vie, se dit-il, même si son obstination le rendait parfois dingue. « D'accord, dit-il.

— C'était un type intelligent, ton père…

— Pas mon père, coupa Tony, immédiatement irrité. S'il te plaît, Carol. Tu auras beau insister autant que tu veux, je n'accepterai pas ça.

— Je suis désolée, pardon. Je ne cherchais pas à être lourde. Je n'ai pas réfléchi, c'est tout. Comment veux-tu que je l'appelle ? »

Tony haussa les épaules. « Edmund ? Blythe ?

— Ses amis l'appelaient Arthur.

— Va pour Arthur alors. » Il regarda sa nourriture d'un air furieux. « Excuse-moi d'avoir été brusque. Mais je ne peux pas le considérer comme tel. Je ne peux vraiment pas. Je te l'ai déjà dit : le mot "père" implique une relation. Bonne ou mauvaise, sincère ou non, affectueuse ou haineuse. Mais nous n'avons jamais eu aucune sorte de relation. »

L'expression de Carol suffit à l'excuser. « Arthur était un type intelligent. Il a monté sa boîte, Surginc, deux ou trois ans après ta naissance. Je ne suis pas sûre de ce qu'il faisait avant ça. La femme à qui j'ai parlé à Surginc travaille là depuis une trentaine d'années, mais elle ne savait rien de la vie d'Arthur avant qu'il s'installe à Worcester, excepté qu'il venait de quelque part dans le Nord. »

Un sourire crispé. « Ce doit être Halifax, on présume, puisque c'est là que vivait ma mère à l'époque. Mais que fait cette société, Surginc ?

— C'est un peu technique, mais grosso modo ils fabriquent des instruments chirurgicaux jetables. Là où Arthur a devancé ses concurrents, c'est en développant une série d'instruments jetables recyclables en plastique et en métal. Donc au lieu d'être à usage unique, le matériel pouvait être récupéré et réutilisé. Ne me demande pas ce qu'il y a de si particulier dans le procédé qu'ils utilisent, mais apparemment il est unique. Il en détenait le brevet. Un parmi tant d'autres, semble-t-il. » Son sourire adoucit les traits de son visage et rappela à Tony pourquoi les gens sous-estimaient souvent sa force de caractère. « Il s'avère que tu n'es pas le premier de ta lignée à avoir un esprit novateur. »

Malgré toute sa détermination, Tony ne pouvait s'empêcher d'être heureux d'entendre les nouvelles de Carol. « Malgré tous ses défauts, ma mère l'a aussi. Ça me fait plaisir de savoir que je ne tiens pas uniquement ma créativité d'elle. »

Le visage de Carol se tendit à l'évocation de la mère de Tony. Il ne fut pas étonné. L'hostilité entre les deux femmes s'était déclarée dès leur première rencontre. Tony se trouvait alors à l'hôpital, où il se remettait de la violente attaque d'un patient de Bradfield Moor. Il n'avait pas été en état de faire tampon entre les deux femmes, et le fait que Carol soit intervenue pour empêcher Vanessa de lui escroquer l'héritage d'Arthur Blythe avait cimenté leur mépris mutuel. « En réalité, il y une grosse différence entre Arthur et Vanessa, précisa-t-elle. Aux dires de tous, Arthur était un type bien. En plus d'être intelligent, c'était apparemment aussi un bon patron – sa société offrait même un intéressement aux bénéfices à ses employés. Il était très sociable, sympathique, généreux. Il employait environ vingt-cinq personnes, mais il savait tout sur leurs familles. Il se souvenait toujours des prénoms des enfants, ce genre de choses. Lorsqu'il a vendu l'entreprise il y a deux ans, il a emmené tous les membres du personnel et leurs conjoints dans un hôtel-manoir de luxe pour un week-end. Sans regarder à la dépense. » Carol marqua un temps d'arrêt dans l'attente d'une réaction.

Tony ne parvint à formuler qu'une réplique banale. « Pas étonnant qu'ils l'appréciaient.

— La seule chose qu'aucun n'arrivait à saisir, c'est pourquoi il restait célibataire. Sur toutes les années où cette femme a travaillé pour lui, il n'est jamais venu à une fête de bureau avec une femme à son bras. Un ou deux d'entre eux pensaient qu'il était gay, mais elle ne le croyait pas. Il aimait trop les femmes, d'après elle. Elle se demandait s'il n'avait pas été veuf ou divorcé quand il était vraiment jeune. J'ai donc consulté les archives du Centre d'enregistrement des familles. Il ne s'est jamais marié. »

Tony eut un éclat de rire. « On dirait qu'il était aussi doué que moi dans ses relations avec les femmes. » *Et sans doute pour la même raison. Vanessa nous a tous les deux foutus en l'air.*

Comme si elle lisait dans ses pensées, Carol dit : « Eh bien, il y a un facteur commun à ce niveau-là. »

Tony s'empara de sa bière. « Vanessa est maléfique. Mais je ne peux pas tout lui mettre sur le dos. »

Carol le regarda comme si elle n'était pas d'accord. « En tout cas, une chose est sûre, c'est qu'une fois qu'Arthur s'est éloigné d'elle, il a vraiment fait quelque chose de sa vie. Je sais que tu ne peux pas mettre de côté le fait qu'il a ignoré ton existence de son vivant, mais d'après ce que j'ai appris de lui… Je ne sais pas, j'ai le sentiment qu'il a dû avoir une bonne raison d'être absent. Et si quelqu'un la connaît, ce doit être Vanessa.

— Dans ce cas, le mystère peut demeurer. Je n'ai aucunement l'intention de lui parler dans un avenir proche. » Tony poussa son assiette de côté et fit signe au serveur. Il espérait que Carol devine son envie de changer de sujet. « Tu veux une autre bière ?

— Pourquoi pas ? Quand est-ce que tu pars pour Worcester ?

— Sans doute demain ou après-demain. Il faut que je rediscute avec l'inspecteur Patterson demain matin, une fois que j'aurai réexaminé les documents qu'il m'a envoyés. Je ne pense pas partir plus de deux ou trois jours. Plus personne n'a les moyens désormais de se payer un luxe comme moi, ajouta-t-il d'un ton pince-sans-rire.

— C'est une adolescente, non ? J'ai vu ça dans la presse. Comment ils s'en sortent ? »

Il commanda les bières et lui sourit du coin des lèvres. « D'après toi ? Ils font appel à moi. Ça devrait te dire tout ce que tu veux savoir.

— Alors, ils n'ont rien du tout ?

— Quasiment.

— Je ne t'envie pas.

— Je ne m'envie pas moi-même. Avec un seul corps, c'est toujours dur de tirer des conclusions fiables. Tu sais comment ça marche. Plus il y a de morts, mieux je m'en sors. » C'était le pire aspect du métier de profileur, songea-t-il. Une nouvelle manière de profiter de la souffrance d'autrui. L'une des choses les plus difficiles qu'il ait jamais dû accepter, c'était d'exercer le seul métier où l'on comptait sur des meurtriers en série pour se faire valoir.

Ça ne l'aidait pas à dormir la nuit.

Chapitre 11

Paula avança avec précaution sur les dalles en plastique oblongues qui permettaient d'accéder au cœur de la scène du crime. C'était sacrément cafardeux par ici. Elle se demanda ce qui sur ce coteau désolé avait convaincu un entrepreneur de construire. Même un amoureux de la nature aurait eu du mal à lui trouver du charme. Il y avait un bosquet d'arbres au loin, à travers lequel elle distingua ce qui ressemblait à une maison basse en pierre. Probablement une ferme d'éleveurs, étant donné la présence de moutons broutant au-dessus et au-dessous du chantier qui était devenu le foyer d'une activité aussi intense.

« Au moins, il ne pleut pas », lança Franny Riley en guise de salutation lorsqu'elle atteignit le petit groupe de personnes réunies au bout du chemin. À ces paroles, la cigarette pas encore allumée avait remué de bas en haut entre ses lèvres.

« Bonjour à vous aussi, sergent », répliqua Paula. Deux autres policiers présents lui jetèrent un regard intrigué, mais leurs collègues de la police scientifique, en combinaisons blanches, ne levèrent même pas les yeux. Ils se souciaient davantage des morts que des vivants. « Merci de m'avoir prévenue. » Cela ne l'avait pas enchantée lorsque, à la veille d'une journée de congé et d'une bonne grasse matinée, sa nuit de sommeil avait été interrompue par le tremblement insistant de son portable, mais il était certain que les nouvelles de Franny Riley valaient un coup de fil en pleine nuit.

« Je crois qu'on l'a trouvé, avait-il annoncé d'une voix sombre, indiquant à Paula que ce n'était pas ce qu'ils avaient pu espérer. Je vous envoie un SMS pour vous dire comment venir. »

Elle avait appelé Carol, s'était douchée en quatre minutes, et vingt minutes plus tard, elle avait donné son nom à l'agent contrôlant l'accès aux lieux du crime. Celui-ci avait visiblement attendu sa venue, ce qui l'avait confortée dans l'idée que Franny Riley était un flic efficace. Et ils se trouvaient donc là à présent, à quelques mètres à peine de la tranchée bétonnée où gisait le corps présumé de Daniel Morrison.

« Qui a trouvé le corps ? demanda-t-elle.

— Coup de fil anonyme. Le type avait l'air flippé à mort. » Franny fit un geste du pouce en direction de l'allée de goudron. « Il y a des traces de pneus récentes là où quelqu'un a démarré. Plus récentes que le corps, apparemment. Et tout un tas de traces de bottes. Toutes remontent à après l'averse d'hier après-midi, d'après les mecs qui s'y connaissent là-dedans. On dirait qu'un petit salopard s'est pointé ici dans l'espoir de tomber sur quelque chose à voler et qu'il a eu une sacrée surprise.

— Est-ce que vous êtes sûr que c'est Daniel Morrison ?

— Il y a de grandes chances. » Franny roula ses épaules carrées dans son anorak. « Venez, sortons de la zone d'inspection, histoire de s'en griller une et que je vous mette au courant. » Sans attendre de réaction, il s'éloigna d'un pas ferme sur les dalles en plastique. À peine eut-il franchi le cordon de sécurité que sa cigarette fut allumée. Paula le rejoignit et remarqua le regard désapprobateur de quelques agents en uniforme. On avait désormais l'impression que le fait de fumer était mis au même niveau que les abus sexuels d'enfants sur la liste des crimes. Elle n'avait pas abandonné l'idée d'arrêter, mais elle finissait toujours par remettre ça à plus tard. Elle avait déjà arrêté, mais après que les risques du métier lui eurent fait perdre un ami et collègue et qu'elle-même eut frôlé la mort, elle s'était réfugiée dans la nicotine comme une femme sauvée du danger dans les bras de son amant. En période de crise, c'était une meilleure drogue que d'autres auxquelles ses amis et collègues avaient succombé. Au moins, elle ne diminuait pas vos capacités de jugement ou ne vous conduisait pas dans des situations compromettantes avec des dealers crapuleux.

« Alors, qu'est-ce qu'il y a dans la tranchée ? questionna Paula.

— Un ado. Qui répond au signalement de Daniel. Il porte le sweat-shirt de son collège.

— Vous n'avez pas de photos ? »

Riley cracha un filet de fumée raréfiée dans un soupir. « On en a. Mais tant que le corps n'aura pas été autopsié, ça ne nous avance pas beaucoup. Il a un sac plastique sur la tête. Solidement scotché autour du cou. On dirait que c'est comme ça qu'il est mort, vu l'état dans lequel il est. » Il secoua la tête. « Mais ce n'est pas le pire. »

L'estomac de Paula se contracta. Elle en avait assez vu pour comprendre ce que cette courte phrase pouvait signifier. « Mutilé ? »

Riley regarda les arbres au loin par-dessus son épaule, son visage buriné pétri de gravité. « Il ne reste qu'un putain de trou là où devraient être sa bite et ses couilles. On ne les a pas retrouvées avec lui, mais on ne sera pas sûrs tant qu'on ne l'aura pas soulevé. »

Elle était bien contente de ne pas avoir dû regarder le corps. Elle ne connaissait que trop bien la pitié et l'horreur qui accompagnaient toujours les victimes, en particulier les plus jeunes. Ils donnaient toujours l'impression de s'être fait duper, leur vulnérabilité accusant leur agresseur. « Qu'en dit votre chef ? demanda-t-elle. Je veux dire, l'affaire est particulièrement grave. »

Riley souffla dans son nez. « Il se chie dessus. Je crois qu'on peut dire avec certitude que le moment est venu pour nous de vous refiler le bébé. On va continuer à examiner les lieux, mais vous devez annoncer à votre boss que c'est à vous de jouer maintenant. Je vais m'assurer que la paperasse soit en ordre et que vous l'ayez reçue dès que possible.

— Merci », répondit Paula en sortant son téléphone. Une occasion de faire leurs preuves aux yeux de Blake, pensa-t-elle. Mais Daniel Morrison avait payé un prix terrible pour la leur offrir. Et sa famille n'avait même pas encore versé l'acompte.

C'était sa soif de justice qui avait toujours poussé Carol Jordan en avant. C'était une constante aussi bien dans sa vie privée que dans sa vie professionnelle. En ce qui concernait les gens qu'elle aimait, elle jugeait de son devoir de redresser tous les torts qui les affligeaient. Dans le cas de Tony, ça avait été dans l'ensemble un échec, car les racines de ses maux étaient trop profondes pour qu'elle puisse les saisir, et encore moins les soigner. Mais des possibilités étaient apparues après sa rencontre avec Vanessa Hill. Peu importait que ce fût une garce égoïste et superficielle qui n'aurait jamais dû avoir le droit d'élever un enfant. Carol aurait encaissé les insultes et les insinuations de cette femme si elle avait estimé que cela l'aiderait à aider Tony. Mais lorsqu'elle avait découvert que Vanessa projetait sournoisement de déposséder son fils de l'héritage laissé par le père qu'il n'avait jamais connu, celle-ci avait détruit toute possibilité d'une éventuelle coopération.

Et pourtant, Carol ne pouvait résister à l'idée qu'elle devait essayer. Même si Tony pensait que ce n'était pas ce qu'il voulait, elle avait besoin de faire de son mieux pour lui. Ce n'était pas facile d'aller contre les désirs de Tony, mais sa réaction de la veille au soir avait convaincu Carol qu'elle avait raison de ravaler ses doutes. Elle était persuadée que les renseignements qu'elle était parvenue à glaner au sujet d'Arthur Blythe avaient trouvé un écho positif chez Tony. Mais il restait tant de choses à découvrir. Elle voulait savoir où avait été Blythe avant de reparaître à Worcester et ce qu'il avait fait. Elle supposait qu'il avait été à Halifax, où Tony avait grandi dans la maison de sa grand-mère. C'était toujours là que le cabinet-conseil en recrutement et formation de Vanessa était basé. Carol se demanda comment elle s'en sortait sur un marché du travail qui semblait diminuer chaque jour un peu plus au fur et à mesure que la récession mondiale affectait davantage tous les secteurs de l'emploi. S'il existait une personne qui avait des chances non seulement de survivre mais aussi de tirer avantage de la situation, c'était bien Vanessa Hill.

L'idée d'un face-à-face avec Vanessa ne souriait guère à Carol. Cependant, il était indéniable que la mère de Tony constituait la principale source de renseignements sur Arthur Blythe. Tout enquêteur qui se respectait l'aurait inscrite en première position sur la liste des personnes à interroger concernant l'histoire d'Arthur. Certes, il ne faudrait pas prendre au pied de la lettre tout ce qu'elle dirait, mais on ne pouvait ignorer son témoignage.

Elle avait donc commencé par demander à Kevin Matthews de couvrir ses arrières si Blake venait fouiner, puis elle avait pris la route d'Halifax par les Pennines. Le trajet était peut-être plus rapide par l'autoroute, mais il était presque deux fois plus long que par les routes de campagne. Carol hésitait à le qualifier de joli ; il y avait trop de vestiges du passé industriel pollué de la région éparpillés dans ce paysage fabuleux pour le décrire ainsi. Mais on ne pouvait rester indifférent à l'arrivée spectaculaire sur Halifax par une longue descente en spirale, depuis la haute crête des landes jusqu'à la sombre étendue urbaine contenue dans le bassin de la vallée.

Le siège de la société de Vanessa Hill était un bâtiment ramassé en briques situé en périphérie de la ville. Carol se gara sur une place du parking visiteurs et eut à peine le temps de couper le moteur que son téléphone sonna. L'écran lui indiqua qu'il s'agissait de l'agent Matthews. « Merde ! s'exclama-t-elle en décrochant. Kevin, que se passe-t-il ?

— Paula vient d'appeler. Elle est sur une scène de crime de la Division nord. Un coup de fil anonyme, ça ressemble à Daniel Morrison. Ils veulent nous refiler l'enquête. »

Le devoir voulait que Carol fasse demi-tour pour retourner immédiatement à Bradfield. Mais elle était venue jusque-là et se doutait que son entretien avec Vanessa Hill ne durerait pas longtemps. Et au moins, les bureaux de la Division nord se trouvaient du bon côté de Bradfield. « D'accord, Kevin. Envoie-moi un SMS pour m'expliquer où c'est. Je serai là-bas dès que possible. Dis à Paula de prendre les rênes en m'attendant. Rejoins-la maintenant et assure-toi qu'on soit au courant de tout. Et quand le corps sera formellement identifié, je veux que tu accompagnes l'agent de liaison pour l'annoncer aux parents.

— Entendu. Vous voulez que j'avertisse Tony ? »

Une question de routine, posée parce que son équipe savait que Tony préférait voir le corps là où on l'avait trouvé dans le cas éventuel où il s'agirait d'une affaire nécessitant ses compétences. Mais faire appel à Tony était désormais exclu. Et il était sans doute en route vers West Mercia afin de travailler pour une personne autorisée à apprécier son talent. « Non, ça ira. À tout de suite. »

Avec un empressement redoublé, Carol marcha jusqu'aux portes en acier et en verre, où elle dut s'arrêter net pour s'annoncer par l'interphone. Elle ne s'était pas attendue à cela. Elle n'avait d'autre solution que de jouer le grand jeu. « Inspecteur en chef Carol Jordan pour voir Mme Hill », avisa-t-elle.

Il y eut un long silence. Carol imagina son interlocuteur consterné qui se renseignait. « Vous avez rendez-vous ? lui demanda une voix de femme dans un crépitement.

— Nous considérons normalement que ce n'est pas nécessaire », répliqua Carol sur un ton aussi glacial que possible. Un nouveau silence, puis la porte bourdonna. Elle se retrouva dans un vestibule menant à un petit hall d'accueil au mobilier confortable et discret. La femme installée derrière le bureau semblait affolée. Carol lut son nom sur son badge et lui sourit en disant : « Bonjour, Bethany. Je suis là pour voir Mme Hill. »

Bethany jeta un rapide coup d'œil par-dessus son épaule vers la porte donnant sur la partie principale du bâtiment. « Puis-je voir votre badge ? » demanda-t-elle en esquissant un sourire.

Carol l'extirpa de son sac et le brandit sous les yeux de Bethany. Avant que celle-ci pût réagir, la porte s'ouvrit et Vanessa Hill apparut. À première vue, elle n'avait pas beaucoup changé depuis la dernière fois que Carol l'avait rencontrée. Elle faisait toujours plus jeune que son âge, grâce à un coiffeur à la main légère sur la teinture brun doré et au coup d'œil qu'elle avait pour mettre juste ce qu'il fallait de maquillage. Elle restait mince, sa silhouette mise en valeur par un tailleur joliment coupé dont la jupe étroite révélait des jambes toujours bien galbées. Cependant, les rides sur son visage, qui auparavant dévoilaient sa nature on ne peut moins généreuse, semblaient avoir été gommées. Du Botox, pensa Carol en s'émerveillant une nouvelle fois de la vanité qui pouvait persuader une femme que c'était une bonne idée de s'injecter du poison dans le visage.

« C'est la police qui veut vous voir », indiqua Bethany, aussi tendue qu'une voleuse à l'étalage ménopausée confrontée à un vigile en civil.

Vanessa afficha un sourire méprisant. « Ce n'est pas la police, Bethany. C'est la petite amie de mon fils. Aucune raison de s'inquiéter. » Prise au dépourvu, Carol s'efforça en vain de trouver une riposte. Voyant son malaise, Vanessa poursuivit : « Suivez-moi, Carol. Évitons de discuter de nos affaires de famille devant le personnel. »

Bethany parut soulagée. Heureuse de ne pas avoir commis de gaffe, se dit Carol, en emboîtant le pas à Vanessa pour pénétrer dans un bureau paysager. La concentration était à son comble. Elle ne vit pas un homme alentour, et aucune des femmes présentes ne leva même les yeux de son ordinateur ou de son téléphone à leur passage.

Le bureau de Vanessa se trouvait tout au bout de la pièce. Il était plus petit que ne l'avait imaginé Carol, et plus fonctionnel. Le seul élément luxueux était un coussin masseur électrique fixé au fauteuil derrière le bureau.

« Je ne suis pas la petite amie de Tony », corrigea Carol quand Vanessa ferma la porte derrière elle.

Celle-ci soupira. « Évidemment, vous ne l'êtes pas. C'est bien dommage ! » Elle contourna Carol et s'installa dans son fauteuil en désignant une chaise sans confort installée en face. « On ne va pas faire semblant de s'apprécier, Carol. Qu'est-ce que vous faites ici ?

— Edmund Arthur Blythe. » À ce nom, Vanessa serra les lèvres et plissa les yeux. Carol continua sans se laisser démonter. « Tony veut en savoir plus sur lui. Comment vous vous êtes rencontrés, ce qu'il faisait à Halifax, ce genre de choses.

— Non, il ne le veut pas. Vous peut-être, mais ça n'intéresse pas Tony. Il aurait d'ailleurs préféré que vous ne vous mêliez pas de tout ça. Le mieux pour lui aurait été de le laisser me céder les biens d'Eddie. » Vanessa redressa les épaules et joignit les mains sur le bureau.

« À un détail près de l'ordre de, quoi… un demi-million ? »

Vanessa émit un bruit qui pouvait ressembler à un rire. « Si vous croyez que mon fils a quelque chose à fiche de l'argent, vous en savez beaucoup moins sur lui que je le supposais. Croyez-moi, en fourrant votre nez dans nos affaires, vous ne lui avez apporté que des ennuis. Vous ne comprenez absolument pas Tony. Quoi qu'il ait pu vous dire, c'est moi qui sais ce qui est le mieux pour lui parce que c'est moi qui sais comment il fonctionne. C'est moi qui l'ai modelé, pas vous. » Elle se leva. « Maintenant, si c'est tout ce que vous vouliez savoir, je pense qu'il est temps que vous déguerpissiez.

— Pourquoi refusez-vous de me répondre ? C'est de l'histoire ancienne. Ça ne vous coûte rien à présent. Ce n'est pas comme si vous pouviez baisser encore dans mon estime. Quel est le grand secret ? Tony a le droit de savoir pourquoi son père n'a pas voulu rester près de lui.

— Et j'ai le droit de préserver ma vie privée. Cette conversation est terminée, Carol. » Vanessa passa devant elle et ouvrit la porte en grand. « La prochaine fois que vous venez ici, vous avez intérêt à avoir un mandat. »

À la fois furieuse et contrariée, Carol passa devant Vanessa la tête haute. Une perte de temps humiliante, voilà ce que cela avait été. Mais lorsqu'elle claqua la portière de sa voiture, Carol se jura que Vanessa Hill ne la vaincrait pas. Elle avait désormais une nouvelle raison de chercher à connaître l'histoire d'Edmund Arthur Blythe. Non seulement pour aider Tony mais aussi pour mettre sa mère en rogne. À cet instant, il lui était difficile de dire laquelle de ces deux motivations était la plus forte.

CHAPITRE 12

C'était logique de prendre le train pour Worcester : ça lui laissait le temps de relire les renseignements sur l'affaire, et ça lui permettait d'arriver en forme et non crevé d'avoir parcouru le dédale d'autoroutes autour de Birmingham. Une évidence. En temps normal, Tony n'y aurait pas réfléchi à deux fois. Mais sans voiture, il allait être dépendant de la police de West Mercia. Aussi, s'il souhaitait passer devant la maison d'Arthur Blythe ou jeter un coup d'œil à son usine, il devrait s'embarquer dans des explications difficiles auprès d'un policier. Et s'il ressentait le besoin de se rendre sur les lieux du crime au milieu de la nuit quand il n'arrivait pas à dormir, on le trouverait encore plus bizarre que prévu. Il avait donc décidé que sa liberté valait bien cette concession.

Lorsqu'il se gara sur le parking de son hôtel à Worcester, il ne savait plus combien de fois il s'était maudit de sa bêtise. Pourquoi n'avait-il pas pensé à louer une voiture une fois sur place ? Il avait estimé le temps de trajet à deux heures ; il lui en avait fallu trois et demie pour arriver avec l'impression d'avoir couru un marathon. Tony posa sa tête sur le volant et s'efforça en vain de relâcher les muscles de son cou et de ses épaules. Il sortit péniblement de la voiture et alla récupérer la clé de sa chambre.

À peine eut-il fermé la porte derrière lui qu'il sentit un coup de déprime s'abattre sur lui. Il savait que certaines chambres d'hôtel réchauffaient le cœur. Il avait même logé dans quelques-unes d'entre elles au fil des années, le plus souvent quand des entreprises l'avaient engagé sur un malentendu pour motiver leurs équipes de direction. Cette chambre n'en faisait pas partie. La décoration... non, on ne pouvait pas parler de décoration, dans aucun sens véritable du terme ; tout était marron, suivant différentes nuances mornes allant du chocolat au lait lavasse au tabac. La fenêtre était trop petite et donnait sur le parking. La télé ne proposait que sept chaînes, et le lit était aussi souple qu'une palette de bois. Il comprenait les exigences budgétaires de la police, mais il devait tout de même exister une meilleure option que celle-ci ?

Tony laissa tomber son sac en soupirant et s'assit sur le lit face à une photo du *veld* africain. Il ne saisit pas le rapport entre Worcester et le gnou. Il prit son téléphone et appela l'inspecteur Stuart Patterson. « Je suis à l'hôtel, annonça-t-il sans préambule.

— Je ne sais pas comment vous voulez procéder, répondit Patterson. Je crois que vous m'avez dit que vous vouliez voir les lieux du crime ?

— Exact. C'est un bon point de départ pour moi. J'aimerais aussi parler avec les parents, si c'est possible. »

Patterson proposa d'envoyer le sergent Ambrose pour qu'il passe le prendre. Tony aurait préféré un tête-à-tête avec Patterson lui-même, mais il fallait toujours s'adapter à leur mode de fonctionnement quand on travaillait avec de nouvelles équipes. Il se contenterait donc pour l'instant de son bras droit et tenterait d'établir une tête de pont à partir de là.

Ayant une demi-heure à tuer, Tony décida d'aller se balader. L'hôtel se trouvait aux abords du centre-ville, à cinq minutes de marche d'une rue pleine de banques, d'agences immobilières et de ces grandes chaînes de magasins qui avaient remplacé les petites boutiques traditionnelles et fournissaient les mêmes chocolats, chaussures, cartes de vœux, alcools et services de blanchisserie que dans n'importe quelle rue principale du pays. Il allait sans se presser en regardant distraitement les vitrines quand il fut arrêté net par le nom familier de l'agence immobilière avec laquelle il avait traité.

En plein milieu de la vitrine étaient exposés les renseignements sur la maison qu'il essayait de vendre. « Pour un homme qui ne croit pas aux coïncidences, il semblerait que j'en rencontre un certain nombre. Tu ferais mieux de t'y faire, hein ? » Le son de sa voix coupa court à sa méditation, et avant même d'y avoir réfléchi, il entra dans l'agence. « Bonjour, lança-t-il gaiement. Puis-je parler à quelqu'un de cette maison dans la vitrine ? »

Paula n'avait jamais été aussi soulagée de voir sa chef. Le médecin légiste et l'équipe de la police scientifique étaient impatients d'enlever le corps de Daniel Morrison, mais elle s'était assuré le concours de Franny Riley pour insister sur la nécessité de le laisser là jusqu'à ce que l'inspecteur en chef l'ait vu. « Vous ne pouvez pas bouger le cadavre tant que la directrice d'enquête n'a pas signé l'autorisation, avait-elle protesté. Je me fous que votre chef veuille qu'on l'emporte. Il reste là jusqu'à l'arrivée de l'inspecteur Jordan. »

Kevin Matthews était arrivé à temps pour la soutenir. Mais l'ambiance était devenue de plus en plus hostile au fur et à mesure que le temps passait sans que Carol apparaisse. Paula l'avait vue arriver enfin vers eux à grands pas, nettement plus chic que d'habitude. Où qu'elle ait été, elle avait fait un effort certain pour impressionner. « Désolée de vous avoir tous fait attendre, déclara Carol, au sommet de son charme. J'ai été coincée par un accident sur la route de Barrowden, juste dans le creux de la vallée où les portables ne captent pas. Merci à tous pour votre patience. »

Quand elle était en forme comme ça, Carol Jordan était sans pareil. Tout le monde se bousculait pour la satisfaire, pour avoir droit à un regard approbateur. Le fait qu'elle soit bien roulée ne gâchait rien, même si sa mâchoire ferme et son regard direct empêchaient quiconque de la prendre pour une bimbo. Paula savait qu'elle en pinçait pour sa chef, en vain, et elle avait appris à vivre avec. « C'est par ici, chef, indiqua-t-elle en la conduisant au fossé et en lui présentant Riley en chemin. Le sergent Riley a été mon contact, ce serait utile qu'on le garde », dit-elle. Autrement dit : « C'est un des nôtres, malgré les apparences. »

Elle se plaça juste à côté de Carol pour regarder le corps humain monstrueusement déformé qui gisait au fond du fossé. Les vêtements du garçon étaient maculés de boue et de sang, et sa tête enfermée dans le sac en plastique transparent semblait irréelle, un abominable accessoire de film d'horreur de série Z. « Mon Dieu ! » s'écria Carol. Elle se détourna. Paula vit les lèvres de sa chef tressaillir. « Bien, sortons-le de là, dit-elle en s'éloignant et en faisant signe aux autres de se joindre à elles.

— Nous allons présumer que nous avons affaire à Daniel Morrison, dit-elle. Le corps correspond au signalement du garçon disparu, et il porte le sweat-shirt de William Makepeace sous sa veste. Cela signifie que soixante heures se sont écoulées depuis la dernière fois qu'une personne de sa connaissance l'a vu. Nous avons donc beaucoup de retard à rattraper. Une fois que nous aurons une heure approximative de décès, nous saurons le nombre d'heures pendant lesquelles nous ignorons ce qui s'est passé. Et je veux que nous l'apprenions. Paula, tu assures la liaison avec le sergent Riley, fais en sorte que nous récupérions toutes leurs informations. Kevin va aller avec l'agent de liaison annoncer la nouvelle aux parents, mais je veux aussi que tu t'occupes du suivi, Paula. » Carol commença à s'éloigner du périmètre de la scène du crime, son équipe sur ses talons.

« Pour l'instant, Paula, tu te charges du collège. Ses profs et ses amis. C'est un collège privé, tu vas donc avoir affaire à plus d'un branleur, mais tu ne vas pas te laisser embobiner et tu vas découvrir exactement quel genre de garçon était Daniel Morrison. On va faire bosser Stacey sur son ordinateur. Oh, et Paula ? Je veux une fouille minutieuse du bas-côté depuis le bout du chemin jusqu'à la route. Dis au sergent Riley que c'est moi qui l'ai demandé. » Arrivée au bout de l'allée de dalles, elle se retourna pour leur faire face avec un sourire las. « Nous devons faire justice à Daniel. Il faut y arriver.

— Est-ce que je dois passer prendre Tony à Bradfield Moor ? » demanda Paula. Par-dessus l'épaule de Carol, elle vit Kevin faire mine de se couper la gorge avec un doigt.

Les muscles du visage de Carol se contractèrent. « Nous allons devoir nous débrouiller sans Tony cette fois-ci. Si nous pensons avoir besoin d'un profileur, il faudra compter sur quelqu'un de la faculté nationale de police. »

Elle cachait bien son mépris, pensa Paula. Il fallait vraiment bien connaître la chef pour se rendre compte du peu de valeur qu'elle attachait aux petits chouchous du ministère de l'Intérieur.

« Encore une chose, reprit Carol. Nous devons vérifier qui avait connaissance de ce lieu. Kevin, dès que tu es libre, appelle l'entrepreneur et demande une liste de son personnel, mais aussi des architectes, géomètres et tout le tralala. Je vais faire en sorte que des gars de la Division nord s'occupent des vérifications de casier judiciaire et des premiers interrogatoires, puis on pourra faire le point sur leurs résultats. » Elle se passa la main dans les cheveux, en un geste que Paula reconnut : c'était la manière de sa chef de gagner du temps. « Autre chose qui m'a échappé ? » questionna-t-elle. Personne ne se manifesta. Paula rêvait de proposer un jour quelque chose de remarquable, une chose à laquelle ni Carol ni personne d'autre n'avait pensé. Elle se retourna et alluma une cigarette. Malheureusement, ce ne serait pas ce jour-là.

La maison était plus attrayante dans la réalité que sur les photos. Grâce au cadre constitué par le jardin, on se rendait mieux compte des proportions de cette bâtisse du début du vingtième siècle. Tony ouvrit le portail et remonta l'allée en faisant craquer le gravier sous ses pas irréguliers. Cela lui fit prendre conscience du boitillement dont il souffrait toujours depuis sa rencontre avec un patient n'ayant pas pris ses médicaments et muni d'une hache de pompier. On lui avait proposé de le réopérer, mais il avait refusé. Il n'avait pas supporté d'être invalide et de se rendre compte du peu de contrôle qu'il avait sur sa vie quand sa mobilité physique était compromise. Tant qu'il pourrait s'en sortir sans devoir subir de nouvelle opération, il en resterait là.

Il était en avance pour son rendez-vous avec l'agent et décida donc d'aller voir derrière la maison, où il se retrouva dans une roseraie à la française. À cette période de l'année, les rosiers n'étaient guère plus que de simples tiges biscornues, mais il imagina à quoi ils pouvaient ressembler en été. Même s'il ne connaissait rien au jardinage, il ne lui était pas difficile de comprendre qu'il s'agissait là d'un lieu soigneusement aménagé pour le plaisir des yeux. Tony s'assit sur un banc en pierre et regarda à travers les rosiers. Arthur Blythe aurait fait la même chose, s'imagina-t-il.

Cependant, ses pensées auraient été tout autres. Il n'aurait pas passé la moitié de sa journée à arpenter une aire de stationnement boueuse en essayant de pénétrer l'esprit d'un tueur qui avait choisi cet endroit précis pour déposer le corps de sa jeune victime. Alvin Ambrose, le second de Patterson, en homme serviable, avait fourni à Tony des renseignements utiles sur la région et l'état de l'adolescente quand on l'avait trouvée. Les mutilations avaient eu lieu après la mort. « Mais pas ici, avait précisé Tony. Il avait besoin d'être tranquille.

— Sans parler du temps, avait ajouté Ambrose. Il pleuvait des cordes et il y avait un vent terrible. Ça a commencé en fin d'après-midi, à peu près au moment où Jennifer a quitté sa copine Claire. Franchement, personne n'aurait eu envie de promener son chien là-dessous, encore moins… vous savez. Ce qu'il faisait. »

Tony avait observé la zone en levant régulièrement les yeux. « Il lui fallait un endroit à l'abri du mauvais temps et des regards indiscrets. Mais elle était déjà morte, donc il n'avait pas à craindre qu'on l'entende. Je suppose qu'il a pu lui faire ça ici, à l'arrière d'une fourgonnette ou d'un camion. » Il ferma les yeux un instant pour visualiser ce à quoi devait ressembler l'aire de stationnement à la faveur de la nuit. « Ça lui permettait de choisir le moment parfait pour la déposer. Plutôt que de venir ici avec l'espoir que… » Sa voix s'éteignit, et il enjamba tant bien que mal les broussailles pour rejoindre les arbres offrant un abri. Il y régnait une odeur de terreau, de résine de pin et d'urine. Cela ne lui évoqua rien, et il retourna donc auprès d'Ambrose qui attendait patiemment près de sa voiture. « Soit il était déjà venu à cet endroit, soit il l'avait délibérément repéré par avance. Non pas qu'on puisse savoir quelle possibilité est la bonne. Et s'il y était déjà venu, il n'y a aucune raison de croire que c'était à des fins criminelles. Il a pu simplement s'arrêter pour pisser ou pour faire un somme.

— On passe ici tous les soirs, on demande aux gens qui se garent là s'ils ont remarqué quelque chose d'anormal », expliqua Ambrose, qui savait clairement que ce n'était pas suffisant. Tony était heureux que le sergent ne lui témoigne ni le mépris ni l'arrogance qu'il rencontrait souvent au cours de ses interventions en tant que profileur. Ambrose était impassible voire flegmatique, mais son silence n'était pas celui d'une personne ennuyeuse. Il parlait quand il avait quelque chose à dire, et jusque-là, ce qu'il avait eu à dire avait valu la peine d'être écouté.

« Difficile de savoir ce qu'une bande de routiers peut considérer comme étrange, marmonna Tony. Mais le lieu choisi pour déposer le corps est un problème. Les probabilités veulent que ce ne soit pas quelqu'un du coin. Ça ne vous mènera donc nulle part de chercher parmi les suspects habituels.

— Pourquoi pensez-vous que ce n'est pas quelqu'un du coin ? questionna Ambrose, l'air sincèrement intéressé par la réponse.

— J'imagine qu'il y a de meilleurs endroits pour abandonner un corps dans les parages qu'une personne du coin connaîtrait – plus isolés, moins passants. Plus sûrs à tous les niveaux pour le tueur. Cet endroit-ci expose à des risques relativement élevés. Je pense que, même s'il l'avait effectivement repéré par avance, c'était avant tout un site de circonstance pour une personne qui n'en connaissait pas de mieux et ne voulait pas prendre le risque de faire de la route avec un cadavre à bord.

— Ça se tient.

— Je m'y efforce », répondit Tony avec ironie.

Ambrose lui adressa un grand sourire, son flegme disparu en un instant. « Et c'est pour ça qu'on a fait appel à vous.

— Votre première erreur. » Tony se retourna et se remit à arpenter le bas-côté de la zone de stationnement. D'un côté, ce tueur préparait soigneusement son coup. Il avait passé des semaines à amadouer Jennifer, à la piéger pour qu'elle morde à son hameçon. Il l'avait capturée, en évitant apparemment les témoins et les soupçons – d'après Ambrose, il n'avait laissé aucun indice à la police scientifique qui puisse servir l'enquête. Et puis il la déposait sur le bord de la route, sans se soucier a priori du moment où on la retrouverait. « Peut-être qu'il n'est simplement pas très costaud, cria-t-il à Ambrose. Peut-être qu'il ne pouvait pas la transporter très loin. » Il continua en se rapprochant : « On a tendance à attribuer des qualités surhumaines à ce genre de criminels. Parce qu'au fond de nous-mêmes, on pense que ce sont des monstres. Mais ils ont généralement une corpulence moyenne. Vous par exemple, vous n'auriez aucun problème à transporter une fille de quatorze ans jusque dans ces bois, à un endroit où on ne la trouverait sans doute pas avant des semaines ou des mois. Mais moi ? J'aurais un mal de chien à la sortir de la voiture et à l'amener jusqu'au bas-côté. Voilà peut-être la raison de cette apparente contradiction. »

C'était la conclusion la plus pertinente qu'il ait tirée de son passage sur les lieux du crime. Il espérait aller plus loin en interrogeant les Maidment, mais ils ne pouvaient pas les voir avant plus tard dans l'après-midi. Le père avait semble-t-il décidé qu'il devait retourner au travail, et il ne serait donc pas disponible avant seize heures. Si Tony avait été enclin à croire aux signes et aux présages, il aurait dû ajouter celui-là à sa liste. Il s'était préparé à annuler son rendez-vous avec l'agent s'il était tombé en même temps que sa rencontre avec les parents de Jennifer. Au lieu de cela, leurs disponibilités avaient concordé parfaitement avec ses projets.

Ambrose l'avait déposé à l'hôtel. Il se figurait sans doute que Tony étudiait des dépositions de témoins, et non qu'il était assis dans une roseraie en train d'attendre un agent immobilier pour qu'il lui fasse visiter une maison dont il était déjà propriétaire – un comportement qui défiait toute logique. Pas aussi tordu que de tuer des adolescentes, mais tout de même très loin de la normale.

C'était aussi bien qu'Ambrose ne sache pas la vérité, se dit Tony.

CHAPITRE 13

Dans ses moments de déprime, Carol imaginait le pire sort que pouvait lui réserver James Blake. Une promotion. Mais pas le genre de promotion qui la laisserait mener ses troupes au combat. Une promotion qui la conduirait derrière un bureau pour s'interroger sur des questions de politique tandis que tout le travail important serait effectué ailleurs.

Comme dans ces moments heureusement rares où son équipe était en première ligne, en train de faire le nécessaire pour retrouver l'assassin de Daniel Morrison, et où elle était assise à son bureau à s'efforcer de tuer le temps avant son rendez-vous pour l'autopsie du garçon. Elle essayait habituellement d'occuper son esprit avec des tâches administratives et de la paperasserie. Mais ce jour-là, elle avait en tête quelque chose de plus pressant.

Diriger son équipe dans leur travail sur les affaires non classées avait apporté de nouvelles armes à son arsenal d'enquêtrice. Carol Jordan avait toujours été douée pour fouiller dans le passé de victimes et suspects, mais elle avait désormais appris à appliquer ses talents d'archéologue à une époque où il n'existait ni archives électroniques ni factures de téléphone portable pour accélérer les recherches. Comme à celle où Edmund Arthur Blythe avait vécu et vraisemblablement travaillé à Halifax. Les bibliothèques étaient les sources d'informations les plus fructueuses et menaient souvent à des experts vivants capables de vous apporter des précisions remarquables. Mais il existait également d'obscures passerelles électroniques pour les dénicher. Et Carol avait accès aux meilleures d'entre elles.

Stacey était entourée d'une batterie d'écrans. Elle avait à présent construit une barricade informatique entre elle et le reste de l'équipe. Elle avait commencé par deux écrans, s'était dotée d'un troisième, et elle en avait désormais six disposés devant elle, chacun montrant différents processus en cours. Bien qu'elle fût à cet instant occupée à filtrer les vidéos de surveillance du centre-ville à l'aide du logiciel de reconnaissance faciale, d'autres applications tournaient, dont la fonction était un mystère pour Carol. Stacey leva les yeux lorsque sa chef approcha. « Rien pour l'instant, dit-elle. Le problème avec ces caméras de surveillance, c'est qu'elles n'ont toujours pas une très haute résolution.

— On va devoir continuer à bûcher, répliqua Carol. Stacey, est-ce qu'il y a un endroit sur le Web où je peux accéder à d'anciens annuaires ? » Elle paria mentalement que Stacey ne montrerait aucun signe de surprise à cette requête.

« Oui », répondit-elle en retournant à ses écrans. Ses doigts pianotèrent sur le clavier, et une carte avec un curseur clignotant apparut sur un des moniteurs.

« Et ce serait ?

— Ça dépend à quelle époque vous voulez remonter.

— Le début des années soixante. »

Les mains de Stacey restèrent un instant en suspens au-dessus des touches. Puis elles se remirent à taper. « Là où vous avez le plus de chances, c'est sur les sites de généalogie. Ils ont numérisé beaucoup d'informations appartenant au domaine public : des annuaires, guides des rues, listes électorales. Qui plus est, ils sont vraiment faciles à utiliser parce qu'ils sont destinés aux…

— Imbéciles dans mon genre ? » suggéra gentiment Carol.

Stacey s'autorisa un demi-sourire. « Non-professionnels de l'informatique, j'allais dire. Vous n'avez qu'à taper "anciens annuaires" et "ancêtres" sur Google et vous trouverez peut-être quelque chose. Mais n'oubliez pas que dans les années soixante, la plupart des gens n'avaient pas le téléphone, donc vous n'aurez peut-être pas de chance.

— Je ne peux qu'espérer », dit Carol. Elle mettait tous ses espoirs dans le fait que Blythe avait refait surface à Worcester en tant que chef d'entreprise. Peut-être qu'il avait débuté dans les affaires à l'époque où il fréquentait Vanessa.

Une demi-heure plus tard, elle se rendit compte avec plaisir qu'elle avait vu juste. C'était là, sur l'écran, inscrit en noir et blanc sur l'annuaire de 1964. *Blythe & Co., Spécialistes en finition métallique.* Carol vérifia les années voisines et découvrit que l'entreprise n'avait été répertoriée que durant trois ans. Donc, quand Blythe était parti, sa société avait fermé. Ça ressemblait à une impasse : quelles chances avait-elle de retrouver quelqu'un ayant travaillé là quarante-cinq ans plus tôt, sans parler d'une personne qui l'aurait assez bien connu pour se rappeler quoi que ce soit d'utile ?

Cependant, elle avait connu des entreprises plus désespérées. À présent, il était vraiment temps qu'elle se rende à la bibliothèque. Une rapide recherche sur Internet et elle obtint le numéro de la bibliothèque d'ouvrages de référence locale. Lorsqu'on lui répondit, elle expliqua qu'elle cherchait un spécialiste en histoire de la région qui pourrait la renseigner sur les petites entreprises dans les années 1960. La bibliothécaire poussa des *hum* et des *ah* pendant quelques instants, eut une conversation étouffée avec quelqu'un d'autre et lui répondit finalement : « On pense que vous devriez vous adresser à un dénommé Alan Miles. Il est professeur de menuiserie à la retraite, mais il a toujours été passionné par l'histoire industrielle de la région. Attendez une seconde, je vais vous donner son numéro. »

Il fallut presque une dizaine de sonneries à Alan Miles pour répondre. Carol était sur le point d'abandonner lorsqu'une voix méfiante dit : « Allô ?

— Monsieur Miles ? Alan Miles ?

— Qui le demande ? » Il semblait vieux et bourru. *Génial, juste ce qu'il me faut.*

« Je m'appelle Carol Jordan. Je suis inspecteur en chef à la police de Bradfield.

— La police ? » Elle perçut une certaine anxiété dans sa voix. Comme chez la plupart des gens, le fait de parler à la police éveillait l'inquiétude, même chez ceux qui n'avaient aucune raison de s'en faire.

« Une des employées de la bibliothèque centrale m'a donné votre numéro. Elle a pensé que vous pourriez peut-être m'aider pour des recherches historiques.

« — Quel genre de recherches historiques ? Je ne connais rien au crime. » Il semblait pressé d'en finir.

« J'essaie d'obtenir toutes les informations possibles sur un homme dénommé Edmund Arthur Blythe qui dirigeait une entreprise de finition métallique à Halifax au début des années soixante. La bibliothécaire a pensé que vous étiez la meilleure personne à qui m'adresser. » Carol s'efforçait d'être aussi flatteuse que possible.

« Pourquoi ? Je veux dire, pourquoi vous voulez des renseignements là-dessus ? »

Que Dieu me préserve des vieux bonhommes méfiants. « Je n'ai pas le droit de le dire. Mais ma brigade est spécialisée dans les affaires non classées. » Ce qui n'était autre que la vérité, sinon toute la vérité.

« Je n'aime pas le téléphone, indiqua Miles. On ne peut pas cerner quelqu'un au téléphone. Si vous voulez venir à Halifax, je vous parlerai en tête à tête. »

Carol leva les yeux au ciel et réprima un soupir. « Est-ce que ça signifie que vous pouvez me renseigner sur Blythe & Co ?

— Il se trouve que oui. J'aurai même des choses à vous montrer. »

Carol réfléchit. Tout était sous contrôle ici. Ils étaient loin d'arrêter ou d'interroger qui que ce soit. À moins que quelque chose de très inhabituel ne se produise à l'autopsie, elle pouvait bien disparaître pour une ou deux heures dans la soirée. « Vous avez prévu quelque chose ce soir ? demanda-t-elle.

— Ce soir ? Sept heures. Rendez-vous devant la gare d'Halifax. Je porterai un anorak fauve et une casquette en tweed. »

Il raccrocha. Carol regarda le combiné d'un air furieux, puis elle vit le côté amusant de la chose et sourit intérieurement. Si cela la faisait avancer dans ses recherches sur le non-père de Tony, se confronter au grognon Alan Miles vaudrait largement le coup.

Lorsqu'Ambrose arriva pour l'emmener voir les parents de Jennifer Maidment, Tony eut du mal à cacher son soulagement. Après la visite avec l'agent immobilier, il s'était efforcé de se concentrer sur la scène de crime où il s'était rendu plus tôt. Il savait que quelque chose le dérangeait au sujet de ce tueur, mais il ne pouvait déterminer quoi, et plus il essayait d'y penser, plus son esprit était envahi d'images de la maison d'Arthur Blythe. Tony était rarement sensible à son environnement immédiat. La notion d'architecture d'intérieur n'avait jamais vraiment atteint sa conscience. Il était donc d'autant plus troublé par le fait indéniable qu'il enviait cette maison à Arthur Blythe. Cela allait au-delà de la simple question du confort. Elle donnait un sentiment de chez-soi, d'endroit s'étant développé naturellement autour de l'idée qu'avait un homme de ce qui lui importait. Et bien qu'il eût peine à le reconnaître, Tony était meurtri à l'idée qu'Arthur Blythe l'ait rejeté et ait poursuivi son chemin pour se créer un foyer digne de ce nom. Personne ne ressentirait jamais la même chose chez lui. Ce n'était assurément pas son cas. Il n'avait pas la conviction absolue de savoir qui il était, contrairement à cet homme qu'il n'avait jamais pu considérer comme son père.

L'arrivée d'Ambrose le libéra de ses pensées pénibles. Ce soulagement ne dura pas longtemps. « Vous m'avez apporté les copies des pages RigMarole ? » questionna Tony dès qu'il fut installé dans la voiture. Quand il avait entendu parler de ZZ, il avait demandé à Ambrose de lui apporter des impressions de tout ce qu'ils avaient récupéré des sessions afin qu'il puisse les examiner.

Ambrose garda les yeux fixés droit devant lui. « Le chef ne veut pas qu'elles sortent du bureau. Il veut bien que vous les consultiez mais seulement sur place.

— Quoi ? Il ne me fait pas confiance ? Qu'est-ce qu'il imagine que je vais en faire ?

— Je ne sais pas. Je ne fais que vous répéter ce qu'il a dit. » Ambrose avait les mains serrées sur le volant. Son malaise était respirable.

« Ce n'est pas parce qu'il craint que je les vende au *Daily Mail*, considéra Tony, exagérément agacé par cette offense. C'est une question d'autorité. Il a peur de perdre le contrôle de son enquête. » Il leva les bras au ciel. « Je ne peux pas travailler dans ces conditions ! C'est une perte d'énergie que de me retrouver confronté à ce genre de mesquinerie. Écoutez, Alvin, j'ai ma manière de travailler. Je ne peux pas me concentrer comme il faut si on me surveille constamment. J'ai besoin d'être à l'écart de l'agitation, du va-et-vient. J'ai besoin d'examiner ces pages et j'ai besoin de le faire à ma manière.

— Je comprends, dit Ambrose. L'inspecteur n'a pas l'habitude de travailler avec quelqu'un comme vous.

— Alors il va devoir apprendre vite, rétorqua Tony. Ça pourrait aider qu'il montre un peu plus d'enthousiasme à l'idée de me rencontrer. Vous pouvez arranger ça, ou est-ce que je dois lui parler ?

— Laissez-moi m'en charger, marmonna Ambrose. Je vais voir ce que je peux faire. » Ils achevèrent le trajet en silence, et Tony s'efforça d'écarter tout ce qui faisait obstacle entre lui et la prochaine étape dans ce processus de découverte. Dans l'immédiat, tout ce qui importait, c'était de tirer les Maidment de leur prostration pour qu'ils puissent lui dire ce qu'il avait besoin de savoir.

L'homme qui ouvrit la porte était aussi raide et fragile qu'un roseau séché. Ambrose fit les présentations, puis ils suivirent Paul Maidment dans le salon. Tony avait souvent entendu dire que les gens accusaient la perte d'un proche de diverses façons. Il n'était pas sûr d'être d'accord. Ils réagissaient peut-être différemment en apparence, mais quand on y regardait de plus près, l'effet était toujours le même : la mort déchirait votre vie en deux. La vie avant ce décès et la vie après. Il y avait toujours une rupture. Certains épanchaient leur tristesse, d'autres l'enfouissaient bien profondément dans un trou et plaçaient une lourde pierre au-dessus, d'autres encore faisaient comme si ce n'était pas arrivé. Mais lorsqu'on leur parlait des années plus tard, ils étaient toujours capables de dater leurs souvenirs en fonction de ce décès. « Ton père était encore vivant à ce moment-là », ou « C'était après la mort de notre Margaret ». C'était aussi précis qu'avant et après Jésus-Christ. En y réfléchissant, d'ailleurs, ces repères sont aussi liés au chagrin et la perte, quel que soit notre point de vue sur l'authenticité de Jésus en tant que fils de Dieu.

Dans son rôle de profileur, Tony rencontrait généralement les gens quand ils se trouvaient du mauvais côté du gouffre de la disparition. Il savait rarement qui ils avaient été avant que leur vie soit déchirée en deux. Mais il pouvait souvent deviner par expérience ce qui avait existé de l'autre côté de l'abîme. Or, c'était essentiellement en percevant ce qui avait été perdu qu'il arrivait à comprendre ce qu'ils ressentaient maintenant, perdus en terre inconnue, à essayer de se repérer sur la carte avec une boussole incomplète.

Sa première impression de Paul Maidment fut celle d'un homme ayant décidé de tirer un trait sur la mort de sa fille et d'aller de l'avant. C'était une décision à laquelle il avait manifestement beaucoup de mal à se tenir. À cet instant, pensa Tony, il n'était pas loin de craquer pour la troisième fois.

« Ma femme… elle sera là dans une minute, commença-t-il en regardant autour de lui, l'air de quelqu'un qui découvre l'espace qui l'entoure et n'est pas bien sûr de savoir comment il est arrivé là.

— Vous êtes retourné au travail aujourd'hui », dit Tony.

Maidment parut très surpris. « Oui. Je me suis dit… Il y a trop à faire, je ne peux confier ça à personne d'autre. Les affaires… ça ne marche vraiment pas bien en ce moment. Et on n'a pas besoin de perdre notre commerce en plus de… » Il se tut, égaré et affligé.

« Ce n'est pas votre faute. Ce serait arrivé que vous ayez été là ou non, lui assura Tony. Tania et vous, vous n'avez rien à vous reprocher. »

Maidment lança un regard furieux à Tony. « Comment pouvez-vous dire ça ? Tout le monde dit qu'Internet, c'est dangereux pour les ados. On aurait dû faire plus attention à elle.

— Ça n'aurait rien changé. Les prédateurs comme celui-ci, ils sont déterminés. À moins d'avoir enfermé Jennifer sans jamais la laisser communiquer avec personne, vous n'auriez rien pu faire pour empêcher cela. » Tony se pencha en avant pour attirer Paul Maidment à lui. « Vous devez vous pardonner.

— Nous pardonner ? » La voix de la femme venait de derrière lui, ses paroles légèrement mal articulées sous l'effet de l'alcool ou des médicaments. « Qu'est-ce que vous en savez, vous ? Vous avez perdu un enfant, peut-être ? »

Maidment se cacha le visage entre les mains. Sa femme avança au centre de la pièce avec la prudence exagérée d'une personne suffisamment maîtresse d'elle-même pour savoir qu'elle ne l'est pas totalement. Elle regarda Tony. « Vous devez être le psy. Je croyais que votre boulot c'était d'analyser le salaud qui a tué ma fille, pas nous.

— Je m'appelle Tony Hill, madame Maidment. Je suis ici pour en savoir un peu plus sur Jennifer.

— Vous venez un peu tard pour ça. » Elle s'écroula dans le fauteuil le plus proche. Son visage était parfaitement maquillé mais ses cheveux étaient emmêlés et mal peignés. « Un peu tard pour faire connaissance avec ma charmante petite fille. » Elle avait pris soin de bien articuler, au point que sa voix avait tremblé.

« Et j'en suis vraiment désolé, déclara Tony. Vous pouvez peut-être m'aider. Comment la décririez-vous ? »

Les yeux de Tania se mouillèrent de larmes. « Belle. Intelligente. Gentille. C'est ce que tout le monde dit de son enfant mort, n'est-ce pas ? Mais c'était vrai pour Jennifer. Elle ne causait aucun souci. Je ne suis pas assez bête pour dire des choses comme "nous étions la meilleure amie l'une de l'autre" ou "nous étions comme des sœurs", parce que ce n'était pas le cas. J'étais son parent, sa mère. On s'entendait bien dans l'ensemble. En général, elle me racontait ce qu'elle faisait et avec qui elle le faisait. Il y a neuf jours, j'aurais dit qu'elle me racontait tout. Mais de toute évidence, je me trompais. Et j'ai donc pu me tromper aussi sur tout le reste. Qui sait à présent ? »

Maidment releva la tête, les joues luisantes de larmes. « Elle était tout cela. Et plus encore. On rêvait d'un enfant comme Jennifer. Intelligente, douée, drôle. Et c'est ce qu'on a eu. Une fille de rêve. Et aujourd'hui le rêve s'est terminé, et c'est pire que s'il ne s'était jamais réalisé. »

Il y eut un long silence. Tony ne trouvait rien à dire qui ne lui parût pas banal. Ce fut Ambrose qui mit fin à ce moment délicat : « Nous ne pouvons rien faire pour vous ramener Jennifer, mais nous sommes bien décidés à trouver la personne qui l'a tuée. C'est pour ça que le docteur Hill est ici. »

Reconnaissant de cette amorce, Tony poursuivit : « Je sais que vous avez déjà parlé à la police, mais je voulais vous demander ce que Jennifer vous disait sur RigMarole. Comment elle en parlait, la façon dont elle s'en servait.

— Elle a insisté pendant une éternité, expliqua sa mère. Vous connaissez leur rengaine, aux adolescents ? "Maman, tout le monde a..." quelle que soit la fin de la phrase. Et vous posez la question autour de vous et en fait, personne n'a cette chose, ils crèvent simplement tous d'envie de l'avoir. Elle était comme ça avec RigMarole, elle rêvait d'avoir un compte. C'était la même chose pour Claire. J'ai parlé à sa mère et on en a discuté avec les filles. On a dit qu'elles pouvaient chacune avoir un compte à condition qu'elles installent tous les paramètres de confidentialité.

— Ce qu'elles ont fait, continua Maidment d'un ton amer. Et ça a duré l'affaire de quelques jours. Juste assez pour qu'on soit tous convaincus qu'elles agissaient de manière responsable.

— Et elles l'étaient de leur point de vue, Paul, reprit Tania. Elles ne mesuraient simplement pas les risques. Ça vous échappe, à cet âge-là. On se croit invulnérable. » Sa voix s'étrangla dans sa gorge, comme si elle avait avalé une miette de travers.

« A-t-elle déjà fait allusion à quelque chose qui la dérangeait sur Rig ? »

Ils secouèrent tous les deux la tête. « Elle adorait, dit Maidment. Elle disait que c'était comme si le monde s'ouvrait à Claire et elle. Et bien sûr, on a tous supposé que c'était positif.

— Est-ce qu'auparavant elle avait déjà rencontré quelqu'un dont elle avait fait la connaissance sur Internet ? »

Maidment fit signe que non, mais Tania acquiesça. « Tu ne m'en as jamais parlé, protesta-t-il d'un ton inévitablement accusateur.

— C'est parce que c'était tout à fait inoffensif, répondit Tania. Claire et elle ont retrouvé deux filles de Solihull. Elles sont allées ensemble chez Selfridges une après-midi, à Birmingham. J'avais discuté auparavant avec la mère d'une des filles. Elles se sont bien amusées et avaient prévu de remettre ça.

— Quand était-ce ? demanda Tony.

— Il y a environ trois mois.

— Et elles n'étaient que toutes les quatre ? Vous êtes sûre de ça ?

— Évidemment. J'ai même redemandé à Claire. Après que vos collègues se sont mis à nous questionner sur RigMarole. Elle m'a juré que personne d'autre n'avait participé. »

Mais quelqu'un d'autre aurait pu les espionner sur le Net et être au courant de leur rendez-vous. Une cinquième paire d'yeux avait peut-être observé tous leurs faits et gestes. Seul un homme plus cruel que Tony aurait pu exprimer ces pensées. « Jennifer semble être une fille très raisonnable.

— Elle l'était, convint Tania d'une voix douce, en caressant du bout des doigts le bras de son fauteuil comme s'il s'agissait des cheveux de sa fille. Mais pas dans le sens d'une petite fille modèle ennuyeuse. Elle avait trop de caractère pour ça. Mais elle savait que le monde pouvait être dangereux. » Son visage se décomposa. « Nous tenions tellement à elle. Notre fille unique. Je m'étais assurée qu'elle comprenne qu'il y a des moments où c'était important d'être prudent.

— Je comprends bien, dit Tony. Mais alors, qu'est-ce qui a pu la pousser à voir quelqu'un en secret ? Qu'est-ce qui a pu lui faire ignorer le bon sens et accepter de voir un inconnu ? Qu'est-ce qui a pu la tenter au point de mentir à sa meilleure amie ? Je veux dire, on ment tous de temps en temps à nos parents, c'est comme ça que marche le monde. Mais une adolescente ne ment pas à sa meilleure copine sans une raison très pressante. Et je m'évertue à essayer de trouver ce que ça pourrait être. Y avait-il quoi que ce soit – vraiment quoi que ce soit – dont Jennifer mourait tellement d'envie qu'elle aurait fait fi de la prudence et du bon sens ? »

Les Maidment se regardèrent d'un air déconcerté. « Je ne vois pas, répondit Tania.

— Et les garçons ? Pouvait-il y avoir quelqu'un dont elle s'était entichée ? Quelqu'un qui aurait pu la convaincre de garder leur relation secrète ?

— Elle l'aurait dit à Claire, indiqua Tania. Je sais qu'elles parlaient des garçons qui leur plaisaient. Le raconter à Claire, ça n'aurait pas été comme de rompre une promesse. »

Elle avait sans doute raison, pensa-t-il. Ce qu'elle décrivait était le mode de fonctionnement normal pour les femmes, en particulier pour les adolescentes. Tony se leva. Il n'avait plus rien à faire là. La police avait déjà fouillé la chambre de Jennifer. Elle serait trop chamboulée désormais pour qu'il puisse y déceler des informations utiles. « Si vous pensez à quoi que ce soit, appelez-moi, dit-il en donnant à Paul Maidment une carte avec son numéro de portable. Ou si vous souhaitez simplement parler de Jennifer. Je serai heureux de vous écouter. » Les Maidment parurent tous deux déroutés par cette brusque conclusion à leur conversation. Ils s'étaient sans doute attendus à ce qu'il leur exprime sa compassion avec effusion, supposa Tony. Mais à quoi bon ? Il ne pouvait soulager leur douleur, même s'ils le désiraient. Cependant, Tania Maidment ne prenait rien à la légère pour l'instant.

« C'est tout ? lança-t-elle. Cinq minutes de votre temps précieux et vous voilà parti ? Bon sang, comment avez-vous pu apprendre quoi que ce soit sur ma fille en cinq minutes ? »

Tony fut surpris. Les familles en deuil qui souhaitaient se défouler s'en prenaient en général à la police, pas à lui. Il avait l'habitude de plaindre Carol, pas d'encaisser lui-même. « Je fais ce métier depuis longtemps, expliqua-t-il en s'efforçant de ne pas paraître sur la défensive. Je vais parler à son amie Claire, je vais lire ses e-mails. Vous êtes juste une de mes sources pour comprendre qui était Jennifer. »

On eût dit qu'il avait coupé le souffle à Tania. Elle émit un bruit qui, un autre jour, aurait pu être un petit rire méprisant « C'est à ça que ça se résume, vraiment ? Je suis juste une des sources d'informations sur la vie de ma fille ?

— Je suis désolé », répondit brusquement Tony. Rester ne ferait que prolonger la souffrance immédiate des Maidment. Sa seule valeur pour eux se trouvait autre part. Il les salua donc simplement d'un signe de tête et quitta la pièce, laissant Ambrose se précipiter derrière lui.

Le sergent le rattrapa à mi-chemin de la voiture. « C'était un peu délicat, dit-il. Je crois qu'ils vous ont trouvé un peu sec.

— Je ne suis pas doué pour faire la conversation. J'ai dit ce que j'avais à dire. Ils ont matière à réfléchir maintenant. Ça pourrait faire ressortir quelque chose dans leurs souvenirs. Ce que je fais peut parfois sembler brutal. Mais ça marche. Demain, je veux discuter avec Claire. Jennifer lui a peut-être parlé. » Il eut un sourire ironique. « Je vous promets d'être gentil.

— Qu'est-ce que vous voulez faire maintenant ? demanda Ambrose.

— Je veux lire les messages que vous avez récupérés sur son ordinateur. Pourquoi ne pas me déposer à mon hôtel et m'apporter ces papiers dès que vous aurez persuadé votre chef que s'il veut obtenir ce pourquoi il me paie, il devrait me laisser faire les choses comme je l'entends ? » Il posa la main sur le bras d'Ambrose en se rendant compte de son impolitesse. Il continuait de trébucher plus souvent qu'il ne l'aurait voulu lorsqu'il s'efforçait de réagir comme les gens normaux. « Je vous remercie sincèrement de votre aide à cet égard. Ce n'est pas facile d'expliquer comment fonctionne le profilage. Mais cela implique en tout cas de me mettre dans la peau de quelqu'un d'autre. Et je n'aime pas être en présence d'autres personnes quand je fais ça. »

Le regard inquiet, Ambrose passa la main sur son crâne lisse. « J'imagine bien. À vrai dire, tout ça me fait un peu froid dans le dos. Mais c'est vous l'expert. »

Il avait prononcé ces paroles comme s'il y avait une satisfaction à en tirer. Tony leva les yeux sur la maison des Maidment et se demanda quelle sorte d'esprit dérangé avait brisé leurs vies. Il devrait bientôt le pénétrer pour le découvrir. Ce n'était pas une perspective séduisante. L'espace d'un instant, Carol Jordan lui manqua tellement qu'il en eut la nausée. Il se retourna vers Ambrose. « Il en faut bien un. »

CHAPITRE 14

Paula regarda un autre adolescent quitter d'un pas traînant la petite pièce qu'on leur avait attribuée pour mener leurs interrogatoires. « Tu étais comme ça à quatorze ans ? demanda-t-elle à Kevin.

— Tu plaisantes ? Ma mère m'aurait giflé si j'avais parlé comme ça à un adulte. Ce que je n'arrive pas à savoir, c'est si c'est un problème de génération ou de classe. J'ai l'impression que les gamins de la classe ouvrière se donnent aussi un genre, mais il y a quelque chose de différent chez ces petits cons-là. Je ne sais pas si c'est qu'ils se croient tout permis ou quelque chose du genre, mais ils me débectent vraiment. »

Paula voyait exactement ce qu'il voulait dire. Elle avait été dans des collèges après que des gosses eurent trouvé la mort lors d'agressions au couteau, ces cauchemars soudains qui semblaient arriver sans prévenir, presque par hasard. Elle avait éprouvé ce sentiment d'horreur qui régnait dans les couloirs, vu l'angoisse sur le visage d'adolescents qui se demandaient si la mort allait les frapper à leur tour, perçu la peur derrière le ton de défi des élèves. Il n'y avait rien de tout ça ici. C'était comme si la mort de Daniel était un événement qui s'était produit loin d'eux – une brève dans le journal, une chose dont les parents parlaient comme s'il s'agissait d'une menace lointaine. La seule personne qui avait paru peinée était le prof principal de Daniel. Même le proviseur de William Makepeace s'était conduit comme s'il s'agissait d'un désagrément mineur plutôt que d'une tragédie. « Si j'avais des gamins, c'est le dernier endroit où je les enverrais, dit-elle.

— Tu y as déjà pensé ? À avoir des enfants, je veux dire. »
Kevin inclina la tête d'un air interrogateur.

Paula soupira bruyamment. « Rien de tel que les grandes questions, hein, sergent ? À vrai dire, je n'ai jamais entendu le tic-tac de l'horloge biologique. Et toi ? Ça te plaît d'être père ? »

Il parut surpris que la question lui soit retournée. « C'est la meilleure et la pire des choses qui me soient arrivées, répondit-il lentement. Mon amour pour mes enfants, Ruby en particulier — il est total, inconditionnel, éternel. Mais le problème, c'est la peur de les perdre. Les affaires comme celle-ci, où des parents finissent par enterrer leurs gosses ? C'est comme si on me plantait un clou dans le cœur. »

Un coup frappé à la porte interrompit leur échange, et un autre adolescent entra sans attendre d'y être invité. Mince, la peau mate, c'était le plus petit qu'ils avaient vu de toute la matinée, d'une dizaine de centimètres. Il avait une peau parfaite couleur d'amandes grillées, une épaisse tignasse de cheveux bruns brillants, un nez en forme de proue de drakkar viking et une bouche en cerise : un étonnant agencement de traits qui retenait votre attention. « Je suis Asif Khan », annonça-t-il en se laissant tomber sur une chaise. Les mains dans les poches, les jambes tendues en avant et croisées au niveau des chevilles. « Et vous êtes les flics. »

Et c'est reparti pour un tour. Kevin fit les présentations et passa directement aux choses sérieuses. « Tu sais pourquoi tu es là. Est-ce que Daniel était un ami à toi ? » Il n'espérait pas grand-chose ; on leur avait envoyé en premier la demi-douzaine de garçons identifiés comme étant proches de Daniel. Il y en avait eu huit ou neuf autres depuis, et aucun n'avait admis être plus qu'une connaissance. « On était frères, tu vois ? » lança Asif.

Paula se pencha en avant sur sa chaise et approcha son visage de celui du garçon. « Sois gentil, Asif. Arrête ton cirque. Tu es élève à William Makepeace, pas à Kenton Vale. Ton père est médecin, pas vendeur sur les marchés. Alors ne me sors pas ton argot de la rue bidon. Parle-nous correctement, avec respect, ou on va faire ça au commissariat, sur notre terrain, suivant nos conditions. »

Asif écarquilla les yeux, stupéfait. « Vous ne pouvez pas me parler comme ça : je suis mineur. Je devrais avoir un adulte avec moi. On vous parle seulement parce que le collège a dit que ce serait mieux. »

Paula haussa les épaules. « D'accord. Faisons aussi venir ton père au commissariat, voir si le baratin de son garçon l'épate tant que ça. »

Asif soutint le regard de Paula pendant quelques secondes de plus, puis il laissa tomber une épaule et se détourna à moitié. « Ça va, ça va, marmonna-t-il. Daniel et moi, on était copains.

— Personne ne semble le penser, répliqua Kevin tandis que Paula se radossait à sa chaise.

— Je me mêlais pas à cette bande de branleurs avec qui Daniel traînait, si c'est ça que vous voulez dire. Daniel et moi, on faisait d'autres trucs ensemble.

— Quel genre de trucs ? » demanda Kevin, qui imaginait des milliers de choses.

Asif décroisa les pieds et les glissa sous sa chaise. « Du comique, dit-il d'un air gêné.

— Du comique ? »

Il remua sur son siège. « On voulait tous les deux devenir comiques, d'accord ? »

Un des autres garçons avait mentionné l'intérêt de Daniel pour le comique, mais il n'avait pas parlé de son ambition. « C'est assez fou, dit Paula. C'est pas au programme du collège, je parie. »

Un vague sourire éclaira le regard d'Asif. « Pas jusqu'à ce qu'on ait notre émission sur BBC3 et qu'on la rende respectable, dit-il. Puis elle sera diffusée en cours de théâtre.

— Donc Daniel et toi partagiez cette ambition. Comment avez-vous découvert que vous vouliez tous les deux faire ça ? questionna Kevin.

— Mon cousin, il gère un club en ville. Ils organisent une soirée comédie une fois par mois. Mon cousin, il me laisse entrer, même s'il devrait pas. Donc j'y vais un soir, et je tombe sur Daniel en train de se disputer avec le type à la porte et de faire croire qu'il a dix-huit ans. Ce qui n'allait pas passer, même avec sa fausse carte d'identité. Alors je lui demande ce qui se passe et il me dit qu'il y a un des comiques qu'il a vraiment envie de voir, qu'il l'a entendu à la radio et qu'il veut voir son numéro. Alors je persuade mon cousin de le laisser entrer, on discute et c'est là que je découvre qu'il veut à tout prix rentrer dans le circuit comique. Donc on commence à se voir chez moi toutes les deux, trois semaines pour se montrer nos sketches. » Il se frotta le visage. « Il était plutôt marrant, Daniel. Il avait ce super sketch sur les adultes qui essaient de faire les djeuns. Et il avait ce truc, cette présence. » Il secoua la tête. « C'est vraiment terrible.

— On pense que Daniel est allé à Temple Fields mardi après les cours, expliqua Kevin. Est-ce qu'il t'a parlé d'un rendez-vous avec quelqu'un là-bas ? »

Asif fronça les sourcils. « Non.

— Tu n'as pas l'air très sûr.

— En fait, il ne m'a pas parlé d'un rendez-vous précis, répondit Asif. Mais la dernière fois qu'on s'est vus, la semaine dernière, il m'a dit qu'il avait rencontré quelqu'un sur le Net qui était en train de monter une émission de radio pour présenter les jeunes talents comiques. Genre les ados trop jeunes pour monter sur scène dans le circuit des clubs. » Il haussa les épaules. « Les jeunes comme nous. Je lui ai demandé s'il pouvait me présenter et il m'a dit bien sûr, mais qu'il voulait d'abord rencontrer le type pour se mettre à l'aise avec lui. » Il prit soudain une mine accablée. « Je me suis un peu énervé sur lui, je croyais qu'il essayait peut-être de m'éclipser, de garder le plan pour lui tout seul. Mais il m'a dit que non, c'était pas comme ça, on était potes et il avait toujours une dette envers moi depuis que je l'avais fait entrer dans le club. Il voulait juste établir le premier contact, mettre les choses au point, puis me présenter ensuite. » Un déclic se fit tout à coup dans son esprit et ses yeux s'écarquillèrent. « Merde ! Vous croyez qu'il est mort à cause de ça ?

— Il est trop tôt dans notre enquête pour le dire, s'empressa de répondre Kevin. À ce stade, nous ne savons pas encore ce qui nous servira. Et donc, ça nous aiderait si tu pouvais nous dire tout ce que tu sais sur ce contact de Daniel. Comment ils se sont rencontrés, tu sais ? »

Asif acquiesça d'un signe de tête. « C'était sur RigMarole. Vous savez, le réseau social ? Ils étaient tous les deux dans une fosse sur *Gavin & Stacey* – une fosse, c'est comme ça qu'on appelle une sorte de groupe de fans. Ils avaient beaucoup de goûts en commun, alors ils ont ouvert une conversation privée et c'est là que le type a révélé qu'il était producteur de spectacles comiques.

— Daniel a-t-il mentionné son nom ?

— Non. C'est entre autres pour ça que je me suis énervé. Il voulait même pas me dire le nom du mec. Il m'a dit que le type ne voulait pas que ça se sache au cas où quelqu'un lui couperait l'herbe sous le pied. Donc j'ai jamais su son nom. Seulement qu'il faisait des émissions à la BBC de Manchester. Soi-disant, ajouta-t-il.

— Tu n'étais pas convaincu ? demanda Kevin.

— C'est juste que ça me paraissait bizarre comme façon de s'y prendre, dit-il. Je veux dire, il avait jamais vu Daniel faire son show. Comment pouvait-il savoir qu'il était bon ? Mais on ne pouvait rien dire à Daniel. Il n'en faisait qu'à sa tête.

— Est-ce que Daniel t'a dit où ils devaient se voir ? Ou quand ? tenta Kevin.

— Je vous ai dit. Il se comportait comme si c'était un secret d'État. Pas moyen qu'il laisse échapper les détails. Ce que je vous ai dit, c'est tout ce que je sais. »

C'était un début, se dit Paula. Pas extraordinaire, mais au moins un début.

Ambrose sentit son moral remonter un peu lorsqu'il entra dans le bureau de Patterson et trouva son chef en compagnie de Gary Harcup. La perspective d'essayer de présenter sous un jour favorable le petit profileur bizarre de Bradfield ne lui paraissait guère réjouissante ; mais Gary étant là, il y aurait quelque chose pour détourner l'attention de Patterson. Ils auraient peut-être même quelques nouveaux éléments substantiels.

Ambrose regarda Patterson et vit un homme qui avait cruellement besoin de bonnes nouvelles : blafard, les yeux cernés et gonflés, les cheveux raides et ternes. C'était toujours pareil quand ils n'avançaient pas assez vite sur une affaire. Patterson absorbait toute la pression et toute la douleur, jusqu'à ce qu'on le croie sur le point de craquer. Puis il se passait quelque chose en lui, il voyait émerger de nouvelles possibilités, et tout à coup il retrouvait son optimisme et son assurance. C'était juste une question de patience. « Entre, dit Patterson en faisant signe à Ambrose de s'installer dans un fauteuil. Gary vient d'arriver. »

Ambrose salua d'un signe de tête l'informaticien grassouillet, toujours aussi négligé. Avec ses cheveux dépeignés, son T-shirt froissé et cette chose collée dans sa barbe qu'Ambrose ne voulait pas examiner de trop près, il n'inspirait pas vraiment confiance. Mais il leur avait donné suffisamment satisfaction dans le passé pour qu'Ambrose ne se préoccupe pas de son apparence. Il devait peut-être suspendre son jugement concernant Tony Hill. Ne pas tirer de conclusions trop hâtives juste parce que le type semblait assez peu orthodoxe dans sa manière d'aborder les choses. Il devait attendre de voir si lui aussi se montrait à la hauteur, comme Gary. « Comment ça va, Gary ? » lança-t-il.

Gary hocha la tête si énergiquement que sa bedaine remua. « Très bien, Alvin. Très bien.

— Alors, qu'est-ce que vous avez pour nous ? » demanda Patterson. Il se cala dans son fauteuil et donna de petits coups de crayon sur son bureau.

Gary sortit deux chemises en plastique transparentes de son sac à dos. Chacune contenait quelques feuilles de papier. « Il y a différentes choses. Ça, dit-il en donnant une tape sur la première, c'est une liste des ordinateurs que j'ai pu identifier. Je n'en ai retrouvé qu'environ la moitié. Les autres ont disparu dans la nature, en seconde ou troisième main. »

Patterson tira les papiers de la chemise et parcourut la première page. Quand il eut terminé, il la passa à Ambrose. Il ne leur fallut pas longtemps pour examiner la liste des dix-sept ordinateurs que Gary avait identifiés. Dans des cybercafés, des bibliothèques municipales et un aéroport. « Il y en a de partout, remarqua Patterson. Worcester, Solihull, Birmingham, Dudley, Wolverhampton, Telford, Stafford, Cannock, Stoke, Stone, Holmes Chapel, Knutsford, Stockport, l'aéroport de Manchester, Oldham, Bradfield, Leeds...

— Je n'ai pas été tout à fait exact quand j'ai dit qu'il utilisait un ordinateur différent à chaque fois, indiqua Gary. Quand je suis revenu en arrière et que j'ai analysé tous les messages qu'il nous reste, j'ai découvert qu'il en avait utilisé certains deux ou trois fois. Il s'est servi deux fois de ceux de Worcester, Bradfield et Stoke. Et celui de l'aéroport de Manchester trois fois. Mais ce sont tous des ordinateurs d'accès public.

— C'est le réseau d'autoroutes, constata Ambrose en voyant les routes se dessiner dans son esprit comme des veines sur un avant-bras. M5, M42, M6, M60, M62. Tous ces lieux sont faciles d'accès depuis l'autoroute. S'il espionnait Jennifer, Worcester était une extrémité de son trajet. » Il leva les yeux, éclairés par une nouvelle idée. « Et Leeds était l'autre. Peut-être que c'est là qu'il habite.

— Ou peut-être que c'est là qu'habite sa prochaine cible, supposa Patterson. Il s'est connecté trois fois à l'aéroport de Manchester. C'est peut-être l'endroit le plus proche de là où il vit. Il faut que tu soumettes ça à notre profileur, voir ce qu'il en pense. Ils n'ont pas une sorte de logiciel pour déterminer où habite le tueur ? Je suis sûr d'avoir entendu parler de ça quand il y a eu ces deux snipers fous en Amérique. »

Gary semblait dubitatif. « Je ne sais pas si le profilage géographique marcherait dans un cas comme celui-là. En plus, c'est un domaine assez spécialisé. »

Soudain animé, Patterson se redressa et agita la main en désignant les papiers. « Fais-le venir, qu'il jette un œil là-dessus. C'est pour ça qu'on le paie. »

Ambrose faillit dire quelque chose, puis il se rendit compte que ce n'était pas le moment d'évoquer les revendications de Hill, qui exigeait de voir les documents là où il l'entendait. Il devrait attendre le départ de Gary. « C'est quoi, l'autre truc, Gary ? demanda-t-il.

— C'est pas tout à fait aussi bien », annonça Gary en plaçant l'autre dossier sur le bureau. Il paraissait plutôt mince. « Mais avant d'en venir à ça, je voulais vous parler d'une autre chose que j'ai essayée. Je me suis dit que, puisque ZZ avait utilisé Rig pour contacter Jennifer, il devait avoir un compte. Et il s'avère qu'il en avait bien un, mais qu'il a été désactivé vers seize heures le jour où Jennifer a disparu. Il a brûlé les ponts derrière lui.

— Est-ce qu'il existe un moyen de voir ce qu'il y avait sur son compte ? »

Gary haussa les épaules. « Il faudrait contacter Rig. Je ne pense pas qu'ils vous donneront quoi que ce soit sans mandat. Et vous avez un vrai problème autour de la protection des données. En réalité, les données personnelles que les gens mettent sur leur site ne leur appartiennent pas. Après les soucis qu'a eus Facebook concernant la propriété de ce qui se trouve sur les comptes des membres, tous les réseaux sociaux ont pris bien soin de dresser de hautes barrières entre leurs clients et eux. Donc s'il reste des informations sur les serveurs de Rig, il se peut que vous ne puissiez pas y accéder, même avec un mandat. Pas sans vous battre contre leurs avocats.

— C'est insensé ! protesta Patterson.

— C'est comme ça que ça marche. Ces sociétés, elles ne veulent pas donner l'impression de céder dès que les flics se pointent. Il se passe toutes sortes de choses dans leurs barres de conversation privée. Si vous, les flics, vous pouviez arriver sans crier gare et prendre tout ce que vous vouliez, elles perdraient tous leurs clients en cinq minutes.

— Bon Dieu, grommela Patterson. À croire qu'elles veulent encourager les meurtriers et les pédophiles à utiliser leurs sites.

— Seulement s'ils ont des cartes de crédit valables et qu'ils aiment faire des achats en ligne, précisa Ambrose. En tout cas, merci, Gary. Je vais contacter les gens de chez Rig et voir ce qu'ils me disent. Sinon, comment tu t'en es sorti avec les fragments que tu avais trouvés sur le disque dur ?

— J'ai réussi à récupérer des bribes de la dernière conversation entre Jennifer et ZZ. Celle qu'elle avait effacée. C'est seulement partiel, mais c'est déjà ça. Il y en a deux exemplaires là-dedans », ajouta-t-il.

Un dossier mince et à diviser par deux, donc. Ambrose prit les deux feuilles que lui tendit Patterson.

ZZ : ...2...me par... priV ici &pa...
Jeni : Pkoi tu veu être...
ZZ : ...kom jtè di... GRAN secr...
Jeni : non, C pa vrè
ZZ : tu C pa ki...
Jeni : ...ri1...
ZZ : ...j C la vérit...
Jeni : ...ai... mes affair
ZZ : psk je C où... pr trouvé D truc... mm... aXè pr cherché D inf... pa toi...

```
Jeni : ...inventes ?
ZZ : psk qd j... sauras ke C vr... tu Vra...
Jeni : ...di
ZZ : accroche-toi bi1
Jeni : ça rigo... pa
ZZ : T... T vrai...
Jeni : ...taré
ZZ : jpeu lprouv...
Jeni : MENTEUR
ZZ : ...rouve moi 2m1... @ ca... te dir, te montr...
Jeni : ...te croire ?
ZZ : pskon doi... 30 @ c... ne le di à p...
Jeni : ...y serè. ta pa 1térè à m ment...
```

Patterson fronça les sourcils. « Ce n'est pas vraiment facile à lire, indiqua-t-il. C'est même à peine intelligible. Comme une autre langue.

— C'en est une. On appelle ça du langage SMS. Ta Lily lirait ça comme si c'était le journal, dit Ambrose. En gros, ZZ dit qu'il connaît le grand secret de Jeni. Il dit quelque chose qui met Jennifer en rage. Elle dit qu'il est taré puis elle lui crie que c'est un menteur. C'est ça que veulent dire les majuscules, elle crie.

— C'est du délire, marmonna Patterson.

— Puis je crois qu'il lui propose de se voir le lendemain. Il lui donne une heure et un lieu de rendez-vous et lui dit de ne pas en parler. Et elle lui répond qu'elle y sera et qu'il n'a pas intérêt à mentir, expliqua Gary.

— Et où est-ce qu'il lui donne rendez-vous ? » questionna Patterson, dont l'agacement se peignait sur le visage.

Gary haussa les épaules. « Qui sait ? À un endroit commençant par "ca". Un café ? Une cafétéria ? Castle Street ? La cathédrale ?

— Vous ne pouvez pas améliorer un peu le résultat ? »

Gary parut blessé. « Vous ne vous rendez pas compte... Il m'a fallu plus d'une semaine pour en arriver là. J'ai dû supplier un confrère de me passer un logiciel encore en phase de mise au point pour obtenir ça. Vu ce qu'il y avait sur cet ordinateur, c'est un miracle qu'on ait tout ça. Au moins, maintenant, vous pouvez écarter tout un tas d'endroits où elle n'a pas été. »

Patterson se mordilla la peau autour de l'ongle du pouce pour réprimer sa colère. « Je suis désolé, Gary, grogna-t-il. Je sais que vous avez fait de votre mieux. Merci. Envoyez-nous votre facture. »

Gary se souleva péniblement de sa chaise en tentant de rester digne, prit son sac à dos et marcha jusqu'à la porte d'un air décidé. « Bonne chance », fut sa flèche du Parthe.

« Un vrai casse-couilles, hein ? commenta Patterson une fois que la porte fut fermée.

— Mais il fait bien son boulot.

— Pour quelle autre raison crois-tu que je veux bien de lui ? Alors, il faut qu'on passe en revue tous les endroits de la ville commençant par "ca" et qu'on vérifie les bandes de vidéosur-veillance qu'on a pour il y a neuf jours. L'équipe va avoir de quoi s'occuper. » Patterson débordait à présent d'énergie. Il avait passé le cap du désespoir à l'optimisme. C'était le moment parfait pour lui vendre les exigences de Tony Hill, estima Ambrose.

« Puisqu'on va mettre le paquet, commença-t-il, on n'a pas l'intention de voir d'autres cadavres apparaître. N'est-ce pas ? »

CHAPITRE 15

Carol ne comptait plus le nombre de fois où elle s'était trouvée dans une salle d'autopsie à regarder un médecin légiste accomplir méticuleusement son macabre devoir. Mais elle ne s'était jamais faite au côté pitoyable de l'intervention. Elle était toujours remplie de tristesse à la vue d'un être humain réduit à des viscères et des morceaux de chair et d'os, mais ce sentiment était toujours tempéré par son désir de remettre à la justice la personne responsable de la présence du cadavre en ces lieux. S'il y a une chose qui renforçait la soif de justice de Carol, c'était la morgue plutôt que la scène du crime.

Le médecin légiste exerçant ce jour-là était un homme qui était devenu son ami. Descendant à la fois de Russes blancs et de Canadiens, le Dr Grisha Shatalov dirigeait son service à l'hôpital de Bradfield Cross avec un mélange paradoxal d'autoritarisme et de modération. Il estimait que les morts méritaient le même respect que les personnes vivantes dont il étudiait les prélèvements histologiques au microscope, mais cela ne signifiait pas que les choses devaient se faire avec formalité et froideur. Dès le premier jour, il avait accueilli chaleureusement Carol dans son monde et lui avait donné l'impression de faire partie de cette équipe dont le but était de tirer des secrets de l'obscurité.

Dernièrement, le teint de Grisha devenait aussi pâle que celui de ses sujets. Ses longues journées de travail ajoutées à l'arrivée d'un bébé lui avaient donné un aspect grisâtre, et ses grands yeux triangulaires entourés de cercles sombres rappelaient le masque d'un raton laveur. Mais ce jour-là, il avait retrouvé ses couleurs et semblait presque en bonne santé. « Tu as l'air en forme, observa Carol en s'installant contre le mur à côté de la table de dissection. Tu es parti en vacances ?

— C'est l'impression que ça me fait. Ma fille a enfin appris à dormir plus de trois heures d'affilée. » Il lui fit un grand sourire. « J'avais oublié comme c'est merveilleux de se réveiller naturellement. » Tout en parlant, sa main se déplaça machinalement vers le plateau situé à côté de lui et sélectionna d'instinct le premier d'une série d'instruments qui exposeraient ce qui restait de Daniel Morrison à leurs regards indiscrets.

Carol laissa ses pensées suivre leur cours pendant que Grisha travaillait. Elle n'avait pas besoin de se montrer très attentive ; il prendrait soin de la prévenir s'il y avait quoi que ce soit qu'elle dût savoir. Son équipe travaillait en liaison avec la Division nord pour s'assurer que toutes les procédures d'usage dans une enquête étaient respectées. Peut-être que quelque chose ressortirait de ces interrogatoires et inspections de départ. Peut-être que les compétences hors pair de Stacey en informatique leur révéleraient un nouvel élément à explorer. Mais seulement s'ils avaient de la chance. Il n'y avait pas grand-chose de plus à faire dans l'immédiat que d'attendre que les informations parviennent à leurs bureaux afin qu'ils puissent y réfléchir et éventuellement y déceler une incohérence, qu'on ne pouvait identifier par avance. Il n'existait aucune règle, aucun apprentissage, aucun aide-mémoire pour y parvenir. C'était un mélange d'expérience et d'intuition. Une qualité indéfinissable que tous ses agents possédaient, et une des raisons principales pour lesquelles ils faisaient partie de sa brigade. Chacun d'eux se distinguait dans différents domaines, et ensemble, ils étaient plus que la somme de leurs parties. Quel vilain gâchis ce serait si Blake parvenait à ses fins et qu'ils étaient dispersés aux quatre vents.

Elle était tellement perdue dans ses pensées qu'elle ne vit pas le temps passer, et s'étonna d'entendre Grisha l'inviter à l'accompagner dans son bureau pour réexaminer les points essentiels. « Ça y est ? » s'exclama-t-elle en le suivant, après avoir jeté un coup d'œil au corps étendu sur la table. Un assistant refermait les longues incisions que Grisha avait pratiquées sur le torse de Daniel.

Désormais, quand c'était possible, il utilisait la chirurgie endoscopique et évitait ainsi la traditionnelle incision en forme de Y qui transformait ses patients en victimes du docteur Victor Frankenstein. Mais ce type d'intervention était hors de question quand on avait affaire à une victime de meurtre. Frissonnant malgré elle, Carol le regretta.

« C'est moins pénible pour les familles, lui avait-il expliqué. Elles ont à l'esprit cette image horrible de ce à quoi ressemble un cadavre après une autopsie, alors si on peut leur expliquer que ce ne sera pas comme ça, elles ont plus tendance à accepter une autopsie puisqu'il s'agit d'un exercice médical et non médico-légal. » Avec Daniel sous les yeux maintenant, elle mesurait la force de son argument.

Carol le suivit dans son bureau. C'était dur à croire, mais il semblait y avoir encore moins de place pour Grisha et ses visiteurs que la dernière fois qu'elle y était venue. L'endroit était inondé de papiers. Des diagrammes, des dossiers, des périodiques et des tas de livres remplissaient les étagères, étaient amoncelés au sol ou appuyés de manière instable contre l'écran de l'ordinateur. Carol déplaça une pile d'imprimés pour s'asseoir sur la chaise des visiteurs, d'où elle voyait à peine Grisha derrière son bureau. « Il va falloir que tu mettes un peu d'ordre, dit-elle. Tu n'as pas un étudiant thésard qui n'aurait rien de mieux à faire ?

— Je te jure, je crois que d'autres gens se sont mis à entreposer leur bazar ici. Soit ça, soit les articles que je dois évaluer se reproduisent. » Il poussa un tas de dossiers afin de mieux la voir. « Alors, ton petit Daniel… » Il secoua la tête. « Ça paraît toujours anormal d'examiner un ensemble d'organes qui ont si peu servi. C'est dur de ne pas penser à toutes les bonnes choses qu'il a ratées. Les choses qu'on aime faire mais dont les vilaines répercussions attendent de nous tomber dessus. »

Carol ne trouva rien à répondre qui ne lui parût excessivement sentimental ou trivial. « Quel est le verdict, alors ? La cause du décès ?

— Asphyxie. L'épais sac en plastique qu'on lui a scotché sur la tête a bien coupé son apport en oxygène. Aucun signe de résistance, cependant. Pas de sang ni de peau sous les ongles, aucune contusion mis à part une marque sur la cuisse qui semble vieille de trois ou quatre jours et n'est, d'après moi, aucunement liée à sa mort.

— Tu penses qu'on l'a drogué ? »

Grisha la regarda en fronçant les sourcils par-dessus ses lunettes. « Tu sais que je n'ai pas la réponse à cette question. On n'en aura pas tant qu'on n'aura pas reçu les résultats de l'analyse toxico, et même là on ne sera pas plus avancés si c'était du GHB car le taux déjà présent dans le sang monte après la mort. Si j'étais assez bête pour faire des suppositions sur ce genre de choses, je dirais qu'on l'a mis hors d'état de réagir avec de la drogue. Pas avec de l'alcool, car ça ne sentait pas dans son estomac. Son dernier repas, à propos, était composé de pain, de poisson, de salade et de ce qui ressemblait à des bonbons en forme d'ours. Sans doute un sandwich thon-crudités, et sans doute mangé pas plus d'une heure avant son décès.

— Et la castration ?

— À en juger d'après la perte de sang, je dirais après la mort, mais pas longtemps. Il se serait vidé de son sang s'il avait encore été en vie.

— Amateur ou professionnel ?

— Ce n'est pas l'œuvre d'un chirurgien. Ni d'un boucher, d'après moi. Ton tueur a utilisé une lame très affûtée, un scalpel ou un objet semblable avec un petit bord coupant. Malgré ça, il n'a quand même pas réussi à enlever le pénis d'un seul coup de lame bien net. Il ne l'a pas charcuté, mais il lui a fallu s'y reprendre à trois ou quatre fois. Je dirais donc que ce n'est pas une activité dans laquelle il a beaucoup d'expérience.

— Un novice ? »

Grisha haussa les épaules. « Je ne peux rien affirmer. Mais il a été méthodique, il ne l'a pas simplement taillardé. Est-ce qu'on a retrouvé le pénis et les testicules ? Ils étaient sur les lieux ? »

Carol remua la tête. « Non.

— Des trophées. Ce n'est pas ce que dirait ton docteur Tony ? »

Carol eut un sourire las. « Ce n'est pas mon docteur Tony, et il faudrait que je sois folle pour tenter de deviner ce qu'il penserait. J'aimerais qu'il soit là pour donner son avis, mais ce ne sera pas pour cette fois. » Sa voix était tendue.

Grisha recula la tête comme pour esquiver un coup. « Oh là là, Carol ! Qu'est-ce qu'il a fait pour te contrarier comme ça ?

— Ce n'est pas lui. C'est notre nouveau commandant, qui estime que si je veux l'expertise d'un profileur, je dois le prendre en interne. »

La bouche de Grisha s'arrondit. « Et cette idée nous déplaît ? »

Avant que Carol ait pu formuler sa réponse, on frappa à la porte. Les familières boucles rousses du sergent Kevin Matthews apparurent dans l'embrasure. « Désolé de vous interrompre, dit-il en grimaçant un sourire à Grisha.

— Tu me cherches ? demanda Carol en se levant.

— Oui. On a un autre ado porté disparu. Le central nous a transmis l'info immédiatement. »

Carol sentit comme un poids dans son ventre. Il y avait des moments où ce boulot était trop lourd à porter. « Depuis combien de temps ?

— Ses parents croyaient qu'il dormait chez un copain. Seulement ce n'était pas le cas. »

C'était assez long, pensa Carol. Plus qu'assez long.

CHAPITRE 16

Assise sur le bord d'un fauteuil généreux, toute prête à se lever, Julia Viner remuait constamment les doigts sur ses genoux. Ses cheveux rêches et bruns mêlés de gris, dégagés de son visage, révélaient des traits fins et une peau olive légèrement marquée de fines rides. Elle avait des yeux sombres et vifs, ceux d'un petit oiseau habitué à l'obscurité des haies et se méfiant de la lumière. Elle portait une jupe ample et un joli pull en laine bordeaux. Kathy Antwon avait pris place sur l'accoudoir du fauteuil, une main sur l'épaule de Julia, l'autre enfoncée dans la poche de son jean. Carol devina la forme de son poing fermé à travers le tissu. Elle avait la mine renfrognée d'une personne effrayée mais qui ne veut pas admettre sa peur. Sa peau mate était foncée au niveau de ses hautes pommettes, ses lèvres serrées.

« Qu'est-ce que vous avez besoin de savoir ? Comment peut-on vous aider à retrouver Seth ? questionna Julia d'une voix tendue.

— Il faut que vous soyez totalement honnêtes avec nous, expliqua Carol. Parfois, les parents refusent de tout nous dire quand un enfant disparaît. Ils ne veulent pas lui causer d'ennuis, ou alors ils ne veulent pas reconnaître qu'ils se disputent, comme n'importe quel autre famille dans le monde. Mais sincèrement, le mieux que vous puissiez faire pour Seth, c'est de ne rien nous cacher.

— Nous n'avons rien à cacher, affirma Kathy d'un ton rude et chargé d'émotion contenue. Nous vous dirons tout ce que vous voudrez savoir. »

Carol jeta un coup d'œil à Kevin, qui avait préparé son carnet et son stylo. « Merci. La première chose qu'il nous faut, c'est une photo récente de Seth. »

Kathy se leva d'un bond. « J'en ai que j'ai prises ce week-end. Elles sont sur mon ordinateur portable, attendez, je vais le chercher. » Julia la regarda quitter précipitamment la pièce et le chagrin se peignit un instant sur son visage. Elle se ressaisit avant de se retourner face à Carol. « Qu'est-ce que vous avez besoin de savoir ? répéta-t-elle.

— Quand avez-vous vu Seth pour la dernière fois ?

— Quand je suis partie travailler hier matin. Ça s'est passé comme n'importe quel jour. On a pris le petit déjeuner ensemble. Seth m'a parlé d'un devoir d'histoire pour lequel il voulait que je l'aide. Je suis diplômée en histoire, vous comprenez ? Il croit que je sais tout sur tout ce qui s'est passé avant le milieu de la semaine dernière, dit-elle dans un petit rire forcé. Puis je suis partie travailler.

— Où travaillez-vous ? demanda Carol.

— Je dirige le service Éducation au conseil municipal », indiqua-t-elle.

Cela expliquait en partie comment elles s'étaient payé cette vaste maison à l'américaine située dans le quartier de Harriestown appelé la Ville. Dans les années 1930, il avait abrité la Société de construction mécanique De Ville, de vastes ateliers où étaient fabriqués des moteurs d'avion, des véhicules utilitaires et des voitures de course. Dans les années 1980, les derniers de la lignée De Ville, visionnaires, avaient exporté toute l'affaire en Corée du Sud et vendu le site à un entrepreneur du coin dont la fille venait d'épouser un architecte qui ne jurait que par Frank Lloyd Wright et le Sud-Ouest américain. Il en avait résulté un lotissement paysager de quarante maisons qui avait immédiatement fait fureur dans les revues de déco du monde entier. Personne n'arrivait vraiment à y croire, mais ceux qui avaient acheté leur maison sur plan découvrirent bientôt qu'ils avaient acquis une des propriétés les plus prisées du nord de l'Angleterre.

« Et je suis graphiste, indiqua Kathy en revenant avec un ordinateur ouvert. C'est comme ça qu'on a atterri ici. J'ai dessiné toutes les premières brochures pour la Ville, et donc j'ai su avant tout le monde qu'il fallait acheter. » Elle tourna l'écran vers Carol, qui découvrit un portrait en buste d'un garçon brun tout sourire à la peau olive et aux yeux sombres hérités de sa mère. Il avait les cheveux longs avec une raie approximative sur un côté et une mèche qui couvrait un œil. Quelques boutons sur le menton, une incisive ébréchée et un nez légèrement de travers finirent de compléter l'esquisse que Carol se dessinait mentalement. « Je l'ai prise dimanche.

— Pourriez-vous l'envoyer par e-mail à mon équipe ? C'est sans doute le moyen le plus rapide de nous la faire parvenir. » Carol extirpait déjà de sa poche une carte de visite.

« Aucun problème », répondit Kathy en plaçant le portable sur une console et en passant le doigt sur la souris tactile. Carol lui tendit sa carte, sur laquelle figurait l'adresse e-mail générique de la BEP. Ils attendirent tous que Kathy charge la photo. « C'est fait », annonça-t-elle avant de rejoindre sa compagne dans le fauteuil. Carol, qui sentait le regard de Seth peser sur elle, espéra que l'économiseur d'écran s'activerait le plus tôt possible.

« L'inspecteur Jordan demandait quand on a vu Seth pour la dernière fois, expliqua Julia en serrant la main de Kathy dans la sienne.

— Après que Julia est partie travailler, j'ai accompagné Seth jusqu'à l'arrêt de bus. D'habitude, il va tout seul au collège. Il n'y a que trois minutes de marche jusqu'à l'arrêt de bus. Mais on n'avait plus de pain et j'ai donc décidé d'aller au supermarché en face. On est partis ensemble. Le bus est arrivé presque aussitôt qu'on a atteint l'arrêt et je lui ai fait au revoir de la main. Il devait être environ neuf heures moins vingt. Il avait déjà prévu de dormir chez son copain Will le soir même, donc il avait emporté un slip, des chaussettes et une chemise propres.

— Et autant que vous sachiez, il a passé toute la journée au collège ?

— Quand il n'est pas rentré comme d'habitude aujourd'hui, j'ai appelé le collège, dit Kathy. Ils m'ont dit qu'il n'avait pas été là de la journée. Alors je leur ai demandé pour hier. Et il était présent à tous ses cours. Je reconnais que je me suis demandé s'il s'était éclipsé quelque part avec sa copine pendant que Will le couvrait. Ça ne ressemble à aucun d'eux, vous comprenez ? Ce ne sont pas des ados aventureux. Mais on se pose quand même la question.

— C'est tout naturel. On a tous été ados, dit Carol. Je ne disais certainement pas tout ce que je faisais à mes parents.

— J'ai donc appelé Will et Lucie, sa copine, pour vérifier. C'est là que j'ai découvert qu'il n'était pas chez Will et qu'il n'y était jamais allé. Will m'a dit que Seth lui avait dit hier matin qu'il voulait remettre leur soirée à une autre fois, il avait d'autres projets.

— Et Will ne lui a pas demandé quels pouvaient être ces autres projets ? »

Le front de Kathy se rida. « Pas à ce qu'il m'a dit. Mais il pourrait être un peu plus bavard face à une personne ayant une raison officielle de le lui demander.

— Ce n'est pas juste, Kathy, protesta Julia. Tu n'as aucune raison de croire que Will ne t'a pas dit tout ce qu'il sait. »

Kathy leva les yeux au ciel. « Tu es si confiante. Si Seth lui a demandé de ne rien dire, il ne va rien raconter, si ? »

Carol laissa un instant passer, puis reprit : « Avez-vous eu la moindre nouvelle de Seth depuis qu'il est parti hier matin ? Un SMS ? Un e-mail ? Un appel ? »

Les deux femmes se consultèrent du regard puis secouèrent toutes deux la tête. « Rien, répondit Kathy. Non pas que ce soit inhabituel. En général, il ne nous contacte pas de l'extérieur à moins qu'il y ait une raison. Un changement de programme, par exemple. Ce dont il ne nous a pas informées cette fois-ci. »

Kevin s'éclaircit la voix. « Sa copine est chez elle ?

— Oui. Je lui ai parlé sur la ligne fixe de sa maison, indiqua Kathy. La dernière fois qu'elle l'a vu, c'était hier pour le déjeuner. Ils ont mangé ensemble à la cantine du collège – ils sont dans des sections différentes, donc ils ne se voient pas en classe. Mais il n'a jamais dit à Lucie qu'il n'irait pas chez Will. Elle croyait toujours qu'il allait dormir chez lui.

— Il passait souvent la nuit chez des copains en semaine ? » demanda Kevin.

Kathy sembla prête à le gifler. « Bien sûr que non. Nous ne sommes pas de ces laxistes gnangnan qui laissent leurs enfants tenir les rênes. Hier soir, c'était exceptionnel. Will et Seth sont deux grands fans de grunge, et un de leurs groupes préférés donnait un concert en direct sur Internet. On leur a permis exceptionnellement de passer la soirée ensemble pour le regarder. » L'air parut se bloquer dans sa gorge et elle se mit à tousser de manière incontrôlable. Quand la quinte se calma, les yeux en larmes et le visage tout empourpré, elle souffla : « Quelle putain d'exception ! »

Passant son bras autour de ses épaules, Julia pencha la tête vers elle. « Ça va aller, Kathy. Tout va s'arranger.

— Pensez-vous à quelqu'un d'autre à qui il aurait pu rendre visite ou donner rendez-vous ? interrogea Carol.

— Non, répondit Kathy d'un ton las. On a déjà essayé d'appeler ses autres copains, mais personne ne l'a vu depuis hier. »

Carol se demanda s'il existait un moyen subtil d'aborder le sujet de la parenté biologique de Seth et se rendit compte qu'il n'y en avait pas. Dans tous les cas, il fallait y venir. « Et son père ? demanda-t-elle.

— Il n'a pas de père, déclara Kathy, dont l'abattement tempérait ce qui était à l'évidence une source d'irritation pour elle. Il a deux mères. Un point c'est tout !

— Seth a été conçu par IAD, expliqua Julia en serrant sa compagne contre elle. À l'époque des donneurs anonymes. Tout ce qu'on sait sur le donneur, c'est qu'il mesurait un mètre quatre-vingts, qu'il était mince, brun, et qu'il avait les yeux bleus.

— Merci d'avoir éclairci ce point, dit Carol en souriant.

— C'est tout ce qu'on vous dit ? demanda Kevin. Je croyais qu'on vous dressait une sorte de portrait. Ce qu'ils faisaient, leurs hobbies, ce genre de choses ?

— Ça varie suivant les cliniques, dit Julia. Celle où nous sommes allées ne donne que le strict minimum.

— Le père n'a donc aucun moyen de retrouver son enfant pour entrer en contact avec lui ? Ou Seth de retrouver son père ? continua Kevin.

— C'est donneur, pas père. Et non, tout est complètement anonyme. Même la clinique ne connaît pas le nom du donneur. Juste son numéro de code », répondit Julia. Elle perdait visiblement patience.

« Et pourquoi Seth ferait-il ça ? Il n'a jamais montré la moindre curiosité concernant son donneur. Il a deux parents qu'il aime et dont il est aimé. Ce qui est plus que ce que peuvent dire un paquet de gosses, ajouta Kathy, maintenant ouvertement belliqueuse.

— Nous comprenons bien. Mais nous devons examiner toutes les possibilités.

— Y compris l'homophobie », grommela Kathy. À Julia : « Je t'avais dit comment ça se passerait. » Avant que Carol puisse réagir, la sonnette carillonna. « J'y vais », dit Kathy, bondissant hors de la pièce. Ils entendirent des murmures, puis Kathy revint avec Stacey Chen dans son sillage. « C'est une de vos collègues.

— L'agent Chen est notre spécialiste en informatique. Nous aimerions votre permission d'examiner l'ordinateur de Seth, déclara Carol.

— Il est dans sa chambre. Je vais vous montrer, dit Kathy.

— Je dois d'abord toucher un mot à l'inspecteur Jordan, si vous voulez bien nous excuser ? » dit Stacey.

Lorsqu'elle quitta la pièce, Carol entendit Kevin affirmer sa loyauté envers elle. « Elle n'est pas homophobe pour un sou, signala-t-il. Deux membres de sa brigade, deux de ses collègues les plus proches sont toutes les deux lesbiennes. Elle les a choisies et elle leur fait confiance. »

Bien joué, Kevin. Je parie que ça laisse Kathy complètement indifférente. Elle va cataloguer Paula et Chris comme une vraie paire de judas. Carol ferma la porte derrière elle et regarda Stacey en soulevant les sourcils. « Du nouveau ?

— Rien de bon. L'ordinateur de Daniel Morrison n'est pas configuré pour le Web. Il s'en sert seulement pour jouer à des jeux ou pour du travail scolaire. Il a un netbook pour tout ce qui est Internet. Et il le garde dans son sac à dos quand il n'est pas chez lui. On n'a donc aucun point de départ pour le Net.

— Et son adresse e-mail ? Son compte RigMarole ? Facebook ? »

Stacey haussa les épaules. « On arrivera peut-être à retrouver certaines choses. Mais il pourrait avoir plus d'une dizaine d'adresses e-mail et de comptes dont nous ne savons rien. C'est un coup dur. Je ne peux pas faire de miracles.

— Et les caméras de surveillance, ça a donné quelque chose ? »

Elle secoua la tête. « Rien après le moment où il quitte Bellwether Square. Je pense qu'il a dû partir dans un véhicule.

— Bien. Concentrons-nous sur Seth pour l'instant. Mieux vaut essayer de s'occuper des vivants. » *S'il est encore en vie, ce dont, compte tenu de la mort de Daniel, je doute sérieusement.* « Sa mère vient d'envoyer une photo récente à notre adresse, tu peux la transmettre à tous les services dès que possible ?

— Je m'en occupe tout de suite.

— Merci. Tiens-moi au courant, lança Carol en retournant dans le salon, où l'atmosphère n'était pas plus détendue qu'avant sa sortie. Désolée de cette interruption, dit-elle. Peut-être pourriez-vous montrer à l'agent Chen où trouver l'ordinateur de Seth ? Et il va nous falloir votre autorisation officielle de l'inspecter, puisqu'il est mineur.

— Faites tout ce que vous avez à faire, déclara Julia tandis que Kathy se dirigeait vers la porte. Elle ne voulait pas vous insulter, inspecteur. Elle est juste inquiète, et quand elle s'inquiète elle s'emporte. »

Carol sourit. « Je ne me sens pas facilement insultée, madame Viner. Tout ce qui m'importe ici, c'est de faire tout notre possible pour vous ramener Seth. »

Julia se ressaisit visiblement. « Quand je suis rentrée en voiture. Après le coup de fil de Kathy. À la radio. Ils ont parlé d'un adolescent assassiné. » Elle porta vivement sa main à sa bouche et se mordit les doigts.

« Ce n'était pas Seth, madame Viner. On a formellement identifié ce garçon, et il est certain que ce n'est pas Seth. »

Kathy reparut dans la pièce à temps pour entendre les paroles de Carol. « Tu vois, je t'avais dit, ça ne pouvait pas être Seth. »

— Toujours optimiste. » Julia se cramponna à son bras.

« On va interroger Will et Lucie, ainsi que les autres amis de Seth. Et on va mettre cette photo sur notre site Web et la communiquer aux médias. C'est notre priorité numéro un à présent, affirma Carol en se levant. Kevin va rester avec vous. Si vous pensez à quoi que ce soit d'autre qui nous aiderait à retrouver Seth, dites-le-lui. J'aurai un téléphone avec moi si vous avez besoin de me parler. »

Julia Viner leva son regard vers elle d'un air suppliant. « Ramenez-le juste à la maison. Je me fiche de savoir pourquoi il a disparu ou ce qu'il a fait. Mais ramenez-le-nous. »

Ses paroles résonnèrent dans la tête de Carol jusqu'à la voiture. Ses moyens d'action étaient limités, et tout était déjà en œuvre pour Julia et Kathy. Mais grâce à son téléphone Bluetooth, elle pouvait passer ses appels aussi facilement de sa voiture que de son bureau. Or, il y avait un autre enfant perdu à qui elle devait certaines réponses. Carol lança le moteur et prit la route d'Halifax.

CHAPITRE 17

Sam était indifférent à la majesté ténébreuse du lac de Wast-water. Il trouvait les montagnes oppressantes et les eaux sombres du lac déprimantes. Ça le dépassait qu'on puisse choisir de venir passer des vacances ici. C'était très bien de faire des balades si on était sur une plage des Caraïbes, comme son sergent en ce moment même. Mais la quantité de pluie glaciale qui tombait ici devait rendre cette activité plus déprimante que plaisante. Et qu'y avait-il à faire le soir ? Sam adorait danser. Il n'était pas difficile ; il ne lui fallait pas une boîte, un DJ ou un style de musique en particulier. Il aimait simplement sentir le rythme le parcourir, se laisser emporter et s'abandonner comme il ne le faisait à aucun autre moment de sa vie. Il aurait été prêt à parier qu'il n'y avait pas un lieu où danser à trente kilomètres à la ronde. À moins que ce soit de la danse folklorique, ce qui était à la danse ce qu'un jambon-beurre est à la cuisine.

Il avait passé l'essentiel de la journée à l'abri dans sa voiture ou dans le véhicule d'assistance technique de l'équipe de fouilles subaquatiques. Ce n'étaient pas des bavards. Ils avaient pris la liste de coordonnées de Stacey, s'étaient réunis au-dessus d'une carte et avaient délimité des zones qu'il supposait correspondre aux péri-mètres de recherches qu'elle avait suggérés suite à sa consultation avec les spécialistes en imagerie satellite de l'université de Brad-field. Certains d'entre eux avaient enfilé des combinaisons et s'étaient attaché des bouteilles d'air dans le dos, puis ils s'étaient dirigés vers le bateau avec son gros rebord pneumatique noir. Sam n'avait pas la moindre idée de la manière dont ils procéderaient. La plongée ne l'avait jamais attiré. Il ne voyait pas l'intérêt. Si on voulait voir des poissons tropicaux, il suffisait de se passer un DVD de David Attenborough sans jamais devoir abandonner le confort de son salon.

La journée avait été longue et ennuyeuse. Des plongeurs disparaissaient sous l'eau, baragouinaient des paroles incompréhensibles par radio à l'équipe de contrôle dans le véhicule d'assistance technique, remontaient à la surface et redisparaissaient ailleurs. De temps en temps, le bateau regagnait la rive et une nouvelle équipe de plongeurs prenait le relais. Sam commençait presque à regretter d'avoir mis autant de zèle à résoudre l'affaire Danuta Barnes.

Cependant, vers la fin de l'après-midi, tout changea. C'était la cinquième plongée, d'après lui. L'un des plongeurs au repos vint rapidement à sa voiture et fit un cercle avec son pouce et son index. Sam baissa sa vitre. « Il semblerait qu'on ait trouvé quelque chose, vieux, annonça gaiement le plongeur.

— Quel genre de quelque chose ?

— Un gros paquet, emballé avec du plastique. D'après nos gars, il est attaché à un sac fait apparemment avec un filet de pêche, et rempli de pierres. »

Sam se fendit d'un grand sourire. « Et qu'est-ce qui se passe maintenant, alors ?

— On va l'arrimer avec des cordes, placer des coussins d'air en dessous et hisser le tout. Ensuite on jettera un œil à l'intérieur. »

L'opération de repêchage parut durer une éternité. Sam s'efforçait de contenir son impatience, mais il ne tenait pas en place. Il longea la rive et grimpa sur un petit promontoire d'où il pouvait mieux voir le bateau à quelques centaines de mètres de là. Mais il était trop loin pour bien distinguer ce qui se passait. Finalement, une masse enveloppée de noir de la taille d'un WC mobile commença à émerger en soulevant des quantités d'eau. « Bon sang, c'est énorme ! » s'exclama Sam, médusé, tandis que l'équipe de plongée s'efforçait d'amener l'objet à bord sans faire chavirer le bateau.

Le bruit du moteur rompit le silence de la fin d'après-midi, et Sam regagna en hâte la plage de caillasses d'où ils s'étaient lancés. Le bateau avançait lentement vers la rive mais Sam resta en arrière car il ne voulait pas abîmer ses chaussures pour rien. Il fallut cinq hommes pour sortir du bateau le ballot qui réduisait sans cesse puis remonter la plage d'un pas chancelant et le déposer sur l'herbe à côté de leur fourgon. De l'eau fuyait toujours abondamment de toutes parts.

« Et maintenant ? » demanda Sam.

Le chef du groupe de plongée montra du doigt un de ses hommes qui sortaient de la camionnette avec un appareil photo. « On prend des photos. Ensuite on l'ouvre.

— Vous ne l'emmenez pas d'abord en lieu sûr ?

— On ne l'emmène nulle part tant qu'on ne sait pas quelle peut être la destination appropriée, expliqua-t-il patiemment. Ça pourrait être des rouleaux de moquette. Ou des moutons morts. Ça servirait à rien de les embarquer à la morgue. »

Se sentant idiot, Sam se contenta d'acquiescer et d'attendre que l'agent à l'appareil prenne une vingtaine de clichés du paquet suintant. Enfin, il recula, et un des plongeurs sortit un long couteau de la gaine attachée à sa ceinture et découpa une ouverture dans le ballot. Lorsqu'il écarta les morceaux de bâche, Sam retint son souffle.

Le restant d'eau s'écoula. À l'intérieur du plastique noir se trouvaient trois paquets de polyéthylène rendus opaques par le temps et l'eau et maintenus par du ruban adhésif.

Sam s'était attendu à trouver Danuta Barnes et la petite Lynette âgée de cinq mois. Manifestement, il avait fait une plus grosse pêche que prévu.

Même si Tony n'aurait sans doute pas apprécié que Carol le qualifie d'enfant perdu, ce n'était pas si loin de la vérité. Depuis qu'Alvin Ambrose lui avait apporté sa liasse de papiers durement gagnée une heure plus tôt, il avait à peine été capable d'aligner deux idées. Le couple de la chambre voisine avait conclu sa dispute enflammée par une partie de jambes en l'air tout aussi enflammée. Derrière l'autre mur, quelqu'un regardait une sorte d'émission de sport automobile impliquant grondements de moteurs et crissements de pneus. C'était intolérable.

Il en venait presque à croire au destin.

Si ce n'est qu'il savait au fond de lui que si ce n'avait pas été le bruit, ç'aurait été autre chose. Après tout, il y avait largement le choix. L'éclairage minable. Le lit dur comme du bois. La chaise qui n'était pas à hauteur du bureau. Chacun de ces désagréments aurait justifié la décision qu'il s'apprêtait à prendre. Une décision, s'il était sincère envers lui-même, qu'il avait prise durant l'après-midi quand, une fois libéré de l'agent immobilier, il s'était rendu dans un cabinet de notaires où il était également facile d'aller à pied depuis l'hôtel.

Tony ramassa les documents et les glissa dans son sac qu'il n'avait toujours pas déballé. Il ne régla pas sa note. Ça pouvait attendre le lendemain matin. Il monta dans sa voiture et refit le trajet effectué plus tôt dans la journée, en ne se trompant que deux ou trois fois en chemin. Après tout, il faisait parfois plus d'erreurs entre l'hôpital sécurisé de Bradfield Moor et la porte de chez lui.

Il se gara dans la rue longeant la maison qu'il supposa pouvoir dire sienne. Bien que cela parût trop présomptueux. Cette demeure restait incontestablement celle d'Arthur Blythe. Et pourtant, Tony se dit que si son bienfaiteur avait un fantôme, sa présence ne le dérangerait pas.

Les clés que lui avait remises le notaire tournèrent facilement dans les deux serrures encastrées et la porte s'ouvrit sans le moindre grincement. À l'intérieur, tout était parfaitement calme. Un double vitrage de discrétion étouffait le bruit de la circulation, et le silence n'était pas même troublé par le tic-tac d'une horloge. Tony poussa un soupir de contentement et gagna le salon qu'il avait admiré l'après-midi même. Son profond bow-window donnait sur le jardin, bien qu'à cette heure-là on ne distinguât plus grand-chose dans l'obscurité grandissante. Depuis l'étage, on pouvait voir le parc, mais à ce niveau, le jardin semblait coupé du monde, isolé, un espace d'intimité voué au plaisir de la maison et de son propriétaire.

Il se retourna et remarqua un grand meuble chargé de CD. Lorsqu'il approcha, les étagères s'inondèrent de lumière, ce qui le fit sursauter. Il leva les yeux et aperçut un détecteur de mouvement installé sur le meuble. « Ingénieux », murmura-t-il en parcourant la collection qui comprenait de la musique classique du dix-neuvième et le jazz plus mélodieux du vingtième siècle. Un mélomane, de toute évidence, se dit Tony. Par curiosité, il alluma le lecteur CD. Un saxophone au son chaud et doux entama un air entraînant, la dernière musique qu'Edmund Arthur Blythe avait choisi d'écouter. Un écran défilant sur la façade illuminée du lecteur indiqua : « Stanley Turrentine – "Deep Purple" ». Tony n'avait jamais entendu parler de cet homme mais il reconnut l'air et aima la sensation que lui procura cette musique.

Il s'éloigna et alluma un lampadaire parfaitement placé pour éclairer un fauteuil à haut dossier accompagné d'une petite table à portée de main. L'arrangement idéal pour un homme désirant lire et éventuellement prendre quelques notes de temps à autre. Tony sortit les documents de son sac et s'installa dans le fauteuil. Il passa l'heure qui suivit assis avec les transcriptions et le discret saxophone à essayer de percevoir qui était ZZ et de décoder la dernière session fragmentaire. « T... T vrai... », lut-il à maintes reprises. « Tes quoi ? Tu es quoi ? Tu es qui ? Tu es vraiment quoi ? Tes vrais quoi ? » s'interrogea-t-il. « Te dir, te mont... » « Montrer, c'est ça. Je ne vais pas seulement te dire, je vais te montrer. Bien sûr, c'est ça. Tu veux lui montrer, n'est-ce pas ? Mais quoi ? Qu'est-ce que tu veux lui montrer ? »

Il se leva et arpenta la pièce à la recherche d'une hypothèse qui permettrait de combler ces vides impondérables mais essentiels pour résoudre l'énigme. Plus il arriverait à décrypter cet échange, plus il pourrait se rapprocher aussi bien de la victime que du meurtrier. « Te dire que tu es vraiment quoi ? Te montrer que tu es quelque chose... Mais quoi ? Quel est ce secret ? Ce secret qu'elle-même ne connaît pas ? Quel genre de secret peut-on avoir sans même en connaître l'existence ? »

Sa déambulation l'amena devant une table à boissons. Il n'y trouva pas les prévisibles verres en cristal épais qui se seraient bien accordés au mobilier confortable et légèrement démodé, mais d'élégants verres modernes qui s'adaptaient de la manière la plus discrète à votre main. Il en prit un et en apprécia le poids. Sous l'impulsion du moment, il se servit un petit armagnac. Ce n'était pas un alcool qu'il aurait naturellement choisi, mais la présence sur la table de trois bouteilles différentes le convainquit que ç'avait été le spiritueux favori d'Edmund Arthur Blythe. Il lui parut opportun de boire un verre de la boisson préférée du vieil homme en son souvenir. Enfin, pas exactement en son souvenir, puisque

Tony n'en avait strictement aucun. Peut-être à sa tentative de se racheter d'outre-tombe. Même si cette tentative était vouée à l'échec.

Marchant de long en large, il le sirota en passant en revue tout ce qu'il avait appris sur Jennifer Maidment et son assassin. Quelque chose lui chatouillait l'esprit. Quelque chose qu'il avait eu plus tôt dans un coin de la tête. Qu'était-ce ? Il retourna à son sac et en tira les documents que Patterson lui avait envoyés au départ par e-mail. Des photos de la scène du crime et le rapport d'autopsie, voilà ce qui l'intéressait.

Il examina chaque photo avec soin, en prêtant particulièrement attention à celle du corps mutilé de Jennifer sur la table d'autopsie. Puis il relut le rapport d'enquête initial en relevant les différentes heures. « Elle a été vue pour la dernière fois de manière certaine à quatre heures et quart. Sa disparition est signalée juste après neuf heures. Et à moins que tous les routiers mentent, tu n'as pas pu larguer son corps après sept heures et demie, quand les deux premiers chauffeurs de poids lourds se sont arrêtés ensemble. Donc, en réalité, tu ne l'as eue que pendant deux à trois heures. » Il posa le rapport et se remit à marcher, puis il s'immobilisa devant la cheminée richement ornée. Il s'appuya au chambranle et baissa les yeux sur le foyer vide pour tenter de s'immiscer dans l'esprit de l'assassin de Jennifer, de ressentir ce qu'il avait ressenti, de savoir ce qu'il avait su.

« Tu as dû l'emmener dans un lieu isolé, la droguer, l'étouffer avec le sac en plastique, la mutiler et te débarrasser d'elle, énuméra-t-il lentement. Où est le plaisir pour toi ? Où est le pourquoi ? Qu'est-ce qui te fait prendre ton pied ? La posséder ? La dominer ? »

Il fit volte-face et retourna à la fenêtre en fronçant les sourcils dans l'obscurité. « Ce n'est pas assez long. Tu passes des semaines à gagner sa confiance. Pour quoi ? Deux ou trois heures ? Je ne crois pas. Quand on planifie autant les choses, qu'on investit autant de temps et d'énergie, on veut plus que quelques heures volées. Après l'avoir convoitée comme ça, on a besoin d'étancher sa soif. Mais toi non, apparemment. Tu l'as simplement tuée, découpée, puis abandonnée. Ça ne tient pas debout... » D'après son expérience, les tueurs comme lui savouraient le temps qu'ils passaient avec leurs victimes. Ils installaient leur planque à l'abri des regards indiscrets afin de pouvoir se satisfaire maintes et maintes fois. Ils ne couraient pas tous les risques qu'impliquait l'enlèvement d'une personne pour ensuite renoncer à la possibilité de faire durer le plaisir au maximum. Ceux qui aimaient les proies vivantes les retenaient captives, les violaient à maintes reprises, les torturaient et profitaient du fait d'avoir un être de chair et de sang à disposition pour réaliser leurs fantasmes. En mettant souvent l'accent sur le sang. Ceux qui préféraient la passivité d'un cadavre se donnaient beaucoup de mal pour conserver le corps en aussi bon état que possible le plus longtemps possible. Les premières phases de décomposition dissuadaient rarement les grands détraqués.

Mais ça ne s'était pas passé comme ça avec Jennifer. « Tu l'as tuée, découpée, et abandonnée, répéta-t-il. Pas le temps de jouer. Il est arrivé quelque chose qui t'en a empêché. Mais quoi ? » Ce devait être un ennui imprévisible. Il n'avait peut-être pas pu accéder à l'endroit où il avait prévu de l'emmener. Ou alors un événement soudain s'était produit dans son autre vie et l'avait empêché de mettre ses projets à exécution. Dans tous les cas, il n'avait pas dû avoir le choix. Seules de telles circonstances pouvaient contraindre un tueur de renoncer à son plaisir une fois qu'il avait sa victime sous son emprise.

Ça se tenait, pensa Tony. Mais pas assez pour le satisfaire. « Tu l'as tuée, découpée, puis abandonnée », marmonna-t-il à voix basse en regagnant la table à boissons et se servant un petit verre de la deuxième bouteille d'armagnac. Il en but une gorgée et se remit à errer dans la pièce.

Tout à coup, il s'arrêta net. « Découpée. Découpée. » Tony se donna une tape sur le front. Il retourna à la hâte vers les photos pour confirmer ce qu'il croyait se rappeler. « Tu lui as découpé le vagin, déchiré le col de l'utérus et tailladé l'utérus. Tu n'as pas fait les choses à moitié. Mais tu ne t'es pas occupé de son clitoris. »

Tony vida son verre et alla se resservir. La conclusion qui lui trottait dans la tête semblait inévitable. N'importe quel enquêteur chargé d'une affaire pareille l'aurait trouvée absurde tant elle semblait contraire à la logique. Mais il n'avait jamais eu peur d'envisager des possibilités qui répugnaient à d'autres. C'était une des raisons pour lesquelles Carol Jordan avait toujours attaché beaucoup de prix à ses réflexions. Il avait dans l'idée que l'inspecteur Patterson ne serait pas aussi ouvert. Néanmoins, les faits étaient là. C'était la seule théorie qui expliquait les deux incohérences qu'il avait relevées.

« Ce n'est pas un crime sexuel, déclara-t-il à la pièce vide. Il n'y a rien de sexuel là-dedans. Quel que ce soit le motif ici, ce n'était pas de s'envoyer en l'air. »

Ce qui soulevait une question qui, pour Tony, était encore plus troublante. S'il ne s'agissait pas de sexe, de quoi s'agissait-il ?

CHAPITRE 18

Alan Miles ne fut pas difficile à repérer. C'était la seule personne qui attendait devant la gare d'Halifax dans une petite bruine venue des Pennines qui défiaient le ciel. Carol se gara à un emplacement non autorisé et rejoignit à bon pas la silhouette légèrement voûtée qui observait le monde à travers ce genre de lunettes qu'elle n'avait plus vu personne porter depuis que les services de santé avaient arrêté de prescrire des paires intégralement prises en charge : une grosse pièce de plastique noir sur le dessus, du fil d'acier autour du reste des verres, épais comme des culs de bouteilles. Une tête de statue de l'île de Pâques. Elle l'imagina bien en faire baver aux derniers de ses classes de troisième. « Monsieur Miles ? » s'enquit-elle.

Il tourna la tête avec la lenteur d'une vieille tortue et la jaugea du regard. De toute évidence, ce qu'il vit lui plut beaucoup car son visage s'éclaira d'un sourire d'une extraordinaire douceur. Il porta la main au bord de sa casquette et la souleva très légèrement. « Mademoiselle Jordan, dit-il. Vous êtes très ponctuelle. J'aime ça chez une femme. » En chair et en os, il parlait comme Thora Hird[4], avec une voix de basse profonde.

« Merci.

— J'espère ne pas avoir été impoli avec vous. Je ne sais pas m'y prendre au téléphone. C'est un appareil qui me déconcerte

---

4. Célèbre actrice britannique au ton très soutenu. (*N.d.T.*)

totalement. Je sais que je parais des plus rébarbatifs. Mon épouse me dit que je devrais ne plus y toucher et la laisser s'en charger.

— Si j'avais le choix, je laisserais aussi quelqu'un s'en occuper à ma place », déclara Carol. C'était sincère ; elle avait passé les vingt dernières minutes à parler à des commissaires divisionnaires, des attachés de presse et à sa brigade pour s'assurer que tous les moyens disponibles pour retrouver Seth Viner étaient mis en œuvre, sans que personne n'oubliât Daniel Morrison pour autant. Elle se sentait terriblement coupable d'abandonner le navire, mais pas suffisamment pour que cela la détourne de son autre mission.

« Bien, je vois que vous êtes venue en voiture, ce qui est parfait, vraiment, décréta Miles. Si ça ne vous ennuie pas de conduire, nous pouvons nous rendre sur les lieux mêmes où œuvrait Blythe & Co. Vous pourrez ainsi vous faire une idée de l'endroit. Il y a un pub très plaisant à quelques rues de là où nous pourrions prendre une petite libation pendant que je vous expose ce que j'ai pour vous. Cela vous siérait-il ? »

Carol s'efforça de garder son sérieux. Elle avait l'impression d'avoir échoué dans une série de la BBC écrite par un des autres Alan – Bennett ou Plater [5] – spécialisés dans les personnages excentriques du Yorkshire. « Ça me convient parfaitement, monsieur Miles.

— Appelez-moi Alan », la pria-t-il d'un air malicieux. S'il avait eu une moustache, il en aurait tortillé les pointes, pensa Carol en le menant à sa voiture.

Il s'assit avec raideur dans le siège passager et se pencha en avant vers le pare-brise, prêt à recevoir le coup du lapin, pour mieux voir où ils allaient. Il lui indiqua le chemin par une suite de rues à sens unique pour lui faire quitter le centre-ville et grimper une route en pente raide flanquée de petites maisons mitoyennes aux façades en pierre. À mi-côte environ, ils s'engagèrent dans un dédale de rues étroites. Après un dernier tournant, ils pénétrèrent dans une impasse. D'un côté, Carol vit une rangée

---

5. Deux dramaturges et scénaristes de séries télévisées britanniques. (*N.d.T.*)

de maisons en briques dont les portes d'entrée donnaient directement sur la rue. De l'autre se dressait la façade latérale de ce qui semblait être un entrepôt ou une petite usine. Le bâtiment, en pierre avec un toit en ardoise, n'était visiblement pas récent. Plus loin derrière se trouvait une petite cour pour les véhicules, isolée par une haute clôture grillagée. Une enseigne en métal indiquait : *Performance Autos – Yorkshire*. « Nous y voilà, annonça Miles. C'est là que se trouvaient autrefois les locaux de Blythe & Co, Spécialistes en finition métallique. »

On pouvait difficilement s'enthousiasmer devant un bâtiment si banal, mais le fait de le voir constituait tout de même une réelle avancée dans son enquête. « C'est vraiment quelque chose, Alan. De le voir encore debout. » S'il le voulait, Tony pourrait venir là et faire voyager son imagination à travers le temps. Cependant, quelque chose lui disait qu'il s'en abstiendrait. « Et donc, que pouvez m'apprendre sur cette entreprise et son propriétaire ?

— Que pensez-vous de nous rendre au pub ?

— Avec grand plaisir », répondit Carol en se demandant pourquoi elle se mettait aussi à parler comme si elle sortait de Yorkshire Television. *Si ça continue, je vais commander un porto-citron.*

Le Weaver's Shuttle se dissimulait dans une ruelle près d'une ancienne minoterie victorienne aménagée en appartements. Le pub, qui n'avait jamais été refait, renfermait entre ses murs en pierre nus et ses poutres basses un bar à l'ancienne où des couples étaient attablés et discutaient à voix basse, des vieillards jouaient aux dominos et un groupe de femmes – la cinquantaine environ – faisait une partie de fléchettes en toute courtoisie. Le barman salua Miles d'un signe de tête quand ils entrèrent. « 'soir, Alan. Comme d'habitude ? » Il prit un verre à demi-pinte et saisit un bras de pompe en bois.

« À la bonne heure, patron ! Que puis-je vous offrir, chère mademoiselle ? » Miles ôta sa casquette et révéla un crâne chauve et luisant bordé de boucles gris acier.

« Permettez, Alan. » Carol sourit. « Je serais tentée par un vin blanc sec, annonça-t-elle tout en doutant que le vin serait à la hauteur des bières traditionnelles dont les insignes étaient alignés le long du bar sur des pompes à main.

— J'ai un sauvignon blanc d'Afrique du Sud ou un pinot gris italien ouverts ce soir, indiqua le barman. Ou j'ai un chardonnay chilien au frais.

— Je vais prendre un verre de sauvignon », décida-t-elle en se rendant compte à quel point elle en avait envie. Ça faisait long-temps qu'elle avait attendu si tard avant son premier verre. Peut-être qu'elle était vraiment en train de dépasser le stade où l'alcool lui fournissait les seuls moments sans conteste agréables de ses journées. Un autre changement qui pourrait faire plaisir à Tony.

Le vin frais qu'on lui servit exhalait une odeur intense d'herbe fraîche et avait un goût de groseille. Alan Miles la regarda atten-tivement prendre sa première gorgée. Il gloussa. Il n'y avait pas d'autre mot, se dit Carol. « Vous ne vous attendiez pas à cela, commenta-t-il.

— Comme souvent dans la vie, déclara-t-elle, en s'étonnant de sa sincérité.

— Ce que vous dites là… Eh bien, c'est fort triste, mademoi-selle Jordan, répondit-il. Mais assez parlé de nous. Vous voulez des renseignements sur Blythe. Eddie Blythe était presque d'Halifax, il a grandi tout près d'ici, à Sowerby Bridge. Un type intelligent, aux dires de tous. Il a étudié à l'institut technique d'Huddersfield et s'est avéré très doué dans le domaine de la métallurgie. Que ce soit par chance ou après de longues recherches, il a découvert un nouveau procédé de traitement du métal qui s'est avéré très utile pour les instruments médicaux. Les scalpels, forceps et autres outils de ce genre, si j'ai bien compris. Il a fait breveter sa brillante idée et monté son usine pour fabriquer ses produits. Ses affaires marchaient bien, apparemment. Et puis tout à coup, au printemps 1964, il a vendu l'usine en bloc à une entreprise sidérurgique de Sheffield. En quelques semaines, ils avaient déplacé la production à Sheffield. Ils ont emmené les employés clés avec eux. En leur payant les frais de déménagement et tout le reste. » Il marqua une pause et but quelques petites gorgées de bière.

« Ça semble très généreux, remarqua Carol.

— Ça faisait prétendument partie du marché conclu par Eddie Blythe. » Il sortit une mince enveloppe de sa poche intérieure. « Voici une photocopie d'un article de presse. » Il la lui passa.

« Une entreprise locale vendue », annonçait le titre. Les quelques paragraphes n'en disaient pas beaucoup plus que ce que Miles avait déjà relaté. Mais il y avait une photo en face des deux colonnes. La légende disait : « M. E.A. Blythe (à gauche) serrant la main de M. J. Kessock (à droite) de la société Rivelin Fabrications suite à leur accord. » Étrangement émue, elle plissa les yeux pour mieux voir la photo. Elle crut déceler une ressemblance avec Tony dans la position des épaules, l'angle de la tête, la forme du visage. Elle prit un stylo et griffonna la date de l'article.

« Il a quitté la ville après la vente, dit Miles. Je n'ai trouvé personne qui l'ait connu personnellement, aussi je ne sais pas pour quelle raison il s'est débarrassé de son affaire et il a quitté la ville. Vous devriez peut-être consulter les archives des Trois H.

— Les Trois H ?

— Pardon. J'oublie que vous n'êtes pas du coin. Le *Halifax and Huddersfield Herald.* Ils ont "numérisé" leurs anciens numéros. » Miles avait prononcé le terme peu familier comme s'il appartenait à une langue étrangère. « Je m'intéresse en particulier à l'industrie lainière et j'ai trouvé plus d'une perle grâce à leur "moteur de recherche". Ils vous laissent utiliser des "chaînes de texte" et des choses de ce type. Malheureusement, je n'ai pas pu aller vérifier sur l'ordinateur de la bibliothèque cette après-midi. Nous n'avons pas Internet chez nous », expliqua-t-il. Carol perçut un certain regret qu'il était réticent à admettre.

« Merci de votre suggestion. J'y jetterai un œil une fois rentrée. » À défaut de mieux, elle trouverait peut-être une meilleure version de la photocopie que Miles repliait et rangeait dans son enveloppe. « Vous m'avez été d'une aide précieuse », ajouta-t-elle.

Il prit un air modeste. « Rien que vous n'auriez pu découvrir par vous-même.

— Peut-être. Mais ça m'aurait pris beaucoup plus longtemps. Croyez-moi, je suis toujours reconnaissante envers les gens qui me font gagner du temps.

— Ça ne doit pas être facile, votre travail, fit-il. Déjà pour un homme, mais vous, les femmes, vous ressentez toujours le besoin de faire vos preuves, hein, ma chère ? »

Elle lui fit un sourire glacial. « Sans blague ! »

— Alors, est-ce que tout ça vous aide pour votre affaire non classée ? demanda-t-il avec un regard malin.

— Ça a été très instructif. » Carol termina son verre. « Est-ce que je peux vous déposer quelque part ? »

Miles fit non de la tête. « J'habite à seulement cinq minutes à pied. Bonne chance pour votre enquête. J'espère que vous attraperez votre homme. »

Elle secoua la tête en se demandant où se trouvait Tony et ce qu'il faisait. « Je crains qu'il ne soit trop tard pour ça. C'est le problème avec les affaires non classées. Parfois, les personnes impliquées sont hors de notre portée. »

Personne ne se portait jamais volontaire pour l'identification ultime. Peu importe combien de fois vous aviez déjà demandé à des gens de mettre un nom sur leur cadavre, c'était toujours l'horreur. Chaque brigade de la police criminelle avait ses propres règles d'engagement. Certaines laissaient cette tâche à l'agent de liaison avec les familles ; certains directeurs d'enquête insistaient toujours pour s'en charger eux-mêmes. Dans le service de Carol Jordan, la règle était la même qu'en toute autre circonstance : la personne la plus apte était désignée. C'est ainsi que Paula s'en occupait dans bon nombre de cas.

Quitte à remplir ce genre de mission, elle préférait toujours s'en acquitter seule. Elle n'avait ainsi à se préoccuper de personne d'autre que de la personne en deuil qui allait devoir se confronter à un corps sans vie et décider s'il s'agissait ou non de la dépouille qu'elle redoutait de voir.

L'officier de liaison se trouvait avec les Morrison depuis le matin. Il leur avait annoncé que le corps retrouvé plus tôt était probablement celui de leur fils. Mais Paula savait qu'ils refuseraient de l'admettre, toujours persuadés qu'il y avait eu une confusion grotesque sur la scène du crime, qu'on avait confondu leur garçon chéri avec quelque parfait inconnu. Tant qu'ils n'auraient pas vu le corps de Daniel de leurs propres yeux, ils se cramponneraient à ce lambeau d'espoir. Ce serait à Paula de le leur ôter.

L'agent de liaison la fit entrer dans la cuisine, où l'air était chargé de fumée de cigarette. Jessica Morrison était assise à la table en marbre, le regard perdu dans l'obscurité derrière le jardin d'hiver attenant. À côté de ses mains jointes se trouvait une tasse de thé à laquelle elle n'avait pas touché. Son maquillage rappelait le glaçage d'un gâteau. Seuls ses yeux injectés de sang et hagards laissaient deviner la peine qui l'accablait.

Son mari était juché sur un haut tabouret devant le bar américain, un cendrier plein à côté de son portable et du combiné de la ligne fixe. Quand Paula entra, il ne put effacer l'espoir meurtri de son visage. Elle agita légèrement la tête. Il ouvrit la bouche, mais aucun mot n'en sortit. Il tira un paquet de cigarettes de la poche de sa chemise froissée et en alluma une. « Ça fait près de vingt ans que je n'ai pas fumé, dit-il. C'est incroyable comme ça revient vite, comme si on n'avait jamais arrêté. »

S'il existait un moyen facile d'accomplir la tâche de Paula, elle ne l'avait toujours pas trouvé. « Il faut malheureusement que je demande à l'un de vous de m'accompagner. Nous devons nous assurer que c'est bien Daniel que nous avons retrouvé cette nuit, indiqua-t-elle. Je suis désolée, mais il faut le faire. »

Jessica se leva, aussi raide qu'une vieille dame arthritique. « Je vais venir.

— Non. » Mike sauta de son tabouret et leva la main. « Non, Jess. Tu n'es pas d'attaque. Je m'en occupe. Je vais avec elle. Toi, tu restes ici. Tu n'as pas besoin de le voir comme ça. »

Jessica le regarda comme s'il était fou. « Ce n'est pas Daniel. Donc ça n'a pas d'importance. Je vais y aller. »

Il parut anéanti. Plus en phase avec la réalité, se dit Paula. « Et si c'était lui ? Je peux le faire, Jess. Tu n'es pas en état. » Il lui posa la main sur le bras.

Elle le repoussa d'un mouvement d'épaule. « Si c'est Daniel, ce que je ne crois pas une seconde, alors il faut que je le voie. Je suis sa mère. Personne d'autre n'a le droit de lui dire adieu. » Elle lui passa devant et prit le couloir en direction de la porte.

Mike Morrison regarda Paula d'un air suppliant. « Elle n'est pas assez forte pour supporter ça, lança-t-il. Ce devrait être moi.

— Je pense que vous devriez venir aussi, dit-elle. Elle va avoir besoin de vous. Mais je crois qu'elle a raison. Il faut qu'elle le voie par elle-même. » Elle lui donna une petite tape sur le bras et suivit Jessica jusqu'à la voiture.

Paula se réjouit de la courte distance jusqu'à l'hôpital de Brad-field Cross, qui hébergeait le service de pathologie clinique du Dr Grisha Shatalov. L'ambiance dans la voiture était sinistre, le silence s'étendait pour remplir tout l'espace libre. Paula se gara à côté de l'emplacement réservé à la camionnette de la morgue et conduisit les Morrison dans le bâtiment par la discrète entrée de derrière. Ils la suivaient comme des bêtes en route pour l'abattoir. Elle les fit pénétrer dans une petite pièce aux couleurs sourdes, où un long canapé faisait face à un écran mural. « Si vous voulez bien vous asseoir, suggéra-t-elle. Une fois que vous serez installés, l'image que vous devez identifier va apparaître à l'écran.

— Je pensais qu'on verrait... » La voix de Mike s'éteignit. Il ne savait pas comment qualifier le corps de celui que Paula pré-sumait être son fils.

« On trouve ça moins traumatisant de cette façon », expliqua Paula, comme si elle y croyait. Elle ne savait pas s'il existait vrai-ment un moyen d'atténuer le traumatisme. Elle attendit qu'ils s'asseyent. « Je reviens dans une minute. »

Elle laissa les Morrison et prit le couloir jusqu'à la salle des techniciens. « On est prêts pour Daniel Morrison. Le corps qui est arrivé ce matin ?

— Tout est en place, confirma un des techniciens de la morgue. Vous n'avez qu'à allumer le moniteur. »

De retour dans la salle de visionnage, Paula vérifia que les Mor-rison étaient prêts. Puis elle alluma l'écran. Il devint gris argenté, et le visage de Daniel apparut. Ils avaient fait du bon boulot, jugea-t-elle. La mort par asphyxie ne laissait pas les victimes dans un bel état, mais ils étaient parvenus à le faire paraître moins difforme qu'auparavant. Il avait les yeux fermés et les cheveux pei-gnés. Même avec un gros effort d'imagination, on ne pouvait lui trouver l'air paisible, mais au moins il ne semblait pas aussi amo-ché que quand ils l'avaient trouvé.

« Ce n'est pas Daniel, affirma Jessica d'une voix forte. Ce n'est pas mon fils. »

Mike la prit par les épaules et la serra contre lui. « C'est Daniel, déclara-t-il d'un ton morne. C'est Daniel, Jess. »

Elle se dégagea de son étreinte, se leva et s'approcha du moni-teur d'un pas chancelant. « Ce n'est pas Daniel ! » cria-t-elle en s'agrippant la poitrine. Soudain, son visage se tordit d'une douleur atroce. Elle se plia en deux et ouvrit la bouche pour pousser un hurlement d'agonie qui ne sortit pas. Elle tomba au sol, agitée de spasmes.

« Jess ! cria Mike en tombant à genoux près d'elle. Appelez du secours ! lança-t-il à Paula. Je crois qu'elle fait une crise cardiaque ! »

Paula courut hors de la pièce et ouvrit brutalement la porte du bureau des techniciens. « Je crois qu'elle a une crise cardiaque, lancez un appel radio ! »

Ils la regardèrent d'un air absent. « On n'a pas de radio, indiqua l'un d'eux.

— Alors mettez-la sur un putain de lit à roulettes et emmenez-la au bâtiment principal de l'hôpital ! s'emporta Paula. Maintenant ! Allez ! »

Par la suite, elle aurait beaucoup de mal à se remémorer les événements qui se produisirent dans les quelques minutes suivantes. Poussés à agir, les techniciens avaient chargé Jessica sur un chariot puis couru à travers les couloirs jusqu'aux urgences, Mike et Paula sur leurs talons. Là, le personnel était entré en action avec un sang-froid imperturbable, et Paula avait été chassée dans la salle d'attente avec Mike.

Elle s'assura alors qu'il était calme et que la réceptionniste savait où il était et où elle-même se trouverait, puis elle se dirigea vers le parking des ambulances pour s'administrer une dose de nicotine. Elle avait une main sur la poignée de la porte et l'autre sur ses cigarettes quand une voix vaguement familière lui demanda : « Agent McIntyre ? » Elle fit volte-face et se retrouva devant une paire d'yeux gris chaleureux et un sourire timide.

« Docteur Blessing, répondit-elle, incapable de résister au sourire qui inondait son visage. Elinor, je veux dire, corrigea-t-elle en se rappelant que celle-ci lui avait accordé ce privilège à leur dernière rencontre.

— Ça me fait plaisir de te revoir, dit Elinor en s'emmitouflant dans son manteau blanc tandis qu'elles s'exposaient à l'air frais.

— À moi aussi. » Elle n'avait pas été aussi sincère depuis longtemps. Lorsque les deux femmes avaient fait connaissance dans le cadre d'une précédente affaire, Paula avait senti que le courant passait entre elles. Elle avait même cru qu'Elinor la draguait peut-être, mais ça faisait si longtemps qu'elle avait dû décoder ces messages, et dans un tel état de fatigue ; tout cela avait été trop dur. Elle avait eu l'intention de reprendre contact plus tard, mais comme d'habitude, la vie en avait décidé autrement.

« Tu travailles toujours avec l'inspecteur Jordan à la brigade des enquêtes prioritaires ? demanda Elinor.

— Oui. Liée par un cordon ombilical aux pires choses que les êtres humains puissent se faire les uns aux autres. Et toi ? Toujours dans l'équipe de M. Denby ?

— Pour l'instant. Même si je suis censée changer bientôt. Mais dans l'immédiat je suis en route pour le Starbucks, précisa Elinor. Si je bois encore une tasse du café que préparent les internes, je suis bonne pour un lavage d'estomac. Tu peux venir avec moi ? » Elle remarqua le paquet de cigarettes dans la main de Paula. « Ils ont des tables à l'extérieur. »

Paula eut un instant d'agacement. « J'aimerais beaucoup. Mais je ne peux pas. » Elle désigna les urgences d'un geste. « Le travail. Je dois rester dans les parages. » Elle ouvrit les mains en signe d'impuissance.

« Pas de problème. C'est seulement à deux minutes à pied. Et si je te rapportais quelque chose ? »

Paula sentit son cœur se réchauffer. Elle ne s'était pas trompée, c'était une femme comme elle les aimait. « Un grand *caffè latte* allégé serait merveilleux.

— C'est en route ! » Elinor partit à grands pas sur l'allée, pour ne devenir qu'une tache blanche dans la lumière des rues.

Paula alluma une cigarette et sortit son téléphone. « Daniel Morrison formellement identifié. Mère victime d'1 crise cardiaque. Suis aux urgences avec père », envoya-t-elle à Carol. Cela devait suffire à la couvrir assez longtemps pour pouvoir faire mieux connaissance avec la charmante Dr Blessing autour d'un café. Son boulot était peut-être horrible, mais il semblait que sa vie privée soit sur le point de prendre un tour heureux.

CHAPITRE 19

Ce n'était pas qu'il lui manquait lorsqu'il était absent. Ce n'était pas comme s'ils vivaient l'un sur l'autre. Quand ils étaient tous les deux occupés, ils pouvaient facilement passer une semaine sans partager une soirée. Mais Carol avait toujours conscience du vide au-dessus de son appartement quand Tony n'était pas là. Ils vivaient indépendamment et avaient chacun leur espace, séparés par les portes au sommet et au pied de l'escalier intérieur qui créaient une sorte de sas entre eux.

Et pourtant... Elle savait quand il n'était pas là. Il y avait peut-être une raison logique ; peut-être que les mouvements de Tony créaient une vibration à un niveau subliminal dans la structure de la maison et que son absence perturbait le cerveau reptilien de Carol. Ou peut-être qu'ils étaient, comme l'avait insinué Blake, un petit peu trop proches. Carol frissonna à cette pensée. Ses sentiments pour Tony formaient une toile d'araignée complexe dont elle ne préférait pas éprouver la force et la fragilité.

Par conséquent, c'était tout aussi bien qu'il ne soit pas là, se dit-elle, comme si sa présence aurait pu la gêner dans son exploration du passé de Tony. Assurément, elle aurait renforcé la culpabilité qu'elle ressentait à continuer d'agir derrière son dos et contre sa volonté manifeste. Néanmoins, elle se connecta à Google et se retrouva bientôt sur la page d'accueil du *Halifax and Huddersfield Herald*. Elle entra d'abord « Eddie Blythe » mais n'obtint aucun résultat. Cependant, lorsqu'elle remplaça le prénom par Edmund, une suite de résultats s'afficha.

Le premier de la liste, et le plus récent en termes de dates, était l'article qu'Alan Miles lui avait montré au pub. À son grand désagrément, la photo n'avait pas été scannée. En second lieu figurait un article sur le projet de vente de la société de Blythe à la firme de Sheffield. Au milieu de celui-ci, un paragraphe l'arrêta net. « Le propriétaire de l'usine, M. Edmund Blythe, n'était pas en mesure de commenter. M. Blythe se remet en effet d'une violente agression, comme rapporté dans ce journal. »

Une violente agression ? Alan Miles n'avait rien dit à ce propos. Carol fit rapidement défiler le reste des résultats à la recherche d'un papier ne concernant pas l'usine. Quelques articles plus loin, elle fit mouche.

VIOLENTE AGRESSION À SAVILE PARK

Hier soir, un homme d'affaires d'Halifax se remettait à l'hôpital d'une agression brutale survenue tandis qu'il rentrait chez lui par Savile Park avec sa fiancée.

Edmund Blythe, vingt-sept ans, directeur général de Blythe & Co, Spécialistes en finition métallique, a reçu un coup de couteau d'un voyou qui tentait de le dévaliser sous la menace.

Quand il a refusé de donner son portefeuille, l'homme a frappé avec son arme et touché M. Blythe à la poitrine. D'après le personnel de l'hôpital, le coup est passé très près du cœur, et c'est seulement par chance que les conséquences ne sont pas fatales.

M. Blythe, de Tanner Street, et sa fiancée rentraient chez les parents de la jeune femme après avoir passé la soirée avec des amis demeurant de l'autre côté du parc.

La fiancée bouleversée, qui a demandé de rester anonyme, a raconté : « Ça a été un choc terrible. Nous marchions tranquillement, bras dessus bras dessous, sans déranger personne, quand tout à coup un homme est sorti de l'obscurité d'un buisson et a brandi un couteau. J'ai vu la lame briller à la lumière de la lune.

« J'étais terrifiée. Il a dit à Edmund de lui donner son portefeuille, mais il a refusé. Puis l'homme s'est jeté sur lui et ils se sont battus. Je me suis mise à crier et l'homme s'est sauvé.

« Il faisait trop noir pour que je le voie nettement. Il faisait environ un mètre quatre-vingts et portait une casquette rabattue sur les yeux. Il avait l'accent du coin, mais je ne pense pas que j'arriverais à reconnaître sa voix. Tout ça m'a tellement effrayée. »

L'inspecteur Terrence Arnold a déclaré : « Cet homme est manifestement très dangereux. Nous conseillons aux habitants de se tenir sur leurs gardes lorsqu'ils marchent dans des zones retirées après la tombée de la nuit. »

« Bon Dieu », s'écria Carol à voix haute en relisant l'article. Pourquoi diable Vanessa avait-elle omis de mentionner cet incident dramatique ? Ce n'était pas son genre de laisser filer une occasion de tenir la vedette. Sans parler de la sympathie qu'elle se serait attirée du fait d'avoir été impliquée dans une attaque aussi terrifiante.

En revanche, cela expliquait en partie pourquoi Blythe avait décidé de quitter Halifax pour Worcester. Après une telle agression sans provocation, n'importe qui aurait été pris d'angoisse à l'idée de vivre dans cette même ville. Mais elle se serait attendue à ce qu'il veuille emmener sa fiancée avec lui. Bien sûr, si Vanessa avait refusé de quitter Halifax, aucun effort de persuasion n'aurait pu la faire changer d'avis.

Carol se resservit un verre de vin. Elle jeta un œil aux autres articles, mais aucun d'eux ne concernait cette attaque. De toute évidence, on n'avait arrêté personne. Ce qui n'était pas tout à fait étonnant sans aucun signalement valable. On avait certainement arrêté et maltraité un peu les suspects habituels, mais ça n'avait rien donné. Et Blythe lui-même n'avait visiblement pas voulu en discuter. Il semblait avoir vendu son affaire et quitté la ville presque immédiatement. Tout cela était très soudain.

Carol commençait à se dire qu'elle allait devoir rendre de nouveau visite à la mère de Tony. Seulement cette fois, elle ne se laisserait pas rembarrer. La seule chose qui la retint de reprendre tout de suite la route pour le repaire de Vanessa à Halifax fut un SMS de Paula.

« Oh merde ! » s'écria Carol. À proprement parler, rien ne la forçait à se déplacer pour un cas comme celui-ci. Mais elle avait déjà délaissé ses agents plus tôt dans la journée et s'y sentit obligée. « Je serai là d'ici une demi-heure, répondit-elle à Paula. Monte la garde jusque-là. »

Niall Quantick détestait sa vie. Il détestait sa ratée de mère. Il détestait les rues pourries autour de leur appart minable. Il détestait le fait de ne jamais avoir de fric. Il détestait le collège, devoir se pointer là-bas tous les jours, à cause de sa conne de mère qui s'était entendue avec le principal pour que, s'il séchait, il ne reçoive même pas la ridicule somme d'argent de poche qu'elle lui accordait. Très bien, mais dans ce cas, avait-il décidé, il jouerait le jeu pour les fuir, elle et sa sale petite vie de merde, mais il ne voulait pas qu'elle le sache. Il serait allé au collège dans tous les cas, mais sa petite révolte contre le système au trimestre précédent avait été totalement payante. La seule chose qu'il ne détestait pas dans sa vie, c'était qu'il était assez intelligent pour doubler quiconque essayait de l'avoir.

Il tira une taffe sur le joint qu'il s'offrait chaque jour après les cours lorsqu'il promenait ce clébard stupide pour sortir de l'appartement et décompresser dans ce parc merdique avec ses seringues usagées, ses paumés, ses sacs de colle et ses merdes de chiens. Quelle vie pourrie.

Mais ce qu'il détestait par-dessus tout, c'était son salopard de père, qui avait fait de sa vie un misérable enfer. Elle ne lui aurait peut-être pas semblé aussi nulle s'il ne se rappelait pas une époque où les choses avaient été différentes. Si les autres mecs avec qui il traînait ne paraissaient pas aussi dégoûtés de leurs vies, c'était sans doute parce qu'ils n'avaient rien de mieux pour comparer. Oh, bien sûr, ils croyaient savoir ce que c'était que d'avoir une grosse bagnole, une grande baraque et de passer ses vacances là où il fait toujours beau. Mais tout ça, ce n'était que le fantasme d'une vie de footballeur pour eux. Pas pour Niall. Niall se souvenait de ce que c'était d'avoir toutes ces choses.

Avant d'atterrir dans cet appart miteux d'un quartier si sordide de Manchester que les demandeurs d'emploi devaient mentir sur leur code postal, ils avaient vécu dans une maison individuelle en périphérie de Bradfield. Niall avait alors eu sa chambre à lui plus une salle de jeux. Il avait eu une PS3 et une Xbox. Leur maison comportait une salle pleine de matériel de gym avec une télé à écran plasma face au tapis de jogging. La Mercedes de son père avait eu sa place à côté de l'Audi de sa mère dans le garage double. Ils avaient eu une carte d'abonnement pour les matchs de Manchester United, ils étaient partis en vacances à l'étranger trois fois par an, et Niall ne pouvait se souvenir de tous ses cadeaux de Noël et d'anniversaire.

Et puis, trois ans plus tôt, tout s'était effondré. Son père et sa mère s'étaient disputés comme dans *EastEnders* pendant des mois. Il n'était pas arrivé à comprendre quel était le problème, simplement que pas un jour ne semblait se passer sans qu'ils s'engueulent. En fin de compte, son père les avait emmenés en vacances en Floride, soi-disant pour recoller les morceaux. Mais le troisième soir, après une nouvelle dispute, il était parti de la villa en location. Sa mère avait dit qu'il aille se faire voir, ils allaient profiter du reste de ce séjour. Mais lorsqu'ils étaient rentrés dix jours plus tard, ils avaient retrouvé la maison vendue, toutes les pièces entièrement vides, les voitures disparues et les serrures changées. Il avait tout vendu derrière leur dos et mis leurs vêtements dans des sacs-poubelle qu'il avait déposés chez les parents de la mère de Niall à Manchester.

C'était d'une méchanceté stupéfiante, s'était dit Niall à l'époque, et il continuait de le penser.

Sa mère avait pris un avocat, mais ça ne lui avait rien valu de bon. Il s'était avéré que la maison comme tout le reste appartenait à la société de son père. Sur le papier, son père n'avait pas un radis. Et donc à partir de là, Niall et sa conne de mère non plus.

Il était sidéré de voir à quel point son père était capable de pure méchanceté. Une après-midi, sa mère l'avait entraîné avec elle à sa concession automobile pour lui faire honte et tenter ainsi de l'obliger à leur donner plus que les cinquante livres par semaine qu'il lâchait pour Niall. Ils avaient laissé Niall dehors avec la réceptionniste paumée tandis qu'ils se hurlaient dessus. Mais il avait tout de même entendu chacun de leurs mots. « Ce n'est même pas mon fils », avait lancé son père au plus fort de leur dispute.

Sa mère n'avait rien répondu, mais Niall avait entendu un grand bruit, comme un objet en verre jeté contre un mur. Puis la porte s'était ouverte et il avait vu un réseau de fissures en toile d'araignée là où la grande baie vitrée donnant sur la salle d'exposition aurait dû révéler des rangées de voitures étincelantes. « Viens, avait-elle dit en le prenant par le bras et en se dirigeant vers la porte. De toute façon, on ne veut pas du fric de ce sale connard de menteur. »

Parle pour toi, s'était dit Niall. Raison de plus de lui taper son fric, au contraire, si c'était un sale connard de menteur. Pour qui se prenait-il, cet enfoiré, à prétendre que la mère de Niall était une espèce de putain qui aurait eu un enfant d'un autre homme et ferait croire qu'il était de son père ? C'était peut-être une pauvre conne, mais il savait que ce n'était pas une garce. Contrairement à son père, qui était prêt à tout plutôt qu'à mettre la main à la poche pour aider sa femme et son fils.

Et donc, grâce à lui, ils se retrouvaient dans la merde, sans issue jusqu'à ce que Niall prenne son avenir en main. Il se tiendrait à carreau et changerait de vie, puis montrerait à son père quel homme il était.

Mais en attendant, il devait supporter cette vie pourrie qu'il détestait. Il y avait seulement une petite lueur au fond du puits. Il voulait apprendre le russe car il voulait travailler pour un oligarque et apprendre comment s'enrichir. Ces mecs-là n'avaient rien à foutre de savoir à qui appartenaient les pieds sur lesquels ils marchaient. Ils pouvaient même les casser pour passer le temps. Mais aucun prof de son collège merdique n'enseignait le russe. Il avait donc cherché des cours gratuits dans les environs. Et c'est là que DD l'avait contacté sur RigMarole pour lui proposer un coup de main.

Niall ne savait pas ce qui signifiait les lettres DD. Probablement un prénom et un patronyme russe. Mais DD était génial. Il avait donné quelques leçons de base à Niall par Internet, pour s'assurer qu'il était sérieux. Et cette semaine, ils allaient se rencontrer pour la première fois. DD lui donnerait son premier cours en personne, et Niall prendrait le chemin de la richesse. Peut-être même vers sa propre équipe de foot.

Ça remettrait à sa place ce sale connard de menteur.

Poser la question était une chose. Trouver la réponse était une autre paire de manches. Ce n'était pas parce qu'il se trouvait dans un lieu inconnu qu'il avait du mal ; paradoxalement, Tony se sentait détendu dans la maison de Blythe. Elle dégageait cette sorte de sérénité naturelle qu'il aurait recherchée lui-même s'il s'était un jour donné la peine de s'intéresser suffisamment à son environnement.

Ce qui le dérangeait, c'était son incapacité à trouver un motif plausible à l'agression de Jennifer Maidment. C'était dur d'imaginer un grief personnel contre une fille de quatorze ans qui puisse mener au meurtre. Si ça avait été le fait d'une bande, ils l'auraient attaquée au couteau dans la rue ou dans une venelle. On aurait presque à coup sûr retrouvé des témoins, ou tout au moins d'autres adolescents ou membres de la famille informés après l'événement. Mais les choses étaient bien trop organisées. Et la méthode du tueur bien trop élaborée. Par ailleurs, il avait dû avoir accès à un véhicule. Et une bande ne lui aurait pas mutilé les parties génitales.

Il était possible que la mort de Jennifer soit un message des plus violents adressé à l'un ou l'autre des parents. Ou peut-être aux deux. Mais à première vue, on pouvait difficilement imaginer comment les Maidment auraient pu croiser le chemin de ce type de personnes pour qui le meurtre et la mutilation d'une adolescente constituaient une réaction appropriée à quoi que ce soit. Il dirigeait une société d'ingénierie, elle était prof à temps partiel pour des enfants handicapés. Et encore une fois, si ce meurtre était destiné à transmettre un message, c'était une bien curieuse manière de procéder. Avec cette mort relativement tranquille suivie de cette violente mutilation. Non, quelle que fût la raison, ce n'était pas pour faire pression sur les parents ou se venger d'eux ou leur adresser un quelconque message.

Tout en passant en revue les différentes possibilités et en les rejetant presque aussitôt après examen, Tony errait de pièce en pièce sans y réfléchir, pas même conscient de la tranquillité qu'il trouvait dans ce cadre. Quand son esprit cessa enfin de bouillonner, il se retrouva dans la cuisine et se rendit compte qu'il avait faim. Il ouvrit un ou deux placards. Il n'y avait pas beaucoup de choix, mais Tony ne s'était jamais considéré comme un gourmet. Il opta pour un paquet de galettes d'avoine et une boîte de haricots en sauce et s'assit au bar américain avec une cuillère et une assiette. Distraitement, il étala des haricots froids sur les galettes et mangea ces tartines avec plus de plaisir qu'elles ne le justifiaient. Il y avait quelque chose de plaisant dans cette situation – il avait l'impression d'être Hansel et Gretel explorant la maison de la sorcière. Si ce n'est que dans son cas, il n'y aurait pas de sorcière.

Une fois son appétit satisfait, il regagna le fauteuil où il avait laissé ses papiers et s'y replongea. Il regarda les lieux où se trouvaient les divers ordinateurs utilisés pour envoyer des messages à Jennifer Maidment et eut le vague souvenir qu'Ambrose lui avait dit qu'ils espéraient pouvoir s'en servir pour déterminer où habitait le tueur. Tony n'y avait pas prêté grande attention car lui-même n'employait pas ce type de méthodes. Il se fiait à ses propres observations et à sa capacité d'empathie, à son expérience et à son instinct. Il était mal à l'aise à l'idée de réduire le comportement humain à un ensemble d'algorithmes, même s'il savait que cela avait parfois donné des résultats surprenants. Il n'était simplement pas à l'aise avec ça.

Mais il connaissait une femme qui l'était.

Le numéro de Fiona Cameron était enregistré dans son téléphone. Ils s'étaient vus à diverses conférences au fil des années, et elle avait fait appel à lui pour avoir un autre avis dans une affaire sur laquelle elle avait travaillé en Irlande. Il n'avait trouvé aucune faille dans son raisonnement mais avait pu lui faire quelques suggestions utiles. Leur collaboration avait bien fonctionné. Comme Carol, elle était intelligente et appliquée. Mais contrairement à elle, elle était parvenue à allier une vie professionnelle exigeante avec une relation durable. Tony jeta un coup d'œil à sa montre. Neuf heures passées de quelques minutes. Elle était sans doute occupée à faire ce que les gens normaux faisaient à cette heure-là de la soirée. Il se demanda ce que cela pouvait être exactement. Finir de dîner ? Regarder la télé ? Trier le linge ou simplement discuter en sirotant un verre de vin ? Quelle que fût la réponse, elle n'apprécierait probablement pas un appel de sa part.

Mais ce genre de considération ne l'avait jamais arrêté et n'allait pas l'arrêter maintenant. Le téléphone sonna à l'autre bout du fil. Alors qu'il s'apprêtait à raccrocher, elle répondit, l'air quelque peu troublé. « Tony ? C'est vraiment toi ?

— Bonjour, Fiona. Je te dérange ?

— Non, pas du tout. Je suis coincée dans une chambre d'hôtel à Aberdeen. » Pas comme les gens normaux, donc. Exactement comme lui. Toute seule et loin de chez elle. « J'étais en train de mettre mon plateau de room-service dans le couloir, j'ai failli m'enfermer dehors. Alors, comment ça va ?

— Je suis à Worcester, indiqua-t-il, comme si c'était une réponse. On a reçu de nouveaux éléments dans une affaire sur laquelle je travaille et je voulais te demander si tu pensais qu'ils étaient susceptibles d'être analysés par ton logiciel de profilage géographique. »

Elle eut un petit rire, la distance n'atténuant en rien la chaleur de sa voix. « Toujours le même, Tony. Pas de bavardages inutiles. »

Elle n'avait pas tort, songea-t-il. Mais il ne s'était jamais embêté à essayer de faire croire le contraire avec une femme aussi perspicace que Fiona. « Oui, bon, on ne se refait pas, que veux-tu ?

— Ça va, je m'en moque. Tout ce qui peut me faire oublier la soirée barbante qui m'attend est le bienvenu. Je n'ose pas quitter ma chambre. Je participe à un séminaire demain, et je préférerais m'ouvrir les veines plutôt que de croiser certains de mes collègues au bar. Donc je suis ravie d'avoir quelque chose à faire pour passer le temps. Qu'est-ce que c'est ?

— Une adolescente de quatorze ans tuée et mutilée. Et c'est un tueur qui recommencera si on ne l'arrête pas. On a un suspect non identifié qui a passé du temps à discuter sur Internet avec notre victime. Il utilise des ordinateurs d'accès public sur un rayon d'environ cent cinquante kilomètres. Généralement une seule fois chacun, mais parfois plusieurs. Ce ne sont pas des lieux d'agression à proprement parler. Juste des endroits où on sait qu'il est allé. Est-ce que tu peux faire quelque chose de ça ?

— Je ne peux pas être sûre avant d'avoir vu. Tu peux m'envoyer la liste ?

— Je vais devoir la taper. Je n'ai qu'un exemplaire papier. » *Et Patterson va faire une dépression si je lui demande une copie par e-mail pour l'envoyer à une personne qui n'a aucun lien avec l'enquête.*

« Mon pauvre. J'espère qu'elle n'est pas trop longue.

— Je te l'envoie d'ici environ une heure.

— Je vais surveiller. À bientôt. Contente de t'avoir parlé. »

Il sortit son ordinateur portable, le démarra et découvrit avec plaisir que la connexion Wi-Fi de Blythe semblait toujours en état de marche. Au fond, peu importait réellement que Fiona Cameron puisse l'aider ou non. Il faisait quelque chose de positif, or il savait d'expérience que le fait de s'engager sur cette voie encourageait son cerveau à établir ces connexions inspirées qui faisaient de lui un profileur si efficace.

Il y avait une raison pour laquelle Jennifer Maidment était morte de cette façon. Et Tony sentait qu'il n'était pas loin de la saisir.

CHAPITRE 20

Paula savait qu'elle était la meilleure de l'équipe pour les inter-rogatoires. Toutefois, elle était quand même mal à l'aise face à de toutes jeunes filles. Sa propre adolescence avait été si atypique qu'elle avait toujours l'impression de n'avoir aucunes références sur lesquelles se baser. Quelle ironie, pensa-t-elle. Elle parvenait à établir une communication avec des délinquants sexuels violents, des pédophiles, des trafiquants d'êtres humains au cœur de pierre. Mais quand il s'agissait d'adolescentes, elle était toujours désarmée.

Malheureusement, elle n'avait pas le choix. Carol Jordan était arrivée juste à temps à Bradfield Cross pour voir un médecin des urgences harassé annoncer à Mike Morrison que sa femme n'avait pas survécu. Comme on pouvait s'y attendre, le pauvre homme était anéanti. Sa femme et son fils subitement arrachés à sa vie, tout ce qui l'entourait s'enfonçait dans le brouillard. Dieu merci, sa chef avait pris la relève et envoyé Paula remplir la tâche ingrate consistant à essayer d'obtenir des informations de la petite copine de Seth Viner.

Malgré cela, elle ne pouvait pas vraiment avoir le cafard. Elle avait bu un café avec Elinor Blessing et reçu la promesse qu'elles se reverraient bientôt pour manger un morceau. Il semblait que l'attirance de Paula n'était pas à sens unique. Mais c'était tellement cliché. Les flics et les médecins ou les infirmières. Ils finissaient toujours ensemble. C'était en partie parce que la seule personne qui puisse comprendre les folles exigences de leur travail était quelqu'un vivant la même folie dans sa vie professionnelle. Et c'était en partie aussi parce que c'étaient les seules personnes qu'ils rencontraient et qui n'étaient pas des bandits, des victimes ou des patients. Et c'était peut-être aussi en partie lié au fait que beaucoup de gens devenaient flics ou professionnels de la santé parce qu'ils voulaient sincèrement aider les gens, et qu'ils avaient donc un semblant de point commun.

Quelle que fût la raison, Paula espérait que ça marcherait entre Elinor et elle. Ça faisait longtemps qu'elle n'avait pas été avec quelqu'un, mais ça faisait aussi relativement peu de temps qu'elle estimait avoir suffisamment dépassé ses problèmes personnels pour pouvoir envisager une relation.

« La charrue avant les bœufs », se marmonna-t-elle en prenant la courte allée reliant le trottoir à la maison de Lucie Jacobson. Une maison mitoyenne en brique, le modèle de base mais avec un jardin. Toutes les deux maisons, entre le jardin de devant et l'arrière-cour, courait un passage voûté de plain-pied, leur donnant presque l'aspect de maisons jumelées. Celle des Jacobson avait un petit porche à peine plus grand qu'un placard ajouté après coup à la façade. D'un côté de celui-ci gisait une masse compacte qui, dans l'obscurité, ressemblait à un tas de cadavres. Quand Paula sonna, la lumière s'alluma tout à coup et elle découvrit que ce n'était rien de plus sinistre que des manteaux et des imperméables, des casquettes de base-ball et des casques de vélo. Paula brandit sa plaque et la femme apparue dans l'embrasure de la porte hocha la tête et ouvrit.

« Je savais que quelqu'un de chez vous viendrait, déclara-t-elle avec une bonne humeur résignée que Paula ne rencontrait pas souvent. Vous devez venir au sujet de Seth. Entrez. » Elle introduisit Paula dans un salon exigu où chaque chose nécessaire avait sa place. L'endroit était aussi organisé qu'une cabine de bateau, avec des étagères et des meubles de rangement bourrés de livres, de vidéos, de CD, de vinyles et de boîtes d'archives soigneusement étiquetées avec des intitulés comme « Factures », « Banque » et « Impôts ». Une paire de canapés désassortis et quelques chaises occupaient l'espace restant, face à une télé volumineuse reliée par des câbles ombilicaux à la collection habituelle de périphériques. « Asseyez-vous, proposa-t-elle. Je vais appeler Lucie. Ses frères sont sortis jouer au basket avec leur père, donc on aura un peu de calme. Ce sont des jumeaux. De seize ans. Ils prennent une place disproportionnée. » Elle secoua la tête et se dirigea vers la porte. « Lucie, appela-t-elle. Il y a quelqu'un ici qui voudrait te parler de Seth. »

Elle se retourna et s'appuya sur le montant de la porte. « Je suis Sarah Jacobson, au fait. J'ai déjà parlé à Kathy et Julia. Elles sont complètement affolées. » Elle soupira et passa la main dans ses courtes boucles brunes. « Qui ne le serait pas ? Bon sang, c'est déjà assez dur de supporter leur adolescence, sans avoir besoin de vivre un tel cauchemar. » Des bruits de pas retentirent dans les escaliers derrière elle et elle s'écarta pour laisser passer sa fille. Lucie Jacobson avait la même crinière bouclée, mais qui dans son cas formait une masse tombant en une étonnante cascade d'anglaises sur ses épaules. Son visage étroit et anguleux ressortait entre ses cheveux, son regard bleu sombre souligné par de grands traits de khôl le long des paupières. Elle attirait l'attention sans être jolie, mais Paula soupçonnait qu'elle pourrait devenir une beauté. Son jean et son T-shirt noirs complétaient son look de gentille petite gothique de la classe moyenne.

« Vous avez du nouveau ? demanda-t-elle en regardant Paula d'un air furieux, comme si elle était personnellement responsable de la disparition de Seth.

— Je suis désolée. Il n'y a aucune trace de Seth. » Paula se leva. « Je suis Paula McIntyre, agent de la police criminelle. Je fais partie de la brigade chargée de le retrouver.

— Un simple agent ? Vous êtes assez gradée pour vous occuper de ça ? Parce que c'est vraiment important que quelqu'un retrouve Seth, avertit Lucie en pénétrant dans la pièce et en se jetant dans le canapé situé face à Paula.

— Bon sang, Lucie ! s'écria sa mère. Tu n'impressionnes personne, tu sais. » Elle regarda Paula. « Thé ? Café ?

— Rien pour moi, merci. »

Sarah Jacobson hocha la tête. « Je serai dans la cuisine si vous avez besoin de moi. » Elle lança un regard sévère à sa fille. « Je te laisse seule avec Mme McIntyre pour que tu puisses dire ce que tu as à dire sans te soucier de ce que je pense. D'accord ? » Sur quoi elle quitta la pièce.

« Comme si je me souciais de ce qu'elle pense de quoi que ce soit.

— Bien sûr que tu t'en fiches. Tu es une adolescente », commenta sèchement Paula. Elle prit immédiatement la décision de ne pas la ménager. « Voilà. Il n'y a qu'une chose qui m'intéresse dans l'immédiat, c'est de retrouver Seth. Alors si tu as des petits secrets dans ton sac qui pourraient d'après toi causer des ennuis à l'un de vous deux, c'est le moment de les dire. Si tu nous aides à retrouver Seth, tous tes vilains péchés et tes bêtises seront oubliés. Je me fiche des histoires de drogue, de picole et de baise, d'accord ? Je veux juste savoir ce que tu sais qui pourrait nous aider à retrouver Seth. » Elle croisa le regard de défi de Lucie et lui fit baisser les yeux. « Quoi que vous ayez bricolé tous les deux, tu peux parier que je l'ai entendu, que je l'ai vu ou que je l'ai fait avant vous. »

Lucie poussa un soupir et leva les yeux au ciel. « Je vois pas le rapport. Il n'y a rien dans ce qu'on fait qui ait un lien quelconque avec la disparition de Seth, OK ? Lui et moi, on est cool. Ce que vous devez savoir, c'est que oui, Seth a bien un secret. »

Paula s'efforça de ne pas montrer à quel point Lucie avait attiré son attention. « Et tu le connais ? »

— Bien sûr. Il est à moi et je suis à lui.

— Et donc, c'est quoi son secret ? »

Lucie la toisa comme si elle prenait une décision. « Vous êtes lesbienne, alors ? Comme les mères de Seth ? »

— Pour te citer : "Je vois pas le rapport", esquiva Paula.

— Ça veut dire que vous l'êtes. » Lucie sourit comme si elle avait marqué un point. « C'est cool. On ne fait pas confiance aux gens qui sont complètement intégrés dans le système, dit-elle. Je ne vous ferais pas confiance si vous n'étiez pas lesbienne. Il faut quelque chose de différent pour compenser votre côté flic. »

Paula mourut d'envie de répliquer « Si tu le dis » à la manière d'une ado mais elle se retint. « Il faut que tu me dises le secret de Seth. »

Lucie se tortilla dans les coussins mous. « C'est pas grand-chose. Vraiment.

— Alors dis-le-moi.

— Il écrit des chansons. Surtout des paroles, mais parfois tout. La musique, et tout le reste. »

Étrange objet de honte. « Et c'était un secret ?

— Ben, ouais. Je veux dire, c'est pratiquement comme écrire de la poésie, bon sang. C'est pas naze, ça ?

— D'accord. Et alors, est-ce qu'il a fait écouter ses chansons à quelqu'un ? Ou montré les paroles ?

— Ben devine ? À moi déjà, bien sûr. Mais en fait, c'est peut-être à ça que tout est lié. Parce que, sur Rig... Vous connaissez Rig, non ?

— RigMarole ? Je connais Rig, oui.

— Eh bien, sur Rig, il y avait ce mec, et il faisait à Seth "Je connais ton sale petit secret", et Seth était vraiment flippé. Alors ils ont ouvert une conversation privée et Seth lui a fait "Comment t'es au courant pour mes chansons ?" et le mec lui a dit "Il faut faire plus attention à ce que tu laisses traîner". Alors à tous les coups, Seth en avait laissé traîner une et ce type l'avait récupérée, seulement il bosse dans le milieu de la musique. »

Le cœur de Paula se serra. Elle voyait bien le tableau. Le tueur avait forcé Seth à lui révéler son secret et s'en était ensuite servi pour créer un rêve auquel Seth croirait. « Et il a dit à Seth qu'il pouvait lui obtenir un contrat ? »

Lucie poussa un pfff désapprobateur. « Personne ne serait assez bête pour gober un truc pareil, dit-elle. Il a dit à Seth qu'il pouvait lui présenter deux ou trois groupes en train de monter, des groupes qui ont des morceaux en ligne mais qui ne sont pas encore sous contrat. Des groupes qui pourraient aimer travailler avec lui sur la voie du succès. Il a dit qu'il allait arranger quelque chose pour Seth.

— Et c'est lui que Seth devait voir hier soir ? »

Elle détourna les yeux. « Peut-être. Il était censé me dire, mais il ne l'a pas fait. Il m'a juste dit qu'il allait chez Will mais qu'il ne m'appellerait pas parce qu'ils seraient sans doute occupés. »

Paula réfléchit quelques instants, puis demanda : « Qu'est-ce que tu peux me dire sur ce type ?

— Son pseudo sur Rig, c'est JJ. Il s'y connaît à fond. C'est un vrai spécialiste de toute la scène grunge, et c'est aussi le grand truc de Seth. Il m'a dit que JJ savait des trucs que seul un vrai mec du milieu pouvait savoir. »

Sauf que, comment auriez-vous été au courant de ces trucs ? Il pourrait avoir tout inventé, et vous, mes chéris, vous auriez tout avalé.

« Est-ce que tu sais autre chose sur lui ? Où il habite ? Où il travaille ? »

Pour la première fois, Lucie parut troublée. « Non, tout ce que je sais, c'est son pseudo. Il ne parlait jamais de lui. Il parlait tout le temps de musique, jamais de trucs perso.

— Tu as déjà regardé son profil sur Rig ? »

Lucie fronça les sourcils. « Jamais, non, mais Seth l'a fait. Il m'a dit que c'était plein de super trucs de musique. » Son visage s'éclaira. « Bien sûr. C'est par lui que vous allez le retrouver. JJ, comme les lettres, pas épelées.

— Laisse-moi une seconde », dit Paula en dressant l'index. Elle sortit son téléphone et appela Stacey. « C'est Paula, annonça-t-elle.

— Je sais, fit Stacey. C'est à ça que sert l'affichage du numéro. »

Par pitié, épargne-moi ton humour de geek. « Seth Viner avait un contact sur RigMarole avec qui il parlait de musique. Le type utilisait le pseudo JJ, seulement les lettres. Il se peut que JJ lui ait donné un rendez-vous après l'avoir appâté. Tu peux jeter un œil ?

— Je regarde tout de suite… » Une pause. « Rien ici. Je m'en charge. Je vais devoir prendre une porte dérobée.

— Est-ce que j'ai besoin de savoir ce que ça veut dire ? demanda Paula.

— Non. »

Stacey raccrocha. « Merci, Lucie, dit Paula. Je crois que ça va peut-être beaucoup nous aider. » *Et je regrette que tu ne l'aies pas dit à quelqu'un dès que tu as su qu'il avait disparu.* « Y a-t-il autre chose que je devrais savoir ? »

Lucie fit non de la tête. « C'est quelqu'un de bien, Seth. Il faut que vous le retrouviez et que vous le rameniez chez lui. J'ai peur qu'il soit en train de lui arriver quelque chose.

— Je comprends. Et il n'y a pas de mal à montrer que tu as peur. Ta mère, elle a l'air de pouvoir être là pour toi, tu sais ? »

Lucie eut un petit rire dédaigneux. « Elle travaille pour la BBC. Pour la radio. Des trucs comme *Consomag*. C'est pas la honte, ça ? C'est le conformisme incarné !

— Donne-lui une chance, suggéra Paula en se levant. Je sais que tu ne me croiras pas, mais elle a été un jour comme tu es maintenant. »

Lucie hocha la tête. Ses yeux étaient humides. Elle avait l'air sur le point de fondre en larmes à la moindre parole. Paula connaissait parfaitement cette sensation. Il n'y avait pas si longtemps qu'elle avait dû faire face à la perte d'un de ses amis les plus proches. À de nombreuses occasions, le chagrin et la peur avaient menacé de la submerger elle aussi. Elle sortit une carte de sa poche. « Appelle-moi si tu penses à quoi que ce soit. Ou si tu veux simplement parler de Seth. D'accord ? »

Quelques minutes plus tard, elle reprenait la route du bureau pour aller passer une longue nuit sans sommeil au côté de Stacey. Elle avait l'affreux pressentiment que, quoi que l'avenir réservât à Lucie Jacobson, de joyeuses retrouvailles avec son petit ami n'en faisaient pas partie.

CHAPITRE 21

Les oiseaux chantaient. Ils chantaient à tue-tête. L'un d'eux rappelait une roue grinçante, un autre semblait avoir quelque chose coincé dans la gorge. Tony émergea doucement d'un sommeil cotonneux. Il ne se souvenait pas de la dernière fois qu'il avait fait une nuit complète sans être troublé par des rêves ou sujet à des angoisses. Ça faisait des années qu'il dormait mal. Depuis qu'il avait commencé à explorer l'esprit de personnes sérieusement dérangées, s'il était honnête.

Dans un premier temps, il s'abandonna avec délice à la sensation inconnue du délassement. Il eut ensuite un moment de confusion lorsqu'il ouvrit les yeux sans pouvoir se rappeler où il se trouvait. Il n'était ni chez lui, ni dans un hôtel, ni dans la chambre de service de Bradfield Moor... Puis cela lui revint. Il était couché dans le lit d'Edmund Arthur Blythe, l'homme qui lui avait légué la moitié de son ADN, dans la chambre principale d'une imposante maison édouardienne dotée d'un parc à Worcester. Un peu comme Boucles d'Or, songea-t-il.

Tony jeta un coup d'œil à sa montre et, incrédule, se secoua le poignet. Presque neuf heures ? Il n'en revenait pas. Il avait dormi dix heures. La dernière fois que ça lui était arrivé, c'était lorsqu'il était étudiant, après avoir veillé toute la nuit pour terminer une dissertation. Les autres faisaient la fête, Tony étudiait. Il prit appui sur un de ses coudes et secoua la tête. C'était insensé. Alvin Ambrose devait passer le prendre à son hôtel dans à peine plus d'une demi-heure. Il n'y serait jamais à temps. Mieux valait qu'il l'appelle et qu'il modifie le rendez-vous. Il avait trente-trois minutes pour inventer une histoire qui ne le ferait pas passer pour un des fous qu'il était censé soigner.

Il était sur le point de saisir son téléphone quand la sonnerie de celui-ci le fit sursauter. Tony jongla avec et le colla à son oreille. « Oui ? Allô ? Allô ? bredouilla-t-il.

— Je te réveille ? »

Il lui fallut quelques instants pour se resituer. « Fiona, dit-il. Non, je suis bien réveillé. Mais j'étais en train de prendre mon téléphone pour appeler quelqu'un d'autre. Tu m'as fait peur, c'est tout.

— Désolée. Je voulais simplement te tenir au courant, j'ai analysé les lieux que tu m'as donnés avec mes logiciels.

— Formidable ! Tu as fait vraiment vite. »

Fiona rigola. « On a avancé depuis l'âge du boulier, Tony. Les calculs se font très rapidement de nos jours. Même sur un ordinateur portable dans une chambre d'hôtel.

— Je sais, je sais. Mais sois sympa. Pour moi, c'est toujours un peu de la magie.

— Eh bien, pour ma part, je n'ai pas vraiment l'impression d'être une magicienne. Je ne pense pas que ces résultats soient définitifs, parce qu'on a affaire à un autre mécanisme de sélection que dans le cadre des délits commis par un criminel. Le choix du lieu du crime est conditionné par la présence de victimes à proximité. Or, comme on le sait tous les deux, certains criminels ont des critères précis. Un violeur aime un certain type de femmes. Un cambrioleur ne s'attaque qu'à des logements au rez-de-chaussée...

— Je te suis, oui », indiqua Tony. Il savait qu'elle ne cherchait pas à lui apprendre à faire des grimaces, mais il aurait préféré qu'elle en vienne à l'essentiel. Il n'avait pas besoin d'un séminaire, seulement d'un résultat.

« Donc son choix de lieux est beaucoup plus limité que pour une personne cherchant simplement un ordinateur d'accès public. Parce qu'il y en a partout. Je pense que même toi, tu as remarqué ça.

— J'en ai même utilisé, Fiona.

— Mais dis-moi, on va finir par te faire entrer dans le vingtième siècle, Tony. Donc, à la condition que ces résultats soient confirmés par le type de recherches sérieuses qui sous-tendent le profilage criminel géographique, je suis disposée à dire que la personne ayant utilisé ces nœuds Internet habite d'après moi dans le sud de Manchester, près de la M60. J'ai une carte avec une zone marquée en rouge que je suis sur le point de t'envoyer par e-mail. C'est apparemment à la frontière entre Didsbury, Withington et Chorlton. Quoi que ça signifie d'un point de vue démographique.

— Ils lisent le *Guardian* et écoutent Radio 4. Ils font leurs courses chez les petits commerçants du quartier et sont restés des inconditionnels de John Lewis. »

Fiona rit avec ravissement. « Pas le secteur habituel des obsédés sexuels meurtriers, alors ?

— Non. Mais je ne pense pas que ce soit sexuel. Je crois qu'il va recommencer, mais il y autre chose là-dedans que je n'arrive pas à saisir. Tu connais ce sentiment ?

— Oh oui. Et ce n'est pas agréable. Enfin, si je peux faire quoi que ce soit d'autre pour t'aider, passe-moi un coup de fil.

— Merci, Fiona. Je te dois un bon verre la prochaine fois que je te vois. Est-ce que tu vas à cette conférence Europol le mois prochain ? »

Il ne sut jamais ce qu'allait répondre Fiona. Sans prévenir, la porte située face au lit s'ouvrit et l'agent immobilier qui lui avait fait visiter la maison la veille entra dans la pièce en s'adressant par-dessus son épaule à quelqu'un derrière elle. « Et je crois que vous serez d'accord pour dire que la chambre principale est magnifique. » Elle se retourna alors vers la pièce et resta bouche bée en voyant Tony qui tirait la couette au-dessus de sa poitrine.

« Je dois te laisser, Fiona », dit-il au téléphone. Puis il s'efforça de sourire en déclarant : « Je sais que ça doit paraître bizarre, mais je peux vous expliquer. »

C'est alors que l'agent immobilier se mit à crier.

Bethany n'eut pas vraiment le cran de refuser l'entrée à Carol, mais à l'évidence, elle n'avait pas envie d'annoncer son arrivée à Vanessa. « Elle est très occupée, expliqua la réceptionniste. Je doute qu'elle puisse vous recevoir aujourd'hui à l'improviste. Vous avez eu beaucoup de chance qu'elle puisse vous accorder un moment la dernière fois », bafouilla-t-elle.

Carol ne s'embêta pas à essayer de lui faire du charme. Si cette femme travaillait pour Vanessa depuis un certain temps, mieux valait stimuler sa peur que son désir de satisfaire. « C'est une enquête de police, avertit-elle. Dites à Mme Hill que je suis ici en ma qualité de chef de la brigade de révision des affaires non classées. » Elle se détourna, ne laissant d'autre choix à Bethany que de saisir le téléphone.

« Je suis désolée, Vanessa, l'entendit-elle dire d'une voix plaintive. Cette femme de la police est encore là. Elle dit qu'elle doit vous parler au sujet d'une enquête. Une histoire de révision d'affaires non classées ? » Un long silence, puis le bruit du téléphone qu'on raccroche. « Elle sera à vous dès que possible », indiqua Bethany de la voix morne d'une femme consciente d'être coincée entre le marteau et l'enclume.

Le temps passa. Carol consulta sa montre, son téléphone et ses e-mails. Elle s'était arrêtée en chemin à la cellule de crise de la Division nord afin de donner des instructions pour la journée et elle avait laissé des messages à toute son équipe pour les informer que leur réunion matinale aurait lieu à dix heures au lieu de neuf. Cependant, elle avait toujours du mal à croire qu'elle s'occupait des affaires de Tony alors qu'elle était au beau milieu de deux enquêtes urgentes, sans parler des recherches dans le lac de Wastwater.

Si Blake découvrait ce à quoi elle consacrait son temps quand elle aurait dû veiller au bon déroulement des opérations en cours, il aurait toutes les cartes en main pour fermer définitivement son service. Mais même cette pensée ne la détournait pas de son objectif. C'était comme si elle n'avait plus la force de continuer à jouer le rôle de la flic qui place le boulot avant tout. Pendant des années, elle avait fait ce qu'on lui demandait, et même plus. Elle avait mis sa vie en jeu, elle avait fait face à l'humiliation, au préjudice moral, et s'était traînée pour revenir au front. Elle avait eu beaucoup de mal à reprendre mais, une fois revenue dans la course, elle n'avait pas hésité à affronter tout ce qui pouvait lui tomber dessus.

Pourtant, récemment, ses sentiments pour Tony l'avaient contrainte à se détourner complètement de ses objectifs. Parce qu'elle se souciait plus de lui que du travail qui avait donné tant de sens à sa vie ? Ou parce qu'elle voulait jouer les rebelles, faire valoir le droit qu'elle avait de faire son boulot comme elle l'entendait en dépit d'un chef qui souhaitait la diriger comme une souris mécanique ?

Quelle que fût la réponse, elle devrait la trouver un autre jour. Car finalement, Vanessa Hill se tenait devant elle, manifestement peu maîtresse de sa colère. Le bout de sa chaussure à talon haut tambourinait sur le tapis. « Je croyais que nous avions réglé notre affaire », dit-elle d'une voix basse mais cassante.

Carol fit non de la tête. « Mes affaires ne sont jamais réglées tant que je n'ai pas la vérité, répliqua-t-elle. Et jusqu'à présent, c'est une chose dont vous m'avez rarement fait part. » Elle jeta un coup d'œil vers Bethany. « Je ne pense pas que vous souhaitiez avoir cette conversation dans un endroit où elle risque ensuite de faire les ragots de vos employés. »

Cette fois-ci, au lieu d'emmener Carol dans son bureau, Vanessa la conduisit dans une petite pièce près de l'accueil. Deux canapés en cuir généreusement garnis se faisaient face autour d'une table basse en granit. Les murs étaient décorés de reproductions de somptueuses toiles de Gustav Klimt. Une pièce destinée à impressionner, jugea Carol. Elle ne l'était pas.

Vanessa se laissa tomber sur l'un des canapés. « Je croyais vous avoir fait comprendre que je ne voulais plus entendre parler de votre enquête bizarre », indiqua-t-elle d'un ton las.

Carol refusa de se laisser démonter. « Mon travail consiste entre autres, en tant que chef de la brigade des enquêtes prioritaires, à traiter des affaires non classées. J'ai examiné une ancienne affaire concernant une agression à Savile Park. Ça ne vous rappelle rien ? »

Vanessa parut à peine troublée. « Venez-en au fait, dit-elle.

— Vous étiez avec votre fiancé, Edmund Arthur Blythe. Vous avez dit à la police que vous aviez été abordés par un homme qui voulait l'argent d'Eddie. La situation a mal tourné et Eddie s'est fait poignarder. Presque mortellement. Après quoi, subitement, Eddie a quitté la ville.

— Pourquoi est-ce que vous ressortez tout ça ? » La voix de Vanessa était menaçante. Carol se rappela les paroles de Bob Dylan sur la femme qui ne trébuche jamais parce qu'elle n'a pas la place de tomber. Excepté que, dans le cas de Vanessa, c'était plutôt qu'elle ne trébuchait jamais parce qu'elle refusait d'admettre que tomber était une possibilité.

« Parce que vous ne l'avez jamais fait. Tony mérite de savoir pourquoi son père vous a tous les deux laissés tomber. Si vous refusez de me dire la vérité sur ce qui s'est passé, je vais relancer cette enquête avec la plus grande vigueur. Je trouve votre déposition très peu convaincante. Je vous promets que je suis prête à bouleverser votre vie et à déclarer publiquement que, toutes ces années après, vous avez essayé d'escroquer votre fils de son héritage. C'est suffisant pour ouvrir une enquête. Croyez-moi, Vanessa, je suis tout aussi coriace que vous, et je vous pourrirai la vie avec joie jusqu'à ce que vous me donniez des réponses.

— C'est du harcèlement. Je vous ferai perdre votre insigne si vous essayez. » Vanessa ne pouvait cacher la fureur qui l'animait. Carol sut qu'elle avait gagné.

Elle haussa les épaules avec désinvolture. « Et combien de temps cette accusation tiendrait-elle ? Je peux vous mener la vie dure pendant très longtemps. Je ne pense pas que vous vouliez de ça. Je ne pense pas que vous vouliez être traînée dans la boue. Ou votre entreprise. Pas dans une période où l'économie est au plus mal et où les gens comptent chaque centime qu'ils dépensent en recrutement et en formation.

— Il aurait dû vous sauter dessus, lui dit Vanessa. Quelle sale mauviette. Tout comme son père avant lui. » Elle croisa les jambes et les bras et jeta un regard noir à Carol. « Alors, qu'est-ce que vous voulez savoir ?

— Je veux savoir ce qui s'est passé cette nuit-là pour qu'Eddie s'enfuie ensuite. Et je veux savoir pourquoi vous ne l'avez jamais dit à Tony. »

Vanessa lança à Carol un regard dur et calculateur. « Comment vous sentiriez-vous si l'homme que vous avez accepté d'épouser se révélait être le pire des lâches ? Dès l'instant où ce type a sorti son couteau, Eddie a perdu tous ses moyens. Il lui tendait son portefeuille en le suppliant de nous laisser tranquille. Il pleurait. Vous y croyez ? Les joues baignées de larmes, avec de la morve au nez comme un petit garçon. C'était pitoyable. Et ce salopard buvait du petit-lait. Il le regardait en se marrant. » Elle marqua un temps d'arrêt. Son pied gauche se balançait en rythme, le cuir de sa botte reflétant la lumière. « Il a réclamé mes bijoux. Ma bague de fiançailles, un bracelet en or qu'Eddie m'avait offerts. Alors je lui ai mis un coup de pied dans les tibias. C'est là qu'il s'est tourné vers Eddie. Il lui a donné un coup de couteau, puis il s'est enfui.

— Vous vous en êtes voulu pour ce qui est arrivé ? demanda Carol, tout en connaissant déjà la réponse.

— M'en vouloir ? Ce n'est pas moi qui me suis mise à plat ventre devant ce salaud. C'est moi qui nous ai défendus, comme Eddie aurait dû le faire. C'était un lâche, et cet agresseur le savait. Ce n'est pas moi qu'il a attaqué, parce qu'il a compris que je ne le tolérerais pas. Tout ce que je me reproche, c'est de ne pas m'être rendu compte plus tôt de la mauviette qu'était réellement Eddie. » Ses paroles dégoulinaient de mépris, comme le sang sur le couteau d'un employé d'abattoir.

« Pourquoi Eddie a-t-il vendu son affaire et quitté la ville ?

— Il était mort de honte. Grâce au journal, tout le monde a su qu'il s'était humilié. Et qu'il m'avait fait faux bond. C'était la risée de tout le monde. Le grand homme d'affaires incapable de tenir tête à un détrousseur de fin de soirée. Il n'a pas supporté la honte. Et je l'avais largué entre-temps, donc plus rien ne le retenait ici.

— Vous l'avez largué ? Pendant qu'il était à l'hôpital ? »

Vanessa resta indifférente. « Pourquoi me donner la peine d'attendre ? Ce n'était pas l'homme que je croyais. Aussi simple que ça. »

Son impitoyable égoïsme était désarmant, pensa Carol. Elle ne voyait pas ce qui pourrait ébranler sa confiance en elle-même. C'était un miracle que Tony s'en soit si bien sorti. « Personne n'a jamais été arrêté, remarqua Carol.

— Non, vos collègues de l'époque ont été aussi nuls que vous l'êtes maintenant. Mais à vrai dire, je ne crois pas qu'ils se soient donné beaucoup de mal. S'il avait essayé de me violer, ils auraient peut-être montré un peu plus d'intérêt. Mais pour eux, Eddie n'était qu'un pauvre minable plein de fric incapable de se débrouiller tout seul, qui avait eu ce qu'il méritait. »

Carol avait peine à croire cela. Dans les bien moins violentes années 1960, les policiers auraient pris une telle agression au sérieux, même s'il y avait eu un fossé socioculturel entre eux et Eddie, ce qui ne cadrait d'ailleurs pas avec le portrait qu'en avait fait Alan Miles, selon qui c'était seulement un petit gars du coin qui avait réussi. Mais la version de Vanessa était comme une perche tendue, à laquelle Carol ne put résister. « Il faut dire que vous ne leur avez pas donné un signalement très précis. »

Vanessa haussa les sourcils. « Il faisait nuit. Et il n'a pas traîné. Il avait l'accent de la région. Vous devez savoir mieux que personne que les témoins ne voient en fait pas grand-chose quand ils se font attaquer. »

Ce n'était pas faux. Mais les cadres intelligents comme Vanessa s'en sortaient généralement bien. « Et pourquoi n'avez-vous jamais dit la vérité à Tony ? Pourquoi lui avoir laissé croire que le départ d'Eddie était lié à lui ?

— Je ne contrôle pas ce que mon fils choisit de croire, affirma Vanessa d'un ton dédaigneux.

— Vous auriez pu lui raconter toute l'histoire. »

Un sourire froid et malveillant se dessina aux coins de ses lèvres. « Je le protégeais de la vérité. Je ne voulais pas qu'il sache quel minable était son père. D'une part, parce qu'il n'avait pas su tenir tête à un gamin probablement aussi effrayé que lui. D'autre part, parce qu'il se souciait tellement de ce que les gens pensaient de lui qu'il avait préféré fuir plutôt que de braver la tempête. Vous croyez que ça aurait aidé Tony de savoir que son père était un poltron fini ? Qu'il avait été abandonné par un homme qui aurait fait passer le lion du *Magicien d'Oz* pour un héros ?

— Je crois que ça lui aurait plus rendu service que de grandir avec l'idée que son père était parti parce qu'il ne voulait pas entendre parler de son enfant. Eddie n'a-t-il jamais montré de l'intérêt pour son fils ? »

Vanessa eut un soupir d'impatience. « Je ne savais pas qu'il était au courant. Une chose est sûre, c'est que je ne lui ai jamais dit. Je ne sais pas comment il l'a découvert. »

Carol ne put cacher sa stupéfaction. « Vous ne le lui avez jamais dit ? Il ne savait pas que vous étiez enceinte ?

— Je ne l'étais que depuis trois mois au moment de l'agression. Ça ne se voyait pas. À l'époque, on n'allait pas crier sur les toits qu'on attendait un enfant. Et en fin de compte, c'était tout aussi bien. Il m'aurait emmenée d'urgence devant l'autel, et je me serais retrouvée coincée avec ce petit lâche misérable. Je n'aurais jamais eu tout ça, ajouta-t-elle sur un ton de certitude absolue, en désignant fièrement tous ses bureaux d'un geste du bras. Eddie nous a rendu service en fichant le camp. »

C'était là, estima Carol, que la confiance en soi devenait de l'aveuglement. « Vous ne pensez pas qu'il était en droit de connaître son fils ?

— On n'a que ce qu'on prend dans ce monde. Il n'est absolument pas question de droit. » Sur cette phrase brutale, Vanessa se leva. « Cette fois, c'en est vraiment fini. Je n'ai rien de plus à vous dire. Vous pouvez raconter tout ça à Tony ou pas. Je m'en contrefous. » Elle ouvrit la porte d'un geste théâtral. « Vous méritez bien mieux que lui, vous savez. »

Carol lui adressa un grand sourire en quittant la pièce. « Vous me faites presque pitié. Vous n'avez pas idée de ce que vous ratez. »

CHAPITRE 22

Vendredi était le meilleur jour de la semaine pour Pippa Thomas. Depuis qu'elle avait réduit sa semaine de travail au cabinet à quatre jours, elle avait trouvé un moment pour elle dans sa vie. Une journée entière où elle n'avait pas à ausculter et soigner les caries d'autres personnes pour embellir leur sourire. Une journée entière où Hugh était au travail, les enfants à l'école, et où elle était libre. Et elle adorait ça.

Mais surtout, elle adorait le Club du vendredi matin. Elles étaient cinq : Monica, qui travaillait l'après-midi et le soir au centre de conseil aux citoyens ; Pam, qui s'occupait de sa mère démente et avait choisi d'utiliser les quelques heures d'assistanat à domicile auxquelles elle avait droit pour se libérer les vendredis matin ; Denise, une mondaine qui participait à des déjeuners tous les jours sauf le vendredi ; et Aoife, ouvreuse au Théâtre royal de Bradfield. Qu'il pleuve ou qu'il vente, elles se retrouvaient sur le parking de l'hôtel Shining Hour, sur les hauteurs des landes entre Bradfield et Rochdale. Et qu'il pleuve ou qu'il vente, elles couraient une quinzaine de kilomètres sur des terrains parmi les plus raboteux du nord de l'Angleterre. Elles avaient fait connaissance un dimanche lors d'une course du cœur contre le cancer du sein à Grattan Park. « Pas mal, le jeu de mots, avait marmonné Denise tandis qu'elles recherchaient toutes les cinq en vain des toilettes ouvertes. Course du cœur, cancer du sein. » Elles avaient fini par faire le guet à tour de rôle pendant que chacune, accroupie dans les rhododendrons, vidait sa vessie de quadragénaire avant de

213

pouvoir courir. À la fin de l'après-midi, le Club du vendredi matin était né.

Ce vendredi-là était un jour radieux, où un vent vif et astringent soufflait du nord-est à travers les landes des Pennines. Pippa serra les bras contre sa poitrine dans son haut léger. Elle sentirait bientôt le plaisir de laisser son corps se mouvoir en toute liberté dans ce paysage incroyable. Dès qu'elles se mirent en route, Pippa se plaça en tête du groupe. Denise prit place à ses côtés et elles échangèrent quelques nouvelles. Mais elles eurent rapidement besoin de tout leur souffle pour alimenter leurs muscles en oxygène lors de la longue et lente ascension jusqu'au sommet de Bickerslow.

Tête baissée, Pippa sentait à chaque foulée ses quadriceps s'étirer et se contracter. Pas le temps de profiter de la vue pour l'instant. Elle concentrait toute son attention sur un objectif, atteindre le cairn où elles prendraient vers l'ouest et trouveraient refuge sur le replat caillouteux de la côte, un court répit dans leur âpre course. Elles venaient à peine de s'engager sur le chemin qui sillonnait le sommet de la lande quand Pippa s'arrêta net. Denise lui rentra dedans et manqua les projeter toutes deux en avant. « Mais bon sang, qu'est-ce qui se passe ? » s'écria Denise.

Pippa ne dit rien. Elle se contenta de montrer du doigt la masse trempée qui gisait dans une ravine au bord de la route. Malgré le sac qui couvrait une extrémité du tissu maculé, il ne faisait aucun doute qu'il s'agissait des restes d'un être humain.

Les vendredis ne seraient plus jamais pareils.

Paula se servit une tasse du café que quelqu'un avait déjà préparé et s'installa derrière son bureau. Bien qu'il fût seulement neuf heures et demie et que la chef eût décalé la réunion du matin à dix heures, l'équipe était déjà là. Du moins, elle supposait que Stacey était là. La batterie d'écrans était si efficace qu'elle était presque invisible. Mais le léger pianotement de ses doigts sur le clavier et les clics de la souris indiquaient sa présence. Comme d'habitude. Paula se demandait parfois si Stacey rentrait jamais chez elle. Ou même si elle avait une maison. Paula n'avait jamais travaillé avec quelqu'un d'aussi secret que Stacey. Au gré des occasions, elle avait été chez tout le monde dans la brigade sauf chez elle. Non pas qu'elle fût inamicale. Simplement d'une autre planète. Ces derniers temps, toutefois, Paula avait cru remarquer que Stacey se détendait un peu au contact de Sam. Rien de très notable. Mais elle lui apportait un café de temps en temps ou même indiquait spontanément où il était et ce qu'il faisait à qui le demandait. Ce qu'elle ne faisait jamais avec personne d'autre.

Paula se rappela qu'elle avait des choses plus importantes à considérer que la vie privée de ses collègues. Tous les commissariats où elle avait travaillé avaient été des usines à ragots. C'était comme si les gens avaient besoin de compenser le caractère souvent désagréable de leur travail par une curiosité obsessionnelle pour les secrets éventuels de tous leurs confrères. Les imaginations échauffées se déchaînaient, peut-être parce qu'ils étaient censés s'en tenir strictement au fait dans leur vie professionnelle.

Elle alluma son ordinateur, mais avant qu'elle ait pu vérifier si de nouveaux éléments étaient apparus au cours de la nuit, Sam Evans, qui arrivait tout juste de la région des lacs, vint se jucher sur le coin de son bureau. Il était un tout petit peu trop près, très légèrement dans son espace vital. C'était une chose que les hommes faisaient inconsciemment pour diminuer les femmes, pensa-t-elle. Pour les mettre en position de faiblesse.

Mais avec Sam, ça ne l'embêtait jamais. Il faisait partie de ces quelques hommes parfaitement détendus en présence de lesbiennes. Il n'y avait rien de menaçant dans sa proximité. À vrai dire, Paula aimait bien Sam. Elle savait qu'il ne cachait pas son ambition, qu'il pensait avant tout à son propre intérêt. Ce qui amusait Paula, c'était qu'il était persuadé que personne à part la chef n'avait pigé son petit jeu. Or, lorsqu'on connaissait le point faible de quelqu'un, il était facile d'en tirer avantage. Elle aimait la vivacité d'esprit de Sam. Et, curieusement, elle aimait son odeur. Son eau de toilette était épicée, avec une note de citron vert, mais elle ne masquait pas totalement ses effluves naturels masculins. C'était essentiellement le parfum de certaines femmes qui plaisait à Paula, mais Sam était une rare exception, et cela la rendait plus sensible à son charme.

« Alors, dit-il. Réunion à dix heures au milieu d'une grave affaire de meurtre. Qu'est-ce qui lui arrive, à la chef ? »

Paula fit la moue. « Aucune idée. Je croyais qu'elle briefait les gars de la cellule de crise à la Division nord sur Daniel

Morrison et qu'elle discutait avec le central des recherches pour Seth Viner. »

Sam lui fit signe que non. « Elle était à la Division nord à huit heures et demie. Elle leur a donné des instructions pour la journée, et à neuf heures moins dix elle était repartie. Mes indics me disent qu'elle n'est pas encore passée au central. »

Kevin écoutait ouvertement leur conversation. « Et on ne sait pas non plus où elle était hier matin. Quand tu as appelé de la scène de crime, elle n'était pas ici. » Il alla se resservir un café et vint se joindre à Paula et Sam.

« Où était-elle ? demanda Paula.

— Je sais pas. Mais il lui a fallu un petit moment pour arriver, en tout cas. Donc nulle part dans les environs immédiats.

— Et elle n'était pas dans le coin hier soir, ajouta Sam.

— Si, répliqua Paula. Quand je lui ai envoyé un SMS pour lui annoncer la crise cardiaque de Jessica Morrison, elle est arrivée aussitôt.

— Avant ça, je veux dire. Je suis revenu ici en pensant qu'elle serait dans les parages. J'avais du nouveau et je voulais lui parler, mais elle n'était pas là. Stacey m'a dit qu'elle était passée puis repartie, sans révéler où elle allait. » Sam croisa les bras et lança sur le ton de la confidence : « Vous croyez que c'est l'amour ? Vous croyez que Tony et elle se sont enfin rendu compte de ce que tout le monde sait depuis des années ? »

Paula eut un petit rire. « Arrête ton délire. Ils ne se mettront jamais ensemble, ces deux-là. Il analyserait leur couple jusqu'à le tuer. Il y aurait des diagrammes partout sur son tableau.

— Je ne sais pas, dit Kevin. Elle peut être très impressionnante. Très autoritaire. Si quelqu'un peut forcer Tony à fermer boutique et à prêter attention à elle, c'est bien la patronne.

— C'est peut-être la vraie raison pour laquelle il ne travaille pas sur cette affaire, suggéra Sam. Ça n'a peut-être rien à voir avec le budget. Vous savez comme elle est. Elle ne le ferait pas bosser avec nous s'ils s'envoyaient en l'air ensemble pendant leur temps libre. Elle y verrait un mélange des genres. Et elle y mettrait un terme. Elle n'en fait qu'à sa tête quand il s'agit de diriger une enquête, mais pour ce qui est de la discipline interne, elle ne tolère pas qu'on fasse un pas de travers.

— Je te le fais pas dire », grommela Kevin. Des années auparavant, Carol avait fortement contribué à le discréditer et à le faire rétrograder. Le fait qu'elle ait également favorisé sa réhabilitation lui donnait le sentiment qu'il ne pourrait jamais faire autrement que de lui être redevable. Mais il avait eu beau s'efforcer de l'apprécier, il n'y était jamais vraiment arrivé. « Si c'est ce qui se passe, elle a choisi le pire moment pour ça. Avec Blake sur notre dos, on a besoin de toute l'aide possible. Je sais que je pensais avant que Tony n'était qu'un pauvre taré, qu'il n'avait rien à faire dans notre équipe. Mais j'ai fini par changer d'avis. Et je pense qu'on a besoin de lui maintenant. »

Tandis qu'il terminait sa phrase, Sam se redressa, s'éclaircit la voix et déclara d'une voix forte : « Bonjour, m'dame. »

Carol entra à grandes enjambées et se dirigea vers la table de réunion, son manteau déployé derrière d'elle. En avait-elle beaucoup entendu ? se demanda Paula. « Je ne pourrais être plus d'accord, Kevin, indiqua Carol en déposant ses sacs et son manteau au sol à côté de sa chaise. Mais M. Blake dit qu'on doit réduire notre budget. Donc s'il nous faut une expertise, on va devoir la trouver au rabais. Apparemment, la faculté nationale de police a des profileurs en herbe qu'elle aimerait mettre à l'essai sur le terrain. Super. » Elle les regarda tous à tour de rôle et leur fit un grand sourire complice. « Est-ce qu'il y a du café dans ce trou perdu ? »

Cinq minutes plus tard, ils étaient tous installés à leurs places habituelles. Paula ne pouvait s'empêcher de se demander si Sam avait raison. Ou à moitié raison, peut-être. Peut-être que Carol avait un homme dans sa vie. Simplement pas Tony. Un homme qui réveillait sa combativité, semblait-il, si on pouvait se fier à son énergie ce matin-là. Elle écouta leurs comptes rendus un à un, en reprit les éléments clés et suggéra de nouveaux angles d'approche. Mais, une fois tous les bilans terminés, il était clair qu'ils n'avaient presque rien pour avancer dans l'affaire du meurtre de Daniel et à peine plus concernant la disparition de Seth.

Kevin avait vérifié les dires d'Asif Khan au sujet du producteur de comiques à la recherche de nouveaux talents. Il avait interrogé des responsables de diffusion de la BBC à Manchester, Glasgow, Londres et Cardiff, mais aucun n'avait jamais sorti ce genre de baratin. Et il n'existait assurément aucun projet en cours qui puisse concorder même vaguement avec la version que Daniel avait donnée à son ami. « C'est donc une impasse. » Il repoussa son carnet de notes. « Très honnêtement, je me doutais que ça ne nous mènerait nulle part, mais il faut bien vérifier toutes les pistes.

— En effet, approuva Carol. Et on le fait mieux que beaucoup d'autres. »

Paula leva timidement la main. « Je peux m'assurer d'une chose, chef ? Est-ce qu'on part du principe que ces deux affaires sont liées ? Daniel et Seth ? »

Carol acquiesça de la tête. « Bonne question, Paula. Je pense qu'on doit admettre qu'il y a une forte probabilité qu'on recherche un seul et même agresseur. Mais on doit rester prudent à ce stade. Parce que les coïncidences existent. De même que les copycats, les imitateurs de crimes.

— Mais d'après ce que m'a dit la petite copine de Seth, ça fait des plombes que ce JJ traquait Seth sur Internet. Ça écarte à coup sûr l'idée d'un imitateur ? suggéra Paula.

— C'est faire beaucoup de suppositions », affirma Sam, étonnamment au courant pour un homme qui avait passé plusieurs jours à cent cinquante kilomètres de là. C'était vraiment un frimeur, se dit Paula avec une pointe d'amertume. « C'est supposer que Seth a été kidnappé, pas simplement qu'il se planque pour une raison que personne ne connaît ou que personne ne révèle. C'est aussi supposer que, si quelqu'un l'a enlevé, c'est cette personne avec qui il a parlé sur Internet, ce JJ. Qui pourrait juste être réglo. » Il leva la main pour calmer leurs bruyantes protestations. « Ça se pourrait. C'est possible. Je donne juste raison à la chef. Il faut réserver notre jugement. Et il pourrait s'agir d'un copycat profitant de l'occasion.

— Non, ce n'est pas possible, rétorqua Kevin. Seth avait déjà disparu avant qu'on trouve le corps de Daniel.

— On avait signalé la disparition de Daniel aux médias, fit remarquer Stacey. C'est possible. »

Paula regarda Carol se couvrir les yeux de la main et regretta de ne pas s'être tue. « D'accord, je vous l'accorde », s'empressa-t-elle de glisser.

Carol releva les yeux et lui esquissa un sourire. « Vous êtes tous très batailleurs ce matin, constata-t-elle.

— On tient ça de vous, chef, répliqua Kevin. Alors qu'est-ce qu'on fait à partir de là ?

— Écoutons d'abord ce que Stacey a à dire », répondit Carol.

Celle-ci leur adressa à tous un charmant petit sourire. « Je n'ai pas eu beaucoup de chance avec le logiciel de reconnaissance faciale et les caméras de surveillance du centre-ville. Elles ont une résolution trop basse, et les angles de vue sont plutôt merdiques, franchement.

— Je me demande parfois pourquoi on s'embête avec tout ce système de surveillance, dit Carol. Neuf fois sur dix, quand on en a besoin, c'est aussi utile qu'un emplâtre sur une jambe de bois.

— Si Stacey menait la barque, aucun de nous n'aurait plus un seul secret », déclara Sam.

Ces paroles, que Stacey prit comme un compliment, eurent l'air de la surprendre et de lui faire plaisir. « Les caméras marcheraient bien mieux, c'est sûr, avoua-t-elle. Pour le reste, il m'a semblé qu'il fallait commencer par RigMarole. J'avais accès à l'ordinateur de Seth, et il y avait beaucoup de conversations entre lui et ce JJ. À première vue, c'est assez innocent, ça ressemble à des tonnes d'autres discussions sur Internet. Mais c'est sûr qu'il tend la main à Seth. Et ce qu'il y a d'intéressant, c'est que ses pages personnelles sur Rig ont disparu. Elles ont été fermées l'après-midi où Seth s'est volatilisé. Ce qui donne plus de poids à l'hypothèse de Paula, j'en ai peur.

— Est-ce que tu as pu en découvrir un peu plus sur ce JJ ? demanda Carol.

— J'ai parlé aux gens de RigMarole hier. Ils disent qu'ils ne sont pas propriétaires des données affichées par chacun sur ses pages personnelles. Ils disent qu'ils n'y ont pas accès non plus. Ils disent qu'il nous faut un mandat et que ça ne garantit pas qu'on puisse accéder à quoi que ce soit sur leur serveur.

— Enfoirés ! dit Kevin.

— Alors j'y suis entrée quand même. »

Carol leva les yeux au ciel. « Je préférerais que tu ne me dises pas ce genre de choses, Stacey.

— Je suis obligée, sinon vous ne pouvez pas faire la distinction entre ce qui est probant et ce qu'on n'est pas censé savoir. » La logique de Stacey était assez valable, songea Paula. Dommage qu'elle rende Carol toute verte.

« Qu'est-ce que tu as trouvé que je ne suis pas censée savoir ? questionna Carol en se remettant de ses émotions.

— Toutes les données personnelles utilisées par JJ pour créer son compte sont bidons. Et il s'est servi d'une boîte mail qui ne nécessite pas de pièce d'identité pour ouvrir un compte. Donc, en substance, c'est un prête-nom.

— Une nouvelle impasse, dit Paula. C'est un petit malin, celui-là.

— Peut-être un peu trop malin, commenta Stacey. Mais il y a une chose étrange. Vous savez tous qui est Alan Turing, non ? Le type qui a craqué le code de la machine Enigma et qui en gros a inventé les ordinateurs modernes ?

— Qui s'est suicidé par honte d'avoir été poursuivi en justice pour son homosexualité, précisa Paula. Au cas où vous auriez oublié ce point. »

Kevin grogna. « Même la chef n'était pas dans la boîte à l'époque, Paula. Alors Stacey, Alan Turing ?

— Il y a une photo célèbre de lui jeune, encore étudiant je crois, en train de courir pour une rencontre d'athlétisme. Eh bien, JJ a repris la tête sur cette photo, il l'a un peu nettoyée et l'a mise en portrait sur sa page personnelle. Je ne suis pas sûre de ce que ça nous dit, mais ce n'est pas anodin, si ? »

C'est là qu'on aurait besoin de Tony, se dit Paula. Ils étaient capables de faire des suppositions et d'avancer des hypothèses, mais ils ne savaient pas évaluer leur pertinence. « Alors on suppose que JJ est homo ? suggéra-t-elle.

— Ou que c'est un *geek*, dit Sam. Tu dirais ça, Stacey ?

— Eh bien, Turing est un peu le héros des *geeks*, dit-elle. Mais ça pourrait être simplement pour brouiller les pistes. S'il est si malin.

— Est-ce qu'on a du nouveau sur Daniel ? s'enquit Carol. Je sais qu'on n'a pas son netbook, mais je me demandais si tu avais quand même pu accéder à sa boîte mail ? »

Stacey parut un peu confuse. « À vrai dire, pendant que je fouinais en douce sur Rig, je me suis dit que j'allais regarder le compte de Daniel. »

Carol ferma un instant les yeux. « Évidemment. Et qu'est-ce que tu as trouvé ?

— La personne qui lui parlait du circuit comique en conversation privée se fait appeler KK.

— Oh merde ! lâcha quelqu'un.

— Et le profil de KK a été effacé l'après-midi où Daniel a disparu. Il a utilisé une autre photo de Turing, avec une coupe de cheveux retravaillée sur Photoshop pour ne pas faire trop années quarante. Désolée de te décevoir, Sam, mais je crois qu'il n'y a pas vraiment de doute possible. On recherche la même personne dans les deux affaires. »

Ils affichèrent tous le même air désespéré. « Il y a peu de chance que Seth soit encore en vie, non ? » Ce fut Paula qui exprima ce qu'ils pensaient tous.

« On doit continuer d'agir comme si c'était possible, déclara Carol avec fermeté. Mais il y a une chose que nous savons tous d'après notre expérience passée, c'est qu'un tueur comme celui-ci ne va pas s'arrêter à deux. Sam, dois-je considérer, puisque tu es revenu, qu'il ne se passe pas grand-chose à Wastwater ? »

Sam parut heureux que l'attention soit tournée vers lui. « Euh, non. Au contraire, en fait. Mais je me suis dit que vous voudriez que je vous raconte directement ce qui s'est passé. Et puis, je serai mieux ici pour faire ce que j'ai à faire. »

Carol le dévisagea d'un air dur. *Il est à deux doigts de saper son autorité et je ne suis même pas sûre qu'il s'en rende compte.* Paula se cala dans son fauteuil et attendit de voir si Sam sauverait sa peau ou non. « Que s'est-il passé ? interrogea Carol, sans plus aucune chaleur dans sa voix.

— Le genre de résultat qu'on ne peut pas contester, dit-il. Hier en fin d'après-midi, les plongeurs ont sorti des eaux de Wastwater un ballot enveloppé de plastique à un des endroits exacts qu'avait indiqués Stacey. » Il marqua un temps d'arrêt pour afficher un grand sourire.

« Dois-je comprendre qu'on a une victime ? » demanda Carol d'un ton réprobateur, rappelant à tous que la découverte d'un corps ne pouvait en aucun cas être un motif de réjouissance.

Sam se rendit visiblement compte que sa réaction était tout à fait déplacée. Il effaça son sourire et s'éclaircit la voix. « Plus d'une victime, hélas.

— La mère et la fille, n'est-ce pas ? supposa Carol.

— Oui. Ils ont en effet trouvé les restes d'une enfant en très bas âge. Mais... » Il ne put pas s'en empêcher. Il fallait qu'il marque une pause pour l'effet dramatique.

« Mais ? » Carol était à présent bel et bien en colère.

« Mais ce n'est pas tout. Il y avait un troisième cadavre. S'il s'agit bien de Danuta Barnes et de sa fille, il y avait quelqu'un d'autre avec elles au fond de l'eau. Et c'est probablement un homme. »

CHAPITRE 23

Les épaules voûtées comme pour se protéger, Tony baissa les yeux sur ses chaussures. « Merci, Alvin, marmonna-t-il avec le sentiment d'être un idiot. Merci d'être venu répondre de moi. »

Ambrose avait l'air à la fois furieux et écœuré. « Je me suis mouillé pour que l'inspecteur vous embauche. Et vous faites ça ? Ça va entrer dans la légende. Et pas à notre avantage. Maintenant, je passe pour un con fini du simple fait d'avoir proposé de vous recruter. Ça va être ma réputation dans tout le secteur désormais. "Alvin Ambrose, le pauvre con qui a embauché le profileur arrêté pour intrusion dans sa propre maison." Merci, doc.

— Sincèrement, je suis vraiment désolé.

— Pourquoi vous ne m'avez pas simplement dit pour votre père ? »

Tony soupira. « Ce n'était pas mon père. C'est ça le problème, en fait. » Expliquer son cas à Ambrose, c'était bien ça le pire. Il avait passé sa vie à bâtir des remparts contre le monde, à garder pour lui les choses qu'il voulait que personne d'autre ne sache. Et il suffisait d'un acte de folie pour que tout s'effondre. Ce devait être ce qu'éprouvaient ses patients.

La scène avait été digne d'une comédie, bien qu'il n'y eût rien trouvé de drôle. Les cris de l'agent immobilier avaient galvanisé Tony, qui s'était jeté hors du lit en caleçon pour attraper ses vêtements. Malheureusement, cela avait aussi fait réagir les visiteurs, qui avaient eu la présence d'esprit d'appeler la police pour signaler un intrus.

Celle-ci était arrivée dans un temps record. Tony était à peine habillé, l'agent immobilier toujours affolée, les visiteurs avec elle de l'autre côté de la porte, refusant de le laisser sortir. Il avait tenté en vain d'expliquer qu'il était parfaitement en droit de se trouver dans la maison. Le fait qu'il eût les clés n'avait guère impressionné les flics. Ils n'avaient retenu que la version de l'agent immobilier, selon qui il avait visité la maison la veille en tant qu'acheteur potentiel et qu'il prétendait maintenant y vivre. Objectivement, il devait reconnaître que lui-même l'aurait crue. Il se serait dit qu'il fallait nécessairement emmener au poste le cinglé trouvé dans la chambre jusqu'à, soit qu'on l'interne, soit que sa version des faits soit vérifiée. Ou pas, comme ils étaient à peu près sûrs que ce serait le cas.

Une fois au poste, tout avait été très rapidement tiré au clair. Un appel au notaire et un autre au sergent Ambrose avaient réglé le problème. On l'avait libéré en l'avertissant sans ménagements que la prochaine fois qu'il voudrait dormir dans une maison en vente, il devrait en informer l'agent immobilier au préalable. Lorsqu'il était sorti, tout honteux de s'être fait réprimander, Ambrose l'attendait avec un air beaucoup moins amical que les fois précédentes.

« Comment ça, ce n'était pas votre père ? demanda Ambrose tandis qu'ils prenaient la route.

— Je ne l'ai jamais connu. Je ne savais même pas son nom avant qu'il meure et me lègue la maison. »

Ambrose poussa un long sifflement. « Y'a de quoi péter les plombs ! »

Surtout si on ne tourne déjà pas bien rond au départ. « Vous pouvez le dire.

— Mais alors, ce boulot a dû vous faire l'impression d'un message d'outre-tombe vous intimant de venir explorer son univers, non ?

— Je ne dirais pas tout à fait ça. Plus que c'était une occasion que je ne pouvais ignorer. Je suis désolé. J'aurais dû vous en parler. Je n'imaginais simplement pas que la maison aurait un tel effet sur moi. » *Je pensais qu'elle me paraîtrait étrangère, distante, intouchable.* Au lieu de cela, il avait eu le sentiment de rentrer chez lui, une réaction trop troublante pour que Tony veuille revenir dessus dans l'immédiat.

« Dans tous les cas, ça ne va pas plaire à l'inspecteur quand il va entendre ça. Il pense déjà que vous êtes pas bien net.

— Un homme perspicace, votre inspecteur Patterson. Cependant, il se réjouira peut-être un peu plus quand vous lui direz que j'ai quelques suggestions concernant votre tueur. »

Ambrose quitta la route des yeux et lui jeta un rapide regard inquisiteur. « Super ! Comment procédez-vous normalement ? »

Tony eut un sourire de soulagement. Le fait qu'Ambrose s'intéresse à sa démarche de profileur laissait entendre qu'il avait décidé de lui pardonner. Et étant donné qu'il n'y avait rien de plus passionnant pour Tony que son métier et la manière dont il l'exerçait, il avait largement de quoi satisfaire la curiosité d'Ambrose. Il se lança : « Je dirais que ça se fait en deux temps. Le premier consiste en quelque sorte à inverser la logique – au lieu de raisonner de cause à effet, je fais le contraire. Je pars de la victime. Je me représente qui elle est et ce qui dans sa vie pourrait attirer un prédateur. Puis je regarde ce qu'on lui a enlevé. La vie, évidemment. Mais aussi les autres aspects. Son individualité. Sa masculinité ou féminité. Son pouvoir. Ce genre de choses. Et enfin, je regarde ce qu'on lui a fait. Ce que le tueur lui a fait en pratique, et dans quel ordre. Et quand je me suis imprégné de tout ça, je commence à revenir en arrière. Je me pose des questions. Si je suis le tueur, qu'est-ce que j'y trouve ? Qu'est-ce que ces actes signifient pour moi ? Qu'est-ce que ça m'apporte ? Pourquoi est-ce important pour moi de faire ces choses dans cet ordre précis ? Puis je remonte encore plus loin. Qu'est-ce qui m'est arrivé dans le passé qui donne du sens à tout ça ? Et une fois à ce stade, avec un peu de chance, je suis bien parti pour comprendre ce qui se passe dans la tête du tueur. » Ses mains dessinaient des formes dans l'air, comme pour illustrer le fil tortueux de sa réflexion.

« Puis j'examine les probabilités. Quelle sorte de vie est possible pour une personne avec ce genre de vécu ? Quel impact les torts qu'elle a subis ont-ils eu sur sa vie ? Quel type de relations humaines peut-elle avoir ? » Il ouvrit les mains et haussa les épaules. « Ce n'est pas une science exacte, évidemment. Et chaque cas soulève différentes questions. »

Ambrose soupira. « Passionnant. Mais à vrai dire, ce n'était pas ma question. Ce que je vous demandais, c'est comment vous présentez votre profil. Sur papier ou verbalement ?

— Oh. » La réaction d'Ambrose aurait dû le désarçonner, mais Tony ne perdit pas contenance. S'il y avait bien une chose qu'il n'enviait pas aux gens normaux, c'était ce qu'il considérait comme un manque déprimant de curiosité. De son point de vue, Ambrose aurait dû être heureux d'avoir eu droit à son explication. Mais si tout ce qu'il voulait, c'était du prosaïque, Tony pouvait aussi lui en donner. « D'habitude, je le rédige sur mon portable puis je l'envoie au directeur d'enquête. S'il veut des éclaircissements, je revois avec lui tous les points qu'il ne comprend pas bien. Mais je ne suis pas tout à fait prêt à établir un profil. Je n'ai pas encore bien saisi qui était Jennifer. Je veux vraiment parler à sa meilleure amie, Claire Machin.

— Darsie. Claire Darsie.

— Oui, bien sûr, pardon.

— C'est là qu'on va maintenant, indiqua Ambrose. J'ai obtenu l'accord du collège pour qu'elle puisse quitter la classe et vous parler. Vous pouvez vous balader dans l'enceinte du collège, ou trouver un coin tranquille où vous asseoir.

— Parfait. Merci.

— Bon, mais qu'est-ce que vous pouvez me dire dans l'immédiat ? Sur votre théorie ?

— Pas grand-chose. Parce qu'à ce stade, mes réflexions ne sont pas très concrètes. » Il y avait cependant une chose qu'il devait réussir à lui faire comprendre, mais elle était si invraisemblable que Tony savait qu'il devait préparer le terrain. « En fait, je me dis que ce n'est pas aussi simple qu'on l'a d'abord cru, et je me demande si c'est délibéré ou accidentel.

— Qu'est-ce que vous voulez dire ? »

Tony grimaça. « Je ne suis pas convaincu qu'il s'agit d'un meurtre à caractère sexuel.

— Pas sexuel ? » Ambrose était incrédule. « Il l'a pratiquement violée avec ce couteau. Comment ça pourrait ne pas être sexuel ?

— Vous voyez, c'est ce que je veux dire. Je ne suis pas encore prêt à établir un profil complet, donc je ne peux pas tout expliquer. Mais accordez-moi ça un instant. Pour les besoins de la théorie, disons que ce n'est pas motivé par le plaisir sexuel. » Il regarda Ambrose d'un air interrogatif, qui soupira de nouveau.

« D'accord. Ce n'est pas motivé par le plaisir sexuel. Pour les besoins de la théorie.

— Mais il lui a charcuté le vagin, il lui a enfoncé ce couteau profondément. Comme vous l'avez dit, ça donne l'impression qu'elle a été violée avec le couteau. Ce que je dois déterminer, c'est s'il a fait ça exprès pour nous faire croire que c'était sexuel. Ou s'il l'a fait pour une autre raison et que le fait que ça paraît sexuel n'est qu'un accident.

— C'est insensé », dit Ambrose.

Ce n'était pas le premier flic à avoir cette réaction face aux idées les plus extravagantes de Tony. Ils n'avaient pas tous eu tort, mais c'était le cas d'une écrasante majorité. « Peut-être, admit Tony. Mais comme je vous l'ai dit, je n'en sais pas encore assez pour établir un profil complet, et les théories basées sur des informations incomplètes ont plus de chances de ne pas tenir debout. En revanche, quand on met de côté les conceptions non scientifiques dans lesquelles je suis spécialisé et qu'on se tourne vers les sciences dures, on peut aller beaucoup plus loin sans partir de grand-chose.

— Où voulez-vous en venir ?

— Les algorithmes. J'ai parlé à une collègue qui connaît mieux que moi les méthodes de profilage géographique. D'après elle, votre tueur vit sans doute dans le sud de Manchester.

— Manchester ? Vous êtes sérieux ?

— Ma collègue oui. Et elle maîtrise ce truc mieux que personne. Rappelez-vous, quand on était sur les lieux où a été retrouvé le corps, je vous ai dit que d'après moi, l'endroit semblait plus logique si le tueur n'était pas du coin ? Eh bien, on dirait que j'ai au moins vu juste là-dessus. Enfin, si on croit Fiona.

— Mais Manchester ? Elle peut être aussi précise ?

— Elle en est raisonnablement sûre. Elle doit m'envoyer une carte avec la zone marquée en rouge. C'est cette partie de la ville où les gens se croient branchés. Étudiants, écolos, épiceries végétaliennes, boulangeries artisanales, publicitaires et avocats. Très cool. Pas le quartier de prédilection normal d'un tueur monomaniaque, j'aurais dit. Mais les algorithmes ne mentent pas. Même si, étant donné qu'une série de connexions à Internet ne suit pas les mêmes critères qu'une série de crimes, ils ne donnent peut-être pas un résultat aussi juste que d'habitude.

— Je ne savais pas que les tueurs en série avaient un habitat spécial », commenta Ambrose.

Tony médita quelques instants. « Ils ont tendance à vivre dans des logements en location. Principalement parce qu'ils ne sont pas très doués pour garder un boulot longtemps. Et que, par conséquent, leur parcours professionnel ne contribue pas à ce qu'ils obtiennent un prêt. Alors oui, les probabilités veulent qu'il vive dans un logement en location.

— Ça se tient. »

Il était temps de revenir à la seule chose qu'il savait être importante. « De même que ce que je vous disais avant, Alvin. Je sais que ça vous paraît insensé, mais plus j'y réfléchis et plus je crois que vous devriez vraiment me faire confiance sur ce point. Et pas seulement pour les besoins de la théorie. Ce n'est pas un meurtre à caractère sexuel. »

Ambrose quitta une nouvelle fois la route des yeux pour regarder Tony. Cette fois-ci, la voiture fit une petite embardée avant qu'il ne la redresse. « Ça me paraît toujours insensé. » Il semblait tout à fait incrédule. « Comment ça pourrait ne pas être un meurtre à caractère sexuel ? Vous n'avez pas regardé les photos de la scène du crime ? Vous n'avez pas vu ce qu'il lui a fait ?

— Bien sûr que si. Mais il n'a presque pas passé de temps avec elle, Alvin. Il a passé des semaines à l'approcher, à lui faire relâcher sa vigilance. Si c'était pour le sexe, il l'aurait gardée près de lui pendant des jours. Vivante ou morte, suivant ses goûts. Il ne se serait pas débarrassé d'elle dans le laps de temps dont on parle ici. »

Ambrose jeta à Tony ce regard réservé aux fous et aux tordus. « Il a peut-être paniqué. Peut-être que la réalité était bien plus difficile à gérer qu'il ne l'avait imaginé dans ses fantasmes. Peut-être qu'il a juste voulu mettre un terme à tout ça. »

C'était une possibilité que Tony avait envisagée en s'endormant. Et qu'il avait écartée presque immédiatement. « Si ça avait été le cas, il n'aurait pas pris le temps et la peine de la mutiler. Il l'aurait simplement tuée et abandonnée. Croyez-moi, Alvin, ce crime n'est pas lié au sexe.

— Alors à quoi ? » Ambrose fit une moue obstinée, les muscles tendus, la lèvre en avant.

Tony soupira. « Comme je vous l'ai dit, c'est ce que je ne sais pas encore. Je n'arrive pas à le saisir à ce stade.

— Alors vous savez ce que ce n'est pas, mais vous ne pouvez pas nous dire ce que c'est ? Éclairez-moi, doc. En quoi c'est censé nous aider ? » Ambrose semblait de nouveau furieux. Tony comprenait pourquoi. Ils avaient espéré qu'il donne un coup de baguette magique et que tout s'arrange mais, jusque-là, il n'avait fait que créer davantage de problèmes.

« Ça vous évite au moins de perdre votre temps à chercher aux mauvais endroits. Parmi les délinquants sexuels de la région, par exemple. Ce n'est pas l'un d'eux que vous recherchez.

— Mais alors, quand est-ce que vous aurez un profil qui pourra nous aider à découvrir qui on recherche ?

— Bientôt. Plus tard dans la journée, si tout va bien. J'espère que Claire va m'aider à mieux cerner Jennifer. Je pourrais peut-être alors me faire une idée de ce qui a pu pousser quelqu'un à la tuer. La victime est toujours la clé, Alvin. D'une façon ou d'une autre. »

L'agent Sam Evans était heureux d'être de retour à ce qu'il considérait comme la véritable civilisation. Un endroit où l'on pouvait trouver du café et des sandwichs au bacon, où il ne faisait jamais vraiment nuit noire et où il y avait toujours quelque part où s'abriter de la pluie. Il ne se plaignait pas d'avoir eu en prime le rare plaisir d'épater tout le monde lors de la réunion du matin.

Le seul problème à présent consistait à découvrir le pourquoi de ce troisième corps dans le lac, à l'origine de son coup de théâtre. Il devait se montrer extrêmement prudent. En attendant que la police scientifique lui suggère des pistes, il devait donner l'impression d'être occupé. Si Carol Jordan le soupçonnait de se tourner les pouces, elle le réaffecterait à quelque tâche ingrate dans les affaires en cours. Et s'il était absent du bureau quand les résultats des experts arriveraient, quelqu'un d'autre pourrait lui souffler son affaire et s'attribuer toute la gloire. Or c'était une chose qu'il n'était pas prêt à tolérer.

Sam sortit son carnet de notes et tourna quelques pages pour trouver le numéro de l'inspecteur de Cumbrie avec qui il était censé collaborer. Il s'apprêtait à l'appeler lorsque son portable sonna. Il ne reconnut pas le numéro. « Allô ? fit-il, refusant comme toujours de révéler quoi que ce soit gratuitement.

— Êtes-vous l'agent-détective Evans ? » C'était une femme. Elle semblait vive, plutôt jeune, sûre d'elle.

« Lui-même.

— C'est vous, l'agent qui m'a envoyé un dossier dentaire par e-mail ?

— En effet. » La police criminelle avait obtenu le dossier du dentiste de Danuta Barnes au moment de sa disparition, et sur la suggestion d'un des flics de Cumbrie, Sam l'avait transmis à l'université du nord de l'Angleterre à Carlisle.

« Bien. Je suis le docteur Wilde, anthropologue judiciaire à l'université de Carlisle. Je suis en train d'examiner les restes humains repêchés à Wastwater. Je n'ai pas terminé, mais je me suis dit que vous seriez content que je vous tienne au courant.

— Je prends tout ce que vous pouvez me donner », dit Sam. *Merci, mon Dieu.*

« Eh bien, la bonne nouvelle, selon votre point de vue, je suppose, c'est que le dossier dentaire correspond au plus petit squelette adulte, qui, j'en suis presque certaine, appartient à une femme âgée entre vingt-cinq et quarante ans.

— Elle avait trente et un ans, acquiesça Sam. Elle s'appelait Danuta Barnes.

— Merci. Mes étudiants s'occupent de faire l'analyse ADN des trois dépouilles. On devrait pouvoir établir si c'est bien la mère de l'enfant. Qui a entre quatre et six mois, j'estimerais, poursuivit le Dr Wilde.

— Lynette. Cinq mois », confirma Sam. Il avait été frappé par le minuscule paquet coincé entre les deux plus gros. Il n'était pas du genre sentimental, mais même le plus endurci des cœurs n'aurait pu rester insensible à une mort si prématurée et inutile.

Le Dr Wilde soupira. « Elle a à peine eu le temps de voir le jour. Pas grand-chose à mettre en épitaphe, hein ? "A vécu cinq mois ; fit un excellent support pédagogique." Enfin, dès que je peux confirmer cette parenté, je vous le ferai savoir.

— Je vous remercie. Vous avez des renseignements à me donner sur l'autre corps ? » Non pas qu'il attendît beaucoup d'un paquet d'os et d'un peu de bouillie dont il ne tenait pas trop à imaginer ce qu'elle contenait.

Le Dr Wilde rigola. « Vous n'allez pas en revenir. Par exemple, je peux vous dire qu'il s'appelait Harry Sim et qu'il est mort quelque temps après juin 1993. »

Sam resta bouche bée pendant une seconde. Puis il éclata de rire. « Qu'est-ce que c'est ? Sa carte de crédit ou son permis ? »

Elle parut déçue. « Vous êtes plus malin que l'agent moyen, dit-elle en imitant l'accent américain.

— J'aime à le croire. C'était quoi, alors ?

— La carte de crédit. Une Mastercard valable de juin 1993 à mai 1997 au nom de Harry Sim. Ça devrait vous donner de quoi vous occuper. J'espère que vous êtes content.

— Vous n'avez pas idée, dit Sam avec sincérité. Est-ce que vous allez aussi comparer son ADN à celui du bébé ?

— Oh oui, répondit Wilde. Nul ne sait par lui-même qui est son père.

— Des pistes sur la cause du décès ?

— Mais c'est que vous n'en avez jamais assez à Bradfield ! lança-t-elle, moins amusée. Impossible de dire pour l'instant. Aucun traumatisme évident sur les os, donc sans doute pas tués par balle, ni étranglés ou frappés avec un instrument contondant. Ils pourraient avoir été empoisonnés, asphyxiés. Ça pourrait être de mort naturelle, mais j'en doute. J'ai dans l'idée qu'on ne pourra jamais établir de cause du décès. Si vous espérez inculper quelqu'un pour meurtre, vous allez peut-être devoir vous contenter de preuves indirectes. »

Ce n'était jamais une bonne nouvelle. Mais il n'avait pas de raison de se lamenter, vu tout ce que le Dr Wilde lui avait déjà appris. Qui savait ce qu'il trouverait lorsqu'il commencerait à éplucher la vie et la mort mystérieuse d'Harry Sim ? Lorsqu'il remercia le Dr Wilde et raccrocha, il connaissait déjà sa prochaine destination.

CHAPITRE 24

Le seul moment où Carol n'appréciait pas d'être passagère était quand elle se rendait sur une scène de crime où l'attendait un cadavre. Même avec le plus habile des chauffeurs, ce que Kevin était indéniablement, le trajet lui semblait toujours interminable. Son esprit s'animait par avance, il voulait déjà être sur les lieux et évaluait ce qu'il faudrait faire. Peu importait que la victime ne fût plus soumise à la contrainte du temps. Carol était bien décidée à ne pas la faire attendre.

Kevin tourna sur une étroite route des landes, dont les virages sinueux le forcèrent à ralentir. Carol regarda autour d'elle. Sa visite à Vanessa plus tôt le matin même l'avait menée près d'ici. Bien que ce décor eût déjà servi de lieu de sépulture dans le passé, tout particulièrement à Brady et Hindley, les meurtriers de la lande, il ne lui était alors jamais venu à l'esprit qu'elle passait peut-être devant l'endroit où l'assassin de Seth Viner avait choisi de l'abandonner.

« Il aime l'isolement, ce tueur, remarqua-t-elle en s'agrippant à la poignée de maintien alors que Kevin négociait un nouveau virage.

— Vous pensez qu'il est du coin ?

— Ça dépend de ce que tu entends par "du coin", répondit Carol. Un quart de la population britannique vit à moins d'une heure de route du parc national de Peak District. On n'en est pas tellement loin au nord. Ce parc paraît désert, mais c'est une énorme zone de loisirs. Les gens viennent y faire de la marche, y courir – comme celles qui ont trouvé le corps –, y faire des pique-niques, des courses d'orientation, des stupides courses de motos, faire une balade en voiture le dimanche… Il y a beaucoup de raisons valables de bien connaître les landes.

— Ça devrait être derrière la prochaine colline, indiqua Kevin en jetant un œil au GPS.

— Espérons que les types du West Yorkshire ne vont pas essayer de nous voler l'affaire », dit Carol. Seth avait bien disparu à Bradfield, mais on avait retrouvé son corps à environ six kilomètres au-delà de la frontière avec la circonscription voisine. Elle n'avait jamais travaillé directement pour le West Yorkshire, mais elle avait réussi à rabattre le caquet à la plupart de leurs officiers supérieurs de la Crim' quelques années plus tôt lorsqu'elle avait bossé officieusement avec Tony sur une affaire de tueur en série que personne ne prenait au sérieux à part eux. « Ils ne m'aiment pas beaucoup, là-haut », ajouta-t-elle.

Kevin, qui connaissait toute l'histoire, grogna. « Vous ne pouvez pas vraiment leur en vouloir. Vous les avez fait passer pour une sacrée bande de bons à rien.

— J'ose espérer que ça leur aura passé. C'était il y a longtemps.

— C'est le Yorkshire. Ils ne se sont toujours pas remis de la guerre des Deux-Roses », fit remarquer Kevin alors qu'ils atteignaient le sommet d'une côte. Environ un kilomètre plus bas, ils aperçurent leur destination, inratable avec sa panoplie de véhicules, sa tente vert pâle, les gilets jaune fluo et les combinaisons blanches. « Si vous avez de la chance, tous ceux que vous avez vraiment fait chier seront partis à la retraite.

— Comme on dit : "Nul n'est plus chanceux que celui qui croit à sa chance." » Ils se garèrent sur le bas-côté derrière une ambulance dont les portes ouvertes laissaient voir un groupe de femmes blotties sous des couvertures de survie, des gobelets en carton fumants entre les mains. Carol se concentra, respira profondément et se dirigea vers l'agent en uniforme qui contrôlait l'accès à la scène du crime. « Inspecteur en chef Jordan, BEP de Bradfield, annonça-t-elle. Et voici le sergent-détective Matthews. J'ai d'autres agents en route. »

Il vérifia leurs plaques. « Signez, madame. » Il lui tendit le registre et un stylo, puis leur fit signe de passer. « C'est l'inspecteur en chef Franklin qui est chargé de l'enquête. Il est dans la tente. »

La tente dressée par la police scientifique pour protéger les lieux se trouvait juste au bord de la route. « Ça ne rappelle jamais les vacances au camping, hein ? » dit-elle entre ses dents alors qu'ils s'approchaient. Elle écarta le rabat et découvrit le tableau habituel. Des techniciens de la police scientifique en blanc, des agents de la Crim' avec des blousons en cuir de modèles divers mais incontournables. Certaines choses ne changeaient clairement jamais dans le West Yorkshire.

Des têtes se tournèrent lorsqu'ils entrèrent, et un grand homme cadavérique s'écarta d'un groupe d'agents et vint à leur rencontre. « Je suis l'inspecteur en chef John Franklin. Je ne sais pas qui vous êtes, mais c'est ma scène de crime. »

L'accueil chaleureux habituel, constata Carol. « Je suis l'inspecteur en chef Carol Jordan, dit-elle à son tour. C'est peut-être votre scène de crime, mais je crois que le corps est à moi. » Elle tira une feuille de papier de son sac et la déplia pour lui montrer la photo que Kathy Antwon leur avait donnée de son fils. « Seth Viner. Il portait un jean noir, un polo blanc, un sweat-shirt du collège Kenton Vale et un anorak Berghaus bleu marine quand il a disparu. »

Franklin hocha la tête. « Ça a l'air de coller. Venez jeter un œil. La photo ne va pas vous servir à grand-chose, par contre. Il ne ressemble plus à ça. »

Charme et diplomatie. Les marques de fabrique du mâle du Yorkshire. Carol passa devant le petit groupe d'agents à la suite de Franklin, Kevin à son côté. Près du bord de la route, la terre formait une ravine d'un peu moins d'un mètre de large. Ce n'était pas vraiment un fossé, plutôt un creux qui s'étendait sur environ cinq mètres. Il était juste assez profond pour cacher le corps à une personne passant en voiture. Mais les coureuses n'avaient pas eu autant de chance.

Le spectacle était accablant : du sang et de la boue séchés sur les jambes et sur le bas du torse, la tête recouverte d'un sac plastique fermement scotché autour du cou. C'était comme une réplique du corps de Daniel Morrison. Seuls les vêtements étaient différents. Mais même avec la saleté et la putréfaction, on pouvait reconnaître les vêtements de Seth. Il manquait sa veste, mais le sweat-shirt vert foncé et le jean noir suffirent à Carol pour être certaine qu'elle avait sous les yeux le fils de Julia et Kathy. « Pauvre gosse, murmura-t-elle tristement.

— Vous voudrez sûrement une enquête conjointe, alors », avança Franklin. Il semblait n'avoir aucune compassion. Cela ne signifiait pas qu'il n'en avait pas, simplement qu'il était résolu à ne pas le montrer devant des femmes et des officiers subalternes.

« En fait, je veux la revendiquer, déclara Carol. Le *modus operandi* est le même que pour un meurtre perpétré plus tôt dans la semaine dans notre secteur. Vous avez dû en entendre parler : Daniel Morrison. »

Franklin contracta les muscles de son visage et fronça les sourcils. « C'est notre secteur. Donc c'est notre affaire.

— Je ne remets pas en cause l'aspect territorial. Mais ce n'est que l'endroit où a été déposé le corps. Ce garçon a été kidnappé à Bradfield, et il y a de grandes chances qu'il ait été tué à Bradfield. J'ai eu un crime identique à Bradfield il y a seulement quelques jours. Ça ne rime à rien de faire deux fois le même travail. » Carol s'efforçait de se contrôler. « On a tous des budgets. On sait tous ce que coûte une enquête sur un meurtre. J'aurais cru que vous seriez ravi de vous en débarrasser.

— On n'est pas comme vous. On n'essaie pas de se décharger de nos affaires à la première occasion. On a tous entendu parler de vous et de votre brigade de Bradfield. Des chasseurs de gloire, voilà ce qu'on entend. Au coude à coude avec les services anti-terroristes, pour faire la une sur les attentats de Bradfield. Eh bien, s'il y a de la gloire à tirer de cette affaire, elle sera partagée. Si vous avez de la chance. » Franklin tourna les talons et rejoignit ses hommes. Ils formèrent un cercle rapproché, et Carol et Kevin les entendirent indistinctement discuter à voix basse.

« Ça s'est bien passé, ironisa-t-elle d'un air sombre. Fais-moi penser à reconsidérer mes talents de diplomate.

— Comment voulez-vous procéder ?

— Tu restes ici. Les autres vont bientôt arriver. Veille à nos intérêts, fais connaissance. Assure-toi qu'on nous tient au courant de ce qui se passe. Je rentre parler au commandant pour qu'il règle cette histoire et qu'on ne passe pas la semaine qui vient à batailler pour de stupides questions de territoires. » Elle se retourna vers Seth et se sentit abattue. « Ces pauvres femmes, dit-elle. Fais en sorte que Paula ou toi les accompagne pour leur annoncer. Quand les journalistes vont l'apprendre, ils vont les assaillir. Elles ont besoin de toute l'aide qu'on peut leur offrir.

— J'y veillerai. »

Carol promena son regard sur les landes. « Il faut qu'on arrête ça. Il faut que les enfants soient alertés et qu'on attrape ce fumier avant qu'il recommence. » Une pensée lui vint, qu'elle n'aurait pu formuler à haute voix. *Si seulement Tony était là.*

Le ciel était couvert, la pluie menaçait. Mais Claire Darsie voulait quand même rester dehors. Ambrose lui avait présenté Tony puis les avait laissés. Tony était impressionné par la douceur du policier. Plus il fréquentait Ambrose, plus il l'appréciait. Il devinait que le sentiment n'était pas réciproque. Pas après le fiasco du matin même.

Claire les mena hors du bâtiment du collège. « On peut faire le tour des terrains de sport, dit-elle. Il y a une sorte de kiosque où on peut s'asseoir si vous voulez. » Elle essayait clairement de faire l'insouciante, mais d'après l'impression de fragilité qu'elle dégageait, son détachement n'était pas même superficiel.

Elle donna l'allure en s'élançant d'un bon pas sur l'allée de gravier. Durant l'été, celle-ci devait être bien abritée du soleil par les robustes arbres qui longeaient la clôture d'enceinte. Mais ce jour-là, la lumière ne manquait pas pour révéler la fatigue nerveuse sur le visage de Claire. Tony maintint une bonne distance entre eux. Elle avait besoin de se sentir en sécurité, et la première chose à faire pour cela était de rester hors de son espace vital.

« Jennifer et toi, vous êtes amies depuis longtemps ? » Il devait s'en tenir au présent, éviter de lui rappeler sans cesse le cours des choses.

« Depuis l'école primaire, répondit Claire. Je suis tombée dans la cour de récré le premier jour et je me suis écorchée le genou. Jen avait un mouchoir et elle me l'a donné. » Elle haussa une épaule. « Mais même si c'était pas arrivé, c'est avec elle que j'aurais voulu devenir amie.

— Pourquoi ça ?

— Parce que c'était quelqu'un de bien. Je sais qu'on dit qu'il ne faut pas dire du mal des morts, mais il n'est pas question de ça dans le cas de Jen. C'est ce que les gens ont toujours dit d'elle. Elle était gentille, vous savez ? Il n'y avait pas une once de méchanceté en elle. Même quand quelqu'un l'embêtait, elle finissait par voir les choses de son point de vue et elle lui pardonnait. » Claire fit un bruit qui exprimait peut-être sa répugnance. « Pas comme moi. Quand des gens m'embêtent, je ne manque pas de leur faire payer. Je ne sais pas pourquoi Jen me supporte, vous savez ? » Sa voix trembla et elle rentra le menton. Elle hâta le pas et partit devant lui. Il la laissa faire et la rattrapa sur les marches du petit abri en bois situé au bout du terrain de hockey.

Ils y pénétrèrent et s'assirent face à face. Claire se pelotonna, les genoux serrés dans ses bras contre sa poitrine, mais Tony étendit les jambes et les croisa au niveau des chevilles. Il laissa ses mains tomber sur ses genoux, une position ouverte qui lui ôtait tout caractère intimidant. Il put à présent bien distinguer les cernes sous ses yeux et la peau rongée jusqu'au sang autour de ses ongles. « Je sais à quel point tu aimes Jen, dit-il. Je comprends qu'elle te manque tout le temps. On ne peut rien faire pour la ramener, mais on peut peut-être rendre la situation un peu moins dure pour sa mère et son père en retrouvant la personne qui a fait ça. »

La gorge de Claire se serra. « Je sais. Je n'arrête pas d'y penser. À ce qu'elle aurait fait si les rôles avaient été inversés. Elle aurait voulu aider ma mère et mon père. Mais rien ne me vient à l'idée. C'est ça le problème. » Elle eut l'air angoissé. « Il n'y a rien à dire.

— Ne t'en fais pas, dit-il gentiment. Tu n'y es pour rien, Claire. Et personne ne te le reprochera si on ne trouve pas l'homme qui a enlevé Jen. Je veux juste qu'on discute un peu. Voir si tu peux m'aider à connaître un peu mieux Jen.

— À quoi ça va servir ? » Sa curiosité naturelle prit le dessus sur son désarroi.

« Je suis profileur. Les gens ne comprennent pas vraiment ce que je fais, ils pensent que c'est comme un de ces trucs qu'on voit à la télé. Mais au fond, mon travail consiste à déterminer comment Jen est entrée en contact avec cette personne, et comment elle a pu réagir. Ensuite, je dois analyser ce que ça me dit sur lui.

— Et ensuite, vous aidez la police à l'attraper ? »

Il hocha la tête en souriant du coin des lèvres. « C'est ça, en gros. Alors, qu'est-ce qui intéressait Jennifer ? »

Il se mit à l'aise et l'écouta dresser un catalogue de groupes de musique pour ados, de marques de vêtements, d'émissions de télé et de célébrités. Il apprit que Jennifer faisait généralement ce qu'on lui disait : elle terminait ses devoirs à temps, elle rentrait à l'heure lorsqu'elles sortaient le soir. Avant tout parce qu'il n'était jamais vraiment venu à l'esprit de Claire et Jennifer qu'il pouvait en être autrement. Elles menaient une vie protégée dans leur collège de filles sélectif, se faisaient conduire partout par leurs parents, évoluaient dans un univers qui ne recoupait pas celui des mauvaises filles. Le temps passa, et les questions détendues de Tony aidèrent finalement Claire à se décontracter. Il pouvait à présent la sonder plus en profondeur.

« Elle me paraît un peu trop parfaite, telle que tu me la décris, signala-t-il. Est-ce qu'elle ne se lâchait pas un peu parfois ? En se saoulant ? En essayant des drogues ? Ou est-ce qu'elle avait envie d'un tatouage ? De se faire percer le nombril ? De coucher avec des garçons ? »

Claire gloussa puis mit la main devant sa bouche, gênée de se montrer si joyeuse. « On doit vous paraître vraiment ennuyeuses, dit-elle. Mais on s'est en effet fait percer les oreilles pendant l'été quand on avait douze ans. Nos mères étaient folles de rage. Mais elles nous ont laissées les garder.

— Vous n'avez jamais fait le mur le soir pour aller à des concerts ? Ou fumé derrière l'abri à vélos ? Est-ce que Jen avait un petit copain ? »

Claire lui jeta un rapide regard de côté mais ne dit rien.

« Je sais que tout le monde dit qu'elle ne sortait avec personne. Mais je trouve ça dur à croire. Une fille bien avec qui on s'amusait bien. Et jolie. Et je suis censé croire qu'elle n'avait pas de copain. » Il ouvrit les mains, les paumes vers le haut. « Il faut que tu m'aides, Claire.

— Elle m'a fait promettre, déclara-t-elle.

— Je sais. Mais elle ne t'obligerait pas à tenir cette promesse. Tu l'as dit toi-même, si les rôles étaient inversés, tu voudrais qu'elle nous aide.

— Ce n'était pas un vrai petit copain. Ils ne se donnaient pas de rendez-vous, ce genre de choses. Mais il y avait ce type sur Rig. ZZ, il se faisait appeler. Juste des lettres, deux Z.

— On sait qu'elle parlait avec ZZ sur Rig, mais ils avaient l'air d'être simplement amis. Pas d'être en couple.

— C'est ce qu'ils voulaient faire croire à tout le monde. Jen flippait à mort que ses parents s'en aperçoivent parce qu'il a quatre ans de plus que nous. Alors elle allait au cybercafé près du collège pour chatter avec lui. Comme ça, sa mère ne pouvait pas la surveiller. D'après Jen, ça marchait vraiment bien entre eux. Elle m'a dit qu'elle voulait qu'ils se rencontrent en vrai.

— Est-ce qu'elle t'a dit si c'était prévu ? »

Claire fit non de la tête. « Elle ne m'a plus vraiment parlé de lui. Dès que j'essayais de la lancer là-dessus, elle changeait de sujet. Mais je crois qu'ils s'étaient donné rendez-vous.

— Qu'est-ce qui te fait penser ça ? demanda Tony sans aucune insistance, comme si c'était la plus anodine des questions.

— Parce que sur Rig, ZZ lui a parlé de secrets, du fait qu'on a tous des secrets qu'on veut que personne ne connaisse. Et ensuite Jen et lui ont ouvert une conversation privée. Et je crois qu'elle l'a engueulé parce qu'il faisait allusion à leur histoire. »

Mais ce n'était pas le cas. Il l'avait persuadée d'accepter ce rendez-vous qu'ils avaient jusque-là esquivé, d'après Claire. Ce qui expliquait pourquoi une fille sage comme Jennifer s'était montrée si imprudente. C'était un acte encore plus prémédité qu'ils ne l'avaient soupçonné. Ce tueur ne laissait rien au hasard. La dernière fois qu'il avait eu affaire à un meurtrier qui préparait son coup aussi soigneusement ou pendant aussi longtemps, c'était lors de la première enquête qu'il avait menée avec Carol, et il y avait eu un nombre de victimes effroyable. Il n'avait vraiment pas envie de se replonger dans cet univers sinistre. Mais s'il fallait ça pour mener l'assassin de Jennifer Maidment devant la justice avant qu'il puisse tuer à nouveau, il le ferait sans hésiter.

CHAPITRE 25

Le camping de mobile homes n'allait pas gagner de concours de beauté. Des baraques en forme de caisses à savon aux couleurs pastel trônaient sur des rectangles de béton entourés d'un gazon terne et d'allées goudronnées. Certains pensionnaires avaient tenté de les agrémenter de jardinières et de parterres de fleurs, mais les vents dominants venus de la baie en avaient eu raison. Néanmoins, lorsqu'il sortit de sa voiture, Sam dut reconnaître que la vue compensait assez largement ces défauts. Un soleil pâle renforçait le charme de la longue étendue de sable qui atteignait pratiquement l'horizon, là où la mer scintillait à l'entrée de la baie de Morecambe. Il savait que c'était une beauté trompeuse. Des dizaines de personnes, qui n'avaient pas mesuré la rapidité et la perfidie des marées, y avaient péri au fil des années. De là, cependant, on ne se doutait de rien.

Sam se dirigea vers le bureau, une cabane incongrue en rondins qui aurait plutôt trouvé sa place dans le Midwest américain. D'après Stacey, Harry Sim avait utilisé sa Mastercard pour la dernière fois dix jours avant que Danuta Barnes soit portée disparue. Il s'en était servi pour acheter dix livres d'essence au garage situé à trois kilomètres du camping Belle Vue. Son compte avait été renfloué trois semaines plus tard par un versement en liquide à la banque du centre-ville de Bradfield. Toujours selon Stacey, c'était une anomalie car Harry Sim couvrait normalement ses découverts en postant un chèque à la société de crédit. C'était presque miraculeux qu'elle parvienne à découvrir ce genre de chose, songea-t-il. Et peut-être pas totalement légal.

Ce camping était l'adresse de référence correspondant à la carte. Et c'était la dernière trace d'Harry Sim que Stacey et Sam avaient pu trouver. Les recherches informatiques, appels au centre des impôts, aux banques et à l'émetteur de sa carte de crédit n'avaient strictement rien donné. Ce qui n'était pas tout à fait surprenant, dans la mesure où Harry Sim avait apparemment passé les quatorze dernières années au fond du Wastwater.

Sam frappa à la porte du bureau et entra en exhibant sa plaque. L'homme assis au bureau jouait à une sorte de jeu de lettres sur l'ordinateur. Il se retourna pour jeter un coup d'œil à Sam, mit sa partie en pause et se leva péniblement. C'était un homme imposant d'environ cinquante-cinq ans, dont la masse musculaire avait commencé à se transformer en graisse. Ses cheveux étaient un mélange de blond et d'argent trop sec pour se soumettre facilement à un peigne ou une brosse. Sa peau avait pris un grain parcheminé après des années d'exposition à l'air marin et à des vents puissants. Il était proprement vêtu d'une chemise en flanelle, d'une polaire écarlate et d'un pantalon en velours côtelé gris foncé. « Monsieur l'agent », dit-il en saluant de la tête.

Sam se présenta et l'homme parut surpris. « Bradfield ? répéta-t-il. Vous avez fait un bout de chemin, alors. Je m'appelle Brian Carson. » Il fit un vague geste de la main en direction de la fenêtre. « C'est mon camping. Je suis le propriétaire.

— Êtes-vous ici depuis longtemps ? questionna Sam.

— Depuis 1987. Autrefois, j'étais imprimeur à Manchester. Quand on nous a tous virés pour raisons économiques, j'ai investi mon argent dans cet endroit. Je n'ai jamais regretté. J'ai une vie géniale. » Il semblait sincère, ce qui déconcerta Sam. Il ne voyait pas beaucoup de métiers plus ennuyeux.

« Content de l'entendre, dit-il. Parce que la personne sur laquelle je voudrais que vous me renseigniez a vécu ici il y a quatorze, quinze ans. »

Carson s'anima. « Bon sang, ça remonte ! Je vais devoir consulter les archives pour ça. » Il se retourna et montra une porte derrière lui. « Je garde tous les dossiers là derrière. Non pas que j'en aie besoin. Je mets un point d'honneur à connaître mes locataires.

Pas tellement les vacanciers, mais ceux qui gardent leur mobile home, je les connais tous. Qu'est-ce qui s'est passé pour que vous veniez chercher quelqu'un installé ici il y a si longtemps ? »

Sam lui adressa un sourire contrit et nonchalant, grâce auquel il se mettait généralement les gens dans la poche. « Je suis désolé, je ne suis pas autorisé à en parler. Vous savez ce que c'est.

— Oh. » Carson parut déçu. « Bon, si vous ne pouvez pas, vous ne pouvez pas. Et donc, comment s'appelle la personne qui vous intéresse ?

— Harry Sim. »

Le visage de Carson s'éclaira. « Oh, je me souviens d'Harry Sim. Il faisait tache ici. La plupart de nos locataires de longue durée, ils sont plus vieux. À la retraite. Ou alors ils ont de jeunes enfants. Mais Harry sortait du lot. Un type célibataire, dans les trente-cinq ans, je dirais qu'il avait. Il n'était pas très sociable. Il ne participait jamais aux soirées barbecue, aux karaokés ou quoi que ce soit. Et son mobile home était tout au fond. Il n'avait pas une très belle vue, mais il était bien au calme, par contre. Les mobile homes de ce coin sont toujours les plus durs à louer, parce qu'ils n'ont pas l'avantage de la vue sur la baie. » Il lança un sourire gauche. « Avec un nom comme le nôtre, c'est ce qu'attendent les gens. Une belle vue sur la baie.

— J'imagine, dit Sam. Vous disiez qu'il vivait seul. Je suppose que vous ne vous rappelez pas s'il avait beaucoup de visiteurs ? »

Carson fut tout à coup déconfit. « Ce n'est pas que je ne me rappelle pas, indiqua-t-il. C'est juste que je n'en ai aucune idée. Là où il était, tout là-bas au bout... eh bien, c'est impossible de savoir si des gens lui rendaient visite ou pas. Et pendant l'été, je sais que c'est dur à croire, en voyant l'endroit aujourd'hui, mais c'est la pagaille ici. Je n'ai aucun moyen de voir si quelqu'un a des visiteurs à moins qu'ils soient juste dans le périmètre que je peux voir de la fenêtre.

— Je comprends bien. Vous aviez beaucoup de contacts avec lui ? »

Carson s'assombrit davantage. « Non. Bien sûr, quand il a pris la location, on a parlé, pour se mettre d'accord. Mais c'est presque tout. Il ne s'arrêtait jamais en passant pour bavarder un peu, il ne venait qu'en cas de problème, et puisqu'ici on met un point d'honneur à ce qu'il n'y ait pas de problèmes, on ne le voyait vraiment pas souvent. »

Sam eut presque pitié de cet homme qui à l'évidence ne demandait qu'à aider mais n'avait que très peu à offrir. Mis à part que c'était lui que l'impuissance de Carson pénalisait. « Combien de temps a-t-il vécu ici ? »

Carson s'égaya de nouveau. « Ça, je peux vous le dire. Mais je vais devoir regarder mes archives pour être précis. » Il était déjà sur le pas de la porte de son annexe. Sam aperçut une rangée de classeurs puis entendit un tiroir qu'on ouvrait et refermait. Quelques instants plus tard, Carson resurgit avec un mince dossier suspendu. « Voilà », dit-il en le déposant sur le guichet. L'étiquette indiquait *127/Sim*.

« Vous avez un sacré système, remarqua Sam.

— Je mets un point d'honneur à tenir mes registres en ordre. On ne sait jamais quand quelqu'un comme vous-même va avoir besoin de renseignements. » Carson ouvrit le dossier. « Nous y voilà. Harry Sim a signé un bail d'un an en avril 1995. » Il examina le document. « Il ne l'a pas renouvelé, il n'a habité le mobile home qu'un an.

— A-t-il laissé des choses derrière lui ? Des papiers, des vêtements ? » *Les restes d'une vie que quelqu'un d'autre avait écourtée ?*

« Il n'y a rien de mentionné. Et ce serait le cas s'il n'avait pas tout débarrassé, croyez-moi. »

Sam le crut. « Et vous n'avez aucune idée de la date précise de son départ ? »

Carson secoua la tête d'un air navré. « Non. Les clés étaient sur la table, c'est écrit ici. Mais rien n'indiquait combien de temps elles sont restées là. »

Tout ça ressemblait à une belle impasse. Harry Sim était parti, mais personne ne savait ni quand ni où ni pourquoi. Sam savait où il avait fini, mais pas où il avait commencé. Il lui restait une question à tenter. « Quand il a pris la location, vous lui avez demandé des références ? »

Carson hocha fièrement la tête. « Bien sûr. » Il sortit des documents de la fin du dossier. « Deux références. Une de la banque et une de son ancienne patronne, une certaine Mme Danuta Barnes. »

Au grand soulagement de Carol, Blake fut disponible presque immédiatement. Elle fut surprise de le trouver en uniforme de cérémonie derrière son bureau. Elle s'était habituée à voir John Brandon ne se mettre en grande tenue que lorsque que c'était absolument nécessaire, préférant largement le confort d'un complet. Mais Blake aimait visiblement s'assurer que personne dans la pièce n'oublie exactement à quel point il était important.

Il lui fit signe de s'asseoir, joignit le bout des doigts et appuya son menton dessus. « Qu'est-ce qui vous amène, inspecteur en chef ? »

Carol résista à la tentation puérile de répondre : « Mes deux jambes ». Au lieu de cela, elle expliqua : « J'ai besoin que vous interveniez en notre faveur auprès de West Yorkshire. » Elle lui fit un résumé clair de la situation. « Il s'agit d'une affaire d'homicide, monsieur. Je n'ai pas le temps de me chamailler avec mon homologue. On ne peut plus se permettre de perdre du temps.

— Tout à fait d'accord. Ils devraient être heureux de nous la laisser. Ça va leur faire économiser de l'argent et, si nous réussissons, je suis sûr qu'ils s'attribueront au moins la moitié du mérite. Laissez-moi faire, inspecteur. Je vais arranger ça. »

Carol fut agréablement surprise que Blake ne fasse pas d'histoires. Et qu'il prenne aussi volontiers son parti. Mais elle savait aussi qu'il en serait peut-être grandement félicité, ce qui pouvait plaire à un homme ayant les ambitions qu'elle lui supposait. « Merci », dit-elle en se levant de sa chaise.

Blake lui fit signe de se rasseoir. « Pas si vite, dit-il. Ces deux meurtres sont indéniablement liés, de votre avis de professionnelle ? »

Elle fut prise d'une vive inquiétude. Où voulait-il en venir avec ça ? « Je crois qu'il n'y a pas de doute possible. C'est le même *modus operandi*, des victimes au profil similaire, le même genre de lieu où on a retrouvé les corps. Il semble à peu près certain qu'on a piégé Seth Viner sur Internet, et on nous a rapporté qu'il était arrivé quelque chose de semblable à Daniel Morrison. On a fait attention à ne laisser fuir aucun détail sur ce qui était arrivé à Daniel, aussi on peut exclure l'hypothèse d'un imitateur. Je ne vois pas comment ça pourrait ne pas être le même meurtrier. »

Il lui adressa un petit sourire pincé qui fit saillir ses deux pommettes. « Je me fie à votre jugement, indiqua-t-il. Mais dans ces circonstances, ce qu'il vous faut maintenant, c'est un profileur. »

Carol s'efforça de garder son calme. « Vous m'avez dit que mon budget ne le permettait pas, déclara-t-elle d'un ton sec et tendu.

— Je vous ai dit que votre budget ne permettait pas d'employer le docteur Hill, corrigea Blake, en trouvant le moyen de prononcer le nom de Tony avec dédain. En revanche, nous avons à disposition les profileurs de la faculté nationale de police. Une fois que j'aurai réglé cette affaire avec le West Yorkshire, j'arrangerai ça.

— Je peux m'en charger, monsieur, dit Carol en essayant de reprendre rapidement contrôle d'elle-même. Vous ne devriez pas perdre votre temps avec des tâches administratives comme celle-là. »

Cette fois-ci, le sourire de Blake fut empreint de cruauté. « Je suis ravi de vous aider, dit-il. Vous avez deux meurtres sur les bras. Je sais comme certaines choses peuvent facilement nous échapper quand on est aussi occupé. »

Cet enfoiré insinuait qu'elle allait délibérément ignorer un ordre. Elle écumait de rage derrière son attitude polie. « Merci, monsieur. » Elle ne parvint pas à lui rendre son sourire.

« Vous allez être épatée de voir comme vous vous en sortez bien sans le docteur Hill. »

Carol se leva et le salua de la tête. « Après tout, monsieur, aucun de nous n'est indispensable. »

Ambrose avait ramené Tony à la maison de Blythe pour qu'il récupère sa voiture. « Vous n'avez pas l'intention d'y dormir encore ce soir ? demanda Ambrose en sortant du coffre le sac de voyage de Tony. Parce que si c'est le cas, vous devez demander à l'agent immobilier de vous appeler avant d'amener d'autres gens.

— Je n'y retourne pas. Je vous promets que vous n'aurez pas à me faire encore libérer.

— Bonne nouvelle. » Ambrose se fourra un chewing-gum dans la bouche et hocha la tête d'une manière plus sympathique. « Ce n'est pas la meilleure façon de commencer la journée. Alors, quels sont vos projets maintenant ?

— Je vais trouver un pub tranquille où je peux m'installer dans un coin avec mon ordinateur et rédiger mon profil. Je devrais pouvoir vous l'envoyer en fin d'après-midi. Puis je mangerai quelque chose, comme ça, avec un peu de chance, j'éviterai l'heure d'affluence à Birmingham en rentrant à Bradfield. Si ça vous va. Bien sûr, s'il y a des problèmes avec mon profil que vous avez besoin que je résolve, je resterai dans les parages. S'il y a une chose dont je suis presque certain concernant ce tueur, c'est qu'il va recommencer. Je ferai tout le nécessaire pour empêcher que ça arrive.

— Vous croyez vraiment ? »

Tony soupira. « Une fois qu'ils y ont pris goût, les types comme celui-là ont besoin de prendre leur pied.

— Mais quand on s'étonnait qu'il se soit débarrassé si vite du corps, est-ce qu'on ne s'était pas dit qu'il avait peut-être fait ça parce que ça lui avait filé les jetons, d'agir en vrai ? » Ambrose s'appuya contre la voiture, les bras croisés sur la poitrine, mani-festant ainsi sa réticence à accepter l'idée qu'ils n'en étaient qu'au début.

« C'était votre suggestion, Alvin. Et c'était bien pensé parce que cette hypothèse fait concorder tous les éléments dont nous dispo-sons. Mais mon expérience me dit que ça ne marche pas. Même si en effet il s'est fait peur, il voudra quand même réessayer. Seu-lement cette fois, il voudra mieux faire les choses. C'est pourquoi nous devons procéder comme dans une course contre la montre. »

Ambrose eut l'air écœuré. « Je vais vous dire. Je suis content d'être dans ma tête et pas dans la vôtre. Je n'aurais pas envie d'avoir toutes ces idées qui grouillent sans arrêt. »

Tony haussa les épaules. « Vous savez ce qu'on dit. Trouvez ce pour quoi vous êtes doué et cantonnez-vous-y. »

Ambrose se redressa et tendit la main. « Ça a été une expérience intéressante de travailler avec vous. Je ne peux pas dire que tout m'a plu, mais j'ai été très curieux de ce que vous aviez à dire sur le tueur. Je suis intrigué à la perspective de travailler avec mon premier profil. »

Tony sourit. « J'espère que vous ne serez pas déçu. Vous ne m'avez pas vu au mieux de ma forme en société, c'est vrai. Mais pour être honnête, je dois vous avouer qu'avec moi les choses ont souvent tendance à devenir bizarres. » Il désigna sa jambe du doigt. « Vous avez peut-être remarqué que je boitais, par exemple. C'est l'œuvre d'un tueur fou. J'étais assis dans mon bureau en train de lire un dossier de mise en liberté conditionnelle quand, tout à coup, je me suis retrouvé face à un homme armé d'une hache d'incendie qui croyait devoir récolter des âmes pour Dieu. » Il eut l'air peiné. « Mes collègues semblent éviter ces situations extrêmes. Je ne sais pas pourquoi, mais moi non. »

Apparemment mal à l'aise, Ambrose se dirigea vers la portière du côté conducteur. « On vous appelle », dit-il.

Tony lui fit signe de la main puis jeta son sac dans la voiture. Il n'avait pas vraiment dit la vérité à Ambrose. Il y avait bien un pub là où il se rendait, mais ce n'était pas sa première destination. Il avait récupéré plus d'un jeu de clés chez le notaire. Il n'y connaissait strictement rien en bateaux, mais il était apparemment désormais propriétaire d'une péniche en acier de quinze mètres dénommée *Steeler*, léguée avec son mouillage à la marina de Diglis. « Ça s'appelait autrefois le bassin de Diglis, avait expliqué le notaire avec dédain. Il y avait des entrepôts et les fabriques de porcelaine de la Royal Worcester. À présent, ce sont des appartements au bord de l'eau, des commerces et des locaux de l'industrie légère. La marche du temps et tout ça. Tout ce qu'il reste de l'ancienne époque, ce sont la petite maison de l'éclusier et l'Anchor Inn. Ce bar va vous plaire. C'est un vrai pub à l'ancienne. Arthur était un habitué. Ils ont un jeu de quilles en bois traditionnel du Worcestershire. Arthur faisait partie d'une de leurs équipes de ligue. Passez-y et présentez-vous. Ils seront contents de vous voir. »

Il irait au pub un autre jour, se dit-il en consultant la carte pour comprendre comment se rendre à la marina. Aujourd'hui, il avait envie de s'installer dans un coin du bateau de Blythe et d'y écrire son profil. Peut-être en faire le tour pour voir si Arthur n'avait pas laissé des choses qui lui en apprendraient un peu plus sur lui.

Il se gara aussi près que possible des amarres, puis passa dix minutes à errer à la recherche du bateau. Il le trouva finalement tout au bout d'une rangée d'embarcations similaires. Le *Steeler* était peint dans les vert et rouge vifs traditionnels, tandis que son nom ressortait en lettres arrondies dorées et noires. Quatre panneaux solaires étaient fixés sur le toit, témoignant de l'ingéniosité de Blythe. Ainsi, l'électricité ne serait pas un problème, s'il arrivait à comprendre comment faire marcher ce foutu système.

Tony grimpa tant bien que mal à bord, ses pas résonnant sur le pont en métal. L'écoutille était protégée par deux solides cadenas, dont le notaire lui avait donné les clés avec enthousiasme. « Merci de veiller à ce qu'on prenne soin du bateau, avait-il indiqué. C'est un très beau modèle du genre. Arthur était un fidèle de tous les rassemblements dans les Midlands. Il adorait sortir son bateau. » De toute évidence, ce n'était pas une chose qui se transmettait par les gènes. Tony n'avait strictement aucune attirance pour l'eau ou les bateaux. Il ne comptait pas garder *Steeler* longtemps, mais maintenant qu'il était allé si loin sur la piste d'Arthur, il voulait voir ce qu'il avait fait de son autre lieu de vie.

Le panneau de l'écoutille se retira en douceur et lui permit d'ouvrir la porte à deux battants qui donnait sur le niveau inférieur. Tony descendit prudemment les hautes marches et déboucha sur une étroite coquerie avec micro-ondes, bouilloire et cuisinière. Il poursuivit sa visite et pénétra dans le salon. Une banquette en cuir à boutons était adossée à une cloison, devant une table. De l'autre côté se trouvait un gros fauteuil pivotant, en cuir lui aussi, placé de manière à pouvoir faire face soit à la table, soit à la télé équipée d'un lecteur de DVD. Un poêle à bois trapu était installé dans un coin. Il y avait de jolis petits placards et des étagères partout pour optimiser l'espace. Au fond de la pièce, une porte menait à une cabine contenant un lit deux places et une penderie. Une dernière porte le conduisit dans une salle de bains exiguë dotée de toilettes, d'un lavabo et d'une cabine de douche, tout en carrelage blanc et chrome étincelants. À sa grande surprise, il y régnait une odeur de fraîcheur et de propreté.

Il retourna au salon. Il ne savait pas bien ce qu'il avait espéré trouver, mais ce n'était pas ce lieu strictement fonctionnel. L'endroit n'avait aucune personnalité. Tout était si austère, si net et organisé. Il n'y retrouvait aucunement l'effet que la maison avait produit sur lui. En un sens, c'était un soulagement. Il n'y aurait rien pour le distraire du profil qu'il devait rédiger. Et il n'y aurait rien pour le dissuader de vendre le bateau en temps voulu.

Malgré son habituelle maladresse, Tony n'eut pas de mal à trouver comment faire marcher l'électricité. Il eut rapidement de la lumière et le courant pour son ordinateur. Indéniablement, cela faisait un très agréable petit bureau. Il ne manquait que le Wi-Fi.

Pendant un instant de folie, il envisagea de remonter le bateau par les canaux jusqu'à Bradfield et de s'en servir comme bureau. Puis il songea à ses livres et se rendit compte que c'était impossible. Sans parler de cette autre considération, qui aurait fait décamper les gens comme Alvin Ambrose, pour le nombre vraiment terrifiant de choses qui pouvaient mal tourner entre Worcester et Bradfield. Il avait donc décidé d'y travailler le temps d'une après-midi puis de le confier au courtier. Y avait-il des courtiers pour les péniches ? Ou s'agissait-il d'un réseau non officiel où les affaires se concluaient au cours d'une partie de quilles ?

« Ressaisis-toi », s'ordonna-t-il à voix haute en démarrant le portable. Il chargea ses paragraphes d'introduction habituels :

> Le profil d'agresseur suivant n'est qu'indicatif et ne doit pas être considéré comme un portrait-robot. Il est peu probable que l'agresseur corresponde à ce profil dans le moindre détail, bien que j'escompte un niveau de conformité élevé entre les caractéristiques exposées ci-dessous et la réalité. Toutes les indications données dans ce profil expriment non pas des faits manifestes mais des probabilités et des possibilités.
>
> Un tueur en série produit des signaux et des indicateurs en perpétrant ses crimes. Qu'il en soit conscient ou non, tous ces actes répondent à un schéma cohérent. Découvrir ce schéma sous-jacent permet de comprendre la logique du tueur. Elle peut ne pas nous paraître sensée, mais elle est cruciale pour lui. Parce que sa logique est si singulière, il ne se laissera pas prendre à des pièges trop simples. Son mode de pensée lui étant propre, il doit en être de même des moyens mis en place pour l'attraper, l'interroger et reconstituer ses actes.

Il relut l'ensemble, puis effaça le second paragraphe. Pour autant qu'ils sachent, il ne s'agissait pas encore d'un tueur en série. Si Tony parvenait à aider Ambrose et Patterson dans leur travail, le meurtrier n'atteindrait peut-être pas les « trois morts ou plus » essentiels pour le classer officiellement dans cette catégorie. Dans le monde de Tony, c'était ce qu'on appelait un heureux dénouement.

En revanche, s'ils ne réussissaient pas, il y aurait d'autres meurtres. Tout n'était qu'une question de temps. De temps et d'habileté. Mais ce n'était pas parce qu'ils en étaient au début qu'il ne s'agissait pas d'un tueur en série. Il soupira et rétablit le paragraphe, puis poursuivit.

D'une main rapide, il décrivit en détail les conclusions qu'il avait déjà récapitulées avec Ambrose à l'endroit où le corps avait été trouvé et plus tôt dans la voiture. Il s'arrêta pour réfléchir, puis se leva et explora la coquerie. Il trouva du café instantané et des dosettes de lait dans des bocaux, et lorsqu'il ouvrit le robinet, l'eau coula. Il la goûta prudemment et décida qu'elle était potable. En attendant qu'elle bouille, il chercha une tasse et une cuillère. Le deuxième tiroir qu'il ouvrit contenait les couverts. Lorsqu'il y mit la main pour prendre une petite cuillère, son pouce rencontra un obstacle. Il regarda de plus près et trouva une épaisse enveloppe blanche de la taille d'une carte postale. Quand il la retourna, il fut sidéré de voir son nom inscrit dessus en majuscules soignées. Arthur avait écrit DR TONY HILL sur une enveloppe et l'avait glissée dans le tiroir à couverts de son bateau. Ça n'avait pas de sens pour lui. Pourquoi faire ça ? S'il voulait communiquer cette lettre à Tony, pourquoi la laisser là, où elle pouvait si facilement ne pas être trouvée, et pas entre les mains du notaire ? Et Tony avait-il vraiment envie de savoir ce que contenait l'enveloppe ?

Ses doigts sentirent qu'il y avait autre chose que du papier à l'intérieur. Quelque chose de léger mais solide, de peut-être dix centimètres par quatre, environ épais comme un boîtier de CD. Il la posa le temps de préparer son café, sans jamais vraiment la quitter des yeux, puis il emporta le café et l'enveloppe à la table où il était en train de travailler. Il regarda fixement l'enveloppe en s'interrogeant. Qu'est-ce qu'Arthur avait bien pu faire le choix de laisser d'une manière si incertaine ? En quoi cela aiderait Tony de savoir ce dont il s'agissait ? Il était sûr de ne pas vouloir apprendre certaines choses sur Arthur, mais ne savait pas trop ce qu'il voulait découvrir.

Finalement, sa curiosité l'emporta sur le doute. Il ouvrit l'enveloppe et la secoua pour en sortir le contenu. Elle enfermait une feuille A4 faite du même papier épais que l'enveloppe. Et un minuscule dictaphone numérique, semblable à celui que Tony utilisait lui-même lorsqu'il enregistrait des notes sur ses patients pour sa secrétaire. Il le poussa d'un doigt comme s'il s'attendait à le voir s'enflammer. Puis, les sourcils froncés, il déplia la feuille. Au sommet était inscrit le nom d'Arthur Blythe en calligraphie moulée. Il prit une profonde inspiration et commença à lire l'écriture soignée qui couvrait la page.

Cher Tony,

Le fait que tu lises ceci signifie que tu as décidé de ne pas ignorer ton héritage. J'en suis très heureux. Je n'ai pas été là pour toi de mon vivant. Je ne peux pas compenser ça, mais j'espère que tu pourras utiliser ce que je t'ai laissé pour te faire plaisir. Je veux t'expliquer les raisons de mon attitude, mais je comprends que tu ne me dois rien et que tu puisses ne pas avoir envie d'écouter mon autojustification. Pendant longtemps, je n'ai pas su que tu existais. Crois-moi, s'il te plaît. Je n'ai jamais eu l'intention de t'abandonner. Mais depuis que j'ai découvert ton existence, j'ai observé ton cheminement avec une fierté que je sais ne pas être légitime. Tu es un homme intelligent, je le sais. Aussi je te laisse le soin de décider si tu veux entendre ou non ce que j'ai à te dire.

Quel que soit ton choix, je te prie de croire que je suis sincèrement désolé que tu aies grandi sans un père dans ta vie pour t'aider et te soutenir. Je te souhaite énormément de bonheur dans l'avenir.

Affectueusement,

(Edmund) Arthur BLYTHE

Malgré sa volonté farouche de ne pas se laisser attendrir, l'émotion lui serra la gorge. Touché par la sincérité sans détour de la lettre d'Arthur, Tony avala péniblement sa salive. C'était beaucoup plus que ce à quoi il s'était attendu et peut-être plus qu'il pouvait supporter. Du moins dans l'immédiat. Il relut la lettre et s'imprégna de chaque ligne pour sentir le poids des mots, imaginer Arthur en train de les choisir. Combien de brouillons lui avait-il fallu pour y arriver ? Il voyait sa main précise d'ingénieur qui barrait les première, seconde et troisième ébauches, pour essayer de trouver le ton juste et s'assurer qu'il disait ce qu'il voulait sans laisser place au moindre malentendu. Il se le représentait dans la maison, assis à son bureau, la lampe projetant un rond de lumière sur sa main en train d'écrire. Il se rendit soudain compte qu'il ne savait pas de quoi avait l'air Arthur Blythe. Il n'avait vu aucune photo dans la maison, rien qui indiquât si père et fils avaient une quelconque ressemblance physique. Mais il devait y en avoir quelques-unes ; il prit mentalement note de vérifier la prochaine fois qu'il s'y rendrait.

La prochaine fois. Dès que cette pensée lui traversa l'esprit, Tony en comprit la signification. Il y aurait une prochaine fois. Quelque chose avait changé en lui dans les dernières vingt-quatre heures. Décidé au départ à maintenir la distance entre Arthur et lui, il voulait maintenant établir une relation. Il ne savait pas encore quelle forme elle prendrait. Mais il le saurait le moment venu.

Ce qu'il savait par contre, c'est qu'il n'était pas encore prêt pour le message d'Arthur. Il ne le serait peut-être jamais. Mais dans l'immédiat, il avait du travail. Un travail plus important que ses états d'âme. Il retourna à son portable et reprit sa rédaction.

« Le tueur est probablement blanc », écrivit-il. Ce genre de meurtriers restait presque invariablement au sein de leur groupe ethnique. « Il a entre vingt-cinq et quarante ans. » Vingt-cinq, parce qu'il fallait une certaine maturité pour se lancer dans un projet aussi planifié et s'y tenir une fois le meurtre entamé. Et quarante, parce que les probabilités voulaient qu'avant cet âge ce type de tueurs se soit fait coincer, tuer ou qu'ils se soient calmés.

Ce n'est pas un routier – plusieurs des lieux où il a utilisé des ordinateurs d'accès public ne sont pas pratiques pour garer un camion, par exemple l'aéroport de Manchester et le centre commercial de Telford. Mais il a assurément son propre véhicule : il ne prendrait pas le risque de laisser des traces dans un véhicule appartenant à une tierce personne. Il s'agit sans doute d'une voiture relativement grosse, probablement avec un hayon. Je ne pense pas qu'il soit livreur, bien que cette hypothèse présente certains avantages. Cela expliquerait notamment ses allées et venues sur le réseau autoroutier. Mais étant donné l'emploi du temps serré des livreurs, je doute que cela lui offre suffisamment de flexibilité et de temps libre pour avoir pu piéger Jennifer puis la kidnapper.

Il a probablement fait des études supérieures. Sa connaissance de la technologie informatique et des perspectives qu'elle offre indique un haut niveau de compétence dans ce domaine. Je crois que c'est un professionnel de l'informatique, sans doute à son compte. L'industrie électronique est une communauté peu structurée de consultants qui ont une très grande souplesse dans leurs horaires de travail et qui sont très mobiles suivant la situation géographique des entreprises avec lesquelles ils traitent.

En termes de personnalité, nous avons affaire à un psychopathe hautement adapté. Il peut imiter les réactions humaines mais n'a aucune empathie véritable. Il est probable qu'il vive seul et qu'il n'ait aucune attache affective importante. Cela ne le distinguera pas particulièrement dans son milieu, car beaucoup de professionnels de l'informatique donnent la même impression, bien qu'en réalité un grand nombre d'entre eux soient parfaitement capables de relations affectives. Ils préfèrent simplement leurs machines parce que cela demande moins d'efforts.

Il pourrait bien s'adonner aux jeux vidéo, notamment à des jeux violents en réseau, qui offriraient un exutoire à ses penchants destructeurs.

Tony se relut sans aucune satisfaction. Mis à part le fait que ce n'était pas un meurtre à caractère sexuel, qu'il avait bien souligné, il avait l'impression de n'avoir rien suggéré qui ne soit évident à toute personne de bon sens. Il y avait bien d'autres choses à déduire concernant ce tueur, il en était sûr. Mais tant que personne n'aurait trouvé le rapport entre le meurtrier et le choix de sa victime, ils baigneraient tous dans l'ignorance.

CHAPITRE 26

Après la mort tragique de Jessica Morrison, la dernière chose que Paula avait envie de faire, c'était d'apporter une fois encore une nouvelle bouleversante à des parents. Le pire, c'était qu'elle devait s'y atteler seule. Quoi qu'il se fût passé au plus haut niveau, la police du West Yorkshire s'était totalement retirée de l'enquête, au point de refuser d'annoncer le décès à la famille. Et Kevin était occupé à mettre en place des protocoles pour réunir tous les renseignements dont disposait le West Yorkshire. Elle en était donc là, chargée de faire ce qu'elle détestait le plus. Mais si elle avait appris une chose lors de ses confrontations avec la douleur du deuil, c'était que fuir la réalité ne marchait jamais. Ce qu'on disait sur le fait de se remettre en selle était vrai. Ce qui ne rendait cependant pas les choses plus faciles.

La femme qui ouvrit la porte avait l'air d'en vouloir au monde entier. Ses yeux sombres étaient remplis de colère, son teint jaunâtre, ses lèvres pincées. « Nous n'avons rien à dire, lança-t-elle d'un ton brusque.

— Je ne suis pas journaliste, signala Paula en s'efforçant de ne pas se sentir insultée par cette méprise. Je suis l'agent Paula McIntyre, de la police criminelle de Bradfield. »

La femme s'enfonça les doigts dans les joues. « Oh merde ! Non, dites-moi que ce n'est qu'une visite de routine. » Elle trébucha en arrière et fut rattrapée par une deuxième femme qui était apparue derrière elle. Elles se serrèrent dans les bras, la deuxième femme, un peu plus grande, croisant le regard de Paula avec un air terrorisé.

« Est-ce que je peux entrer ? » questionna Paula en se demandant où donc était l'agent de liaison.

Les deux femmes s'écartèrent à petits pas et Paula se glissa à l'intérieur. « Vous êtes seules ? demanda-t-elle.

— Nous avons renvoyé votre agent de liaison. On ne pouvait pas se détendre avec elle ici. Je m'appelle Julia Viner, indiqua la deuxième femme, qui tentait ainsi, par des convenances sociales, de reporter l'inévitable annonce. Et voici Kathy. Kathy Antwon. »

Kathy, en larmes, se tourna vers Paula. « C'est une mauvaise nouvelle, n'est-ce pas ?

— Je suis désolée, dit Paula. On a trouvé un corps plus tôt dans la journée. D'après la description des vêtements qu'il portait, nous croyons qu'il s'agit de Seth. » Elle ouvrit la bouche mais ne trouva rien à ajouter.

Julia ferma les yeux. « J'ai attendu ce moment, soupira-t-elle. Depuis qu'on s'est rendu compte qu'il avait disparu. Je savais qu'il était mort. »

Elles se cramponnèrent l'une à l'autre sans une parole pendant une éternité. Paula resta debout, muette, avec le sentiment de ne servir à rien. Quand il devint évident qu'elles n'étaient pas près de parler, elle se glissa hors de la pièce et trouva la cuisine, où elle mit la bouilloire à chauffer. Tôt ou tard, elles auraient besoin de thé. C'était toujours ainsi.

Il y avait une théière sur le plan de travail. Il ne lui manquait plus que les feuilles. Elle ouvrit un placard au-dessus de la bouilloire et vit un pot en céramique indiquant *Thé*. Elle le descendit et l'ouvrit. Au lieu de thé, elle découvrit qu'il contenait deux billets de cinq livres, quelques pièces d'une livre et un morceau de papier. Par curiosité, elle le sortit et déchiffra les gribouillis à peine lisibles : « Vous dois 10 livres. JJ m'emmène rencontrer un groupe, besoin d'argent pour le train. Biz, Seth. »

C'était un nouvel élément, elle en était sûre. Il fallait qu'elle interroge Julia et Kathy à ce sujet, mais qui savait quand elles seraient prêtes ? Elle alla tout au bout de la cuisine, sortit son téléphone et appela Stacey au bureau. « Je suis chez Seth Viner, annonça-t-elle. J'ai du nouveau. La personne qui parlait sur Rig avec Seth s'appelait JJ, non ?

— Oui. Les initiales, pas épelé.

— Je crois que Seth devait le retrouver à la gare.

— La gare centrale de Bradfield ?

— Ce n'est pas précisé. Mais on devrait commencer là. Tu peux jeter encore un œil aux vidéos de surveillance ?

— Bien sûr. Si j'ai une heure et un lieu précis, je peux essayer d'optimiser la recherche avec un logiciel prédictif et voir ce qui se passe. Merci, Paula, tu me rends bien service. »

Paula ferma son téléphone et redressa les épaules. Tout ce qui lui restait à faire maintenant, c'était de trouver le vrai thé.

Sam gagna la porte de la Lexus avant même que la femme ait coupé le moteur. Il avait attendu Angela Forsythe pendant trois heures car il voulait la surprendre plutôt que de devoir faire des pieds et des mains auprès de réceptionnistes et secrétaires pour enfin lui parler. Il était hors de question qu'il rate la chance de sa vie parce que son témoin avait été prévenu de sa visite.

Une des curiosités dans le dossier Barnes était que la disparition de Danuta n'avait pas été signalée par Nigel, son mari, mais par Angela Forsythe. Elle exerçait alors son métier d'avocate dans la banque privée où Nigel Barnes, son épouse Danuta et Harry Sim avaient travaillé avant que Danuta préfère la maternité à la poursuite d'une carrière professionnelle. Si quelqu'un connaissait le secret unissant Harry Sim et Danuta Barnes, il y avait de grandes chances que ce soit Angela. Et ce qui était bien avec les avocats, c'était que, même quand ils changeaient d'employeur, on pouvait toujours retrouver leur trace via l'ordre des avocats. Dès que Sam avait découvert le lien entre les deux corps d'adultes repêchés dans le lac, il avait contacté Stacey pour qu'elle lui retrouve Angela. Elle s'en était immédiatement occupée. Pour une raison inconnue, elle ne traînait jamais quand il lui demandait quelque chose. Il supposait que c'était parce que, l'ayant identifié comme l'ambitieux de l'équipe, elle voulait être sûre que sa carrière à elle profite de son ascension fulgurante.

Aussi, grâce à Stacey, il s'était approprié une place sur le parking privé de la manufacture de tabac des années 1920 réaménagée, récemment devenue l'une des adresses les plus courues de Bradfield. À seulement quelques minutes à pied du cœur du quartier des affaires, l'endroit était entouré d'un parc avec vue sur le canal et sur la zone commerçante victorienne restaurée où les négociants en laine et en tissus avaient jadis mené leurs affaires et leurs activités sociales.

L'extrême surprise d'Angela Forsythe à la vue de ce métis costaud surgi d'on ne sait où près de sa voiture s'atténua lorsqu'elle vit son costume, son sourire, mais surtout sa carte de police. Laissant tourner le moteur, elle baissa sa vitre d'une dizaine de centimètres. Un léger parfum floral et épicé monta aux narines de Sam. « Il y a un problème, monsieur l'agent ?

— Je ne l'espère pas, chère madame », répondit-il, se montrant excessivement respectueux envers cette femme aux vêtements coûteux dont les yeux cernés de rides accusaient la fatigue. Son tailleur vert foncé et son chemisier crème lui donnaient un air sérieux mais élégant. « Je me demandais si je pourrais vous poser quelques questions au sujet de Danuta Barnes ? »

Une femme moins maîtresse d'elle-même aurait montré quelque affolement, se dit-il. Mais pas celle-ci. « Vous l'avez retrouvée, alors ? »

C'était une question à laquelle il ne souhaitait pas vraiment répondre. Il voulait que la surprise soit intacte quand il affronterait Nigel Barnes, et ses années d'expérience face à la duplicité humaine lui avaient appris à ne pas faire confiance aux témoins, même si leur haine pour le suspect crevait les yeux. « Nous suivons une nouvelle piste. » Il sourit.

Elle ne se laissa pas berner. « Ne vous en faites pas. Je ne vais pas le répéter à ce salaud de Nigel », déclara-t-elle avant de remonter la vitre et de couper le moteur. Lorsqu'elle ouvrit la portière pour sortir de la voiture, ses jambes courtes mais divinement galbées faillirent percuter Sam. « Vous feriez mieux de venir avec moi », dit-elle.

L'appartement se trouvait au troisième étage, loin du bruit, les fenêtres Arts déco d'origine à châssis métalliques ayant été équipées d'un double vitrage. La salle de séjour était à l'image d'Angela Forsythe : chaleureuse, pleine de caractère et sophistiquée. Elle l'invita à s'asseoir sur un sofa confortable et se cala face à lui dans une bergère. Elle ne comptait manifestement faire aucun effort d'hospitalité ni de courtoisie. « Danuta était ma meilleure amie, dit-elle. J'imagine que votre dossier indique que c'est moi qui ai signalé sa disparition ?

— En effet. »

Elle hocha la tête et croisa les jambes en faisant crisser ses bas. « Nigel a déclaré ne pas avoir appelé la police parce qu'il pensait qu'elle l'avait quitté. Elle avait soi-disant laissé un mot mais il l'avait brûlé tellement il était bouleversé. »

Autant de choses que Sam savait déjà. « Ce n'est pas ce que je voulais vous demander. »

Elle haussa les sourcils, ramena sa mèche de cheveux bruns au carré derrière son oreille en inclinant la tête de côté. « Non ? C'est intéressant.

— Je voulais vous demander si vous connaissiez Harry Sim. »

Le nom la déstabilisa. « Harry Sim ? Bon sang, mais qu'est-ce qu'Harry Sim a à voir avec Danuta ? »

Sam leva les mains en un geste défensif. « Madame Forsythe, je suis sur une nouvelle piste. Je ne peux vraiment rien dévoiler à ce stade. Non que je vous soupçonne d'être de mèche avec Nigel Barnes, mais parce que je ne veux surtout pas influencer vos réactions. Aussi je vous serais fort reconnaissant de bien vouloir répondre à mes questions même si elles vous paraissent étranges ou dénuées de sens. » Il n'avait pas souvenir de la dernière fois où il s'était montré aussi raffiné. Carol Jordan devrait lui en être redevable.

Elle sourit, narquoise. « Vous êtes plutôt bon, dit-elle. Avec un peu de travail, vous pourriez être avocat. Mais très bien, monsieur Evans. Allez-y. Je ferai de mon mieux pour vous répondre le plus objectivement possible.

— Comment connaissez-vous Harry Sim ?

— Il travaillait chez Corton. J'étais déjà là quand il est arrivé, donc ça devait être en 91 ou 92. Danuta et Nigel étaient responsables du service comptabilité, Harry des investissements. Il travaillait pour les deux, il s'occupait des placements de leurs clients.

— Comment était-il ? »

Elle se mordilla la lèvre inférieure un instant. « Il n'avait pas vraiment l'esprit d'équipe, Harry. Son savoir-vivre était limité. Ce n'était pas vraiment un problème, étant donné qu'il n'avait pas de contact avec les clients, et il faisait bien son boulot. Danuta était très satisfaite de lui.

— Étaient-ils amis ? »

Angela retint son souffle puis soupira. « Je ne dirais pas amis, non. Pas exactement. Quand il a fait sa dépression, Danuta a été incroyablement gentille avec lui. Mais plus comme une parente éloignée que comme une amie. Par obligation plutôt que par véritable affection, si vous voyez ce que je veux dire. »

Sam dressa l'oreille. « Sa dépression ?

— Voyons… Ce devait être fin 94. Il avait subi beaucoup de pressions pour nous aider à devancer nos concurrents et il avait pris quelques mauvaises décisions. Harry prenait toujours les choses trop à cœur, et il a tout simplement craqué. Un des collègues l'a trouvé prostré sous son bureau en train de sangloter. Et ça a été la fin pour le pauvre Harry.

— On l'a viré ? »

Angela eut un petit rire. « Bon Dieu, non. Les dirigeants de chez Corton ont toujours été extrêmement paternalistes. Ils ont veillé à ce qu'il soit soigné au mieux dans une clinique discrète. Mais bien sûr, ils ne pouvaient pas le reprendre à la banque. On ne peut se permettre le moindre risque avec l'argent des clients. » Cette fois-ci, son rire fut plein d'amertume. « Ça paraît sacrément obsolète dans le monde financier d'aujourd'hui, n'est-ce pas ? Mais c'est comme ça qu'ils pensaient à l'époque chez Corton.

— Et qu'est devenu Harry ? »

Elle haussa les épaules. « Je ne sais pas vraiment. J'ai rédigé les papiers pour son indemnité de licenciement, donc je sais en tout cas qu'il est parti avec un an de salaire. Et il devait avoir son propre portefeuille. Donc l'argent n'a pas dû être un problème. Pendant un certain temps, du moins. Danuta lui rendait visite à la clinique. » Angela fronça les sourcils en se frottant le nez. « Je me souviens vaguement de l'avoir entendu dire qu'il vendait sa maison pour déménager, expliqua-t-elle lentement. Mais je n'ai pas fait très attention. Je ne me souciais pas tellement d'Harry, très honnêtement.

— On dirait que Danuta oui, à vous entendre. »

Elle fit non de la tête. « Pas vraiment. Elle avait pitié de lui, c'est tout. Elle a toujours été plus gentille que moi. » C'était un fait, elle ne semblait pas exagérer ses propos pour protéger son amie.

« Peut-on imaginer qu'ils aient eu une liaison ? »

La réaction d'Angela n'eut rien de contraint. Elle jeta la tête en arrière et hurla de rire. « Bon sang ! bredouilla-t-elle. Hormis le fait qu'Harry avait le comportement émotionnel d'une étoile de mer, vous ne l'avez visiblement pas vu en photo. Croyez-moi, Danuta jouait dans une catégorie bien supérieure à la sienne. Non, monsieur Evans. Personne n'ayant connu Danuta ne pourrait croire ça pendant une fraction de seconde. » Elle avala sa salive et se ressaisit. « Je ne sais pas qui vous a mis sur cette voie, mais vous faites fausse route. » Puis, tout à coup, elle retrouva sa gravité. « J'espérais tellement que vous m'apporteriez des nouvelles. Même mauvaises, ç'aurait été mieux que de rester dans le doute, croyez-moi. Je pense toujours à elle. » Elle soupira. « J'espérais tant que quelqu'un finisse par coincer ce salaud de Nigel Barnes. » Elle jeta à Sam un regard étincelant. « Il l'a tuée, vous savez. Je n'en ai jamais douté une minute.

— Comment en êtes-vous si sûre ?

— Il a toujours été sans pitié. Dans les affaires, il vous aurait égorgé plutôt que de vous laisser le duper. Danuta était sa femme trophée. Intelligente, belle, et ayant un peu moins bien réussi que lui. Mais après la naissance du bébé, tout a changé. Elle a décidé de ne plus travailler. Elle voulait être mère à plein temps. Pas épouse et mère, juste mère. Il n'y en avait plus que pour sa fille. » Elle parut gênée. « À vrai dire, je trouvais ça assez ennuyeux. J'espérais que l'attrait de la nouveauté passerait et que l'ancienne Danuta ressurgirait. Je me suis toujours dit que Nigel ne supporterait pas cette concurrence. Il fallait donc qu'elles disparaissent.

— Mais il aurait pu simplement demander le divorce, non ?

— Son argent et sa réputation, déclara Angela. Nigel n'aurait renoncé à aucun des deux.

— Il aurait perdu beaucoup plus que ça s'il les avait tuées et s'était fait prendre. »

Angela le dévisagea longuement. « Mais il ne s'est pas fait prendre, si ? »

CHAPITRE 27

Tim Parker ne s'était jamais rendu à Bradfield auparavant. Tout ce qu'il savait de cette ville, c'était qu'elle avait une équipe de foot de première division qui finissait en général quelque part au milieu du classement. Fouillant dans ses souvenirs de cours d'histoire, il se rappela vaguement qu'elle était devenue riche au dix-neuvième siècle grâce au textile, le coton ou la laine, ou quelque chose de totalement différent. Y avait-il eu autre chose au dix-neuvième ? Du lin, peut-être. Enfin, peu importait.

Son grade de sergent-détective n'empêchait pas Tim de se hausser le col. Il avait eu sa licence en philo, sciences po et éco avec mention très bien au Jesus College d'Oxford, puis avait rapidement réussi le troisième cycle accéléré de la police de Londres. Il n'avait jamais eu l'intention de rester simple agent. Il était trop intelligent pour ça. Il avait toujours eu pour objectif de faire le côté cool du boulot, pour un des services de renseignements. Peu lui importait que ce soit le NCIS, la SOCA ou Europol. Tant qu'il y avait un défi à relever et qu'il avait le sentiment de faire partie des quelques personnes stratégiques. Il avait en quelque sorte atterri dans la section des profileurs à la faculté nationale de police et s'était découvert un don pour ça. Il s'en était sorti facilement en cours et avait impressionné la plupart de ses profs. Enfin, les universitaires, en tout cas. Les psychologues cliniciens qui pratiquaient dans des hôpitaux sécurisés n'avaient pas tout à fait été aussi élogieux. En particulier ce sale petit con givré qui parlait « d'esprits dérangés » et de

« passer pour un humain ». Comme si ça démontrait de la rigueur scientifique.

Mais maintenant, il était plus que prêt à aller sur le terrain. C'était juste dommage que ça doive démarrer un samedi. Sa copine et lui avaient des billets pour le match de Chelsea-Aston Villa. Ils devaient retrouver des potes pour déjeuner ensemble avant le match, et faire la bringue après. Au lieu de ça, il était en route pour Bradfield. Suzanne avait été déçue, mais elle s'en était remise. Avant qu'il soit parti, elle s'était déjà arrangée pour que sa copine Melissa prenne sa place.

Le train traversait à présent des banlieues plutôt mornes. Des HLM grises, des rangées de maisons en brique rouge disséminées sur les collines comme on en voyait toujours dans les téléfilms qui se passaient dans le Nord. Cela lui rappelait vaguement Leeds, où il s'était rendu une fois pour un enterrement de vie de garçon. Ils traversèrent un bassin, puis soudain la grande arche en fonte et en verre de Bradfield Central lui apparut au sortir d'un tournant. C'était impressionnant, il devait le reconnaître. Il espéra que la brigade avec laquelle il allait travailler serait du même calibre.

Tim avait entendu parler de l'inspecteur en chef. La réputation de détective hors pair de Carol Jordan en aurait fait une légende si elle avait appartenu à Scotland Yard. Mais travaillant à Bradfield et étant femme, elle devait se contenter du respect qu'on témoignait à un agent efficace. Cependant, le résumé d'enquête qu'on avait envoyé à Tim par e-mail pendant la nuit ne l'avait pas beaucoup impressionné. Une fois tous les témoignages inintéressants des amis et de la famille mis de côté, il ne restait vraiment plus grand-chose. Pas étonnant qu'ils aient besoin de son aide.

Il descendit du wagon de première classe dans lequel il avait insisté pour voyager afin de pouvoir étudier les dossiers tranquillement et chercha son chauffeur. Un agent en uniforme à la mine fatiguée était en pleine conversation avec un employé des chemins de fer et ne prêtait aucune attention à Tim ou aux autres passagers. Tim prit son sac, parcourut le quai d'un pas décidé et tapa sur l'épaule de l'agent. « Je suis Tim Parker », annonça-t-il.

L'agent resta de marbre puis, quelque peu sarcastique : « Ravi de le savoir, monsieur. Je suis l'agent Mitchell. Est-ce que je peux vous aider ?

— Vous n'êtes pas mon chauffeur ? »

Le flic et le cheminot échangèrent un sourire amusé. « Je suis agent de la police ferroviaire britannique », expliqua-t-il. Tim remarqua finalement l'insigne de l'homme et se sentit très bête. « Je ne conduis personne excepté ma femme, continua-t-il. Si vous espérez trouver quelqu'un, je vous suggère d'aller là. » Il désigna un grand panneau suspendu indiquant *Point Rencontre*. Une femme agent en uniforme se tenait en dessous avec une pancarte. Même à cette distance, il était possible de distinguer le nom de Tim. Pas son grade, toutefois.

À la fois fâché et gêné, il marmonna quelque chose et s'éloigna. Il parvint au QG de la police sans se ridiculiser davantage. Sa conductrice ne savait rien de l'affaire ni de la BEP. Elle ne savait même pas où se trouvaient leurs bureaux. Elle considéra sa mission accomplie une fois qu'elle l'eût confié aux soins de la réception. Il dut s'asseoir et poireauter encore dix minutes avant qu'on vienne le chercher. Il s'était imaginé que Carol Jordan descendrait pour l'accueillir, mais elle avait envoyé un simple agent de sa brigade au costume chic et à l'air tout à fait arrogant. Il espéra que Jordan ne comptait pas l'impressionner avec un type comme cet agent Evans.

Il fut agréablement surpris en découvrant la salle de travail de la BEP. Elle était plus propre, mieux rangée et mieux décorée que tous les locaux de la Crim' qu'il avait fréquentés. C'était sans doute lié au fait que le chef soit une femme. Il savait que cette pensée n'était pas politiquement correcte, et il ne l'aurait pas formulée à voix haute, mais il l'estimait probablement juste. Dans un coin se trouvait un poste informatique. Il distingua le bruit de quelqu'un pianotant rapidement sur un clavier mais ne vit que les dos de six écrans disposés en barricade. Il n'avait jamais rien vu d'aussi spécialisé dans une structure conventionnelle. Une autre demi-douzaine de bureaux étaient disséminés dans la pièce, de manière apparemment anarchique. Aucun n'était occupé. Sur un mur, des tableaux blancs couverts de photos de scènes de crimes et de notes griffonnées. Un pour Daniel Morrison, et un pour Seth Viner.

« La chef est dans son bureau, indiqua Sam d'un ton brusque en le conduisant tout au bout de la salle, où se trouvait une pièce

vitrée aux stores baissés. Tous les autres travaillent à l'extérieur. »
Il ouvrit la porte et entra après Tim.

La première impression que lui fit Carol Jordan fut de lui rappeler la plupart des directeurs d'enquête au milieu d'une affaire de
meurtre : surmenée, déprimée et désespérée. Ses cheveux blonds
semblaient décoiffés, on remarquait des cernes sous ses yeux malgré
son maquillage léger, et deux tasses de café à moitié vides traînaient
sur son bureau. Mais en regardant de plus près, il se rendit compte
que ses cheveux étaient délibérément en désordre et que ses yeux
pétillaient d'énergie. Son chemisier ajusté était impeccable et son
maquillage sans bavure. Tim se félicita d'avoir percé cette femme
à jour au-delà de sa première impression. Il lui tendit la main.
« Sergent-détective Tim Parker, annonça-t-il. Appelez-moi Tim. »

Carol parut vaguement amusée mais lui serra la main. « Inspecteur en chef Jordan. Appelez-moi madame. Ou chef. Ou même
patronne. »

C'était donc ainsi que ça allait se passer. On remettait le nouveau à sa place, peu importe qu'il soit là pour vous sortir de la
merde et vous faire valoir. Sans attendre qu'on l'y invite, il s'assit.
« J'ai fait un examen préliminaire des documents que vous m'avez
envoyés par e-mail, dit-il. La première chose que je veux, c'est
voir les scènes de crime.

— Ça va être un peu difficile, répliqua Carol. Parce qu'on ne
sait pas où les crimes ont eu lieu. On peut vous emmener là où
on a retrouvé les corps si vous voulez, ajouta-t-elle, d'un ton en
apparence obligeant.

— C'est ce que je voulais dire, précisa Tim, qui commençait
à s'agacer sérieusement. J'aimerais également interroger les familles.

— Ça ne va pas être aussi simple que nous le voudrions. La
mère de Daniel Morrison a eu un grave malaise et est morte
hier à l'identification. Le père est anéanti et sous médicaments
pour un bon bout de temps, expliqua Carol. Mais je pense qu'on
peut vous organiser une rencontre avec les mères de Seth. Je
vais m'occuper de trouver un agent en uniforme pour vous
conduire.

— Ce serait plus facile si j'étais avec quelqu'un de votre brigade,
suggéra-t-il. Comme ça, je pourrais poser les questions comme
elles me viennent.

— Je suis sûr que ce serait plus facile pour vous, mais on tourne à plein régime en ce moment. Ma brigade est très petite et très spécialisée. Je ne peux pas mettre un agent à votre disposition pour faire le taxi. L'agent Evans ici présent sera votre contact, vous pouvez l'appeler pour toutes vos questions.

— Mais soyez gentil de les mettre de côté pour me les poser en une seule fois, avertit Sam. Je jongle déjà avec deux affaires. »

Tim en avait maintenant vraiment sa claque de tous les deux. « J'avais cru comprendre que je travaillerais directement avec vous, madame.

— Je n'y peux rien, répondit gentiment Carol. Vous pourrez me voir quand ce sera nécessaire, mais Sam sait où en sont les choses. Sauf quand il ne sait pas et dans ce cas, il sait qui sait.

— Espérons, ajouta Sam.

— Je n'ai pas l'habitude de…

— Si je comprends bien, vous n'avez l'habitude de rien, dit Carol. Je suis sûre que vous avez regardé qui on était avant de venir, Tim. Parce que j'ai fait la même chose. Et je sais que c'est votre premier contact avec le terrain.

— Ça ne veut pas dire…

— Non, ça ne veut pas dire que vous n'avez pas des éclairages précieux à nous apporter. Mais ici, vous devez vous soumettre à nos conditions. C'est moi qui mène la barque, pas vous. On est d'accord là-dessus ? »

Il avait l'impression d'être un gamin de dix ans qui se fait remonter les bretelles par sa mère. Ce qui était vraiment injuste car cette femme n'était certainement pas assez vieille pour être sa mère. « Oui, madame », répondit-il. Il perçut lui-même à quel point ses mots sonnaient faux.

« Et quand aurez-vous quelque chose à me présenter ?

— Puisque j'ai déjà pu digérer une bonne partie des documents, je devrais avoir un premier profil pour vous dans la journée. » Maintenant qu'il était dans son élément, sa confiance en soi prenait le pas sur sa colère.

« Disons dix-sept heures ici, sauf contrordre. Sam, trouve un conducteur pour Tim. Où voulez-vous travailler ? On vous a réservé une chambre d'hôtel. Soit vous pouvez travailler là-bas, soit on peut vous trouver un bureau quelque part dans le bâtiment. C'est à vous de voir. »

Il n'y avait même pas réfléchi. Il avait supposé qu'il serait ici, au centre névralgique des opérations. « Pourquoi pas ici ? »

Carol parut surprise. « Très bien. Pourquoi pas. Je me disais juste que vous préféreriez... Il y a quelques bureaux libres. À plus tard. »

Elle s'était retournée vers l'écran de son ordinateur avant que Sam et lui aient quitté la pièce. « Elle a eu l'air étonnée que je veuille travailler ici, remarqua Tim en suivant Sam jusqu'à un bureau dans le coin le plus éloigné de la salle.

— Le profileur avec qui on travaille d'habitude rédige toujours ses profils à son bureau, expliqua Sam spontanément. Il dit qu'il n'arrive pas à réfléchir ici. Qu'il y a trop d'agitation.

— Avec qui travaillez-vous d'habitude ? questionna Tim.

— Le docteur Hill. Tony Hill. »

Le petit con givré qui avait dit à Tim de faire preuve de plus d'empathie. Génial. « Je le connais, révéla-t-il.

— Un type super, affirma Sam. Ça a été un vrai atout pour l'équipe. »

S'il était super, pourquoi lui avaient-ils préféré un petit nouveau, alors ? Le Dr Hill avait forcément fait une connerie et fini par se faire virer. « Je vais faire de mon mieux pour être à sa hauteur », dit-il.

Sam se fendit d'un sourire qui creusa de profondes fossettes aux coins de sa bouche. « En dehors de toute considération, vous faites environ une tête de plus que Tony. Vous auriez l'air sacrément bête les genoux fléchis. Faites comme chez vous, je vais vous trouver un chauffeur. » Il marcha jusqu'à un des autres bureaux et décrocha le téléphone.

Tim sortit le calepin dans lequel il avait commencé à prendre des notes pour son profil. Jusque-là, rien ne s'était vraiment passé comme il l'avait prévu. Il lui fallait maintenant asseoir son autorité dans le domaine où il pouvait faire impression. Carol Jordan lui avait bien fait comprendre qu'elle ne le tenait pas en grande estime. Mais si quelqu'un pouvait les aider à résoudre cette affaire, c'était Tim Parker. Le moment était venu de montrer à madame l'inspecteur en chef qu'il fallait le prendre au sérieux.

Tony descendit dans la cuisine en bâillant. De toute évidence, la maison de Worcester ne produisait son effet que quand il s'y trouvait. Il était arrivé à Bradfield à plus d'une heure du matin, mais ni le trajet ni l'heure tardive n'avait suffi à le plonger dans ce sommeil profond et ininterrompu qu'il avait connu la nuit précédente. Il mit sa cafetière en marche et s'installa sur une chaise de cuisine. Au sommet du fouillis habituel sur la table trônait le mince dictaphone chromé ramené de la péniche. Il l'avait pris en main et reposé une cinquantaine de fois. Il avait vérifié son contenu – un fichier audio – mais n'avait pas essayé de l'écouter.

L'autre nouvel élément de la pile était une grande enveloppe en papier kraft. Elle renfermait le résultat d'une fouille dans le bureau d'Arthur Blythe. Tony posa le bout des doigts sur l'enveloppe et réfléchit. « D'abord un café », dit-il à voix haute. Aux prises avec la buse à vapeur pour chauffer du lait, il se demanda où était Carol. Comme il s'y attendait, son appartement était plongé dans le noir quand il était rentré. Il avait espéré prendre le café en sa compagnie ce matin, mais il avait entendu le bruit de sa voiture dans l'allée environ une demi-heure plus tôt. Soit elle avait été sollicitée par son travail, soit elle était en route vers les Yorkshire Dales pour passer la journée avec son frère Michael et sa compagne. Elle avait dit l'autre jour qu'elle devait leur rendre visite. C'était dommage qu'elle ne soit pas là. Le contenu de l'enveloppe l'aurait intéressée, il en était sûr.

Son café en main, il se rassit et vida l'enveloppe sur la table. Dans sa hâte de comparer les traits d'Arthur aux siens, il était retourné à la maison après avoir terminé le profil et répondu aux questions de Patterson. Malgré son mécontentement personnel devant le travail qu'il avait fourni, l'inspecteur de West Mercia avait paru satisfait. Il avait peut-être entendu parler des événements de la veille au matin et s'était simplement dépêché de se débarrasser de Tony.

Un rapide tour dans la maison avait confirmé la supposition de Tony. Il n'y avait aucune photo exposée nulle part. Arthur n'était pas homme à montrer qu'il avait rencontré des célébrités ou à prouver qu'il avait posé devant les sept merveilles du monde. Mais il devait tout de même y en avoir une quelque part, ne fût-ce que sur un passeport ou un permis de conduire ?

La première pièce où chercher était à l'évidence son cabinet de travail. Et le premier meuble, son bureau. Dont les tiroirs étaient bien sûr verrouillés. Tony examina le trousseau de clés que lui avait donné le notaire, mais aucune ne semblait correspondre aux petites serrures en laiton des tiroirs du bureau abîmé et couvert de rayures. Il se laissa tomber sur le vieux fauteuil pivotant en bois et tourna sur lui-même, agacé. « Où rangerais-tu les clés de ton bureau ? cria-t-il. Où les mettrais-tu, Arthur ? »

Au troisième tour, il les vit. Sur une étagère, posées sur les livres. Dissimulées par l'étagère supérieure quand on se tenait debout, mais parfaitement visibles une fois assis sur le fauteuil. Cachées bien en évidence, comme dans tous les meilleurs romans policiers. Qui étaient bien représentés dans sa bibliothèque, remarqua Tony. Reginald Hill, Ken Follett et Thomas Harris, de manière assez prévisible. Mais aussi, étonnamment, Charles Willeford, Ken Bruen et James Sallis. Aucune femme, sauf Patricia Highsmith. Il s'empara des clés et commença par le premier tiroir de gauche en partant du haut.

Le second tiroir à droite fut le premier à contenir autre chose que de la papeterie ou des relevés de banque. Une vieille boîte de chocolats trônait au sommet d'une pile de pochettes en papier pour ranger des photos et de solennels cartons d'invitation comme on en reçoit pour des mariages ou des cérémonies de remise de prix. Tony ouvrit la boîte et découvrit une mine d'informations personnelles : l'acte de naissance d'Arthur ; des passeports expirés ; son diplôme de l'institut technique d'Huddersfield ; un certificat indiquant qu'il avait obtenu la médaille d'argent en secourisme et survie en mer aux bains publics de Sowerby Bridge ; et d'autres bijoux à partir desquels il pouvait reconstituer partiellement sa vie. Étonnamment, il se sentit ému.

Tony ferma la boîte et la posa sur le bureau. Personne d'autre que lui n'y trouverait du sens. Il en extirpa le paquet de photos et le retourna, pensant que cela ramènerait les plus anciennes sur le dessus. La première pochette contenait douze clichés aux bords dentelés, de seulement six centimètres sur dix. Différents adultes tenaient un bébé dans leurs bras, l'air immensément fier. Tony les retourna : *Maman avec Edmund à douze semaines* ; *Papa avec Edmund* ; *Grand-père avec Edmund* ; *Oncle Arthur avec Edmund.*

Il les rangea et continua son inspection. Les photos de bébé ne l'intéressaient pas tellement. Elles ne montraient pas ce qu'il voulait voir.

Il passa en revue des photos de classe et quelques pellicules de vacances en famille, retraçant le cheminement d'Arthur dans son enfance. Il existait assez peu de clichés de Tony enfant, mais il crut détecter des traits communs. Quelque chose dans la forme du crâne, la position des yeux, la ligne de la mâchoire.

Il lui sembla que la ressemblance s'accentuait à l'adolescence et atteignait son summum sur la photo de remise de diplôme d'Arthur. Assis avec son certificat à la main, on aurait dit le frère plus décontracté de Tony. La ressemblance était frappante. Mais par la suite, leurs visages se différenciaient avec l'âge au lieu de se rapprocher. C'était comme une démonstration de physique quantique ou de la théorie des possibles : la carte du visage de son père se déployait sur soixante ans et révélait ce que Tony aurait pu être si le parcours de sa vie avait été autre.

Il resta longtemps devant les photos, les laissant simplement le pénétrer. Sans penser à rien, ni ressentir grand-chose. S'employant juste à les accepter. Il en sélectionna finalement une douzaine, de la remise d'un trophée de golf à un cliché de trois hommes trinquant autour d'une table de pub. Quelque chose de concret à garder avec lui. Et peut-être à montrer à Carol.

Et maintenant, elle n'était pas là pour partager cette découverte avec lui. Enfin, ils auraient le temps plus tard, s'il était toujours d'humeur à lui en faire part.

Tony alla se resservir un café et alluma la radio au passage. Le jingle crispant de Bradfield Sound remplit la pièce, annonçant les informations. « Et maintenant, à l'heure pile, tout ce que vous devez savoir. Les infos sur Bradfield Sound, votre radio d'infos locales. La police a confirmé que le corps trouvé dans la lande de Bickerslow était celui de Seth Viner, l'adolescent disparu. Seth avait été vu pour la dernière fois à la sortie du collège mercredi. Il était censé passer la nuit chez un ami mais n'y est jamais allé. Seth est le second adolescent de Bradfield à être retrouvé mort dans un endroit désert en une semaine. L'inspecteur en chef Carol Jordan, chef de la brigade des enquêtes prioritaires de la ville, s'est exprimée sur ces meurtres affreux au micro de Bradfield Sound. »

Puis cette voix qu'il connaissait aussi bien que la sienne, au ton modulé avec soin pour souligner autant le respect dû aux défunts que l'urgence de l'enquête. « Nous croyons que Seth Viner et Daniel Morrison ont été assassinés par la même personne. Nous présentons nos plus sincères condoléances aux familles et à leurs amis. Nous demandons à tous les habitants de Bradfield de chercher s'ils ont le souvenir d'avoir aperçu Daniel ou Seth les jours où ils ont disparu. Nous avons besoin de votre aide. »

Le présentateur reprit la parole d'un ton bien trop enjoué : « L'inspecteur Jordan a également lancé un avertissement à l'adresse des jeunes et de leurs parents. »

Carol, de nouveau : « Nous pensons que le tueur a pu prendre contact avec Seth et Daniel par l'intermédiaire d'un réseau social sur Internet. Nous recommandons vivement aux jeunes et à leurs parents d'être vigilants. Assurez-vous que les personnes avec qui vous dialoguez sont bien ce qu'ils disent être. Et si vous avez le moindre doute, bloquez-leur l'accès à votre compte et contactez la police de Bradfield. » Elle indiqua le numéro de la ligne.

Cela expliquait pourquoi elle avait décollé aux aurores. Une enquête sur un double meurtre ne laissait pas beaucoup de temps pour dormir. Ou pour quoi que ce soit d'autre. Elle était à présent lancée dans une course contre la montre, tout comme Patterson et Ambrose. Cependant, il s'étonnait qu'elle ne l'ait pas appelé. D'accord, Blake n'était pas disposé à payer pour sa collaboration. Mais elle était son amie. Depuis le temps, elle devait savoir qu'elle pouvait compter sur lui.

Alors pourquoi ce silence ?

Il n'eut pas l'occasion de méditer longtemps. Quelqu'un sonna à la porte et interrompit sa réflexion. À sa grande surprise, il trouva Sam Evans sur le seuil de chez lui, le dos à moitié tourné comme s'il lui importait assez peu qu'on lui réponde. Tony ressentit malgré lui un élan d'excitation. Enfin une occasion de s'immiscer dans les activités de Carol. « Content de vous voir, Sam », dit-il en reculant pour le laisser entrer.

Comme d'habitude, Sam ne tourna pas autour du pot. Il avait à peine atteint le salon qu'il lança : « J'ai besoin de votre aide. »

Tony haussa les épaules. « Je croyais que votre brigade ne pouvait plus se payer mes services. »

Sam eut un petit rire. « D'après moi, on ne peut pas ne pas se payer vos services. Mais on nous a refilé un pauvre con de la faculté de police à votre place. Tim Parker. » Tony ne put cacher sa consternation. Sam grogna. « Je vois que vous le connaissez. Vous savez donc que c'est un abruti. Et il n'est pas question que je travaille sur cette affaire avec un type comme ça. Vous savez de quoi on a le plus besoin dans l'immédiat, n'est-ce pas ? »

D'aucuns auraient pu se sentir déstabilisés par la véhémence de Sam. Mais Tony le connaissait assez bien pour y entendre la fureur d'un homme dont les ambitions sont menacées. « Vous avez besoin de résultats », répondit-il calmement en s'asseyant et en adoptant une pose décontractée. Pas la peine de montrer à Sam à quel point ce besoin était mutuel. « Vous avez besoin de prouver à James Blake que vos méthodes sont les meilleures.

— Exactement. Et c'est pour cela que je suis ici. J'ai besoin de votre aide. J'ai besoin de conseils sur un ensemble de questions.

— Je présume que Carol n'est pas au courant que vous êtes ici ? »

Sam le regarda. « Ce n'est pas la peine que l'inspecteur Jordan soit au courant. Je vais vous dire une chose, docteur : cette brigade, c'est toute sa vie. Sans elle, elle serait perdue. » Il esquissa un sourire sarcastique. « Et sans l'inspecteur Jordan, vous seriez perdu. » Il s'appuya sur le bras d'un fauteuil tel un grand oiseau prêt à décoller à la moindre menace.

Tony ne put refouler le malaise que ces derniers mots avaient éveillé chez lui. « Vous en appelez donc à mon intérêt personnel ? »

Sam haussa les épaules. « J'ai toujours trouvé que c'était un bon point de départ.

— Carol n'apprécierait pas que vous partagiez avec moi des renseignements sur une affaire en cours. »

Sam fronça les sourcils. « Qui a parlé d'une affaire en cours ? C'est sur une affaire ancienne que je veux vos conseils. »

Tony s'efforça de cacher sa déception. « Vous ne travaillez pas sur le cas de ces garçons assassinés ?

— Bien sûr que si. Mais j'ai une affaire non classée sur le feu, donc je jongle, vous voyez ? Et je patauge. Je jongle et je patauge. Vous savez ce que c'est. »

Tony n'avait pas le souvenir d'avoir déjà vu Sam reconnaître qu'il avait besoin d'aide. Étant donné son ambition et l'énergie

qu'il y consacrait, Tony considéra qu'il était venu ce jour-là uniquement parce que leur rencontre n'avait rien d'officiel et qu'il
pouvait parfaitement nier les faits. Néanmoins, rendre service à
Sam pourrait un jour s'avérer payant. « Pourquoi ne pas me dire
ce dont il s'agit ? » suggéra-t-il.

Ce ne fut pas long. Sam avait toujours eu un don pour extraire
les points clés dans une enquête et les agencer de manière logique.
« Vous voyez mon problème, dit-il. Je n'ai aucune preuve tangible
qu'il s'agit d'un meurtre. Et je n'ai rien à part l'ordinateur pour
établir un lien entre Nigel Barnes et la mort de sa femme, sa fille
et Harry Sim. Sans parler du fait que je ne vois pas du tout ce
qu'Harry Sim vient faire là-dedans. » Il se tapa les cuisses en signe
d'impuissance.

« Harry Sim, c'est la partie la plus facile, déclara Tony, amusé
par le froncement de sourcils agacé de Sam. C'est l'alibi de Nigel
Barnes.

— De quoi est-ce que vous parlez ? »

Tony s'enfonça dans son fauteuil, à l'aise et sûr de lui comme
il l'était seulement lorsqu'il s'agissait d'autres personnes. « S'il y a
une chose qu'on sait de Nigel Barnes, c'est qu'il ne laisse rien au
hasard. Il a tout prévu à l'avance. Un homme méticuleux s'assure
d'avoir une échappatoire avant de se lancer. Et c'est précisément
ce qu'est Harry Sim. »

Sam poussa un grognement d'irritation. « Je ne comprends pas.
En quoi Harry Sim est-il un alibi ?

— Voici ce qui va se passer quand vous annoncerez à Nigel
Barnes la découverte des corps dans le lac. Il vous racontera que
sa femme l'avait quitté, qu'il est allé lui parler et qu'il les a trouvés
tous les trois morts, comme s'ils avaient conclu un morbide pacte
suicidaire. Il a paniqué parce qu'il s'est dit qu'on allait l'accuser,
alors il s'est débarrassé des corps. Or, par le plus grand des hasards,
il se trouve que la méthode qu'il a choisie pour ce faire a détruit
toutes les traces analysables par autopsie mais laissé suffisamment
d'éléments pour qu'on puisse identifier les corps. Quelle chance
qu'Harry ait eu sa carte de crédit sur lui. Je parie que si vous
vérifiez, vous découvrirez que c'est aussi Nigel Barnes qui a fourni
les dossiers dentaires. » Le dépit de Sam était devenu de plus en
plus visible au fil de cette analyse.

« Merde ! explosa-t-il. Mais alors, bon sang, comment je le coince ?

— Il va esquiver la question de l'ordinateur. Il vous expliquera qu'il avait découvert que sa femme avait une aventure et qu'il avait échafaudé des solutions folles pour y remédier, exposa Tony avec conviction. Aussi, tout ce qu'il vous reste, c'est sa parole contre vos présomptions.

— Je comprends bien. Mais comment je le fais tomber ? C'est vous qui vous mettez dans leur peau. Qu'est-ce qui va faire craquer Nigel Barnes ? »

Tony se pencha en avant, bouillonnant d'excitation à l'idée de cette traque. « Vous avez une chance, et une chance seulement... »

CHAPITRE 28

L'inspecteur Stuart Patterson relut une nouvelle fois le profil. Il n'appréciait pas particulièrement ce qu'il contenait, mais il devait reconnaître que cela donnait un sens aux informations qu'ils avaient réunies et ouvrait de nouvelles pistes de recherche, hélas hors de ses capacités. Le monde des professionnels de l'informatique, pour autant qu'il sût, était peuplé de gens comme Gary Harcup, des hommes qui n'étaient pas célèbres pour leur sens des relations humaines. Or, comme l'avait lui-même souligné le Dr Hill, avec les traits de personnalité caractéristiques d'un tueur en série psychopathe, il serait loin de se distinguer de tous ces *geeks* et autres fêlés de l'ordinateur.

Et puis il y avait la piste Manchester. Patterson devait bien admettre que le meurtrier n'était pas du coin. Il existait énormément d'endroits autour de Worcester où il était bien moins risqué de déposer un corps que sur cette aire de repos. Certes, le lieu n'était pas sous vidéosurveillance, mais il restait très passant.

Cependant, même si des caméras ne leur auraient probablement pas fourni d'images du tueur avec sa victime, Patterson avait bon espoir qu'elles lui offrent d'autres renseignements utiles. L'artère principale entre l'autoroute et la ville était équipée de caméras de reconnaissance de plaques minéralogiques de chaque côté de la route. En théorie, chaque véhicule qui entrait dans Worcester ou en sortait par cette route était enregistré. Partant de l'hypothèse que le tueur habitait Manchester, il avait demandé à Ambrose de récupérer la liste du jour où Jennifer Maidment avait disparu. Il devrait ensuite contacter le service des immatriculations à Swansea pour leur demander d'identifier toutes les voitures et camionnettes de la liste correspondant à des adresses à Manchester. Ce n'était pas infaillible : le meurtrier avait prouvé qu'il était assez malin pour brouiller les cartes, et il avait peut-être eu la prévoyance d'immatriculer son véhicule à une autre adresse. Et parfois les gens étaient simplement négligents. Les véhicules changeaient de mains et pour quelque raison les papiers n'arrivaient jamais au service des immatriculations. Mais c'était au moins un début. Et puisqu'il allait maintenant devoir demander de l'aide à Manchester, Patterson avait tout à gagner à faire preuve d'un peu de bonne volonté.

Il regarda le téléphone d'un œil hostile. Il avait demandé à son chef de mettre les choses au point avec Manchester. Mais celui-ci n'était qu'un sale con fainéant qui refilait un maximum de responsabilités sous prétexte de donner de l'autonomie à ses agents. Tout ce qu'il avait fait pour Patterson, c'était l'autoriser à contacter ses homologues. Il lui restait à présent à batailler un samedi matin au téléphone avec les différents services de Manchester pour découvrir à qui il était censé s'adresser. Ou comment ne pas perdre son temps.

Il lui fallut près d'une heure avant d'être enfin en communication avec une personne disposée à accepter la responsabilité de collaborer avec lui concernant le meurtre de Jennifer Maidment. L'inspecteur en chef Andy Millwood, responsable du service grande criminalité, se distinguait nettement des autres policiers à qui Patterson avait parlé. « Content de pouvoir vous aider, avait-il dit. C'est une vraie galère, ce genre d'affaire. Tout le monde veut des résultats et les veut pour hier. C'est à devenir dingue. »

Ne m'en parlez pas. Chaque fois que Patterson regardait sa fille, un sentiment de culpabilité et d'impuissance s'emparait de lui. Chaque fois qu'il voyait dans une vitrine une des affiches du canard local montrant Jennifer, il avait l'impression qu'on l'accusait. Il savait que s'il ne résolvait pas cette affaire, elle finirait par devenir de celles qui vous rongent, grignotent votre confiance en vous et vous rapprochent chaque jour un peu plus de cette communauté d'ex-flics qui préfèrent se confronter au monde à travers le prisme d'une bouteille. Il comprenait également que le Dr Hill soit convaincu que, s'ils n'arrêtaient pas ce tueur, il recommencerait. Et il ne voulait pas se sentir plus coupable. « Je vous remercie, déclara-t-il.

— Vous dites qu'il y a tout lieu de croire que votre tueur vient de notre secteur ?

— En effet. Il a traqué Jennifer sur Internet, et on a retrouvé près de vingt ordinateurs d'accès public qu'il a utilisés pour ça. Quand les experts ont analysé ces données avec leur logiciel de profilage géographique, il a établi qu'il devait être basé dans le sud de Manchester. Je peux vous envoyer par e-mail la carte avec la zone désignée.

— Ce serait un début, approuva Millwood. Et vous avez autre chose ? Des signalements de témoins ? Quelque chose comme ça ? »

Patterson expliqua ce qu'il avait mis en place avec le système de reconnaissance de plaques. « Autrement, on a travaillé avec un profileur. Il pense que le tueur est dans l'informatique. Une sorte de consultant indépendant, d'après lui. Alors peut-être qu'une fois qu'on aura les résultats du pointage des véhicules, vous pourrez nous aider à réduire les possibilités ? Je peux volontiers vous envoyer quelques hommes pour vous donner un coup de main.

— Je ne nie pas que ce serait utile, répondit Millwood. Mais c'est un peu léger tout de même. Je vais demander aux renseignements s'ils n'ont pas des pédophiles qui travaillent dans l'informatique.

— Hum…, l'arrêta Patterson. Le profileur… pense que ce n'est pas un pédophile. Que ce n'est pas sexuel. Même s'il lui a enfoncé un couteau dans le vagin.

— Pas sexuel ? Qu'est-ce qui lui fait dire ça ?

— Quelque chose comme quoi le tueur n'a pas passé assez de temps avec elle. Et qu'il ne lui a pas… Eh bien, qu'il ne lui a pas coupé le clitoris. » C'était gênant, cette conversation. Pas parce que ça le mettait mal à l'aise de parler des parties intimes d'une victime, mais parce qu'il savait à quel point ça paraissait tordu. Il savait que ça semblait tordu car c'était ce qu'il s'était dit quand Tony Hill lui avait sorti sa conclusion. Cependant, en écoutant son explication, ça lui avait paru assez sensé.

Millwood émit un « Peuh ! », ou quelque chose comme ça. « Et vous êtes d'accord avec ça ? » Son scepticisme était évident.

« Ben, comme il l'a expliqué, j'ai vu où il voulait en venir. Le problème, c'est qu'on n'a pas d'autre motif. Ce n'est pas comme si elle avait traîné avec des voyous, loin de là.

— Donc vous ne voulez pas que je donne la chasse aux pédophiles ?

— Pas à moins qu'ils n'apparaissent sur notre liste de propriétaires de véhicules. »

Millwood grommela. « Ça nous fait un souci de moins. Alors d'accord. Une fois que le service des immatriculations vous a donné la liste, envoyez-moi vos gars avec. On leur donnera un coup de main. »

Ce n'était pas exactement ce que Patterson s'était imaginé. Il s'était dit que ses agents donneraient un coup de main à ceux de Millwood et non l'inverse. Mais ça donnait au moins l'impression de faire un pas dans la bonne direction.

Tony était stupéfait que Carol ait accepté de le retrouver pour un déjeuner tardif. Normalement, au cœur d'une enquête criminelle, elle prenait à peine le temps d'avaler un sandwich à son bureau. Mais après le départ de Sam, lequel avait pris soin de ne lui donner aucune information utile sur l'affaire en cours, il l'avait appelée pour le lui proposer. Elle avait soupiré et dit : « Pourquoi pas ? Le thaï de Fig Lane est calme d'habitude le samedi, il n'y a que des bureaux dans ce coin. »

Bien sûr, elle n'était pas à l'heure. Il s'en moquait. Il comprenait ses contraintes et savait qu'elle viendrait dès qu'elle le pourrait. Il s'installa près d'une fenêtre à l'étage du restaurant et observa la rue paisible en sirotant une bière Singha. Il y avait pire manière de passer un samedi après-midi. Et le foot ne commençait pas avant seize heures, donc il n'allait pas le rater à moins qu'elle soit affreusement en retard. Au moment où cette pensée lui traversait l'esprit, il aperçut, non sans une certaine émotion, Carol qui arrivait à grands pas dans la rue, son manteau déployé comme la cape d'un super-héros. Elle jeta un rapide coup d'œil par-dessus son épaule en approchant puis disparut sous l'auvent du restaurant.

Elle émergea de l'escalier dans un courant d'air frais et se pencha au-dessus de la table pour effleurer sa joue des lèvres. Elle avait la peau froide mais empourprée par la chaleur soudaine du lieu.

« Contente de te voir, dit-elle en jetant son manteau sur la chaise et en s'asseyant. Comment ça s'est passé à Worcester ?

— On a failli m'arrêter », répondit-il.

Carol éclata de rire. « T'es impayable ! dit-elle. Comment tu as fait ton compte ?

— C'est une longue histoire, plus tard. Le boulot s'est... relativement bien passé. Pas simple en termes de profilage. Ils vont en baver avec cette affaire. Et le type tuera encore si leur filet ne se resserre pas.

— C'est décevant. Je sais que tu aimes avoir le sentiment d'avoir fait avancer les choses. »

Il haussa les épaules. « Parfois, ça ne dépend pas de moi. Mais, et toi ? Je t'ai entendue à la radio ce matin. On dirait que tu as du pain sur la planche.

— Sans blague. » Carol prit le menu. « Je ne sais pas pourquoi je regarde. Je sais que je vais prendre des nems et un *pad thaï gai*.

— Moi aussi. » Il fit signe à la serveuse et ils commandèrent tous les deux, avec un grand verre de vin en plus pour Carol. « Comment ça se présente ? demanda-t-il.

— Comme tes gars de Worcester, on va en baver avec cette affaire. Aucune piste d'où partir. On prie simplement que la scientifique trouve quelque chose.

— Je sais que Blake a dit que j'étais à l'index. Mais on peut parler en privé, quand même ? Je t'aiderai autant que je peux », indiqua Tony.

Elle baissa les yeux sur la table et tripota ses baguettes. « Je te remercie. » Elle se tut quelques instants puis, impassible, le regarda dans les yeux. « Mais je ne peux pas accepter.

— Pourquoi pas ?

— Parce que ce n'est pas juste. Si on ne te paie pas, on n'a aucun droit à ton expertise. Je n'ai pas l'intention de profiter de notre amitié.

— C'est justement pour ça qu'il ne s'agit pas de profiter. Parce qu'on est amis. Les amis s'entraident. Ils sont là l'un pour l'autre.

— Je sais. Et je souhaite que tu sois là pour moi en tant que personne. Je veux ton soutien, je veux pouvoir venir m'asseoir avec toi pour boire un verre de vin à la fin de la journée et te dire les choses que je ne pourrais dire qu'à une personne attachée à moi. Mais je ne peux pas te dire ce que tu veux savoir en tant que profileur. » Son verre de vin arriva, et elle en but une longue gorgée.

Ça lui faisait plaisir de savoir qu'elle le considérait comme l'épaule sur laquelle s'appuyer, il ne pouvait le nier. Mais il ne saisissait pas sa logique professionnelle. « C'est idiot. Si je pensais que tu pouvais m'aider à écrire mon profil pour West Mercia, je t'expliquerais tout. Parce que tu es la meilleure enquêtrice avec qui j'ai travaillé. Peu m'importe à qui je demande de l'aide. J'ai déjà fait appel aux lumières de Fiona Cameron pour cette affaire-ci, et elle n'est pas payée, protesta-t-il.

— Ça vous regarde, Fiona et toi. Tony, si Blake croit qu'il peut arrêter de te payer et profiter quand même de ton expertise grâce à notre relation, alors il faut lui montrer qu'il se goure. Tant qu'il n'aura pas compris ça, je ne te dirai rien du tout sur ces affaires. Tu devras faire comme tout le monde et regarder ce que disent les journaux. » Elle posa la main sur la sienne et adoucit sa voix. « Je suis désolée.

— Je ne comprends pas, dit-il. Enfin, je comprends que tu refuses qu'on tire parti de notre relation. Et que Blake profite gratuitement. Mais il s'agit de vies humaines, Carol. Il est question d'un tueur qui va recommencer à moins que tu l'en empêches. On doit quand même faire ce qu'on peut pour arrêter ça ? Est-ce que ce n'est pas plus important que de te faire entendre ? »

Pendant un instant, il crut l'avoir convaincue en faisant appel à sa noblesse de sentiment. Elle se mordit la lèvre et continua de jouer avec ses baguettes. Puis elle fit non de la tête. « Il ne s'agit pas simplement de marquer des points. L'enjeu est plus grand. Il s'agit de m'assurer que ma brigade est correctement financée. Le problème, ce n'est pas seulement ce qui se passe dans cette affaire. Si on ne règle pas cette histoire absurde maintenant, bien plus de gens vont mourir sans qu'on leur rende justice. Je ne peux pas travailler éternellement avec une main attachée dans le dos, et je dois faire comprendre ça à Blake. Tu as raison, des vies sont en jeu. Et c'est pour ça que je dois résister. »

Il se souvint qu'il n'était pas censé avoir entendu parler de Tim Parker. Il se demanda un instant comment il aurait réagi s'il avait réellement ignoré la vérité. « Alors tu travailles sans aide extérieure ? Un tueur en série potentiel, et tu reviens à la vieille méthode qui veut que seuls les flics savent comment pensent les méchants ? » Il avait voulu jouer l'incrédule contrarié mais se demanda s'il n'avait pas forcé son rôle.

Carol détourna le regard. « Non, on a quelqu'un de la faculté qui nous fait un profil. »

Tony grommela. « Je me suis fait piquer ma place, hein ? Alors c'est qui ? Dis-moi que c'est un des meilleurs.

— Tim Parker. »

Il se prit la tête entre les mains, puis parla d'une voix étouffée : « Et qu'est-ce que tu penses de Tim ? »

La serveuse arriva dans son kimono serré en satin chatoyant avec un plat de nems qu'elle plaça entre eux. Carol en prit un et mordit dedans. « Ah ! s'écria-t-elle. Chaud ! » Elle mâcha la bouche ouverte, avala et reprit du vin. « On avait une expression quand j'étais ado : TSM.

— TSM ? » Tony grignota avec prudence.

« Un Type Sympa, Mais...

— Et ça voulait dire quoi exactement ?

— Assez agréable. Mais il manque quelque chose. Du charisme, du charme, de la jugeote, de la personnalité, de l'humour. Une ou plusieurs de ces qualités. Irrémédiablement exclu comme éventuel petit copain, en bref. » Le voyant sur le point d'exprimer sa perplexité, elle clarifia : « Non pas que j'aie considéré Tim comme un petit ami potentiel. Ce que je veux dire, c'est qu'il présente très bien, qu'il n'est certainement pas bête et qu'il sait recevoir un ordre avec bonne grâce. Mais il est évident qu'il n'a pas le truc.

— Et moi oui ? »

Carol rigola. « Apparemment. »

Tony secoua la tête en riant lui aussi. « C'est plus qu'inquiétant.

— Mais alors, tu connais le jeune Tim ? Je me trompe ? Est-ce qu'il a le truc ? »

Tony se demanda quoi répondre. Devait-il lui dire la vérité, que Tim avait à peu près autant d'empathie qu'un journaliste de presse à sensation ? Tim lui importait peu, mais pas le fait d'ébranler Carol et sa brigade. Il opta donc pour la diplomatie, ce qui n'était pas son fort. « Il a des capacités », dit-il. C'était le maximum qu'il était prêt à concéder.

Ils mangèrent en silence. Puis Carol déclara : « S'il n'est pas bon, je le saurai.

— Je sais que tu le sauras. La question, c'est qu'est-ce que tu feras. »

Elle sourit d'un air moqueur. « Je lui dirai. Je ferai une scène à Blake. Et avec un peu de chance, il me laissera te ressortir du placard. »

Il avait toujours adoré son optimisme, pourtant mis à rude épreuve au fil des années, mais elle continuait de se raccrocher à l'idée que les choses finissaient toujours par s'arranger. Il savait qu'il devait lui en être reconnaissant. Pour quelle autre raison serait-elle restée aussi proche de lui pendant tout ce temps ? « Alors je vais garder ma lampe torche, dit-il. Ça pourrait prendre un moment.

— On verra. » Carol termina son dernier nem et s'adossa à sa chaise en s'essuyant les lèvres avec sa serviette. « Bon, raconte-moi comment tu as failli te faire arrêter. »

Tony s'exécuta en forçant l'aspect burlesque pour l'égayer. « Le plus étonnant, c'est qu'ils se sont quand même intéressés à mon profil, conclut-il.

— J'aurais tellement voulu voir la tronche de l'agent immobilier, dit Carol.

— Elle a hurlé comme un putois, ajouta-t-il. Pas très agréable, comme expérience.

— Et la visite de la maison ? C'était agréable, ça ? »

Tony rejeta la tête en arrière comme s'il cherchait l'inspiration au plafond. « Oui, répondit-il. Oui, c'était agréable.

— À quoi ça ressemble ?

— C'est une maison accueillante, dit-il. Un endroit où quelqu'un vivait confortablement, sans chercher à épater la galerie, entouré de choses qui lui plaisaient ou dont il avait besoin. » Il soupira. « Je crois qu'il aurait pu me plaire. »

Carol eut un regard plein de compassion. « Je suis désolée.

— On n'y peut rien. » Il chargea sa fourchette de nouilles et s'en remplit la bouche, un moyen comme un autre d'éviter la conversation.

Carol semblait préoccupée. Elle avait arrêté de manger et faisait signe à la serveuse de lui rapporter du vin. « J'ai découvert des choses pendant ton absence », indiqua-t-elle. Il haussa les sourcils, interrogatif. « Des choses sur Arthur. Pourquoi il est parti. »

Tony arrêta de mâcher, puis se força à avaler. « Comment as-tu découvert ça ? » *Et pourquoi ?* Parce qu'elle ne pouvait pas s'en empêcher. Parce qu'elle était la meilleure enquêtrice qu'il connaisse.

« J'ai commencé par les anciens annuaires. J'ai trouvé son usine. Il était brillant, Tony. Il a mis au point une nouvelle méthode de galvanoplastie des instruments chirurgicaux. Il l'a fait breveter, puis il a vendu son affaire à une grosse boîte de Sheffield. Il était assez incroyable. »

Tony contempla son assiette. « Il s'en est bien sorti aussi à Worcester. Il avait une usine là-bas. Il a continué à inventer des nouveaux trucs. Et à se vendre. » Il était bien conscient de l'ambiguïté de cette dernière phrase. Elle reflétait son ambivalence vis-à-vis de Blythe.

« J'ai aussi découvert pourquoi il est parti », répéta-t-elle en fouillant dans son sac pour en tirer une impression de l'article des Trois H. Elle la lui tendit en silence et attendit qu'il l'ait lue.

« Je ne comprends pas, dit Tony. Pourquoi a-t-il quitté la ville ? C'était lui la victime. Es-tu en train de dire qu'il y avait autre chose ? Qu'on le menaçait ou je ne sais quoi ?

— Non, rien de tout ça. D'après Vanessa…

— Tu as parlé de ça à Vanessa ? Carol, tu sais à quel point j'ai horreur de mêler Vanessa à ma vie privée. » Il avait élevé la voix et attiré l'attention de la poignée d'autres personnes qui dînaient à l'étage.

« Je sais. Mais il n'y a personne d'autre à qui demander, Tony. » Elle prit sa main dans la sienne. « Je crois que tu as besoin de réponses. Ce n'est pas en dormant dans le lit d'Arthur ou en travaillant dans son salon que tu vas apprendre ce que tu as vraiment besoin de savoir. Tu n'arriveras pas à te réconcilier avec toi-même, avec lui, tant que tu ne sauras pas pourquoi il est parti. »

Tony était si furieux qu'il n'osait pas ouvrir la bouche. Comment pouvait-elle si mal le comprendre ? S'était-il fait des illusions toutes ces années en lui attribuant des qualités qu'elle ne possédait pas parce qu'il avait besoin de le croire ? Il avait envie de lui crier dessus, de lui montrer à quel point elle avait dépassé les bornes.

Il pouvait la terrasser et la chasser de sa vie en quelques phrases bien choisies. Et il avait quelque part réellement envie de le faire. De les bannir de son existence, elle et ses présomptions. Il irait plus loin, plus vite et plus facilement sans elle. Mais tout à coup, une pensée effroyable anéantit sa colère. *On croirait Vanessa.*

« Qu'est-ce qui ne va pas ? » demanda Carol d'un ton insistant. Il se rendit compte que son visage reflétait le sien. Peur et répulsion en proportions égales.

Il respira profondément. « Je ne suis pas sûr de pouvoir trouver les mots pour décrire ce que je ressens, dit-il. Ça me fait parfois peur de voir tout ce que je tiens de Vanessa. »

Carol parut sur le point de fondre en larmes. « Tu es cinglé ? Tu ne pourrais pas ressembler moins à ta mère. Vous êtes aux antipodes l'un de l'autre. Elle ne s'intéresse à personne d'autre qu'à elle-même. Tu te préoccupes de tout le monde sauf de toi. »

Il secoua la tête. « Je suis son fils. Parfois, ça me terrifie.

— Tu es ce que tu as fait de toi-même, répliqua Carol. Tu m'as appris une chose de ton métier, c'est que les gens sont façonnés par ce qui leur arrive et par leur manière d'y réagir. Tu ne peux pas accorder cela aux meurtriers dont tu établis le profil et te le refuser. Je ne vais pas rester là à t'écouter te ranger dans le même panier que Vanessa. » Il était difficile de lui donner tort devant tant d'ardeur. Pour avoir provoqué une telle réaction, il devait y avoir quelque chose chez lui qui méritât d'être défendu. Il ne pouvait refuser de l'accepter.

Il soupira. « Alors, quelle est la version cachée de l'histoire selon Vanessa ? » Il toucha la coupure de journal du bout du doigt.

Carol fit appel à son don le plus insolite, une mémoire auditive parfaite. Elle se souvenait mot pour mot de conversations, d'entretiens et d'interrogatoires entiers. Cette aptitude l'avait menée dans des lieux parmi les plus dangereux où un agent de police pouvait être envoyé, et elle y voyait à présent autant de bon que de mauvais. Elle ferma les yeux et fit revivre toute la conversation à Tony. C'était un compte rendu désespérant, songea Tony, a priori d'autant plus crédible que la lettre d'Arthur confirmait que Vanessa ne lui avait pas avoué sa grossesse. Si elle disait vrai à ce sujet, ce qui ne la montrait pas vraiment sous le meilleur des jours, elle disait sans doute vrai aussi pour le reste. Carol avait raison.

Il n'avait rien appris sur le véritable Edmund Arthur Blythe en s'asseyant dans son fauteuil et en dormant dans son lit.

« Merci », dit-il lorsqu'elle eut fini. Il se rendit compte que Carol avait répondu à une question dont elle ignorait l'existence. Non, il n'avait pas besoin d'écouter le récit arrangé qu'Arthur avait concocté pour la postérité. Il savait désormais ce qui s'était passé. Ce n'était pas joli, mais de toute façon la vie ne l'était généralement pas. Il s'était imaginé pendant un jour et une nuit qu'il descendait de quelqu'un de bien, gentil et intelligent. *Non, sois honnête. Tu t'es imaginé ça pendant des années. Tu as toujours rêvé de pères fantasmatiques qui avaient toutes ces qualités et bien d'autres.* Il parvint à sourire. « Tu as le temps de prendre un café ? »

Carol sourit à son tour. « Bien sûr. » Puis elle démolit tout le raisonnement qu'il venait d'avoir. « Et, Tony... souviens-toi, Vanessa protège toujours ses propres intérêts. Elle donne peut-être l'impression d'avoir dit la vérité, mais n'oublie pas qu'elle sait très bien mentir. La vérité est peut-être très loin de sa version. »

CHAPITRE 29

D'un pas traînant, Niall traversa la cité jusqu'à l'arrêt de bus, le torse bombé et les jambes écartées pour paraître aussi imposant et inquiétant que possible. Par ici, on ne savait jamais d'où les emmerdes allaient arriver. Avec tous ces abrutis et tous ces drogués, il fallait se méfier. Un type que tu saluais de loin pendant des semaines pouvait tout à coup te sauter dessus et deux minutes plus tard, t'avais plus rien.

Deux Pakistanais zonaient déjà sous l'abribus. Il avait vu l'un d'eux traîner de temps en temps dans la cour du collège pendant la pause. Il lança un coup d'œil vers Niall puis détourna les yeux avant qu'ils puissent vraiment se regarder. « Tu vas où, là ? » questionna le garçon.

Niall savait que ç'aurait été du suicide de répondre : « Je dois retrouver quelqu'un qui va me donner un cours de russe. C'est cool, non ? » Il haussa les épaules et dit : « J'vais en ville, tu vois ? Traîner avec mes potes. »

L'autre fit une moue dédaigneuse. « J't'ai jamais vu avec des potes. T'as pas d'potes, espèce de naze.

— Qu'est-ce t'en sais ? » répliqua Niall, en essayant de donner l'impression qu'il se foutait de ce qu'il pensait. Et il s'en foutait, vraiment. Des choses plus intéressantes l'attendaient.

Avant qu'ils puissent vraiment s'accrocher, une voiture s'arrêta devant l'abribus. Ils firent tous les trois comme s'ils n'étaient pas concernés. La vitre s'abaissa et le conducteur se pencha vers eux. « Tu es Niall, non ? »

Il fronça les sourcils. C'était un inconnu, d'accord. Mais un inconnu qui connaissait son nom. « Qui le demande ? questionna-t-il.

— Je suis si content de te trouver. DD m'a demandé de venir te chercher. Il a trébuché dans les escaliers hier soir et il s'est cassé la cheville – incroyable, hein ? On a passé trois heures aux urgences de Bradfield Cross. Enfin bref. Du coup, évidemment, il ne pouvait pas venir te retrouver en ville, mais il voulait quand même te voir, alors il m'a demandé de venir te chercher. »

Ça se tenait, mais Niall n'était pas entièrement convaincu. « Comment tu as su que je serais là ?

— DD savait quel bus tu prenais, donc j'ai juste suivi la ligne depuis le point de départ. Il m'a imprimé ta page Rig avec ta photo, tu vois ? » Le conducteur brandit une feuille avec la mine renfrognée de Niall dans un coin. « Monte, DD est vraiment impatient de rencontrer quelqu'un de plus intéressant que moi. » Un sourire engageant, auquel il était dur de résister.

Niall ouvrit la portière et prit place. « À plus, bande de losers », lança-t-il en guise d'adieu. Les deux Pakistanais firent tant d'efforts pour feindre l'indifférence qu'ils ne furent presque d'aucune aide à la police quand elle leur demanda de décrire la voiture ou son conducteur. Mais ce fut plus tard. Beaucoup plus tard.

Carol se frotta les yeux. Ils étaient irrités et fatigués, au point qu'elle se demanda si elle devait envisager d'aller chez l'ophtalmo. La dernière fois qu'elle avait vu un médecin pour se plaindre de maux de dos, il lui avait joyeusement annoncé qu'elle avait atteint l'âge où la santé commençait à se détériorer. Cela semblait injuste. Elle n'avait pas encore réalisé physiquement la moitié des choses qu'elle avait prévues et n'était vraiment pas prête à renoncer à toutes ces ambitions folles et ces vagues envies. Elle se souvint de Tony, à ses quarante ans, qui s'était plaint en rigolant de n'avoir jamais participé à une finale au stade de Bradfield Victoria. Elle avait sans doute elle aussi des rêves impossibles auxquels elle devait dire adieu.

Les stores de son bureau étant ouverts, elle observa son équipe à travers la paroi vitrée. Elle aperçut une partie des cheveux et du bras de Stacey. De temps à autre, elle ramenait sa mèche derrière son oreille, un geste habituel, pour prendre le temps de réfléchir ou de souffler pendant qu'un écran se rafraîchissait. Carol ne savait pas exactement sur quoi Stacey travaillait à cet instant, mais aussi obscur que fût son objectif, il y avait de fortes chances qu'elle obtienne des résultats exploitables.

Calé dans son fauteuil pivotant qu'il faisait osciller de droite et de gauche, Kevin téléphonait en jouant avec un stylo. Il était bon pour assurer la liaison entre les différentes divisions, à l'aise dans les relations de camaraderie virile dont Carol était nécessairement exclue. Il parvenait à trouver l'équilibre entre fraterniser avec les gars et ne jamais oublier qu'il appartenait à sa brigade. Elle ne cessait de se dire qu'il finirait par être promu et la quitter, même s'il lui semblait qu'il n'en faisait plus la demande. Elle se demandait si c'était parce qu'il avait renoncé à ses ambitions ou s'il aimait simplement ce qu'il faisait. Ces deux dernières années, il avait resserré les liens avec sa femme et ses enfants ; cela l'influençait peut-être. C'était le seul d'entre eux à être parent. Son fils n'avait qu'un an de moins que Seth et Daniel. Carol se promit de parler avec lui pour s'assurer que ces décès ne l'affectaient pas trop sur le plan personnel.

Paula était retournée rendre visite à Kathy et Julia, d'abord pour montrer que la police partageait leur chagrin, ensuite pour voir si elles avaient pu se souvenir d'autres informations utiles. Carol doutait qu'aucune de ces démarches aboutisse.

Sam était également de sortie. Quand il était revenu après avoir trouvé un agent en uniforme pour Tim Parker, elle l'avait envoyé à Worksop, au siège social de RigMarole. Ça n'avait pas enchanté les patrons de devoir se déplacer un samedi, mais Sam avait un mandat. Ils étaient censés lui donner les clés de leur royaume : les codes qui permettraient à Stacey d'accéder officiellement à l'arrière-plan de leur système, pour vérifier s'il y avait quoi que ce soit sur leur serveur qui puisse amener à l'identité du tueur. Sam devait également éplucher leurs dossiers papier afin de voir quelle sorte de traces écrites existait. Il n'avait pas été facile d'obtenir un mandat : la protection de données était véritablement taboue. Désormais, il était presque plus facile d'accéder à un compte bancaire suisse qu'à certaines données informatiques.

Elle espérait que l'un d'eux découvre une piste qui leur permettrait d'avancer sur les meurtres, et vite. On était soi-disant à l'âge de la surveillance totale. Mais ce meurtrier semblait capable d'échapper à la vigilance permanente de Big Brother. Il se protégeait. Ainsi que ses sessions sur Internet. Elle avait horriblement peur qu'il soit déjà en train de planifier la mort de sa prochaine victime.

Carol se retourna vers son écran et ouvrit les rapports d'autopsie. Grisha avait peut-être des résultats pour eux. Absorbée dans sa lecture, elle ne remarqua pas l'arrivée de Tim Parker avant qu'il n'atteigne le pas de sa porte. « Re-bonjour, dit-il, avec une décontraction et une jovialité déplacées. Je me suis dit que j'allais vous apporter un tirage papier de mon profil. Je vous l'ai envoyé par e-mail, mais, vous savez, deux précautions valent mieux qu'une.

— C'est du rapide. » *Trop, sans doute.*

Il le posa sur le bureau. « Bien, je vais descendre à la cantine prendre un café. Vous pouvez peut-être m'appeler quand vous serez prête à en discuter tranquillement ?

— Très bien », répondit Carol. Deux ou trois pages, à première vue. À peine le temps pour lui de boire un café, estima-t-elle. Il regarda son travail puis Carol d'un air impatient. Elle sourit. « Allez, filez ! »

Carol attendit qu'il ait quitté la salle principale avant de s'emparer de son profil. Elle le lut lentement et attentivement, ne voulant pas être accusée de le renvoyer injustement. Mais aussi acharnées que furent ses tentatives pour lui rendre justice, elles ne purent calmer la colère noire qui l'envahissait. Son profil ne contenait rien que les membres de sa brigade n'auraient pu imaginer seuls. Ils avaient tous acquis des bases suffisantes au fil de ces dernières années de collaboration avec Tony. Ils auraient pu lui dire toutes les évidences que Tim Parker avait habillées de sa prose ampoulée. Un tueur organisé. Homme blanc, 25-40 ans. Gêné par son homosexualité. Incapable d'entretenir des relations suivies. Vivant seul ou avec sa mère. Probablement à Bradfield. Son casier judiciaire pourrait inclure incendies criminels, maltraitance d'animaux, délits sexuels mineurs comme outrage à la pudeur. Parcours professionnel erratique.

Tout n'était que du recraché de manuel scolaire. Il n'y avait rien qui pût les faire avancer d'un chouïa. « Bon Dieu ! » s'écria Carol. Elle ramassa les deux feuilles de papier et prit la porte avec une mine sévère. Elle croisa le regard de Kevin en passant et secoua la tête.

« C'est le moment pour le petit génie d'enfiler son gilet pare-balles, on dirait, lui lança Kevin avec un geste de recul.

— Je fais ça à la cantine pour ne pas être tentée », répliqua Carol dans sa course.

Elle trouva Tim sur un canapé dans le coin du fond, en train de siroter un cappuccino et de lire le *Guardian*. Il leva les yeux à son approche et perdit son sourire en voyant son expression. Carol laissa tomber le profil devant lui. « Alors c'est ça ? C'est ça le résultat de votre formation de luxe à la faculté ? »

Il parut aussi choqué que si elle l'avait giflé. « Qu'est-ce que vous voulez dire ?

— Je veux dire que c'est simpliste. C'est superficiel. On dirait que ça a été recopié à partir du manuel *Crimes sexuels* du FBI. Ça ne me donne aucune idée de la personnalité de ce tueur. Je ne sais pas ce que lui apportent ces crimes...

— Eh bien, de la satisfaction sexuelle, évidemment », répondit Tim. Il semblait énervé. Elle avait cru qu'il avait rougi de honte mais se rendit compte que c'était parce qu'il était offusqué. « C'est le motif des meurtres avec agression sexuelle.

— Vous croyez que je ne sais pas ça ? Ce qu'il me faut, c'est une analyse spécifique. Pourquoi ce procédé et pas un autre ? Qu'est-ce qu'il signifie pour lui ? Pourquoi une mort paisible puis ces affreuses mutilations ? Qu'est-ce qui se passe dans sa tête ? » Debout devant lui, les mains sur les hanches, elle se moquait bien d'avoir l'air d'une brute épaisse. Il avait commis l'une des pires fautes pour elle : faire perdre du temps et des ressources dans une enquête criminelle.

« C'est impossible d'élaborer une théorie avec si peu de données, déclara-t-il pompeusement. Techniquement, ce n'est pas encore un tueur en série. Il en faut au moins trois, d'après la définition de Ressler.

— Vous croyez que je ne sais pas ça non plus ? Vous étiez encore au lycée quand j'ai commencé à enquêter sur des meurtres.

J'ai travaillé avec un des meilleurs profileurs qui soient pendant des années. J'ai appris les bases. J'aurais fait mieux que vous. C'est le travail le plus bâclé que j'aie vu depuis très longtemps. »

Tim se leva. « Personne n'aurait pu en faire plus avec les informations limitées que vous m'avez données. Si vos agents avaient trouvé d'autres éléments, ce serait plus facile d'établir un profil plus précis.

— Comment osez-vous reporter la faute sur mon équipe ? Laissez-moi vous dire que si c'est tout ce dont vous êtes capable, il n'y a pas de place pour vous ici. Où est votre réflexion ? Il n'y a rien là-dedans que nous ne sachions déjà. Pourquoi ces victimes ? Vous n'évaluez même pas si elles sont à haut ou bas risque. Comment il accède à elles. Où il les tue. Rien de tout ça.

— Vous me demandez d'avancer des hypothèses sans données. Ce n'est pas ça, mon travail.

— Non, je vous demande de faire quelque chose de ce qu'on vous a donné. Si ceci est le mieux que vous puissiez faire, vous n'avez pas le droit de vous prétendre profileur. Et vous ne m'êtes d'aucune utilité. »

Il prit un air buté. « Vous vous trompez, dit-il. J'ai été parmi les mieux notés pour mes travaux d'étude. Je sais ce que je fais.

— Non, sergent. Vous ne savez pas ce que vous faites. Les salles de classe, ce ne sont pas les bureaux de la police. Alors, reprenez ça et au travail. Je ne veux pas d'un nouvel exposé superficiel et stérile sur ce tueur. Réfléchissez. Identifiez-vous à lui. Mettez-vous dans sa peau. Puis dites-moi quelque chose d'utile. Vous avez jusqu'à demain matin avant que je dise à mon chef que vous êtes un bon à rien et une totale perte d'argent. » Elle n'attendit pas sa réaction. Il n'avait pas mérité le droit de répondre.

Tony ne lui avait jamais autant manqué qu'à cet instant, songea-t-elle.

L'équipe de RigMarole avait fait passer une après-midi d'enfer à Sam. Il avait fallu qu'il se mette en colère pour qu'ils coopèrent. Il ne comprenait pas comment ils pouvaient mettre en balance leur entreprise et la vie d'adolescents innocents et hésiter pendant même une fraction de seconde à ouvrir leurs fichiers. Une fois qu'il leur avait fait remarquer que les victimes constituaient leur principale source de revenus, et à quelle vitesse ce filon pouvait s'épuiser si les médias apprenaient que RigMarole avait refusé de collaborer, ils avaient enfin compris et accepté de donner les codes d'accès à Stacey et de lui ouvrir leurs dossiers papier. Leur contenu s'était révélé minime et n'avait été qu'une perte de temps. C'était rageant alors qu'il était si près de pouvoir attaquer Nigel Barnes.

L'interminable trajet pour rentrer de Worksop laissa largement le temps à Sam de mettre au point sa tactique, aussi bien vis-à-vis de Carol que de Barnes. Il fallait qu'il rallie l'inspecteur en chef à sa cause. Après avoir progressé aussi loin dans une enquête ancienne, il passerait difficilement inaperçu dans les hauts rangs de la police de Bradfield, mais cela pouvait aussi profiter à Carol elle-même et à sa brigade. Il avait donc de bonnes chances de réussir à lui faire accepter qu'il arrête Barnes sur des présomptions.

C'était dommage qu'il ne puisse pas mentionner Tony pour appuyer sa défense. Mais il se garderait bien de montrer à Carol qu'il avait agi derrière son dos. La dernière fois qu'un membre de la brigade avait magouillé avec Tony, elle avait été à deux doigts de perdre la tête. Et c'était sa belle Paula aux yeux bleus. Il lui suffirait de la convaincre qu'ils avaient assez d'éléments pour que ça vaille le coup.

Il consulta l'écran du tableau de bord en quittant la M1. Avec de la chance, il serait de retour à Bradfield avant vingt heures. Carol serait encore à son bureau. Après tout, que pourrait-elle faire d'autre un samedi soir en pleine enquête sur un double meurtre ? Ce n'était pas comme si elle avait une vie.

CHAPITRE 30

Le dictaphone numérique posé sur la table de la cuisine fut la première chose que Tony remarqua en descendant prendre son petit déjeuner. « Pas encore », dit-il tout haut en remplissant le réservoir de la machine à café. Il avait besoin de temps pour se représenter les implications de ce que Carol lui avait raconté la veille. Il lui fallait comprendre le sens de l'histoire de Vanessa avant de pouvoir écouter Arthur et mettre en balance leurs deux versions. Si en effet il y avait une différence significative entre celles-ci.

Mais Carol, qui en général avait du flair pour ce genre de choses, lui avait rappelé qu'on ne pouvait pas faire confiance à Vanessa. Une femme qui avait tenté d'escroquer un héritage à son unique enfant aurait peu de scrupules à réécrire l'histoire.

Qu'importait...

Pour ne pas être tenté, il alla chercher son ordinateur et entra sur le site Web du *Bradfield Evening Sentinel Telegraph*. Ce n'était pas le *Guardian*, mais le *BEST* était un des meilleurs journaux locaux. Et bien sûr, c'était celui qui traiterait le plus en détail des meurtres sur lesquels enquêtait Carol.

C'était l'article principal sur la page d'accueil du quotidien. Tony cliqua sur le lien et lut leur compte rendu. L'auteur délayait largement, mais le fond de son article était plutôt maigre. Deux garçons de quatorze ans sans aucun lien avaient disparu sans explication. Ils s'étaient comme volatilisés. On avait retrouvé leurs corps mutilés et sans vie dans des coins isolés à l'extérieur de la ville. La police soupçonnait que leur meurtrier les avait attirés dans son piège au moyen de réseaux sociaux sur Internet.

Il ne put s'empêcher de penser à Jennifer Maidment. Morte à cent cinquante kilomètres et de l'autre sexe. Mais beaucoup de similitudes. Il secoua énergiquement la tête. « Tu vas trop loin, dit-il. Tu veux trouver un rapport pour pouvoir mettre un pied dans les affaires de Carol. Ressaisis-toi, vieux ! »

Il cliqua sur les miniatures des photos des deux garçons. D'abord Daniel, puis Seth. Il passa plusieurs fois de l'une à l'autre en se demandant s'il se faisait des idées. Il prit son ordinateur et se rendit dans son bureau. Il le brancha à l'imprimante et imprima les deux photos, en noir et blanc pour que la comparaison soit plus facile. Après réflexion, et malgré la petite voix réprobatrice qui lui murmurait à l'oreille, il imprima également une photo de Jennifer.

Tony retourna à la cuisine avec les trois clichés et les posa sur la table. Il se servit un café et les examina en fronçant les sourcils. Il n'inventait pas. Il y avait une nette ressemblance entre les trois adolescents. Une pensée troublante faisait son chemin dans son esprit, qui refusait d'être ignorée. C'était un fait établi que les tueurs en série montraient souvent une préférence pour un type de physique particulier. Si le sexe n'était pas un critère pour ce meurtrier, mais le physique oui, alors peut-être que Tony n'était pas si fou de voir un lien entre Jennifer et les deux garçons.

Il lui fallait plus d'informations. Et Carol n'allait certainement pas les lui donner. Pas après son sermon sur le fait qu'elle refusait de profiter de lui.

Mais il y avait une autre personne susceptible de le renseigner. Tony prit son téléphone et composa un numéro. À la troisième tonalité, une voix prudente demanda : « Tony ? C'est vous ?

— Oui, Paula. » Puis, se rappelant comment les choses fonctionnaient entre les gens qui s'apprécient, il ajouta : « Comment ça va ?

— On a deux meurtres sur les bras, Tony. Comment croyez-vous que ça va ?

— Je comprends. Écoutez, Paula. J'ai quelque chose à vous demander.

— Si c'est en rapport avec cette affaire, la réponse est non. La dernière fois que vous m'avez demandé de l'aide, la chef m'a passé un sacré savon pour avoir agi derrière son dos.

— Mais on avait raison, précisa-t-il. Qui sait combien d'autres personnes auraient pu mourir si vous n'aviez pas fait ce que je vous avais demandé ? Et je vous l'ai seulement demandé parce que je ne pouvais pas le faire moi-même. » *Et vous avez toujours une dette envers moi parce que je vous ai sauvée de votre désespoir.*

« Oui, bon, ça va mieux maintenant. Vous n'avez plus la jambe dans une attelle. Vous pouvez vous débrouiller tout seul pour aller fouiner.

— Vous êtes une coriace, Paula, dit-il, admiratif.

— Il le faut, quand on est entouré de gens comme vous.

— Écoutez, je ne vous demande pas de faire quoi que ce soit pour moi, pas vraiment. J'ai juste besoin que vous répondiez à une question, c'est tout. Une question toute simple. Vous pouvez quand même faire ça pour moi ? Après tout ce qu'on a vécu ensemble. »

Un petit reniflement qui pouvait être un rire ou une expression de dégoût. « Bon sang, Tony, vous n'abandonnez jamais, hein ?

— Non. Et vous non plus. Donc vous devriez me comprendre. »

Un long silence. Un soupir. « Posez-moi votre question. Mais je ne vous promets rien, notez bien.

— Vos deux victimes. Dans le journal, ils disent que leurs corps ont été mutilés. Est-ce qu'on les a complètement castrés ? Le pénis et les testicules ? »

Un autre soupir. « Je sais que vous ne le répéterez à personne, on est d'accord ?

— On est d'accord.

— Oui. Complètement. Je vous laisse, Tony. On n'a jamais eu cette conversation. »

Mais il n'écoutait plus. Son esprit s'emballait déjà pour trouver comment expliquer à Carol que ses deux corps n'étaient pas les premières victimes de ce tueur.

Kevin regarda Paula par-dessus son bureau. « Tony ? Serait-ce notre Tony ? questionna-t-il à voix basse, ce pour quoi elle lui fut reconnaissante.

— Le seul et l'unique, répondit-elle. Visiblement, la chef ne lui donne aucune info.

— Et il n'aime pas ça, n'est-ce pas ? »

Paula jeta un coup d'œil furtif à Carol, qui était dans le bureau, en pleine conversation téléphonique. « C'est sûr. Ne va pas raconter que je lui ai parlé, d'accord ? »

Kevin ricana. « Je ne m'appelle pas Sam. Ton secret ne risque rien avec moi. » Avant que l'un ou l'autre ne puisse ajouter quelque chose, son téléphone sonna. « BEP, sergent Matthews, annonça-t-il.

— Je suis le sergent Jed Turner, police criminelle de la Division sud. » Un fort accent écossais, un nom inconnu.

« Comment puis-je vous aider, Jed ?

— C'est votre brigade qui s'occupe des adolescents morts ? Morrison et Viner ? » Il s'exprimait avec désinvolture et indifférence. Kevin n'aimait pas ça.

« C'est nous, répondit-il.

— Et ils ont d'abord été portés disparus, c'est ça ?

— C'est ça. Vous avez quelque chose pour nous ?

— Je dois dire que je serais assez content que vous m'en débarrassiez. » Il s'esclaffa à moitié.

« Ce n'était pas vraiment ce que je voulais dire.

— Je comprends bien, vieux. Je ne me fais pas d'illusions là-dessus. En fait, il semblerait qu'on a un autre bonhomme pour votre joyeuse troupe.

— Vous avez un corps ?

— Pas encore. On a un adolescent de quatorze ans porté disparu. Niall Quantick. Sa mère nous casse les pieds depuis l'aube. Il a fallu un petit bout de temps aux crétins de l'accueil pour se rendre compte que le *modus operandi* pourrait correspondre à celui de votre tueur. Ils nous ont confié le dossier il y a seulement une demi-heure. Alors, ça vous intéresse, ou quoi ? »

Kevin se redressa sur son fauteuil et prit un stylo. « Racontez, un peu.

— Le gosse, c'est un petit caïd. Il vit avec sa mère dans la cité de Brucehill. Elle dit qu'il est allé en ville hier après-midi. Sans dire un mot sur où il allait ou qui il devait retrouver. Il n'est jamais rentré. Elle a essayé de l'appeler sur son portable mais il était éteint. Une mauvaise mère typique, qui ne sait pas avec qui il traîne ou ce qu'il fabrique quand il est dehors. Alors voilà, on est dimanche en milieu de matinée et aucune trace de ce garçon. Vous voulez l'affaire ? »

Sans doute même plus que tu ne veux t'en débarrasser. « Faites-moi voir ce que vous avez. On dirait que ça pourrait être pour nous. Mais il faut que je regarde de plus près et que je demande l'avis de ma chef. Vous savez ce que c'est.

— M'en parlez pas, mon vieux. Bien, je vous envoie ça à l'instant. Le rapport de disparition et une photo. Tenez-moi au courant de ce que vous décidez, hein ? »

Kevin raccrocha le combiné, l'air sombre. Paula croisa son regard et haussa les sourcils. Kevin lui adressa un signe du pouce vers le bas. « Il semblerait qu'on a un nouvel ado disparu, annonça-t-il, le cœur gros, pensant à son propre fils, pris de l'envie de rentrer chez lui et de l'enfermer à clé dans sa chambre jusqu'à ce que toute cette histoire soit terminée.

— Oh non, grogna Paula. Ses pauvres parents. »

Kevin s'efforça de ne pas y penser. « Il faut que j'aille parler à la chef. »

L'impression de déjà-vu n'était jamais agréable dans une brigade criminelle. Elle mettait Carol face à son échec. Sa brillante équipe super-qualifiée n'avait pas attrapé le meurtrier. Il était toujours dans la nature, une victime entre ses mains et qui savait combien d'autres à venir ? En sous-effectif, sous pression et consciente des enjeux, la BEP n'avait jamais affronté une telle épreuve.

Carol observa tour à tour les membres de son équipe, sachant au fond d'elle-même que leurs efforts pour sauver Niall Quantick étaient déjà vains. Si Grisha ne se trompait pas quant aux moments des décès – et il n'y avait aucune raison de douter de lui –, ce tueur ne gardait pas longtemps ses victimes vivantes. Il ne prenait pas le risque de les retenir prisonnières pour satisfaire ses désirs. Ce qui en soi était inhabituel. En général, ils voulaient tirer un maximum de plaisir de leur expérience. C'était le genre de chose que Tim Parker aurait dû relever. Il venait de lui remettre sa deuxième tentative de profil, qui ne valait pas mieux que la première, dans le sens où elle ne contenait rien de vraiment pénétrant qui fasse avancer l'enquête. Elle n'avait pas encore eu l'occasion de lui en parler, et il rôdait dans le fond de la pièce, tel un petit garçon attendant les louanges de ses parents. Ce n'était pas elle qui allait les lui chanter, c'était certain.

« Bien, commença-t-elle en s'efforçant de masquer sa lassitude. Comme je suis sûre que vous le savez tous à présent, on nous a signalé la disparition d'un nouvel adolescent. Il se pourrait que la mère ait dramatisé. On a apparemment eu trois ou quatre cas similaires la nuit dernière qui se sont avérés être de fausses alertes. Mais celui-ci semble devoir être pris plus au sérieux, donc pour l'instant, on fait comme si c'était le troisième d'une série. » Il y eut un murmure d'approbation général.

« La Division sud mène les interrogatoires de témoins et les recherches. Kevin, je veux que tu assures la liaison avec eux. Paula, tu vas avec Kevin. À la moindre piste, je veux que vous alliez directement réinterroger les témoins. Je ne veux pas qu'on rate quoi que ce soit parce que l'agent qui a questionné un témoin crucial n'a pas vos compétences. Sam, tu vas devoir mettre Nigel Barnes en attente pour l'instant. Tu t'occupes de la mère. Tout ce que tu peux apprendre d'elle, tu nous le transmets, mais fais en sorte que la Division sud en soit informée aussi. Et Stacey… je suis désolée, je sais que tu croules sous les données, mais tu vas devoir accompagner Sam pour voir ce que tu peux tirer de l'ordinateur de Niall Quantick.

— Pas de problème, répondit Stacey. La plupart des choses que j'ai en cours sont sur pilote automatique. Tout ce qui arrivera attendra patiemment que je revienne.

— Dommage qu'on ne puisse pas programmer les femmes comme ça, lança Sam.

— C'est pas drôle, dit Paula.

— Qui a dit qu'il plaisantait ? rétorqua Kevin. OK, j'y vais. » Il enfila sa veste et prit ses clés.

« Il est déjà mort, non ? » demanda Paula en retournant à son bureau pour en faire de même.

Une nouvelle voix se joignit à la conversation depuis le pas de la porte. « C'est presque sûr, déclara Tony. Mais vous devez quand même vous comporter comme si vous recherchiez un garçon vivant. »

Carol leva les yeux au ciel. « Docteur Hill, grommela-t-elle. Tu tombes à pic, comme toujours. »

Il avança dans la pièce. Elle ne se rappelait pas l'avoir déjà vu aussi soigné et élégant. C'était comme s'il essayait de faire bonne impression, une idée qui ne lui traversait jamais l'esprit en temps normal. « Il se trouve que tu as parfaitement raison », dit-il. Il passa devant Tim Parker et le salua d'un signe de tête. « Tim. C'est un peu différent en situation réelle, n'est-ce pas ? »

Kevin lui donna une tape sur l'épaule à son passage. Les autres suivirent son exemple, touchant tour à tour Tony comme s'il était un talisman. Même Stacey effleura sa manche du bout des doigts. « Bon retour parmi nous, docteur Hill, dit-elle, aussi solennelle que de coutume.

— N'allez pas trop vite, Stacey », l'avertit Tony. Il poursuivit son chemin jusqu'au bureau de Carol, lui laissant le choix entre le suivre ou lui abandonner son bureau. Et elle ne savait que trop bien qu'il n'aurait aucun respect pour son intimité professionnelle. L'affaire serait à sa merci si elle le laissait seul. Elle lui emboîta donc le pas et claqua la porte derrière elle.

« Qu'est-ce que tu fais là ? demanda-t-elle, les bras croisés sur la poitrine et dos à la porte pour que Tim Parker ne puisse pas voir son visage.

— Je suis venu vous aider, répondit Tony. Et avant que tu me répètes tout ce que tu m'as dit hier, écoute-moi jusqu'au bout, s'il te plaît. »

Carol se passa la main dans les cheveux et s'écarta de la porte. Elle baissa les stores puis gagna son bureau. « T'as intérêt à avoir une bonne raison, Tony. Je ne sais pas ce que tu as entendu de notre conversation, mais un autre garçon a disparu dans la nature et je devrais être en train d'aider mon équipe à le ramener chez lui. »

Tony soupira. « C'est très louable, Carol. Mais on sait tous les deux qu'il n'y a pas d'urgence à ce sujet. Ce garçon est déjà mort. »

Carol sentit sa résistance s'évanouir. C'était parfois exaspérant de fréquenter Tony. Il avait la capacité d'exprimer ce que vous saviez déjà de telle façon que vous vous sentiez libéré. Mais à cet instant, elle ne voulait pas être libérée. Elle voulait être en colère contre lui pour ne pas avoir écouté ce qu'elle lui avait dit la veille. « Pourquoi tu es là ?

— Eh bien, de manière indirecte, si l'on veut, cette affaire est en quelque sorte de mon ressort. En vertu du fait que je travaille déjà pour la brigade qui semble en charge de la première victime de ce même tueur.

— Quoi ? » Carol s'efforçait de deviner ce qu'il voulait dire.

« Daniel Morrison n'est pas la première victime. »

Tous les directeurs d'enquête partageaient une même peur au fond d'eux-mêmes. Parce qu'il n'y avait pas d'échange de comptes rendus entre les différentes circonscriptions de police au Royaume-Uni, tout meurtre perpétré hors d'un cadre familial contenait la possibilité que ce ne soit pas le premier forfait du tueur. Quelques années plus tôt, une vingtaine de circonscriptions s'étaient réunies pour tenter d'élucider les meurtres restés sans explication depuis une décennie environ. Assistés par Tony et d'autres profileurs, ils les avaient examinés, à la recherche d'éventuels points communs. Ils étaient arrivés à la conclusion qu'il y avait au moins trois tueurs en série actifs au Royaume-Uni. Trois tueurs en série jusque-là insoupçonnés. Ce résultat avait glacé le sang de tous les employés de la criminelle. Comme Tony le lui avait dit à l'époque, « le premier meurtre est potentiellement le plus instructif, car le tueur essaie de voir ce qui lui plaît. La fois suivante, il aura affiné sa méthode. Il sera plus au point. »

Et maintenant, il venait lui annoncer qu'elle n'avait même pas cet avantage. Elle voulait le mettre au défi. Et elle le pouvait encore. Mais dans l'immédiat, Carol avait besoin de réponses. « Qui est la première victime ? Qui est-ce ? Quand as-tu travaillé dessus ?

— J'y travaille en ce moment même, Carol. C'est Jennifer Maidment. »

Abasourdie, elle le dévisagea un long moment en silence. « Je ne te crois pas, dit-elle enfin. Tu as à ce point besoin de te mêler de cette affaire ? C'est en rapport avec Tim Parker ? Je ne t'avais jamais considéré comme un homme en quête de reconnaissance professionnelle permanente. »

Tony se prit le visage entre les mains et se frotta les yeux. « Je craignais que tu réagisses comme ça », dit-il. Il plongea la main dans la poche intérieure de sa veste et en sortit une liasse de papiers pliée. « Ce n'est pas pour mon intérêt personnel. Si tu ne veux toujours pas que je participe, très bien. Je m'en remettrai, crois-moi. Mais c'est important que tu m'écoutes jusqu'au bout. S'il te plaît ? »

Carol se sentit tiraillée entre d'une part son respect et son affection pour lui, et d'autre part son irritation à la manière dont il s'imposait dans son enquête. Quoi qu'il lui dise, elle était sûre que tout était lié à la présence de Tim Parker. Bon sang, qu'est-ce qu'un verre lui aurait fait du bien ! « Très bien, répondit-elle d'un ton sec. Je t'écoute. »

Il déplia ses papiers et étala sur la table les trois photos qu'il avait imprimées plus tôt. « Oublions leur sexe pour l'instant. Parce qu'en fait, ça n'a aucune importance dans cette affaire. Je ne sais pas encore pourquoi, mais c'est certain. Regarde-les simplement tous les trois. Il y a une nette ressemblance. Ce tueur a un genre. Tu en conviens ? »

Elle ne pouvait contester ce qui crevait les yeux. « D'accord, ils se ressemblent un peu. Dans le cas de Jennifer, il peut s'agir d'une coïncidence.

— Soit. Même si tu dois garder à l'esprit que les tueurs en série aiment souvent un genre physique très précis. Tu te souviens de Jacko Vance ? »

Carol eut un frisson. Comme s'il y avait une chance qu'elle l'oublie. « Il s'en prenait à des filles qui ressemblaient à son ex.

— Exactement. Les tueurs qui font une fixation comme ça, ils sont capables de laisser passer des victimes faciles parce qu'elles ne se conforment pas à leurs goûts. Et ils vont prendre le temps et se donner la peine de se rapprocher de celles qui les attirent vraiment. Maintenant, souviens-toi que je ne sais rien de plus sur ton affaire que n'importe qui ayant lu les journaux et écouté la radio. Tu me l'accordes ?

— À moins que tu aies magouillé derrière mon dos avec mon équipe comme tu l'as fait avec Paula dans l'affaire Robbie Bishop, lança-t-elle froidement.

— Je n'ai pas harcelé tes agents, Carol. Mais je vais te dire certaines choses sur tes deux meurtres que je sais seulement parce qu'ils ont été commis par la même personne que celle qui a tué Jennifer Maidment. Je connais sa signature, Carol. Je sais ce que fait ce type. » Il énuméra les points sur ses doigts. « Un : ils ont disparu en fin d'après-midi sans explication. Ils ne se sont confiés à personne – ni à leurs amis, ni à la famille, ni à leur petite copine. Deux : ils ont dialogué avec quelqu'un sur RigMarole, une personne extérieure à leur cercle d'amis. Quelqu'un qui semblait offrir quelque chose qu'ils ne pouvaient trouver nulle part ailleurs. Quelqu'un qui utilisait peut-être deux initiales : BB, CC, DD, qu'importe. C'est une supposition, mais si je ne me trompe pas, ça pourrait avoir une signification que je n'ai pas encore décryptée. Trois : ils sont morts asphyxiés, un sac plastique épais scotché autour de leur cou. Quatre : il n'y a aucune trace de lutte, ce qui indique qu'ils étaient très probablement drogués. Sans doute au GHB, même si ç'aura été plus dur à établir dans tes enquêtes à cause du temps écoulé avant que vous ne retrouviez les corps. Ils étaient morts depuis un moment, non ? Ce n'était pas tout frais. Parce que, cinq : ils ont été tués très peu de temps après avoir été enlevés. Comment je m'en sors jusque-là ? »

Carol espéra que son visage ne trahissait pas sa stupéfaction. Comment était-il au courant ? « Continue, le pria-t-elle calmement.

— Six : les corps ont été abandonnés en dehors de la ville, dans une zone à l'abri des caméras de circulation ou de surveillance ou de Street View. Il n'a pas vraiment cherché à cacher les corps. Sept : les corps ont été mutilés après la mort. Huit : il les a castrés. Neuf : aucune trace d'agression sexuelle. Oh, et dix : personne ne semble les avoir vus se faire enlever dans la rue, donc il y a de grandes chances que leur première rencontre avec leur meurtrier ait été parfaitement amicale et non violente. Alors, Carol, tu vois de quoi je parle ? C'est bien plus qu'une coïncidence, non ? »

Il soutint son regard d'un air calme. « Comment tu as su tout ça ? questionna-t-elle.

— Je le sais parce que c'est le même schéma que pour Jennifer Maidment. Si ce n'est que dans son cas, c'est son vagin qu'on a excisé. Son vagin, note bien. Pas son clitoris. Et c'est pour ça que je t'ai dit que leur sexe n'a pas d'importance. Parce que ce ne sont pas des meurtres à caractère sexuel. »

Carol eut l'impression de ne plus rien comprendre. Tout ce qu'elle savait sur les meurtres en série lui indiquait que ceux-ci étaient motivés par le sexe. C'était la théorie même qu'il lui avait enseignée. Même si elle ne saisissait pas ce qui excitait sexuellement le meurtrier, c'était évident. « Comment peux-tu dire ça ? La mutilation génitale : est-ce que ce n'est pas toujours sexuel d'une certaine façon ? »

Tony se gratta la tête. « Dans quatre-vingt-dix-neuf cas sur cent, tu aurais raison. Mais je crois que celui-ci fait exception. C'est celui qui réduit à néant toutes les théories de l'analyse comportementale parce qu'il ne correspond pas aux probabilités. » Il se leva d'un bond et se mit à arpenter la pièce. « Il y a trois raisons pour lesquelles je dis cela, Carol. Il ne passe pas assez de temps avec ses victimes…

— J'ai remarqué ça, approuva-t-elle. Ça ne me semblait pas logique non plus. Pourquoi se donner tant de mal pour les attirer à lui, puis les tuer presque tout de suite ?

— Exactement ! » Sautant sur cette idée, il tourna sur ses talons et vint frapper le bureau du plat de la main. « Où trouve-t-il son plaisir ? La deuxième chose, c'est qu'il n'y a aucune trace d'agression sexuelle. Pas de sperme, pas de traumatisme anal. Je suppose que c'est la même chose avec Seth et Daniel ? »

Carol acquiesça. « Rien. » Elle se rendit compte qu'elle s'était laissé séduire par le raisonnement de Tony malgré ses meilleures intentions. Parce que, aussi épouvantable qu'elle fût, sa théorie se tenait. « Tu as dit qu'il y avait trois raisons.

— Voilà ce que dit le tueur : tout est fini. Tu n'es pas simplement mort. Tu es fini. Quelle que soit la personne que les victimes lui rappellent, il veut l'effacer de la surface de la planète. »

Ses paroles firent frissonner Carol. « C'est dur, commenta-t-elle. Et tellement froid.

— Je sais. Mais aucune hypothèse ne fonctionne mieux que celle-là. »

Malgré les circonstances, Carol **ressentit** une flambée de joie. C'était ce genre de moments qui donnaient tout son sens à son travail. Ces moments éblouissants où se levaient toutes les gorges de la serrure et où s'ouvrait la porte de la compréhension. Comment ne pas aimer ce sentiment, quand l'insondable se livrait tout à coup ? Elle lui sourit, reconnaissante de sa clairvoyance et du courage patient qu'il mettait au service de leur travail. « Je suis désolée, dit-elle. Je te dois des excuses. Je ne t'ai jamais vu mesquin, je ne sais pas pourquoi je me suis imaginée que c'était Tim Parker qui provoquait ce comportement chez toi. »

Tony lui sourit. « Parker n'est plus qu'un souvenir. Quoi que dise Blake, cette affaire est à moi maintenant. Worcester

a la préséance. » Il sortit la carte de Stuart Patterson de sa poche.
« Voici le type à qui tu dois parler. »

Carol prit la carte. « Il y a quelqu'un d'autre à qui je dois parler
d'abord. » Son sourire s'assombrit. « Et crois-moi, je vais y prendre
plaisir. »

CHAPITRE 31

Parmi la confrérie très unie des collecteurs d'œufs clandestins, Derek Barton avait la réputation de toujours livrer ce qu'il avait promis. Cela lui permettait de faire payer le prix fort, puisque ses clients savaient qu'ils pouvaient compter sur la qualité de sa marchandise. Ce dimanche-là, il attendait une bonne récolte. Il surveillait le nid sur les terres de l'office des forêts depuis un certain temps, et il estimait que ce dimanche était le moment de lancer l'offensive. Les œufs de faucons pèlerins étaient toujours très demandés et se vendaient très cher. C'était chaque fois un défi d'atteindre les nids, mais le jeu en valait largement la chandelle.

Barton prépara soigneusement son sac à dos. Des pointes à planter dans le tronc du haut pin pour pouvoir grimper facilement. Un marteau en caoutchouc pour assourdir le bruit. Un casque et des lunettes de sécurité pour se protéger des oiseaux. Et les boîtes en plastique bourrées de coton pour son butin.

Il prit son temps pour sortir de Manchester par une suite de petites routes afin de s'assurer qu'il n'était pas suivi. Depuis le jour où il s'était fait pincer deux ans plus tôt, il était prudent quand il partait en chasse. Cette fois-là, il avait été suivi par un gardien de la Société royale pour la protection des oiseaux qui l'avait pris en flagrant délit avec deux œufs de milans royaux. L'amende avait été assez salée, mais ce qui l'avait exaspéré, c'était d'avoir un casier. Tout ça pour avoir fait ce que les hommes faisaient depuis des siècles. D'où les gens croyaient-ils que venaient tous ces œufs d'oiseaux dans les musées ? Ce n'étaient pas des imitations en plastique. C'étaient des vrais, des œufs ramassés par des passionnés comme lui.

Une fois certain de ne pas être suivi, il s'engagea sur la route contournant le réservoir de Stonegait. Comme d'habitude, il n'y avait aucun autre véhicule en vue. Maintenant qu'une nouvelle route avait été construite dans la vallée, il n'y avait aucune raison de venir par ici à moins de vouloir faire de la marche en forêt. Or, vu les chemins magnifiques qu'il y avait dans les environs, presque personne ne choisissait de se promener au milieu de ces grands et denses bosquets de pins qui n'offraient ni vue spectaculaire ni grand-chose d'intéressant en termes de faune et de flore. Barton était à peu près sûr qu'il aurait l'endroit pour lui.

C'était une journée magnifique, le soleil dansait sur l'eau telle une boule à facettes. Sans presque un souffle de vent, un atout important quand on prévoyait d'escalader un immense pin. Barton ralentit en prenant le dernier virage pour vérifier qu'il n'y avait personne d'autre alentour. Convaincu que la voie était libre, il se gara sur le bord de la route à quelques centaines de mètres du début du chemin forestier. Il recula un petit peu afin que la végétation de l'accotement cache sa plaque d'immatriculation. Cela n'empêcherait pas quelqu'un s'intéressant sérieusement à lui de regarder de plus près, mais ça le mettait à l'abri des simples passants. Il prit ensuite son sac à dos et se mit en marche d'un bon pas.

Au moment de s'engager sur le chemin, Barton regarda par-dessus son épaule pour vérifier à nouveau qu'il était seul. Quitter des yeux l'endroit où il se dirigeait s'avéra être une grave erreur. Il trébucha sur quelque chose et se retrouva à demi accroupi. Se relevant, il regarda sur quoi il avait achoppé.

Derek Barton se targuait d'être solide. Mais c'était bien au-delà de ce qu'il était capable de supporter sans perdre son sang-froid. Il poussa un cri et recula d'un pas chancelant. L'image abominable s'était gravée dans son cerveau, restant tout aussi saisissante même après qu'il se fut couvert les yeux avec ses mains.

Il pivota sur lui-même et courut se réfugier dans sa voiture. Ses pneus hurlèrent lorsqu'il effectua un demi-tour en cinq mouvements. Il avait parcouru huit kilomètres quand il se rendit compte qu'il ne pouvait pas faire comme s'il n'avait rien vu. Il s'arrêta sur l'aire de stationnement suivante et reposa sa tête sur le volant, le souffle court et les mains tremblantes. Il n'osa pas utiliser son portable, sûr que la police arriverait à retrouver sa trace. Il serait alors suspecté de… ça. Il frissonna. L'image ressurgit dans son esprit. Il parvint à sortir de la voiture juste à temps pour vomir tout le contenu de son estomac qui éclaboussa ses bottes et son pantalon.

« Ressaisis-toi, putain ! » balbutia-t-il. Il fallait qu'il trouve une cabine téléphonique. Une cabine située loin de chez lui. Barton s'essuya la bouche et se rassit dans sa voiture. Une cabine puis un triple whisky.

Pour une fois, Derek Barton fut assez content de faire faux bond à un client.

Ce n'avait pas été facile, mais Tony avait persuadé Carol de le laisser se charger de Tim Parker. Il la laissa dans son bureau et traversa la salle de travail de la brigade jusqu'à l'endroit où Tim était assis, l'air aussi inflexible qu'une porte de prison. Dès que Tony fut suffisamment près, Tim lui adressa férocement la parole mais à voix basse : « Vous n'avez aucun droit de faire irruption ici. C'est mon affaire. Vous n'avez aucune autorité ici. Vous n'êtes ni agent de police, ni consultant officiel. Vous ne devriez même pas être dans cette pièce.

— Vous avez terminé ? » demanda Tony, d'un ton entre condescendance et compassion. Il approcha une chaise et posa bien en évidence le profil de Tim sur le bureau qui les séparait.

Tim saisit brusquement le document. « Comment osez-vous… C'est confidentiel. C'est une violation du protocole officiel de montrer ça à quelqu'un qui n'est pas un membre accrédité de l'équipe d'enquête. Et vous ne l'êtes pas. Si je le signale, l'inspecteur Jordan et vous, vous allez être dans la merde jusqu'au cou. »

Tony sourit avec pitié et secoua la tête avec peine. « Tim, Tim, Tim, fit-il gentiment. Vous ne comprenez pas, hein ? La seule personne ici menacée de se retrouver dans la merde, c'est vous. » Il se pencha en avant et lui donna une tape sur le bras. « Je comprends que votre première affaire réelle vous effraie autant. L'angoisse de savoir que d'autres personnes vont mourir si vous et votre équipe vous trompez. Alors vous ne vous mouillez pas.

Vous vous en tenez à ce que vous croyez savoir et vous ne prenez pas de risques. Je comprends ça.

— Je ne remettrai pas mon profil en question, déclara-t-il, la mâchoire en avant mais le regard inquiet.

— Ce serait très bête de votre part, répliqua Tony. Étant donné qu'il est faux à tous points de vue sauf la tranche d'âge probable.

— Vous ne pouvez pas le savoir à moins que Carol Jordan vous ait donné des informations confidentielles, dit Tim. Elle n'a pas tous les droits ici, vous savez. Il y a des gens à qui elle doit des comptes et je vais faire en sorte qu'ils sachent qu'elle a essayé de me faire obstruction. »

Il ne pouvait pas savoir qu'il se jetait dans la gueule du loup en menaçant Carol de manière aussi directe. Amusé et bien disposé à l'aider jusque-là, Tony entra dans une colère froide. « Ne soyez pas stupide. Si je sais que vous vous trompez, ce n'est pas parce que l'inspecteur Jordan m'a communiqué des informations. Je le sais parce que Daniel Morrison n'est pas la première victime. » Il n'aimait pas éprouver ce sentiment, mais il prit plaisir à voir la stupéfaction sur le visage de Tim.

« Qu'est-ce que vous voulez dire ? » Maintenant, il avait l'air effrayé. Et se demandait, d'après Tony, ce qui lui avait échappé et comment.

Tony fouilla dans le sac en plastique qu'il avait apporté. Il en sortit un exemplaire de son profil pour l'affaire Jennifer Maidment. « Je n'essaie pas de vous faire la peau, Tim. Du moins, sauf si vous pensez que c'est une bonne idée de vous en prendre à Carol Jordan. » Il le dévisagea longuement. « Si vous faites ça, je ferai en sorte que vous passiez le reste de votre carrière à le regretter. » Il s'arrêta brusquement, fronça les sourcils et secoua la tête. « Non, ce ne serait pas une souffrance assez longue… » Il plaça le document devant Tim. « Voici mon profil pour une affaire sur laquelle j'ai travaillé à Worcester. Si vous regardez la dernière page, vous trouverez dix points clés. Comparez-les avec ce que vous avez ici, révisez votre profil pour en inclure certains. Soumettez-le à l'inspecteur Jordan et retournez dare-dare à la faculté avant qu'on vienne vous poser des questions difficiles. »

Tim parut méfiant. « Pourquoi faites-vous ça ?

— Pourquoi je ne vous dégomme pas banalement, vous voulez dire ? »

Un long temps de réflexion. « Quelque chose comme ça.

— Parce que vous êtes l'avenir. Je ne peux pas empêcher James Blake et les gens de son espèce de préférer le bon marché à la qualité. Ce que je peux faire, par contre, c'est essayer d'améliorer la qualité du bon marché. Alors retournez à la fac, réfléchissez à cette affaire et tirez-en des leçons. » Tony se leva. « Vous avez du chemin à faire, Tim, mais vous n'êtes pas complètement nul. Allez-vous-en et progressez. Parce que la prochaine fois, je ne serai probablement pas là pour vous tenir la main. Et vous n'avez pas envie de devoir vivre avec l'idée que des gens sont morts parce que ça vous gonflait d'apprendre à faire votre boulot correctement. » Tony plissa les yeux sous le poids de souvenirs douloureux. « Croyez-moi, vous ne voulez pas ça. »

D'après Kevin, qui était toujours au courant des ragots, Blake n'avait pas encore fait venir sa famille du Devon. Ses deux filles adolescentes s'apprêtaient à passer des examens importants, et sa femme avait catégoriquement refusé de les laisser changer de collège avant la fin de l'année scolaire. « On paie son loyer jusqu'à ce qu'elles viennent s'installer cet été, avait expliqué Kevin quand Carol l'avait convoqué.

— Je parie que ce n'est pas une chambre meublée à Temple Fields, avait répliqué sèchement Carol.

— C'est un de ces entrepôts réaménagés qui donnent sur le canal. »

Carol eut un moment de nostalgie. Elle avait partagé un de ces lofts avec son frère quand elle s'était installée à Bradfield, et avait désormais l'impression que cette aventure datait d'une autre vie. Elle se demanda comment ce serait de revivre dans un pareil endroit. Des locataires occupaient son appartement du Barbican à Londres, mais leur bail arrivait bientôt à terme. Elle pouvait le vendre en faisant une jolie plus-value malgré l'état du marché immobilier à cette période. Ça lui suffirait largement pour se payer un entrepôt aménagé pour elle seule. « Je ne suppose quand même pas que tu as une adresse ? »

Il avait fallu sept minutes à Kevin pour revenir avec l'adresse de Blake. Carol avait son numéro de portable, mais cette conversation, elle voulait l'avoir en tête à tête. Elle prit son sac et se dirigea vers la porte, remarquant au passage que Tony était parti mais que Tim Parker était toujours là, le visage légèrement empourpré. Elle se demanda ce qui s'était passé entre eux. « Madame, interpella-t-il d'une voix plaintive. Il faut qu'on discute de mon profil. »

Sa confiance en lui était inébranlable, se dit-elle. Il avait vu Tony arriver, il les avait vus discuter en privé, et il avait dû écouter Tony lui dire ses quatre vérités. À aucun moment, ils ne lui avaient demandé de leur donner son avis. Et pourtant, il ne pigeait toujours pas. « Non, ça va aller, répondit Carol en ouvrant la porte. Ils passent le match de foot à la cantine. »

L'appartement de Blake n'était pas loin. Elle irait plus vite à pied, décida-t-elle, et pourrait profiter du soleil de l'après-midi qui chauffait la brique des grandes fabriques et entrepôts bordant l'ancien canal du duc de Waterford. Les hautes fenêtres se reflétaient dans celui-ci, prenant l'apparence de panneaux noirs en contraste avec les briques rouge et sang érodées. Elle pénétra dans le bâtiment et gravit les marches en pierre usées qui menaient à un hall victorien richement orné. L'endroit ressemblait plus à une ancienne banque d'affaires ou à un ancien hôtel de ville qu'à un entrepôt de lainages tissés réaffecté, songea-t-elle en observant les marbres et le carrelage raffiné.

Contrairement à la plupart des immeubles réaménagés, celui-ci avait un concierge vêtu d'un costume sombre discret au lieu d'un interphone. « Comment puis-je vous aider ? demanda-t-il à son arrivée.

— Je viens voir James Blake.

— Attend-il votre venue ? » Il parcourut du bout du doigt un grand registre ouvert devant lui.

« Non, mais je suis sûre qu'il sera ravi de me voir. » Carol lui lança un regard de défi. Elle avait vaincu ainsi des hommes plus impressionnants.

« Je vais l'appeler, dit-il. Qui dois-je annoncer ?

— Carol Jordan. Inspecteur en chef Carol Jordan. » À présent, elle pouvait lui adresser son plus charmant sourire.

« Monsieur Blake ? Carol Jordan est ici pour vous voir… Oui… Très bien, je la fais monter. » Il raccrocha le combiné et la conduisit aux ascenseurs. Lorsque la porte s'ouvrit, il passa le bras à l'intérieur et appuya sur le bouton du dernier étage. Avant qu'elle pût entrer, son téléphone sonna.

Elle leva un doigt. « Désolée. Il faut que je réponde. » Elle s'écarta de lui et décrocha. « Kevin, dit-elle. Que se passe-t-il ?

— Il semblerait qu'on a trouvé Niall. » Sa voix sombre lui indiqua que le garçon n'était pas revenu chez sa mère avec un sourire effronté.

« Où ?

— Entre Bradfield et Manchester, sur un chemin forestier près du gros réservoir de Stonegait.

— Qui l'a découvert ?

— On ne sait pas. Ils ont reçu un coup de fil anonyme sur le numéro d'urgence. Passé d'une cabine de Rochdale. J'y suis allé avec une équipe de la Division sud. On l'a trouvé tout de suite. On dirait qu'il a passé quelques heures là-bas. Les bêtes l'ont grignoté. Ce n'est pas joli.

— Même *modus operandi* ?

— Identique. C'est le numéro trois, aucun doute pour moi. »

Sentant un mal de tête diffus s'emparer de la base de son crâne, Carol se massa le cuir chevelu. « OK. Reste sur place. Je m'apprête à parler à Blake. Tony avait des choses intéressantes à dire. Sam est toujours chez la mère ?

— Je crois. Stacey aussi. Même si ce n'est pas à elle que vous allez demander d'annoncer la nouvelle aux parents.

— Envoie un officier de liaison là-bas pour s'en occuper avec Sam. Je retourne au bureau une fois que j'ai parlé à Blake. C'est un cauchemar, soupira-t-elle. Ces pauvres gosses, bon Dieu.

— Il est enragé, constata Kevin. Il reprend à peine son souffle maintenant. C'est de l'abattage. » Sa voix se cassa. « Comment fait-il ça ? Quelle sorte d'animal est ce type ?

— Il arrive à agir aussi vite parce qu'il se les est mis dans la poche, dit Carol. Et parce qu'il ne passe pas de temps avec eux une fois qu'il les a pris. On va l'avoir, Kevin. On peut y arriver. » Elle feignait une assurance qu'elle n'avait pas.

« Si vous le dites. » Sa voix traîna. « À plus tard. »

Carol referma son téléphone et appuya un instant son front contre un pilier en marbre avant de se reprendre et de retourner vers le patient concierge et l'ascenseur.

Blake attendait à la porte quand elle émergea. Elle supposa que les vêtements qu'il portait étaient les plus décontractés de sa garde-robe : une chemise à carreaux Tattersall au col ouvert rentrée dans un pantalon couleur fauve en sergé, des pantoufles en cuir aux pieds. Elle se demanda ce que les autres locataires de l'immeuble pensaient d'une personne aussi peu cool. « Inspecteur Jordan », dit-il d'une voix et d'un air également revêches. *Pas enchanté, alors.*

« On vient de trouver Niall Quantick », annonça-t-elle.

Il accueillit ses paroles avec espoir. « Vivant ?

— Non. Il semblerait que c'est le même tueur. »

Blake secoua gravement la tête. « Vous feriez mieux d'entrer. Ma femme est là, au fait. » Il fit volte-face et se dirigea vers une des quatre portes du palier.

Carol resta en arrière. « Je ne suis pas venue pour vous parler de Niall. Je viens seulement à l'instant de l'apprendre. Monsieur, nous sommes face à une situation complexe, et j'ai besoin que vous vous asseyiez et que vous m'écoutiez en réservant votre jugement. Ce n'est sans doute pas une bonne idée de discuter devant votre femme. »

Il lui jeta un regard furieux par-dessus son épaule. « Vous voulez que je vienne au bureau avec vous ? »

Avant qu'elle pût répondre, la porte devant lui s'ouvrit pour révéler une femme mince vêtue d'un uniforme que Carol reconnut : un pull en cachemire caramel, un collier de perles, un pantalon ajusté, des escarpins à talonnettes et des cheveux impeccablement ondulés. Sa mère avait des amies qui ressemblaient à ça, qui lisaient le *Telegraph* et avaient considéré Tony Blair comme un jeune homme drôlement bien au début de son ministère. « James ? fit-elle. Est-ce que tout va bien ? »

Blake fit les présentations machinalement, rattrapé par son sens des convenances. Carol remarqua le regard insistant et critique de Moira Blake pendant que son mari parlait. « Je crains que l'inspecteur Jordan ait quelque chose à me dire qui ne puisse pas attendre demain, ma chérie. »

Moira inclina légèrement la tête. « J'imagine qu'elle préférerait te parler seul à seul, James. » Elle fit un pas de côté et fit signe à Carol d'entrer dans l'appartement. « Si vous voulez bien me laisser un instant pour prendre mon manteau, je vais sortir explorer le quartier. Je suis sûre qu'il y a une foule de petites merveilles que mon mari n'a pas encore découvertes. » Elle disparut derrière un paravent japonais qui séparait le lit de la salle de séjour principale, laissant Blake et Carol échanger des regards gênés. Moira revint avec l'incontournable manteau en laine beige sur le bras et embrassa son mari sur la joue. « Appelle-moi quand tu es libre », lui dit-elle.

Carol remarqua que Blake suivait Moira des yeux avec un air attendri, ce qui éveilla chez elle un peu de sympathie pour lui. Lorsque la porte se referma, il toussota et la mena jusqu'à une paire de canapés disposés à angle droit. La table basse entre eux était jonchée de journaux du dimanche. « On n'a pas souvent un dimanche sans les filles, indiqua-t-il avec un geste vague vers l'amas de journaux. C'est leur grand-mère qui s'en occupe ce week-end.

— On n'a jamais vraiment de temps pour soi dans ce boulot. Mais je ne serais pas ici si ce n'était pas d'une importance vitale. »

Blake hocha la tête. « Allez-y, dans ce cas.

— Le docteur Hill est venu nous voir aujourd'hui, commença Carol.

— Je croyais m'être bien fait comprendre à ce sujet ? l'interrompit Blake, et ses joues devinrent encore plus roses que d'habitude.

— Parfaitement. Mais ce n'est pas moi qui lui ai demandé de venir. Je ne lui ai délibérément rien dit sur nos dossiers qu'il n'ait pu lire dans les journaux. Il est venu car il croit que les deux meurtres – trois maintenant – sur lesquels nous enquêtons ont été commis par le même tueur dont il a établi le profil dans une autre circonscription.

— Oh, pour l'amour du ciel, c'est lamentable ! Est-ce que ce travail lui manque au point de s'imposer avec de si piètres excuses ? Quel est son problème ? Est-il jaloux du jeune sergent Parker ? »

Carol attendit qu'il se soit calmé, puis répliqua : « Monsieur, je connais Tony Hill depuis longtemps et j'ai travaillé en étroite collaboration avec lui sur plusieurs affaires importantes. Il n'a tout simplement pas ce genre d'amour-propre. Je reconnais que son analyse m'a d'abord laissée sceptique. Mais il y a de la substance dans ce qu'il a à dire. » Remerciant sa mémoire auditive de lui permettre de répéter mot pour mot ce qu'elle avait entendu, elle dressa de nouveau la liste que Tony lui avait exposée. « Je sais que ça paraît tiré par les cheveux, mais il y a trop d'éléments en commun pour pouvoir raisonnablement considérer que c'est une coïncidence. »

Blake avait paru de plus en plus sidéré au fil de l'énumération de Carol. « Vous êtes sûre qu'il n'a pas eu accès aux informations détenues par votre brigade ?

— Je le crois, dit-elle. Le fait d'arrêter un tueur lui importe beaucoup plus que son image.

— Qu'est-ce que Parker pense de tout ça ? »

Carol se retint de hurler. « Je n'en ai aucune idée. Je n'en ai pas discuté avec lui.

— Vous ne pensez pas que c'est lui que vous auriez dû consulter avant de venir me voir ? C'est lui le profileur affecté à cette affaire. »

Carol ferma les yeux un instant. « C'est un imbécile. Son soi-disant profil est une blague. Tous les membres de ma brigade auraient pu proposer quelque chose de plus utile que sa première tentative. Et la deuxième version n'était que légèrement meilleure. Je sais que vous attachez beaucoup de prix à la formation de la faculté, mais le sergent Parker ne va pas faire des adeptes. Son travail est superficiel et digne d'un novice. » Elle haussa les épaules. « Il n'y a pas d'autres mots. Je ne peux pas travailler avec lui. Je préfère me débrouiller sans profileur que d'en avoir un aussi peu perspicace. » Carol s'arrêta pour reprendre haleine. Elle savait qu'elle avait atteint un point de non-retour. Blake était blême de rage.

« Vous dépassez les bornes, inspecteur en chef.

— Je ne crois pas, monsieur. Mon travail consiste à remettre d'importants criminels à la justice. Tous les membres de ma brigade ont été triés sur le volet, en fonction de leurs capacités uniques. J'aurais cru que vous soutiendriez ma démarche pour atteindre l'excellence. J'aurais cru que vous seriez heureux de me voir proclamer haut et fort : "Ce n'est pas assez bon pour la police de Bradfield." » Elle secoua la tête. « Si nous ne partageons pas cette aspiration, je ne suis pas sûre d'avoir un avenir à long terme dans ce commissariat. » Ces paroles lui échappèrent avant qu'elle ait eu le temps de se demander si elle voulait les prononcer à voix haute.

« Ce n'est ni le lieu ni le moment pour cette conversation, inspecteur. Vous avez trois meurtres à élucider. » Il s'appuya pour se lever, révélant un homme moins en forme qu'il n'y paraissait. Il avança jusqu'aux grandes fenêtres donnant sur le canal et contempla la vue. « Le docteur Hill a beaucoup d'arguments pour démontrer que ce meurtre de West Mercia appartient à notre série. Il en rajoute peut-être, vous comprenez ? » Il se retourna et lui jeta un regard interrogateur.

« Si vous le dites, monsieur.

— Ce que j'aimerais que vous fassiez, c'est que vous appeliez le directeur d'enquête à Worcester pour voir ce qu'il a à dire. Une fois que vous lui aurez parlé, vous devrez décider si le docteur Hill a raison. Et si, tout bien considéré, il semble que ce soit le cas, vous allez devoir rallier West Mercia à notre enquête. Ils ont peut-être le premier de la série, mais nous avons plus de victimes et il est toujours actif dans notre secteur. Je veux que vous dirigiez le détachement spécial chargé de cette affaire. Est-ce clair ? Ce sera notre enquête.

— Je comprends. » À présent elle saisissait. Blake pensait que Tony agissait par amour-propre car c'était le principe qui le guidait. « Est-ce que ça signifie que je peux réintégrer totalement le docteur Hill pour ces enquêtes ? »

Blake se frotta le menton entre le pouce et les autres doigts. « Je ne vois pas d'objection. C'est sur la note de West Mercia, par contre. Puisqu'ils l'ont embauché, ils peuvent bien le rémunérer. » Il lui adressa son premier sourire franc de l'après-midi. « Vous n'avez qu'à leur dire que c'est le prix à payer pour entrer dans la course. »

Chapitre 32

L'équipe d'agents chargée de faire du porte-à-porte dans la cité de Brucehill ne mit pas longtemps à trouver les deux Pakistanais qui avaient croisé Niall à l'arrêt de bus l'après-midi de la veille. Depuis le début, il était clair que ce meurtre n'était pas lié aux méfaits quotidiens du quartier, aussi, pour une fois, aucun des habitants ne s'était senti menacé s'il parlait à la police. Les règles appliquées normalement pour les balances n'étaient pas de rigueur. Certes, quelques-uns refusaient de parler aux flics par principe, mais la majorité estimait toujours que le meurtre d'un ado de quatorze ans sans aucun lien avec les gangs de la cité ne devait pas rester impuni. Un nombre suffisant de gens n'avait donc pas hésité à donner les noms des témoins.

Ainsi, quelques heures seulement après la découverte du corps de Niall, Sadiq Ahmed et Ibrahim Moussawi furent emmenés au QG de la Division sud pour être interrogés. Sam, qui avait laissé Stacey et l'agent de liaison avec la mère de Niall, eut une brève discussion avec Paula pour décider comment procéder. Aucun des deux ne souhaitait travailler avec un partenaire inconnu, mais alors il leur fallait s'occuper ensemble d'un témoin et confier l'autre à deux agents de la Division sud dont ils ne connaissaient absolument pas les capacités. « Qu'est-ce que tu en penses ? demanda Sam.

— Regarde leurs casiers. Moussawi a été arrêté une demi-douzaine de fois pour des délits mineurs, il est passé devant le juge. Il connaît le système. Il ne va pas faire beaucoup d'efforts pour nous aider. Mais Ahmed, c'est un novice. Il ne s'est jamais fait arrêter, encore moins inculper. Il va vouloir que ça reste comme ça, je pense. On devrait le prendre, toi et moi. Laisser Moussawi aux gars du secteur et espérer qu'ils aient de la chance », dit Paula.

Ils trouvèrent Ahmed dans une salle d'interrogatoire, un garçon dégingandé affublé d'un sweat à capuche et d'un jean de marque tombant, une chaîne en or autour du cou, des baskets griffées trop grandes, les lacets défaits. Soit pour deux cents livres de fringues sur un gamin de quinze ans. Eh bien, en voilà une surprise, se dit Paula. Le père travaille dans un resto du quartier, la mère est à la maison avec cinq autres enfants. Ahmed ne devait pas gagner son argent de poche en distribuant les journaux. Elle se cala sur sa chaise pendant que Sam faisait les présentations.

« J'veux un avocat, OK ? »

Paula secoua la tête avec cet air « de tristesse plutôt que de colère ». « Et voilà, tu commences. Tu donnes l'impression d'être coupable de quelque chose avant même que je t'aie demandé ton nom et ton adresse.

— J'ai rien fait. J'veux un avocat. Je connais mes droits. Et je suis mineur, vous devez faire venir un adulte pour m'accompagner. » Son visage fin était agressif, tout anguleux et plein de petits muscles nerveux autour de la bouche.

« Sadiq, mon gars, il faut te détendre, conseilla Sam. Personne ne te soupçonne d'avoir fait du mal à Niall. Mais on sait que tu étais à l'arrêt de bus avec lui, et il faut que tu nous racontes ce qui s'est passé. »

Ahmed roula des épaules dans son sweat à capuche pour se donner un air nonchalant. « J'suis rien forcé de vous dire. »

Paula se tourna vers Sam. « Il a raison. Rien ne l'oblige à nous dire quoi que ce soit. Quelle vie tu crois qu'il va avoir dans le quartier quand on fera savoir aux gens qu'il aurait pu nous aider à attraper un tueur sans pitié mais qu'il a refusé de le faire ? »

Sam sourit. « Une vie aussi sympa qu'il le mérite.

— Alors voilà, Sadiq. C'est sans doute la seule et unique fois de ta vie où tu vas avoir l'occasion de te faire bien voir de nous sans que ça se retourne contre toi. » Paula s'adressait à lui sur un ton doux qui contrastait avec les paroles employées. « On n'a pas le temps de déconner dans cette affaire, parce que ce type va tuer d'autres gens. Et la prochaine fois, ça pourrait être toi ou un de tes cousins. »

Ahmed la regarda, visiblement occupé à calculer son coup. « Si je fais ça, j'aurai plus jamais d'emmerdes avec votre bande de cons ? »

Sam fit un mouvement brusque en avant et empoigna le col de son sweat-shirt au point de le faire presque tomber de sa chaise. « Traite-moi de con encore une fois et tout ce que tu auras, c'est un aller simple pour les urgences. *Capisce* ? »

Ahmed écarquilla les yeux et battit des pieds pour retrouver prise au sol. Sam le repoussa, et il chancela en arrière avant que sa chaise ne se repose sur ses quatre pieds. « Putaiiin ! » pesta-t-il.

Paula agita lentement la tête. « Tu vois, Sadiq ? Tu aurais mieux fait de m'écouter. Commence par nous parler poliment, ou il va rapidement te falloir un avocat parce que l'agent Evans ici présent t'accusera d'entrave à la police. Alors, quelle heure était-il quand Ibrahim et toi êtes arrivés à l'arrêt de bus ? »

Ahmed gigota quelques instants puis leva les yeux vers elle. « Environ trois heures et demie, quatre heures moins vingt, dit-il.

— Où alliez-vous ?

— En ville. Juste pour traîner, voyez ? Rien de spécial. »

Quelques petits larcins. « Et vous étiez là depuis combien de temps quand Niall est arrivé ?

— On venait juste d'arriver, quoi. » Il s'affala sur sa chaise, reprenant une attitude effrontée.

« Tu connaissais Niall ? », demanda Sam.

Un haussement d'épaules. « Je savais qui c'était. Mais on traînait pas ensemble, jamais.

— Vous lui avez parlé ? »

Nouveau haussement d'épaules. « Ça se peut.

— Laisse tomber les "ça se peut". Vous lui avez parlé, oui ou non ?

— Ibrahim lui fait : "Tu vas où, mon frère ?" Et lui, il nous dit qu'il va en ville traîner avec ses potes. Seulement, nous, on sait qu'il a pas de potes et que c'est des conneries, tu vois ? Alors Ibrahim le traite de naze.

— Le charme discret de la bourgeoisie, ironisa Sam.

— De quoi ?

— Rien. Et qu'est-ce qu'il a répondu quand vous l'avez traité de naze ? »

Ahmed se passa le doigt dans l'oreille et l'examina. « On s'en tape de ce qu'il a pu dire, hein ? Parce que c'est là que la bagnole s'est pointée.

— Parle-moi de cette voiture, suggéra Paula.

— Elle était gris métallisé. »

Paula attendit mais sa réponse s'arrêtait là. « Et ? Tu as bien dû remarquer autre chose.

— Et pourquoi ça ? C'était juste une caisse pourrie. Un de ces breaks gris. De taille moyenne. Une putain de bagnole normale. Un truc sans intérêt. »

Bien sûr qu'elle était quelconque. « Et alors, qu'est-ce qui s'est passé ?

— La vitre se baisse et le conducteur dit un truc genre : "C'est toi, Niall, non ?"

— Tu es sûr qu'il a appelé Niall par son prénom ? » Si Ahmed ne se trompait pas, cela prouvait que c'était un coup prémédité.

Il roula des yeux comme si la réponse allait de soi. « J'viens de le dire, non ? dit-il d'une voix traînante. Ouais, je suis sûr qu'il l'a appelé Niall.

— Et qu'est-ce qui s'est passé ensuite ? » Sam revenait dans la partie. Paula aurait préféré qu'il la boucle ; elle regrettait presque de ne pas être avec un agent de la Division sud qu'elle aurait pu intimider pour qu'il se taise.

« Niall a passé sa tête par la fenêtre, du coup j'ai pas capté ce qui se passait entre eux. Niall a demandé un truc genre comment le mec savait qu'il serait là. Mais j'ai pas pu entendre ce que le conducteur a répondu. »

Pourquoi était-ce toujours ainsi ? se demanda Paula. Un pas en avant, un pas de côté puis un en arrière. « Comment il parlait, le conducteur ? »

Ahmed fit une grimace. « Comment ça, comment il parlait ?

— Il avait un accent ? Une voix grave, aiguë ? L'air cultivé ou pas ? »

Elle vit qu'Ahmed fouillait dans sa mémoire. Ce qui signifiait que ce qu'il dirait n'aurait sans doute aucune valeur. « Il n'avait pas la voix grave. Plutôt normale. Comme tout le monde parle par ici. Mais plus comme les vieux genre mes parents, voyez ? Pas comme un de nous.

— Est-ce que tu l'as vu ?

— Pas vraiment. Il avait une casquette de base-ball. Et il avait les cheveux bruns et longs, jusqu'au col. »

Probablement une perruque. « À quoi ressemblait sa casquette ? Quelle couleur ? Il y avait quelque chose d'écrit ?

— Elle était grise et bleue. J'ai pas fait gaffe, comprenez ? Pourquoi ça m'aurait intéressé ? Un mec s'arrête et parle à un type que je connais à peine, pourquoi j'aurais fait gaffe à eux ? » Il s'affala de nouveau et soupira. « Franchement, c'est une connerie de me garder.

— Et ensuite ? poursuivit Paula.

— Niall monte dans la bagnole et ils s'en vont. Fin de l'histoire. »

Et c'était également la fin du témoignage utile de Sadiq Ahmed. Ils le gardèrent le temps de comparer leurs notes avec celles de l'autre équipe, dont l'interrogatoire avait été encore moins fructueux. Mais ils n'avaient aucune raison de retenir Ahmed ou Moussawi plus longtemps, et ils les laissèrent donc partir. Paula les regarda se pavaner dans la rue, jean en dessous des fesses, capuches sur la tête. « Parfois, j'ai l'impression de compter les jours avant la retraite, dit-elle d'un air las.

— C'est pas une bonne idée, indiqua Sam. Il y en aura toujours trop. Même quand il n'en restera plus qu'un. »

Pour Tony, les journées ne comptaient plus assez d'heures. Carol l'avait appelé immédiatement après avoir quitté Blake. Elle devait ensuite appeler Stacey pour lui demander de laisser Tony accéder aux dossiers d'enquête. Elle lui avait répété la dernière réplique de Blake, mais il s'en moquait. Ça n'avait jamais été son problème de savoir qui payait les violons. Tout ce qui lui importait, c'était d'avoir accès aux renseignements dont il avait besoin pour dresser le portrait du tueur.

Cependant, des informations en aussi grand nombre pouvaient être une calamité autant qu'une bénédiction. Stacey lui avait envoyé les codes par e-mail afin qu'il puisse accéder directement à tous leurs fichiers. Mais la quantité de données brutes générée par trois enquêtes sur des personnes disparues qui s'étaient transformées en affaires de meurtres était énorme. Il aurait fallu des jours entiers rien que pour tout lire. Heureusement, toutefois, les comptes rendus avaient été résumés afin que la brigade de Carol puisse avoir plus facilement une vue d'ensemble sur ces affaires. L'inconvénient était que des renseignements importants avaient pu se perdre dans l'opération. Aussi, chaque fois que Tony tombait sur quelque chose qui piquait sa curiosité, il devait revenir au rapport d'origine pour voir ce qui avait été dit ou fait en premier lieu.

Le pire, c'était qu'il ne savait pas exactement ce qu'il cherchait. Ayant conclu que ces meurtres n'étaient pas motivés par le sexe, il devait réexaminer les témoignages de tous les proches des adolescents. Parce qu'il ne savait pas ce qui reliait les victimes, tout pouvait être significatif.

Il n'y avait pas d'échappatoire. Il devait revenir à la case départ et commencer par explorer les zones obscures de leur vie. Elles étaient toujours la clé pour comprendre une série de meurtres. Mais durant toutes ces années passées à établir le profil de criminels en série, Tony n'avait jamais connu une affaire où elles étaient aussi cruciales qu'ici. Il se mit au travail sans prêter aucune attention au dictaphone numérique désormais enfoui sous un amoncellement de papiers.

À la grande surprise de Carol, l'inspecteur Patterson se montra on ne peut moins possessif au sujet de son enquête. D'après son expérience, les directeurs d'enquêtes protégeaient jalousement leurs meurtres. Il fallait en général leur soutirer des informations au compte-gouttes. Mais il s'avéra rapidement qu'il croyait sincèrement que deux têtes valaient mieux qu'une. Même s'il était également évident qu'il n'était pas sûr du tout que l'adjonction de celle de Tony Hill n'eut que du bon.

« Ce n'est pas le genre d'expert qu'on emploie d'habitude, signala-t-il, méfiant, quand Carol expliqua comment Tony avait brillamment établi le lien entre leurs affaires.

— Il est unique en son genre, admit-elle.

— Ça vaut sans doute mieux. Vous savez quand même qu'il a failli se faire coffrer chez nous ? Mon second a dû le sortir de ce pétrin. »

Carol étouffa un petit rire nerveux. « Il m'a dit en effet qu'il avait eu un petit souci, oui. Je considérerais simplement que c'était le prix à payer pour l'avoir dans votre équipe.

— Alors, quel est le moyen le plus facile pour nous de procéder ? »

Ils récapitulèrent les règles de conduite afin de déterminer comment ils pouvaient allier les deux enquêtes sur le plan pratique. Il fut longuement question de Stacey, et Carol ne put s'empêcher de remarquer une note de regret dans la voix de Patterson au sujet des spécialistes informatiques à demeure. « Nous n'avons personne ayant ce niveau de compétence, indiqua-t-il. Il faut que je me paie un expert de ce genre. On prend ce qu'on trouve, et ce n'est pas toujours ce qu'on espère. Sans parler du fait qu'il faut toujours leur passer de la pommade pour les garder de votre côté.

— N'hésitez pas à faire appel à Stacey si vous avez quelque chose qui mériterait une analyse plus approfondie.

— Merci, Carol. Je pense qu'on saura se débrouiller, mais je n'oublierai pas. On a déjà une opération conjointe avec Manchester en place sur cette affaire.

— Vraiment ? Un de nos corps a été abandonné à la frontière entre eux et nous. Quel est le rapport ?

— Ça vient de Tony Hill. On avait une liste de lieux où se trouvent des ordinateurs d'accès public que le tueur a utilisés pour communiquer avec Jennifer Maidment. Il a demandé à une collègue de les analyser avec un logiciel de profilage géographique et ça a défini une zone du sud de Manchester. On a alors envoyé la liste des plaques minéralogiques identifiées par notre système de reconnaissance au service des immatriculations et on leur a demandé des renseignements sur tous les véhicules immatriculés à Manchester qui sont venus à Worcester le jour où Jennifer a été enlevée. »

Carol était impressionnée. C'était ce genre d'initiative qu'elle attendait de sa propre équipe. « Excellente idée. Et qu'est-ce que ça a donné ?

— Cinquante-trois noms retenus. J'ai envoyé mon sergent là-bas pour qu'il travaille aux côtés des agents de Manchester. Ils font le tour des adresses, ils vérifient les alibis et cherchent les gens qui ont un lien avec le monde de l'informatique. C'est dans ce domaine que travaille notre meurtrier d'après Tony Hill.

— Ça pourrait bien mener quelque part, j'ai l'impression. Je serais très intéressée de savoir ce que ça donne. »

Patterson soupira. « Moi aussi. Parce que, franchement, c'est la seule piste qu'on a pour l'instant. »

Le téléphone de Paula vibra contre sa cuisse. Elle le sortit de sa poche et rosit de plaisir en voyant que c'était Elinor Blessing. Elle s'écarta du petit groupe d'adolescents de Brucehill avec qui Sam et elle engageaient vainement la conversation, le téléphone à l'oreille.

« J'ai vu les infos, dit Elinor. J'imagine que tu passes une journée difficile.

— J'en ai eu des plus faciles, avoua Paula en tirant une cigarette de son paquet et en extirpant avec peine son briquet de sa poche. Ça fait du bien d'entendre une voix chaleureuse.

— Je ne vais pas te retenir. Je sais bien que tu es occupée. Mais je me demandais si par hasard tu aurais le temps pour un dîner tardif ? »

C'était une idée si merveilleuse que Paula en aurait pleuré. « Avec grand plaisir, dit-elle dans un soupir. Si par tardif, tu entends quelque chose comme neuf heures et demie, je pourrais sans doute m'en sortir. À moins qu'il y ait quelque chose de spécial qui nécessite une équipe de nuit, on a normalement fini à cette heure-là. Enfin, je dis fini. Ce que je veux dire en fait, c'est qu'on a normalement quitté le bureau.

— Très bien. Tu connais Chez Rafaello ? C'est juste à côté du marché aux laines.

— J'ai déjà vu, oui.

— Je réserve une table. Neuf heures et demie, sauf si je te rappelle.

— À tout à l'heure. » Paula raccrocha. Elle avait l'impression d'avoir cinq ans de moins, comme si le poids de son passé récent s'était envolé. Une régénérescence, voilà l'effet que ça lui faisait. Elle était redevenue une personne apte à nouer une relation. Elle se retourna et s'amusa de la tête de Sam Evans, abasourdi par son soudain passage de la morosité à l'allégresse. Oh, mais c'était une belle soirée qui l'attendait.

D'ici là, il lui restait à interroger les garçons de Brucehill. Vu son humeur, ils avaient intérêt à faire gaffe.

Alvin Ambrose avait dû user de tout son pouvoir de persuasion pour que Patterson l'affecte aux recherches de Manchester. L'inspecteur en chef considérait que c'était une tâche à confier à des plantons, mais Ambrose voulait être sur place pour avoir le contrôle sur tout ce qui pourrait en ressortir. Il avait fait remarquer que si une bonne piste apparaissait, il devrait la suivre dans tous les cas, et c'était donc aussi bien qu'il compte parmi les hommes déjà sur le terrain. « C'est à moins de cent cinquante kilomètres, avait-il ajouté. S'il se passe quoi que ce soit ici, je peux revenir par l'autoroute, tous gyrophares dehors, en à peine plus d'une heure. » Patterson avait fini par céder.

Maintenant qu'il y était, Ambrose n'aurait pu qualifier sa mission de passionnante. Mais ça allait. Ça ne le dérangeait pas que le travail de flic soit très souvent pénible et ingrat. Il était arrivé à Manchester avec une liste de cinquante-trois véhicules immatriculés dans cette ville qui étaient venus à Worcester le jour de l'enlèvement et du meurtre de Jennifer Maidment. L'inspecteur en chef Andy Millwood s'était montré accueillant et lui avait fourni un bureau dans le service grande criminalité. Il avait pourvu Ambrose d'une assistante – une agent en uniforme affectée à la division des policiers en civil pour voir si le boulot lui convenait – qui le guiderait dans ce secteur qu'il connaissait mal et assisterait à ses interrogatoires. Millwood avait laissé entendre qu'il lui offrait une collaboratrice hors pair, mais Ambrose savait que cette débutante était le membre le moins qualifié du service, et qu'elle l'accompagnait autant pour garder à l'œil l'étranger que pour l'aider. Mais c'était toujours bien mieux que rien.

« On pense que notre meurtrier travaille dans l'informatique, avait expliqué Ambrose. Mais c'est une supposition, pas une certitude, donc on veut rester ouvert à toutes les possibilités. Ce qu'on cherche, c'est leur alibi pour le moment où ils étaient à Worcester. Ce qu'ils ont fait. Où ils sont allés. Avec qui.

— D'accord, chef », avait répondu l'assistante. C'était une petite femme massive avec des jambes comme des piquets de cricket et un visage quelconque sauvé par une tignasse noir bleuté abondante et des yeux bleu foncé lumineux. Ambrose avait le sentiment qu'elle se méfiait de lui. Il ne savait pas bien si c'était parce qu'il venait de l'extérieur ou à cause de sa couleur de peau. « C'est une zone assez dense. Ce sont surtout des maisons mitoyennes de style victorien et de grandes maisons jumelées, dont beaucoup ont été transformées en apparts d'étudiants.

— Autant s'y mettre, alors. »

Il leur avait fallu des heures pour examiner dix pistes, confrontés à des petits-bourgeois qui connaissaient leurs droits et souhaitaient exprimer haut et fort leur mécontentement de voir le gouvernement éroder les libertés civiques. C'était un sujet commun à tous les âges, des étudiants aux spécialistes en assistance juridique. Habitué à une ville plus petite dont les ghettos politiques consistaient plus en rues isolées qu'en banlieues entières, Ambrose avait été stupéfié par ces attaques.

Mais une fois leurs critiques exprimées, il s'avérait que ces personnes étaient également très respectueuses des lois. Huit d'entre elles avaient indiqué très précisément où elles avaient été et qui elles avaient vu, des informations qui pouvaient facilement être vérifiées par un coup de téléphone ou une visite des troupes à Worcester. Un autre avait seulement quitté l'autoroute pour essayer un gastro-pub récemment remis à neuf. Il avait un reçu du restaurant indiquant l'heure, et un autre d'une station-service de la périphérie de Taunton qui prouvaient qu'il n'avait pas pu tuer Jennifer. Le dixième avait attiré l'attention d'Ambrose, mais plus ils l'avaient interrogé, et plus il était devenu évident que son attitude suspecte n'avait rien à voir avec un meurtre. Il était clair que le type, vendeur sur les marchés, cachait quelque chose. Mais pas ce qu'ils recherchaient. Lorsqu'ils l'avaient quitté, alors que l'assistante galopait pour suivre Ambrose, il avait déclaré : « Vous devriez peut-être envoyer les flics du quartier retourner son stock. Je parierais que l'endroit est plein à craquer de DVD pirates, de parfums de contrefaçon et de fausses montres. »

Six autres propriétaires de véhicules ne se trouvaient pas chez eux. Ambrose et son assistante déjeunaient dans un snack quand Patterson avait appelé pour annoncer à son second que le meurtre de Jennifer était désormais officiellement lié à trois autres perpétrés à Bradfield, grâce à ce futé de Tony Hill. D'autant plus surprenant que les victimes étaient de sexe masculin. Ils avaient à présent trois autres dates d'enlèvements pour lesquelles leurs suspects potentiels devaient fournir des alibis. Ambrose raccrocha avec un sourire sans joie. « On vient d'avoir une promotion.

— Comment ça ? demanda-t-elle, la bouche pleine de tourte à la viande.

— Il s'agit maintenant officiellement d'une enquête sur un tueur en série », expliqua Ambrose. Il repoussa son assiette de bâtonnets de poisson et de frites. La nouvelle de Patterson lui avait coupé l'appétit. La mort de Jennifer était déjà assez lourde à supporter. Mais avec trois ados tués en plus, il se sentait écrasé. Quand il enquêtait sur des meurtres, Ambrose finissait toujours ses journées avec la sensation physique d'avoir soulevé des charges d'haltérophile. Ses muscles étaient courbatus et ses articulations ankylosées, comme si le poids psychologique s'imposait à son corps. Le soir même, il s'allongerait avec précaution dans son lit, aussi endolori que s'il avait fait une demi-douzaine de rounds sur le ring. « Il faut qu'on s'y remette, dit-il en désignant d'un signe de tête l'assiette à demi entamée de son assistante. Cinq minutes. Retrouvez-moi à la voiture. »

Ils écartèrent assez vite les deux suspects suivants. Le premier, un vendeur d'ordinateurs, avait un profil prometteur. Mais ils découvrirent bientôt qu'il ne connaissait presque rien au fonctionnement des produits qu'il vendait. Et il était parti trois jours à Prague avec sa femme au moment de l'enlèvement et du meurtre de Daniel Morrison. Vint ensuite une femme qui pouvait rendre compte de l'intégralité de son séjour à Worcester passé en réunions avec le clergé de la cathédrale pour discuter du style des nouveaux vêtements sacerdotaux.

Et puis ils arrivèrent à l'adresse où la Toyota Verso de Warren Davy était immatriculée.

Chapitre 33

Ce n'était ni une maison ni un bureau. C'était un garage louche caché au bout d'une impasse qui abritait également une boulangerie artisanale et un snack végétalien. Bien que ce fût dimanche, un homme trapu et musclé aux cheveux blonds coupés ras et vêtu d'un bleu de travail taché d'huile était en train de repeindre l'aile d'une vieille Ford Fiesta. Il n'interrompit son travail que quand la voiture banalisée s'arrêta à quelques mètres de lui. Il coupa alors son pistolet à peinture et leur lança un regard de défi. « C'est pour quoi ? Un délit de fuite ?

— Êtes-vous Warren Davy ? », demanda Ambrose.

L'homme inclina la tête en arrière et éclata de rire. « Elle est bien bonne. Non, vieux. Je ne suis pas Warren. Qu'est-ce que vous lui voulez ?

— C'est entre nous et M. Davy, déclara Ambrose. Et vous êtes ?

— Je suis Bill Carr. » Un sourire éclaira son visage dur. « Carr, c'est mon nom, mais c'est aussi mon business. *Car*, voiture, vous pigez ?

— Et quel lien avez-vous avec Warren Davy ?

— Qu'est-ce qui vous dit qu'il y a un lien ?

— Le service des immatriculations. La Toyota Verso de Warren Davy est immatriculée à cette adresse. »

Les traits de Carr se relâchèrent. « D'accord. Je comprends maintenant. Eh bien, désolé de vous décevoir, mais vous ne trouverez pas Warren ici.

— Vous allez devoir m'expliquer un peu mieux, avertit Ambrose. Nous sommes ici pour une affaire grave. Ce n'est pas le genre d'affaire où vous voudriez qu'on vous arrête pour entrave au travail des policiers, croyez-moi. »

Carr parut très surpris. « D'accord, d'accord. » Il posa le pistolet et enfonça les mains dans les poches. « Je n'ai rien à cacher. Je suis son cousin. Warren se sert de cet endroit comme adresse de livraison et autres. C'est tout.

— Pourquoi cela ? » Ambrose n'avait pas le temps de finasser. Il voulait des réponses et il était bien décidé à ne pas laisser ce carrossier se foutre de lui. Presque sans réfléchir, il fit un pas en avant, menaçant d'empiéter sur l'espace vital de Carr.

Celui-ci resta indifférent à ce mouvement. « C'est simple, mon vieux. Il habite au milieu de nulle part. Il en a eu marre de rater ses livraisons quand Diane et lui étaient dans leur bâtiment de stockage de données, alors il s'est mis à utiliser cet endroit comme adresse postale. Je suis tout le temps ici, vous voyez ? Et j'ai plein de place pour entreposer des choses. Quand un truc est livré, je leur téléphone et l'un d'eux vient en ville le chercher.

— Soit. » Ambrose était prêt à le croire. « Quand l'avez-vous vu pour la dernière fois ?

— Warren ? Il y a deux semaines. Mais Diane est passée deux ou trois fois la semaine dernière. Elle m'a dit qu'il était en déplacement. Rien d'inhabituel, vous comprenez. Ils ont des clients un peu partout.

— Des clients pour quoi ?

— Ils ont une affaire de sécurité Internet et de stockage de données… quoi que ça veuille dire. Tout ça c'est du chinois pour moi. »

Les poils du bras d'Ambrose se dressèrent. Tout cela commençait à devenir très intéressant... « Et où est-ce que je peux trouver votre cousin Warren ? » demanda-t-il, aussi désinvolte que possible.

Carr virevolta et se rendit dans un bureau vitré installé dans un coin de son atelier. « Ils vivent en bordure des landes, expliqua-t-il par-dessus son épaule. Je vais vous donner l'adresse, mais il va aussi falloir que je vous explique comment y aller. »

Ambrose le rejoignit d'un pas vif. « Si ça ne vous dérange pas, monsieur Carr, je préférerais que vous nous accompagniez pour nous montrer le chemin. »

334

Carr lui jeta un regard perplexe. « Comme je vous ai dit, je vais vous indiquer comment y aller. »

Un doux sourire aux lèvres, Ambrose lui fit non de la tête. « Vous voyez, monsieur Carr, c'est un peu compliqué. Comme je vous l'ai expliqué, c'est une affaire sérieuse. Ce que je ne veux pas, c'est que vous appeliez votre cousin à la minute où on vous quitte. Je ne veux pas que vous lui disiez que deux policiers vont arriver chez lui pour l'interroger au sujet de sa voiture. Parce que, vous voyez, monsieur Carr, je ne veux pas que votre cousin Warren décide de mettre les bouts avant que j'aie l'occasion de discuter un peu avec lui. »

Ambrose s'était exprimé sur un ton ferme que seul un imbécile aurait choisi d'ignorer. Carr se rendit compte que la meilleure option était d'accepter de bonne grâce. Il écarta les mains. « Je comprends que vous puissiez voir les choses comme ça. Et je vous remercie de ne pas me menacer. Je vais vous dire : pourquoi vous ne montez pas avec moi dans ma voiture, et votre collègue nous suivrait avec la vôtre ? Comme ça, je peux filer quand on arrive là-bas, et Warren n'a pas besoin de savoir que c'est moi qui ai cafté son adresse.

— Vous avez peur de votre cousin, monsieur Carr ? »

Carr rejeta la tête en arrière en riant. « Vous plaisantez ? Je n'ai pas peur. Vous ne pigez pas ? J'aime bien Warren. C'est un type bien. Et je ne veux pas qu'il ait l'impression que je lui ai joué un tour. » Pour la première fois, Carr paraissait agacé. « Je sais que ça me ferait chier si quelqu'un ramenait les flics chez moi. »

Tout bien considéré, Ambrose ne trouva rien à redire à sa suggestion. Carr semblait à la fois coopératif et inoffensif. Mis à part sa réticence à l'idée que quelqu'un amène les flics chez lui, ce qui n'était pas forcément un signe de culpabilité. « Entendu, dit-il. Après vous, monsieur Carr. »

Pour se faufiler dans le labyrinthe qu'était l'esprit d'un meurtrier, Tony avait développé une certaine technique, expérimentée des années plus tôt. Il installait deux fauteuils face à face, chacun éclairé par un cône de lumière. Il s'asseyait sur l'un d'eux dans son propre rôle et posait la question. Puis il se levait et s'asseyait sur l'autre fauteuil pour chercher une réponse possible. Maintenant qu'il avait assimilé tout ce qu'il pouvait dans les dossiers, c'était l'étape suivante dans son exploration.

Les coudes sur les genoux, le menton sur les poings, il avait le regard fixé sur le fauteuil vide en face de lui. « Ce n'est pas une question de plaisir, n'est-ce pas ? »

Il se leva et prit place sur l'autre fauteuil, dans lequel il se vautra, les jambes écartées et les bras ballants sur les côtés du fauteuil. Après une longue pause, sur un ton différent, bien plus sombre que son habituelle voix légère de ténor, il dit : « Non. C'est une mission. »

De retour dans le premier fauteuil. « Une mission dans quel but ?

— Pour en finir.

— Pour en finir avec qui ? Tu ne les choisis pas au hasard, si ?

— Non, je ne les choisis pas au hasard. C'est juste que tu ne vois pas encore le lien.

— Moi non, mais toi oui. Et tu ne laisses pas de place au doute, n'est-ce pas ?

— Non. Je prends mon temps. Je m'assure que ce sont les bons. »

De retour dans son fauteuil, Tony croisa les bras. « Pourquoi est-ce important pour toi ? »

Cette fois-ci, il marqua un temps d'arrêt plus long dans le fauteuil du tueur, essayant de s'enfoncer dans des ténèbres où ces meurtres avaient un sens. « Je ne veux pas qu'ils se reproduisent.

— Donc tu les tues avant qu'ils puissent avoir des enfants ?

— C'est en partie ça.

— Tout ça, c'est pour qu'ils soient les derniers de leur lignée ? C'est pour ça que ce ne sont tous que des enfants ?

— Oui. »

Lorsqu'il se rassit dans son fauteuil, Tony ne savait plus du tout comment poursuivre. Il avait le sentiment d'être à deux doigts de saisir quelque chose, qui ne cessait cependant de lui échapper. Il repensa aux victimes, se remit leurs visages en tête et fut de nouveau frappé par leur ressemblance. « Ils ressemblent tous à toi plus jeune, dit-il doucement. C'est pour ça que tu les as choisis. Tu as fait tes victimes à ta propre image. »

Dans l'autre fauteuil : « Et donc ? »

— Tu détruis ta propre image. » Il secoua la tête, déboussolé. « Mais la plupart des tueurs en série veulent l'immortalité. Ils veulent la renommée. Et toi, tu fais l'inverse. Tu veux t'anéantir, mais pour une certaine raison, tu te débarrasses d'adolescents qui te ressemblent plutôt que de te suicider. » C'était incompréhensible. Pourtant, il avait la sensation d'avoir franchi un cap. C'était souvent comme ça avec ces dialogues. Il ne savait pas comment il faisait ni pourquoi ça marchait, mais cet exercice semblait lui ouvrir des perspectives issues de son subconscient.

Tony ne voyait pas comment ce nouvel éclairage allait les aider à trouver l'assassin. Mais il savait que, quand ils y parviendraient, ce serait sans doute la clé pour le faire parler. Et pour Tony, découvrir pourquoi était au moins aussi important que de découvrir qui.

L'après-midi touchait à sa fin quand Bill Carr arrêta sa voiture au milieu de nulle part. Ambrose était déconcerté par la désolation du paysage. Cela ne faisait que dix minutes qu'ils avaient laissé derrière eux les confins de la ville, mais là, à l'orée des landes vallonnées, c'était comme si Manchester n'existait pas. Des murets de pierres sèches bordaient la route étroite. Derrière eux s'étendaient à flanc de colline des prés incultes parsemés de denses bosquets de conifères de l'office des forêts où des moutons broutaient dans l'indifférence. Ils n'avaient pas croisé d'autre véhicule depuis qu'ils avaient quitté la route secondaire précédant celle-ci. « Je ne comprends pas, dit Ambrose. Où est la maison ? »

Carr désigna devant eux l'endroit où la route disparaissait presque immédiatement dans un virage serré. « C'est à un kilomètre. Dès que vous passez le virage, leurs caméras de surveillance vous détectent. Il n'y aucune vidéosurveillance pendant des kilomètres sur ces routes, mais Warren et Diane ont leur propre système. Ce sont des paranos de la sécurité. C'est pour ça que leurs clients les paient, je suppose. Et donc c'est ici que je vous abandonne. Suivez simplement la route. Vous verrez leur clôture. Il y a un espace où s'arrêter devant le portail. Vous devrez utiliser l'interphone. »

Ambrose vérifia dans le rétroviseur que sa collègue était derrière eux, puis il descendit. Il se pencha dans la camionnette. « Merci de votre aide.

— Ne dites simplement rien à Warren, d'accord ? » Carr parut anxieux un instant mais le nuage passa.

Ambrose se demanda si son cousin payait Carr pour ses services de réception de colis. Si c'était le cas, cela expliquait peut-être en grande partie pourquoi il avait tant hésité à les amener là. « Je vous tiens en dehors de ça. » À peine eut-il fermé la portière que Carr fit un demi-tour et reprit la direction de Manchester. Ambrose le regarda partir puis monta dans la voiture.

« Tout droit, indiqua-t-il. Il y a un portail plus loin sur la gauche. »

C'était exactement comme l'avait décrit Carr. La route tournait, puis une rangée d'arbres cédait la place à un grillage de deux mètres de haut derrière le muret. Une caméra était fixée dans le coin, et d'autres étaient visibles le long de la clôture. Derrière celle-ci se trouvait une étendue d'herbe plus drue qui remontait jusqu'à un groupe de bâtiments en pierre grise traditionnelle. En se rapprochant, Ambrose distingua la ferme et deux grandes granges. Même depuis la route, il remarqua qu'une des granges avait des portes en acier et des modules de ventilation sur le toit. Ils s'arrêtèrent devant le portail où un panneau indiquait simplement « SPD » et s'identifièrent à l'interphone.

« Montrez-moi vos badges par la fenêtre pour que je les voie à la caméra », grésilla une voix. Ambrose donna sa carte de police à son assistante qui la brandit avec la sienne devant l'objectif. L'une des portes s'ouvrit et ils s'engagèrent à l'intérieur. Une femme sortit de derrière les portes en acier qui se refermèrent dans un bruit de frottement. Elle leur fit signe de se garer près de la ferme et les rejoignit à leur sortie de la voiture.

Ambrose la jaugea tout en se présentant. Autour de la quarantaine, entre 1 m 65 et 1 m 70, maigre et nerveuse. Le genre de peau olivâtre qui bronze bien. Des cheveux bruns au niveau des épaules. Les yeux marron, le nez retroussé, une bouche aux lèvres fines, des fossettes qui commençaient à se transformer en rides. Un jean noir, un sweat à capuche noir serré, des santiags noires. Une paire de lunettes qui pendait à son cou sur une fine chaîne en argent. Dès le début, elle parut bouillonnante d'énergie. « Je suis Diane Patrick, annonça-t-elle. La moitié de SPD. Ce qui signifie Sécurité Patrick Davy ou Services de Protection de Données, suivant ce que j'ai l'intention de vous vendre. » Elle sourit. « Comment puis-je vous aider ?

— Vous prenez votre sécurité très au sérieux », observa Ambrose, décidé à gagner un peu de temps. Son instinct l'appelait parfois à agir en douceur, à ne pas en venir directement à l'essentiel.

« Nous ne serions pas une société de stockage de données très efficace si ce n'était pas le cas, dit-elle. C'est en rapport avec un de nos clients ? Parce que laissez-moi vous dire que nous respectons scrupuleusement la loi sur la protection des données.

— Est-ce qu'on peut discuter à l'intérieur ? »

Elle haussa les épaules. « Bien sûr, entrez. » Elle ouvrit la porte et les conduisit dans une cuisine-salle à manger rustique. Celle-ci contenait un beau fourneau en fonte, des plans de travail en pin polis, une grande table au milieu de la pièce entourée d'une demi-douzaine de chaises identiques. On avait dépensé de l'argent ici, mais pas récemment. L'endroit donnait la sensation confortable d'être fait pour accueillir plutôt que pour épater les visiteurs. La table était encombrée de magazines et de journaux. Un netbook était ouvert face à l'une des chaises, un paquet de sablés au chocolat entamé à côté. Les talons de Diane Patrick résonnèrent sur le sol carrelé lorsqu'elle se dirigea vers la bouilloire posée sur le fourneau. Elle la mit en marche et se tourna vers eux, les bras croisés sur sa poitrine menue.

« Nous cherchons Warren Davy, dévoila Ambrose en scrutant la pièce et notant chaque détail.

— Il n'est pas là, répondit-elle.

— Savez-vous quand il revient ?

— Non. Il est à Malte, où il installe un nouveau système pour un client. Il y restera aussi longtemps qu'il faut. »

Ambrose fut déçu. « Quand est-il parti ?

— Il a pris l'avion de Manchester vendredi de la semaine dernière, dit-elle en fronçant les sourcils, perplexe. Pourquoi est-ce que vous le cherchez ? Y a-t-il un problème avec un de nos clients ? Parce que si c'est ça, je peux peut-être vous aider.

— C'est en rapport avec sa voiture, expliqua-t-il.

— Quel est le problème avec sa voiture ? On la lui a volée ? Il la laisse toujours au parking longue durée de l'aéroport.

— On doit simplement lui poser quelques questions sur ses déplacements il y a deux semaines.

— Pourquoi ? Il a été impliqué dans un accident ? Il ne m'a rien dit à ce sujet.

— Si ça ne vous dérange pas, je préférerais attendre de pouvoir en parler avec M. Davy. » Il était clair d'après son intonation qu'il n'était pas question de discuter.

Elle haussa les épaules. « Puisque vous avez fait tout ce chemin, le moins que je puisse faire, c'est de vous proposer quelque chose à boire. »

Les agents optèrent pour du thé. Tandis qu'elle le préparait, Ambrose en profita pour l'interroger sur leur société.

« En fait, ça comporte deux activités, commença-t-elle d'un air absent, comme si elle l'avait expliqué tellement de fois que c'était devenu machinal. On installe des systèmes de sécurité chez nos clients. Parfois, comme Warren le fait en ce moment à Malte, on leur fabrique littéralement l'équipement. Mais l'essentiel de notre activité, c'est du stockage de données sécurisé hors site. Les entreprises peuvent soit les charger sur nos serveurs protégés à des heures préétablies chaque jour ou chaque semaine, selon leurs besoins, soit elles peuvent choisir l'option royale, c'est-à-dire la sauvegarde en temps réel de chaque clic de souris dans le système. Comme ça, si leurs locaux sont réduits en cendres, ils ne perdent absolument rien. » Elle versa de l'eau bouillante dans la théière et remit le couvercle.

« C'est ce qu'il y a dans la grange dehors ? » questionna Ambrose.

Elle hocha la tête. « C'est notre centre de stockage. Les murs font soixante centimètres d'épaisseur. Pas de fenêtres, des portes en acier. Les serveurs et les modules de sauvegarde dans leur châssis se trouvent à l'intérieur dans une chambre climatisée dotée de murs en verre renforcé. Seuls Warren et moi pouvons y obtenir l'accès.

— Vous ne plaisantez vraiment pas, si ?

— Absolument pas. » Elle tendit à chacun une tasse de thé et but une petite gorgée de la sienne.

« Est-ce qu'on peut visiter ? »

Diane se mordit la lèvre. « Normalement, on ne laisse pas entrer les gens. Même nos clients ne le voient qu'une fois qu'ils ont souscrit à nos services. »

Ambrose lui adressa son sourire le plus enjôleur. « On sera sages. Nous sommes la police, après tout. C'est juste que je n'ai jamais rien vu de la sorte.

— Je ne sais pas. Warren est assez strict là-dessus. »

Ambrose ouvrit les mains. « Mais Warren n'est pas là. Allez, faites-moi plaisir. Je suis juste un grand gamin, en réalité. » Il ne savait pas bien pourquoi il tenait tant à voir l'intérieur de la grange de stockage de données. Mais la réticence de cette femme ne faisait qu'attiser sa curiosité.

Elle soupira et posa sa tasse sur la table. « Bon, d'accord. Mais vous devez laisser votre thé ici. Aucun liquide dans la salle de commande. » Ayant pris sa décision, elle sortit immédiatement de la maison et traversa la cour.

Ambrose regarda attentivement Diane placer son doigt sur une plaque de verre à l'abri d'un auvent. « Comment ça marche ? demanda-t-il. Avec les empreintes digitales ?

— Non, c'est un système de reconnaissance du réseau veineux. Apparemment, il est aussi unique que les empreintes digitales, mais l'avantage, c'est que ça ne fonctionne que s'il est encore rattaché au système de circulation sanguine. Autrement dit, on ne peut pas simplement me couper le doigt et s'en servir pour entrer, comme on le peut avec les empreintes. » La porte s'ouvrit et ils la suivirent dans un sas tout juste assez grand pour qu'ils y tiennent tous les trois. Ils se retrouvèrent ensuite dans une petite salle de commande où une demi-douzaine de moniteurs faisaient défiler des données sous leurs yeux. Des voyants clignotaient et brillaient autour d'eux.

Derrière les écrans, une paroi en verre les séparait de vingt tours métalliques, dont des poignées en plastique rouge foncé, entre douze et vingt, dépassaient de chacune. « Chacun de ces modules de sauvegarde peut contenir plus d'un téraoctet de données. Soit un volume que je peux difficilement vous aider à vous représenter », précisa Diane.

Ambrose était stupéfait. « C'est incroyable.

— Surtout si tout ce que vous connaissez de l'informatique, ce sont les ordinateurs de bureau ou portables, approuva Diane d'une voix plus douce. C'est un peu comme si ça sortait d'un épisode de *Doctor Who* ou d'un James Bond : une idée folle matérialisée. »

Ambrose eut un petit rire. « Je ne sais même pas quelles questions vous poser.

— La plupart des gens non plus. Venez, allons finir notre thé tant qu'il est encore chaud. »

De retour dans la cuisine, Ambrose lui demanda les coordonnées du client de Malte.

Pour la première fois depuis leur arrivée, Diane Patrick parut embarrassée. « Je n'en sais rien, à vrai dire.

— Je trouve ça un peu étrange, avoua Ambrose.

— Je comprends que vous puissiez être étonné. Mais en général, on a chacun nos clients. On ne se renseigne sur ceux de l'autre que quand, pour une raison ou pour une autre, on doit s'occuper d'eux. Comme la semaine passée. J'ai dû me rendre deux ou trois fois chez un des clients de Warren parce qu'il est à l'étranger et que cette personne avait besoin d'une assistance matérielle. Warren m'a donc demandé de le remplacer au pied levé, comme je le lui aurais demandé si j'étais indisponible.

— Vous avez donc été en contact avec Warren ? »

Elle sembla déconcertée par cette question. « Bien sûr que oui. C'est mon partenaire. Je veux dire mon compagnon ainsi que mon associé. On s'envoie des e-mails plusieurs fois par jour, et on se parle sur Skype. »

Ce fut au tour d'Ambrose d'avoir l'air déconcerté.

« C'est un moyen de téléphoner par Internet, dit-elle. C'est moins cher que d'utiliser votre portable pour passer des appels internationaux.

— Et vous pensez avoir de ses nouvelles dans la journée ? demanda Ambrose.

— Je pense bien. » Elle parut s'égayer à cette perspective. « Vous voulez que je lui demande de vous appeler ? »

Ambrose tira une carte de la poche intérieure de sa veste et la lui tendit. « Mon numéro de portable est dessus.

— Police de West Mercia, lut-elle. Je ne m'étais pas rendu compte de ça avant. Vous êtes loin de chez vous. Ça doit être sérieux pour que vous veniez jusqu'ici. »

Il ne fut pas étonné qu'elle soit aussi observatrice. On ne montait pas une structure comme celle-ci sans être attentif au détail.

« Simple routine, dit-il, sans espérer un instant qu'elle soit dupe. Nous prenons tous les crimes au sérieux.

— J'en suis sûre, répliqua-t-elle sèchement. Eh bien, je transmettrai vos coordonnées à Warren et je lui dirai de vous appeler. »

C'était à l'évidence une invitation à prendre congé. Ils reposèrent leurs tasses et retournèrent à la voiture. « Qu'en pensez-vous ? lui demanda sa conductrice alors qu'ils franchissaient le portail.

— J'en pense que c'est très intéressant que Warren Davy soit parti en vadrouille. Bien loin de son secteur habituel. Et avec le potentiel informatique qu'il a... » Il se retourna pour regarder la ferme qui disparaissait derrière eux. « ... Franchement, je me demande s'il a déjà mis les pieds à Malte. »

CHAPITRE 34

Sam pressa la sonnette et fit un pas en arrière, puis contempla l'impressionnante porte à deux battants de la maison de Nigel Barnes. « On dirait que la récession n'a pas encore touché Nigel.

— Il est toujours dans la banque ? demanda Carol.

— Non, il est passé dans les assurances il y a cinq ans. Je n'ai aucune idée de ce que ça veut dire. Qui sait ce que ces salauds font vraiment ? »

Carol grogna. Elle n'avait pas envie d'être là. Quand Sam était entré dans son bureau et avait proposé qu'ils se confrontent sans plus attendre à Nigel Barnes, elle avait protesté. « On est dimanche soir et il est neuf heures.

— Exactement. Il ne sera pas sur ses gardes. Et en plus, on est arrivés au calme avant la tempête dans l'enquête sur les meurtres. On attend que les gars sur le terrain nous fournissent des informations exploitables. On attend que Stacey trouve quelque chose pour nous faire avancer. On reste là à se tracasser parce qu'on ne peut rien faire pour arrêter cet enfoiré. Alors on ferait aussi bien de sortir faire quelque chose d'utile. » Il lui avait adressé un sourire en coin. Qu'elle aurait pu trouver séduisant si elle avait été un tant soit peu intéressée par Sam. Mais vu la situation, elle y vit une tentative de sa part de tromper sa vigilance. « Imaginez-vous comme ce serait génial de l'apporter à Blake sur un plateau, complètement à l'improviste. »

Ç'avait été l'argument décisif, et voilà comment elle se retrouvait là. Au lieu de rattraper son sommeil en retard ou de lire les

345

rapports qu'envoyaient les divisions, elle se retrouvait sur un pas de porte avec Sam pour le seconder dans une affaire vieille de quatorze ans où ils n'avaient pratiquement aucune preuve. « Il n'est pas là », maugréa-t-elle.

À cet instant précis, une lumière s'alluma dans l'entrée. Sam lui adressa un sourire triomphant qu'il effaça ensuite pour l'homme qui ouvrait la porte.

D'après les photos qui figuraient dans le dossier, les années avaient été clémentes avec Nigel Barnes. À quarante-trois ans, il n'y avait toujours aucune trace de gris dans son épaisse tignasse blonde dont la coupe rappelait Michael Heseltine au sommet de sa réputation de Tarzan moderne. Le visage lisse, pas de poches sous ses yeux bleu clair, la peau du menton toujours tendue. Ce dernier était trop fuyant et sa bouche trop veule, son nez trop charnu, mais il avait tiré le meilleur parti de ce qu'il avait. Il semblait avoir passé plus de temps dans des centres de soin du visage que de raison, se dit Carol. Il parut poliment déconcerté en les voyant. « Oui ? »

Carol les présenta. « Je crains d'avoir une mauvaise nouvelle pour vous, monsieur Barnes. Je pense qu'il vaudrait mieux que nous entrions. »

Le visage de Barnes se durcit. Ses lèvres remuèrent à peine lorsqu'il dit : « Vous les avez trouvées. »

Carol inclina la tête. « Oui. En effet.

— Où ça ? » Il secoua la tête, comme s'il ne pouvait pas accepter l'idée.

« Là où vous les avez mis », répondit Sam d'un ton froid et sec.

Barnes fit un pas en arrière et essaya instinctivement de mettre la porte entre eux. « Je ne comprends pas, dit-il. De quoi parlez-vous ? »

Sam s'avança et mit son pied dans l'embrasure de la porte. « Nous voudrions que vous nous accompagniez au poste pour répondre à quelques questions. »

Barnes secoua la tête d'un air incrédule. « Vous êtes complètement fous ? Vous me dites que vous avez découvert les corps de ma femme et de ma fille. Et vous voulez que je vienne au commissariat ? Comme si j'étais un suspect ?

— Je n'ai jamais parlé de corps, fit remarquer Carol. Je vous ai simplement confirmé qu'on les avait retrouvées. »

Barnes plissa les yeux. « Vous m'avez dit que vous aviez une mauvaise nouvelle. Ce n'est certainement pas ce que vous auriez dit si vous les aviez retrouvées saines et sauves installées à Brighton.

— Il y a plusieurs sortes de mauvaises nouvelles. C'est vous qui en avez tout de suite conclu que je parlais de votre femme et de votre fille. Prenez votre manteau, s'il vous plaît, monsieur Barnes. Tout cela sera bien plus facile au commissariat que sur le pas de votre porte.

— Je ne vous accompagne nulle part. » Il essaya de fermer la porte mais Sam l'en empêcha. Barnes, qui devait faire de la gonflette mais n'avait pas de force réelle, n'était certainement pas de taille à lutter.

« Soit vous venez de votre plein gré soit je vous arrête, précisa Carol.

— M'arrêter ? s'écria-t-il, incrédule. C'est moi la victime dans cette histoire. » Il continuait de pousser sur la porte.

Carol leva les yeux au ciel. « Nigel Barnes, je vous arrête pour entrave à la justice. Vous avez le droit de garder le silence. Mais cela pourrait nuire à votre défense si, lors d'un interrogatoire, vous ne mentionnez pas quelque chose que vous invoquerez par la suite devant le tribunal. Tout ce que vous direz pourra être retenu contre vous. Sam, passe les menottes à M. Barnes. »

Barnes s'écarta soudain de la porte et fit perdre l'équilibre à Sam. Il n'évita de s'étaler par terre qu'en se rattrapant in extremis au montant de la porte. « Ce n'est pas la peine, déclara Barnes d'une voix tendue. Je vais chercher mon manteau.

— Sam, accompagne-le. Vous êtes en état d'arrestation, monsieur Barnes », lui cria Carol.

Il leur fallut vingt minutes pour le ramener au poste, puis une heure avant l'arrivée de son avocat. Carol était si fatiguée qu'elle avait envie de poser la tête sur le bureau et de pleurer, mais au moins, c'était Sam qui allait mener l'interrogatoire. Il croyait qu'elle lui accordait une faveur en raison du travail qu'il avait accompli sur l'affaire ; la vérité, c'était qu'elle ne pensait pas avoir l'énergie de questionner Barnes correctement. Pendant leur attente, elle avait eu l'agréable surprise de trouver la troisième tentative de profil de Tim Parker. Son sourire s'était agrandi au fil de sa lecture. Voilà donc ce que Tony avait décidé de faire de lui. Elle supposa que le pousser à s'améliorer était une meilleure solution que de lui arracher le bras et de le frapper avec, comme elle avait eu envie de le faire auparavant. On pouvait faire confiance à Tony pour trouver une issue dans une situation complexe.

Et maintenant, elle devait prier pour que Sam puisse en faire autant.

Le serveur leur proposa des cafés ; les deux femmes commandèrent des expressos. Elinor croisa le regard de Paula et éclata de rire. « Toubibs et flics : les seules personnes qui peuvent boire des expressos après leur dîner en sachant que ça ne les empêchera pas de dormir. »

Un lent sourire inonda le visage de Paula comme de la confiture sur celui d'un bambin. « Mais d'habitude, je n'ai pas une raison aussi sympathique de rester éveillée.

— Moi non plus. » Elinor termina son verre de vin et poussa un soupir de contentement. Ce soir-là, elle semblait avoir évacué la lassitude du travail. Elle avait réussi à trouver le temps de se faire une mise en plis compliquée et d'enfiler un chemisier de soie bleu-vert qui faisait ressortir ses yeux comme deux joyaux. Elle était radieuse, comme illuminée de l'intérieur. Paula croyait même voir sa peau rayonner. Elle se sentait incroyablement chanceuse. « Merci de t'être libérée, dit Elinor.

— Comme tu l'as dit, on a toutes les deux besoin de manger. Et je n'avais rien d'autre à faire ce soir excepté parcourir une nouvelle fois mes dépositions de témoins jusqu'à me provoquer un strabisme. Je suis contente que tu aies été disponible.

— Même M. Denby doit parfois libérer ses esclaves. » Leurs cafés arrivèrent, chauds et forts, et elles les dégustèrent dans un moment de silence.

Paula ne se rappelait pas la dernière fois qu'elle avait passé une soirée aussi détendue. C'était ce dont elle rêvait depuis longtemps, mais elle avait du mal à démordre de la vieille maxime du flic : croise les doigts mais attends-toi au pire. Cette fois-ci pourtant, elle semblait avoir remporté le gros lot. La conversation avait coulé facilement entre elles. Elles aimaient la même musique, leurs lectures se recoupaient suffisamment pour qu'elles partagent des opinions, elles avaient des goûts similaires en cinéma. Elles adoraient toutes les deux le vin rouge et la viande rouge. Elinor avoua même apprécier une cigarette de temps à autre. « Une ou deux par semaine, dit-elle. Juste avant de me coucher, avec un whisky.

— Si je pouvais fumer comme ça, je serais contente, reconnut Paula. Avec moi, c'est tout ou rien. Je veux arrêter de nouveau, mais je sais que je dois me préparer.

— Tu as déjà arrêté ?

— Oui. Je m'en sortais très bien jusqu'à ce que... Oh, c'est une longue histoire. » *Et je n'ai pas envie de la raconter à moins que les choses prennent tournure entre nous.* « La version en cinq secondes ? Un ami à moi – un collègue, en fait, mais c'était aussi un ami –, il s'est fait tuer. » *Et j'ai failli mourir moi aussi, mais c'est ce dont je ne veux pas parler ce soir.*

« Je suis désolée, dit Elinor. Ça a dû être difficile. C'est étrange comme souvent la mort de gens qu'on aime réveille ce comportement autodestructeur présent en chacun de nous. » Et elle en était restée là, ce dont Paula lui était reconnaissante et qui l'avait impressionnée.

À présent, tandis qu'elles finissaient leurs cafés et se partageaient l'addition, elles étaient toutes les deux parcourues d'un même frisson. Paula avait envie de toucher la peau d'Elinor, de sentir l'électricité circuler entre le bout de ses doigts et ceux d'Elinor. Non pas qu'elle veuille précipiter les choses. Elle avait trop de doutes. Sur elle-même, pas sur Elinor.

Elles sortirent du restaurant et furent surprises par un féroce vent tourbillonnant. « Bon Dieu, c'est la Baltique ici ! s'exclama Elinor. Quand est-ce arrivé ? Il faisait très doux quand on est entrées.

— Le temps file quand on s'amuse. À vrai dire, on est mercredi maintenant. »

Elinor rigola et prit Paula par le bras. « Tu sais ce qui me ferait vraiment plaisir ? »

Le cœur de Paula se serra. Elle ressentit un mélange de joie, de désir et de crainte. « Je suis beaucoup trop bien élevée pour deviner », dit-elle.

Elinor lui serra le bras. « J'aime ton absence de vanité. Et j'aimerais qu'on apprenne à se connaître beaucoup mieux.

— Oui, acquiesça Paula avec prudence, en se demandant où cela allait mener.

— Et je n'ai pas envie que cette soirée se termine tout de suite. Je sais qu'il est tard, mais ça te dit de venir chez moi ? Pour un café ? Discuter un peu plus ? »

Elles s'arrêtèrent quelques instants sous l'auvent d'un magasin. « J'en ai envie, admit Paula. J'en ai vraiment très envie. Mais s'il te plaît, ne te méprends pas. Quand tu dis pour un café, il faut vraiment que ce soit ça. Je dois être au bureau à la première heure, douchée, alerte, et avec des vêtements propres. »

Elinor eut un petit rire. « Dans ce cas, on ferait mieux d'aller chez toi, tu ne crois pas ? » Avant que Paula n'ait pu répondre, Elinor l'avait enlacée. Ce fut un moment électrique pour Paula. Des picotements parcouraient tout son corps et ses oreilles bourdonnaient. Elle entendit un léger gémissement et se rendit compte qu'il provenait du fond d'elle-même. Elle souhaitait que ce baiser ne s'arrête jamais.

Quand elles se séparèrent enfin, toutes deux respiraient bruyamment. « Waouh ! lâcha Elinor.

— On y va ? » proposa Paula d'une voix rauque. Elle s'éclaircit la gorge et tâta ses poches. « On peut prendre un taxi. » Elle s'arrêta net. « Attends une minute. » Elle ouvrit son sac et fouilla dedans. « J'y crois pas. J'ai laissé mes foutues clés au bureau. Je me suis tellement dépêchée pour ne pas être en retard à notre rendez-vous… Je les vois très bien. Elles sont posées sur mon bureau, devant mon ordinateur. »

Elinor haussa les épaules. « Pas de problème. On est juste à côté de ton bureau. On peut y aller à pied les récupérer puis prendre un taxi de là-bas.

— Ça ne te dérange pas ?

— Non. Et comme ça, je pourrai voir où tu travailles. »

Dix minutes plus tard, elles sortaient de l'ascenseur au troisième étage du QG de la police de Bradfield. L'agent de service n'avait pas sourcillé quand Paula avait inscrit Elinor au registre. Cela lui fit se demander combien de ses collègues utilisaient les bureaux pour leurs aventures en dehors des heures de service. « On est là-bas », indiqua-t-elle en ouvrant la marche, mais sans lâcher la main d'Elinor.

350

Il y avait de la lumière dans un coin de la salle, provenant d'une lampe de travail ainsi que des écrans de Stacey au rayonnement inquiétant. « Stacey ? Tu es encore là ? s'étonna Paula.

— Je travaille sur ces bandes de vidéosurveillance de la gare centrale, répondit Stacey. Tu ne devrais pas embrasser ta copine dans l'ascenseur, c'est sur les caméras internes.

— Oh merde ! s'écria Paula. Ça va être partout sur l'intranet demain.

— Non, assura distraitement Stacey. J'ai déjà tout effacé. » Elle se leva, et sa tête apparut à peine au-dessus des écrans. « Je m'appelle Stacey, dit-elle. Ça fait plaisir de voir Paula profiter de la vie. Nous sommes donc trois. »

Paula ne se rappelait pas la dernière fois qu'elle avait entendu Stacey parler aussi longuement d'autre chose que d'informatique. « Voici Elinor, annonça-t-elle.

— Je me souviens de vous, dans l'enquête sur Robbie Bishop, révéla Stacey. C'est vous qui aviez décelé les traces de poison. Très impressionnant. »

Paula fut estomaquée par cette déclaration. Elinor avait-elle cet effet sur tout le monde ?

« Merci », répondit Elinor. Elle flânait dans la pièce en jetant un œil aux tableaux blancs, pour sentir l'atmosphère de l'endroit. « Ce bureau dégage de bonnes vibrations. Quelque chose de très paisible. »

Paula rigola. « Tu ne dirais pas ça si tu étais là à neuf heures du matin. »

Stacey s'était rassise derrière ses moniteurs. « Puisque tu es là, Paula, viens jeter un œil là-dessus. Ça fait un petit moment que j'y travaille, je crois que je tiens quelque chose. »

Paula regarda Elinor pour vérifier que cela ne lui posait pas de problème. Elinor sourit et l'invita à aller voir d'un geste de la main. « Vas-y, dit-elle. Tout va bien pour moi. »

Stacey mit en veille quatre de ses écrans, n'en laissant que deux allumés. « Sur celui-ci, on a la vidéo retravaillée. Regarde, il y a l'heure ici : seize heures trente-trois. Seth a eu largement le temps de venir là du collège. » Elle cliqua sur sa souris et une des silhouettes qui se déplaçaient dans l'entrée de la gare fut mise en valeur. Les autres se fondirent dans un arrière-plan gris. Un autre clic, et l'image devint plus nette. « Je crois que c'est Seth.

— Tu dois avoir raison. Kathy m'a montré des vidéos de lui cette après-midi. Je dirais que c'est lui, sans doute possible. Et alors, où est-ce qu'il va ? »

Nouveaux clics. Stacey avait assemblé des plans de plusieurs caméras qui montraient Seth en train de traverser le hall. Il passa devant le Costa Coffee puis disparut. « Où est-il allé ? demanda Paula.

— Il y a un angle mort entre le Costa Coffee et le Simply Food. C'est l'entrée d'un passage qui mène au parking. Je pense qu'il a retrouvé quelqu'un et qu'ils sont partis ensemble. »

Paula grommela : « Quel manque de pot.

— Tu crois ?

— Ben, c'est quoi sinon ?

— Quelqu'un qui sait exactement où se trouvent les caméras et quelles zones elles couvrent. »

Un long silence. Puis Paula déclara : « C'est une idée très intéressante.

— Je sais. La bonne nouvelle, c'est qu'il n'est pas tout à fait aussi malin qu'il croit l'être. » Stacey enfonça quelques touches et le deuxième écran s'anima. Une vidéo en noir et blanc défila pendant quelques secondes. Stacey la mit sur pause et cliqua sur sa souris. Une silhouette qui pouvait être celle de Seth se détacha. « Je crois que c'est encore Seth.

— Ça se pourrait.

— Le moment et l'endroit correspondent. D'accord, ça pourrait être presque n'importe qui. Mais partant du principe que l'endroit et le moment correspondent, disons que c'est Seth. Maintenant regarde ça. » Un nouveau clic sur la souris. Une deuxième silhouette fut mise en valeur. Elle n'était qu'à moitié visible car la devanture du Simply Food la cachait. Et on la voyait de derrière, donc on ne pouvait absolument pas distinguer le visage. Mais la personne avait assurément la main sur le bras du garçon qui pouvait être Seth.

« C'est lui, affirma Paula, soudain animée par l'ivresse de la poursuite.

— Pour ce que ça nous avance. On peut sans doute dire sa taille et qu'il a les cheveux bruns à hauteur d'épaules, si ce n'est pas une perruque. Mais c'est tout.

— Tu l'as cherché sur les autres bandes ? »

Stacey soupira. « Je sais que vous me prenez tous pour une magicienne, mais mes pouvoirs sont limités. C'est une aiguille dans une botte de foin, à ce stade. J'ai essayé, mais il y a tout simplement trop de possibilités.

— Mais on peut au moins lancer un appel à témoins. On peut être très précis sur le lieu et le moment. Ça pourrait nous donner une nouvelle piste. » Paula passa le bras autour des épaules de Stacey et la serra contre elle. « Tu es vraiment géniale. » Elle se tourna vers Elinor, qui feuilletait des papiers sur le bureau de Kevin. « Cette femme est un génie.

— Il en faut. C'est toujours bien quand ils font partie de ton équipe. Bravo, Stacey. » L'air distrait, Elinor leva les yeux, un léger pli entre ses sourcils froncés. « Y a-t-il une raison pour laquelle vous n'avez pas communiqué que les victimes sont parentes ? »

Durant un instant, Paula ne comprit pas ce que voulait dire Elinor. « Eh bien, on sait que les affaires sont liées à cause du *modus operandi*. On a dit qu'on croyait que c'était l'œuvre du même meurtrier. »

Elinor secoua la tête avec impatience. « Non, ce n'est pas ce que je veux dire. Je veux dire littéralement parentes. De la même famille.

— De quoi parles-tu ? Ils ne sont pas apparentés. Pourquoi tu dis ça ? »

Elinor prit en main deux feuilles de papier. « Ce sont leurs empreintes génétiques ?

— Si c'est ce que disent les rapports du labo. Mais c'est la routine. On prend l'empreinte génétique de toutes les victimes de meurtre. » Paula avait traversé la moitié de la pièce, suivie de Stacey.

Elinor ne cessait de regarder les deux feuilles à tour de rôle. « Eh bien, à moins qu'ils aient fait une boulette au labo, ces deux personnes sont de proches parents. Je ne suis pas une spécialiste, tu comprends ? Mais je dirais qu'ils sont soit cousins soit demi-frères. »

CHAPITRE 35

Nigel Barnes était assis à la table, les mains jointes devant lui, l'air on ne peut moins heureux. D'après l'agent qui l'avait surveillé, il s'était mis en pétard en apprenant que l'avocat pénaliste du cabinet juridique dont il était client n'était pas disposé à sortir à dix heures et demie du soir et avait envoyé à sa place son subalterne récemment diplômé. Ce dernier avait l'air d'un homme dont les pieds cherchent le sol sans le trouver vraiment.

À peine Sam et Carol s'étaient-ils assis que l'avocat leur parla avec agitation. « Je ne vois pas du tout pourquoi mon client est ici, encore moins en état d'arrestation. Si je comprends bien, vous avez découvert ce qu'étaient devenues sa femme et sa fille, disparues il y a quatorze ans. Et au lieu de laisser mon client pleurer ses proches, vous l'avez traîné jusqu'ici sous une inculpation forgée de toutes pièces...

— Nous n'avons aucunement inculpé votre client », contesta Sam en installant le matériel d'enregistrement. Lorsque l'appareil fit bip, il déclina les noms des personnes présentes. « Plus tôt dans la semaine...

— Je tiens à protester contre le traitement infligé à mon client, à qui on aurait dû laisser le temps de se remettre de cette effroyable nouvelle au lieu de le traiter comme un criminel.

— Dûment noté », attesta Carol d'une voix lasse.

Sam reprit : « Plus tôt dans la semaine, trois cadavres humains ont été retirés de Wastwater dans la région des lacs. Ces cadavres se sont révélés être ceux d'un homme, d'une femme et d'une enfant. Ces corps ont été découverts grâce à des informations recueillies sur un ordinateur qui avait été dissimulé derrière un faux mur dans une maison qui vous a appartenu, monsieur Barnes. Une maison où vous habitiez avec votre épouse Danuta et votre petite fille Lynette. »

Barnes secoua la tête. « Je ne vois absolument pas de quoi vous parlez.

— Les dossiers dentaires prouvent que le corps de la femme est celui de votre épouse. L'empreinte génétique établit que la fillette était sa fille Lynette. Et d'autres éléments matériels indiquent que le troisième corps est celui d'un homme dénommé Harry Sim. Un homme qui travaillait autrefois pour vous et votre femme à la banque Corton. »

Barnes resta impassible.

« Vous ne semblez pas très troublé, monsieur Barnes, dit gentiment Carol. Ce sont votre femme et votre enfant dont nous parlons. Jusqu'à présent, la seule émotion que je vous ai vu manifester, c'était pour refuser férocement de nous accompagner au poste de police.

— C'était il y a longtemps, inspecteur, répondit courtoisement Barnes. J'ai fini par faire mon deuil.

— Vous ne semblez pas très curieux de savoir comment votre femme et votre fille ont terminé au fond de Wastwater avec un autre homme », constata Sam.

Barnes regarda ses mains. « Comme je l'ai dit à vos collègues à l'époque, Danuta m'avait quitté. Elle m'a laissé un mot disant que c'était fini, qu'elle était amoureuse d'un autre. Je ne savais absolument pas qui était son amant ni où elle était partie. Maintenant il est clair qu'il s'agissait d'Harry Sim. » Il jeta un rapide coup d'œil à Sam. « J'ai été vraiment blessé à l'époque. Vraiment très blessé. Mais il fallait que je surmonte cette épreuve et que je passe à autre chose.

— Vous n'aviez aucune idée qu'elles étaient mortes ? »

Le visage de Barnes se tordit dans ce que Sam supposa être prétendument un accès de douleur. Ce n'était pas convaincant. « Non, dit-il.

— Angela Forsythe oui. » Sam laissa ses paroles en suspens.

Barnes ne pouvait cacher ses mains de plus en plus serrées l'une sur l'autre. Il poussa un profond soupir. « Angela n'est pas la femme la plus équilibrée qui soit. Elle ne m'a jamais beaucoup aimé. Je me suis toujours demandé si elle n'était pas elle-même amoureuse de Danuta.

— Il s'avère qu'elle avait raison, cependant. Et peut-être qu'elle avait également raison sur la deuxième partie de sa théorie. »

L'avocat se pencha en avant, comme s'il se rappelait tout à coup qu'il était censé remplir un rôle. « Est-ce une question, sergent ? »

Sam sourit. « J'y viens, monsieur. Angela croit que Danuta ne vous a pas quitté. Elle croit que vous l'avez tuée. Ainsi que Lynette. »

Barnes émit un bruit presque semblable à un rire. « C'est insensé. Si Harry Sim était dans le lac, cela prouve bien qu'elle m'a quitté.

— Non, contesta Carol d'une voix traînante. Cela prouve simplement qu'on s'est débarrassé du corps d'Harry Sim au même moment que ceux de Danuta et Lynette.

— Et cela pose un petit problème, poursuivit Sam. Mais avant que vous essayiez de nous convaincre que ce doit être le résultat d'une sorte d'étrange pacte suicidaire, ou qu'Harry Sim, un fou monomaniaque, a kidnappé et tué Danuta et Lynette avant de se flinguer, laissez-moi vous expliquer en quoi il y a un élément qui est parfaitement clair. Bien qu'ils aient tous les trois fini dans le lac, ce n'est pas par leurs propres moyens. Quelqu'un a emballé les corps, a attaché un ballot de pierres au paquet et les a jetés dans le lac. C'est vous, n'est-ce pas, Nigel ?

— C'est grotesque, s'indigna l'avocat. Allez-vous fournir des preuves à un moment donné ? Ou est-ce que vous nous avez fait venir dans quelque but sadique ? »

Sam ouvrit le dossier devant lui. « J'ai parlé plus tôt d'un ordinateur. Malgré les efforts faits pour effacer le contenu du disque dur, nos experts ont pu en extraire une quantité assez importante de données. Il y a toute une section ici – il pointa la page du doigt – sur les possibilités de l'empoisonnement au monoxyde de carbone. Et dans un autre fichier, des indications pour se rendre à Wastwater et des informations sur son isolement et sa profondeur. Comme je vous l'ai dit, on a trouvé cet ordinateur caché dans votre ancienne maison.

— N'importe qui a pu le mettre là. » Barnes s'efforçait de garder son sang-froid.

« Mais pourquoi faire ça ? » Carol posa la question aimablement, comme si elle voulait vraiment le savoir.

Barnes dénoua ses mains et passa ses doigts dans son épaisse chevelure. « Pour me piéger, évidemment.

— Ce que je ne comprends pas, c'est pourquoi, si quelqu'un a voulu vous piéger, cette personne s'est donné tant de mal pour vous faire accuser mais ne l'a dit à personne ensuite, exposa Carol. Ça me paraît un peu insensé.

— Nous trouverons votre empreinte génétique dessus, dit Sam. On est en train de vérifier dans les archives du fabricant de l'ordinateur. On va confirmer que c'est le vôtre, Nigel. Vous ne pouvez pas nier ce fait. »

Il y eut un long silence. Puis Barnes déclara : « Ça peut être Danuta. Elle n'était plus elle-même après l'arrivée du bébé. » Il haussa une épaule. « Les femmes et leurs hormones. Ça les fait agir bizarrement.

— Je vais vous dire ce qui s'est passé d'après moi », annonça Sam.

L'avocat fit non de la tête. « Non, je ne pense pas, sergent. Vous n'avez rien. Vous nous menez en bateau. Ça suffit. Soit vous inculpez mon client, soit nous partons.

— Non, dit Barnes en posant la main sur le bras de son avocat. Laissons-le parler. Je veux savoir quelle explication fantaisiste il a inventée. Un homme averti en vaut deux, après tout. »

Sam se concentra et se remémora le conseil de Tony. *Une seule chance.* Et c'était maintenant. « Je crois que vous les avez tués tous les trois. Vous leur avez donné des somnifères pour les mettre KO et vous les avez empoisonnés au monoxyde de carbone. Puis vous vous êtes débarrassé des corps. Harry était votre alibi. Si on découvrait les corps, c'était la preuve que Danuta avait eu un amant. Vous étiez innocenté.

— Si j'étais si malin, est-ce que je n'aurais pas fait passer ça pour un meurtre-suicide ? », demanda Barnes.

Sam hocha la tête. « Ça m'a laissé perplexe au départ. Puis quand j'ai parlé avec Angela, je me suis rendu compte que même les imbéciles de flics que nous sommes aurions sans doute réfléchi à deux fois à ce scénario une fois découvert quel parfait loser était Harry. Danuta ne serait jamais partie avec lui, aucune chance.

Pas même sous l'effet des hormones post-natales. Alors je me suis rabattu sur le plan B.

— Fascinant, commenta Barnes. Et quel est ce plan B ? »

Sam sourit largement. « Vous allez avouer vous être débarrassé des corps, n'est-ce pas ? Vous allez nous raconter que vous avez soupçonné Harry d'avoir enlevé votre femme et votre fille, que vous êtes donc allé à son mobile home où vous avez découvert qu'ils étaient morts d'une intoxication au monoxyde de carbone à cause d'un radiateur défectueux. Vous allez nous expliquer le dilemme auquel vous faisiez face. Parce que vous n'aviez aucune preuve de l'enlèvement. Vous avez déjà déclaré à la police qu'elle vous avait quitté. On aurait pu s'imaginer que vous y étiez allé dans une crise de jalousie, que vous les aviez tous tués, puis que vous aviez fait croire à un terrible accident. Et vous allez nous dire que la seule possibilité que vous ayez trouvée, c'était de vous débarrasser des corps. »

Barnes partit d'un bruyant rire artificiel. « C'est la chose la plus absurde que j'aie jamais entendue. »

L'avocat recula sa chaise. « Bien. Ça suffit. C'est aberrant. Nous n'allons pas écouter ces spéculations une minute de plus. »

Carol se pencha vers la table. « Interrogatoire terminé à 22 h 57. » Elle éteignit le magnétophone.

« Ce ne sont pas des spéculations, indiqua Sam, cette fois sans aucune cordialité. Ce sont des faits incontestables, tangibles. Nous allons chercher, Nigel. Nous allons fouiller. Nous allons passer votre vie au microscope. Demain, nous annoncerons notre découverte et Angela parlera aux médias. Elle est déjà en train de rallier toute une armée d'anciens collègues de chez Corton pour qu'ils décrivent quel homme pitoyable était Harry. Pratiquement autiste, d'après ce que j'entends dire. Ils vont tous expliquer à quel point la vie de Danuta avec vous devait être un enfer si elle a préféré s'installer dans un mobile home avec Harry Sim que de rester avec vous. Imaginez. Quelle merde ça devait être pour qu'Harry soit la solution ? Et puis, les gens vont s'interroger : est-elle vraiment partie avec Harry ? Qui a pu mettre les corps dans le lac ? »

Barnes se leva, les poings serrés sur les hanches, perdant son sang-froid comme neige fond au soleil. « Vous ne pouvez pas faire ça.

— On ne va pas le faire. Ce qu'on va faire, c'est aller voir chaque individu qui a croisé votre chemin pour l'interroger sur vous et Danuta. Vos amis, vos collègues, vos clients. Parce que vous n'êtes pas si malin, Nigel. Vous avez cherché beaucoup trop loin. Vous auriez dû simplement les laisser dans le mobile home avec un radiateur défaillant. Mais non. Il a fallu que vous jouiez les petits futés », expliqua Sam d'un ton sarcastique.

Barnes voulut se jeter sur lui, mais son avocat le déséquilibra d'un coup sur la hanche. « Vous n'avez rien contre moi, cria-t-il.

— Bientôt, dit Sam. Parce que vous n'êtes vraiment pas si malin. Et quand les gens idiots essayent de jouer les malins, ils font des erreurs. » Il se tourna vers Carol. « Il y a quatorze ans, quelle voiture avait-il ? Une belle bagnole, je parie. BMW, Mercedes, quelque chose de ce genre. Il y a des chances qu'elle existe toujours. Ces moteurs de qualité durent longtemps. »

Carol fit semblant de réfléchir. « Les reçus de carte bancaire, Sam. Il a dû acheter de l'essence quelque part. Il y a de grandes chances qu'on puisse les retrouver.

— Ou on pourrait simplement faire une déclaration à la presse disant qu'on a interrogé le mari et qu'on ne recherche personne d'autre dans le cadre des morts suspectes de Danuta Barnes, Lynette Barnes et Harry Sim. Je veux dire, si on ne peut condamner personne, autant ne pas perdre notre temps.

— Êtes-vous en train de menacer mon client ? s'offusqua l'avocat, trop timide pour éveiller l'inquiétude de Sam ou Carol.

— En quoi le fait de dire la vérité constitue-t-il une menace ? demanda Carol en prenant son air le plus innocent. Sam a raison. C'est la manière la plus efficace de procéder. Nous avons interrogé le mari – c'est vous, Nigel, au cas où vous auriez oublié, avec toutes ces années qui se sont écoulées – et nous ne cherchons personne d'autre. » Elle serra la main de Sam. « Affaire réglée. Il suffit parfois de s'en remettre au tribunal de l'opinion publique. »

Barnes jeta un regard éperdu à son avocat. « Vous devez empêcher ça. C'est un scandale. C'est de la persécution. »

Sam savait que l'avocat ne pouvait pas faire ou dire grand-chose. Carol et lui avaient pris soin de ne pas dépasser la mesure. Il laissa le silence peser lourdement tandis que Barnes se passait les mains dans les cheveux. Puis, tout doucement, il dit : « Bien sûr, si vous reconnaissiez avoir suivi le plan B, rien de tout cela n'arriverait.

— Je crois que vous atteignez les limites du convenable, avertit mollement l'avocat.

— Pourquoi le sergent Evans et moi-même n'irions-nous pas prendre un café afin que vous puissiez examiner vos options ? » suggéra Carol en se dirigeant vers la porte avec Sam dans son sillage.

Ils n'ouvrirent pas la bouche avant d'être sortis de la salle d'interrogatoire. Puis Sam s'accroupit et se prit la tête entre les mains. « Je voulais tellement le coincer, dit-il d'une voix étouffée. C'est un tueur sans pitié.

— Je sais. Mais je pense qu'il va décider d'avouer s'être débarrassé des corps et avoir entravé le cours de la justice. Mieux vaut affronter cette certitude que supporter l'idée que partout où il ira, les gens le montreront du doigt. » Carol s'accroupit à côté de lui et posa une main réconfortante sur son épaule. « C'est déjà quelque chose, Sam.

— Non, ça ne vaut rien. C'est à peine un quart de quelque chose.

— Ça me fait rager autant que toi. À chaque fois. Mais parfois, il faut se contenter de moins que ce qu'on voudrait. C'est une affaire classée, Sam. »

Il renversa la tête en arrière et soupira. « Vous expliquez tout le temps qu'on est là pour parler au nom des morts. Mais parfois, on ne crie tout simplement pas assez fort. »

CHAPITRE 36

Carol reconnut l'agitation qui régnait dans les bureaux de la BEP ce matin-là. C'était toujours ainsi quand son équipe s'apprêtait à faire une avancée essentielle. La veille au soir, Paula lui avait annoncé une nouvelle découverte au téléphone, et Carol les avait convoqués à cette réunion de sept heures du matin car aucun d'eux ne voulait attendre pour s'y mettre. Le fait que Nigel Barnes ait choisi d'avouer s'être débarrassé des corps dans Wastwater n'était qu'un bonus.

Ils se rassemblèrent autour de la table, café en main. À la dernière minute, Tony arriva. « Vous n'alliez tout de même pas commencer sans moi », lança-t-il gaiement en attrapant la chaise la plus proche et en posant ses papiers devant lui. Il regarda autour de lui, feignant la surprise. « Je croyais qu'il y avait un petit nouveau dans l'équipe ?

— Le sergent Parker a été rappelé impérativement à la faculté, répondit Carol en lui jetant un regard furieux. On va donc être obligés de te supporter.

— Bon retour parmi nous, doc », dit Kevin.

Carol cria au milieu du brouhaha général. « Est-ce qu'on peut se mettre au travail ? » Ils se turent et elle commença. « Nous avons du nouveau à vous communiquer. Paula, voudrais-tu expliquer comment c'est arrivé ? » Carol jeta sur celle-ci un œil sévère. Elle lui avait déjà bien fait comprendre que, si elle se réjouissait de cette découverte, elle n'appréciait guère que Paula fasse venir des étrangers dans leur service au beau milieu d'une enquête confidentielle.

363

Paula avait dû répéter son intervention : « Je suis passée au bureau tard hier soir avec le docteur Elinor Blessing… »

Mais elle ne put obtenir le calme escompté : ses collègues se mirent à s'esclaffer et à siffler. Carol savait qu'ils avaient besoin de libérer les tensions que leur causait cette affaire, et les laissa se défouler. En plus, Paula l'avait cherché. « Vous ne pouviez pas simplement prendre une chambre ? déclara Kevin d'un ton innocent.

— Très drôle. Vous êtes tous de sacrés comiques », répliqua Paula, qui prenait bien la chose. La soirée avait tourné court après la découverte d'Elinor, mais Paula était toujours euphorique du fait de cette rencontre. Et peut-être aussi du manque de sommeil. « Certains d'entre vous se souviennent peut-être du docteur Blessing depuis l'affaire Robbie Bishop, et de l'aide précieuse qu'elle nous a apportée. » Nouvelle rafale de cris et de clins d'œil. « Eh bien, elle est de nouveau venue à notre secours. » Paula fit un signe de tête à Staccy, qui enfonça quelques touches sur le netbook posé devant elle. Les familières bandes d'ADN apparurent sur le tableau blanc. « À gauche, vous avez l'empreinte de Daniel. À droite, celle de Seth. Si vous regardez de plus près, vous pouvez remarquer de fortes similitudes. » Des séquences des bandes d'ADN furent mises en valeur. « D'après le docteur Blessing, cela indique que Daniel et Seth sont parents. »

Stacey pressa de nouveau plusieurs touches et deux autres relevés d'ADN s'affichèrent. « Jennifer et Niall, indiqua Paula. Et le même phénomène. » Des séquences furent cette fois encore surlignées. « J'ai fait sortir le docteur Shatalov de son lit à deux heures du matin pour qu'il vérifie qu'Elinor avait raison. Et il est d'accord. Il a appelé une personne de l'université qui est plus experte que lui-même en génétique. Elle pense qu'il s'agit de demi-frères et sœurs.

— Es-tu en train de dire que toutes ces femmes avaient une liaison avec le même homme et qu'elles sont tombées enceintes ? La même année ? intervint Kevin, incrédule. C'est insensé !

— Bien sûr que non. C'est évident. Du moins, ça l'est pour une lesbienne. Insémination artificielle. Forcément. C'est la seule explication logique. Et on sait déjà que Seth est né d'une insémination. »

Tout le monde resta abasourdi pendant quelques instants. Puis Tony se pencha en avant. « La mauvaise graine, dit-il. La fin de la lignée. C'est ça qu'il fait. Il ne les tue pas parce qu'ils lui ressemblent. Il les tue parce qu'ils sont lui. »

Pour l'inspecteur Stuart Patterson, il n'était pas question de déléguer cet entretien. Les Maidment avaient eu droit à un officier supérieur pour leur annoncer la mort de leur fille, et on leur devait la même courtoisie pour la question très personnelle qu'on allait leur poser ce matin-là. Avec un peu de chance, ils seraient tous les deux chez eux à cette heure matinale.

Paul Maidment lui ouvrit la porte. Il était en costume et rasé de frais, comme n'importe quel homme d'affaires prospère paré pour sa semaine de travail, nonobstant son regard éteint. Il hocha la tête en soupirant à la vue du policier. « Entrez », dit-il d'une voix morne.

Patterson le suivit jusqu'à la cuisine. Tania Maidment était assise à la table en robe de chambre, les cheveux encore dépeignés et emmêlés. Les yeux cernés, elle fumait ce qui à l'évidence n'était pas sa première cigarette de la journée. « Vous l'avez arrêté ? demanda-t-elle dès qu'elle aperçut Patterson.

— Hélas non », avoua-t-il, debout près de la porte. Personne ne l'invita à s'asseoir. « Mais nous progressons.

— Vous progressez ? aboya Maidment. Qu'est-ce que ça veut dire ? »

Patterson ne sut pas quoi répondre. Il regretta l'absence d'Ambrose, dont il appréciait l'assurance impassible. « Il faut que je vous pose une question au sujet de Jennifer, dit-il. Je suis bien conscient qu'elle est délicate, mais nous devons connaître la réponse. »

Tania eut un petit rire amer. « Je pensais pourtant qu'il n'était plus question de délicatesse. Vous imaginez-vous seulement comme c'est difficile de se raccrocher à ses souvenirs quand la police et les médias foulent aux pieds la vie de votre fille ?

— Je suis désolé, dit Patterson. Mais il faut vraiment que vous m'aidiez. » Son col le serrait. « Jennifer a-t-elle été conçue par insémination artificielle ? »

Tania repoussa sa chaise d'un violent coup de pied. Elle se leva d'un bond, le visage déformé par la colère. « Qu'est-ce que ça a à voir avec tout ça ? Bon sang, est-ce qu'il ne nous reste aucune vie privée ? »

Maidment se précipita pour la prendre dans ses bras. Elle se tourna vers lui et empoigna sa chemise en frappant sur son torse. « Oui, confirma-t-il en la serrant contre lui, les yeux brillants. On rêvait d'avoir un enfant. On a essayé. » Il soupira. « On a essayé pendant longtemps. Puis on a fait des tests. Il s'est avéré que j'étais stérile. On s'est donc rendus dans une clinique de procréation assistée à Birmingham. Tania est tombée enceinte à sa deuxième insémination. »

Elle tourna son visage baigné de larmes vers Patterson. « Paul l'a toujours traitée comme sa fille.

— C'était ma fille, insista-t-il. Je n'ai jamais pensé autrement une seule seconde.

— Jennifer le savait-elle ? » demanda Patterson.

Maidment détourna les yeux. « On ne lui a jamais dit. Quand elle était petite, on avait prévu de lui dire la vérité un jour. Mais...

— J'ai décidé qu'on ne lui dirait pas, poursuivit Tania. Ce n'était pas la peine. On avait choisi un donneur au physique proche de celui de Paul, donc elle lui ressemblait un peu. Comme personne n'était au courant à part nous, il n'y avait aucun risque que quelqu'un de la famille laisse échapper une allusion. »

Ce qui répondait à la question suivante de Patterson. « Je vous remercie de votre franchise, dit-il.

— Pourquoi vous nous demandez ça maintenant ? demanda Maidment.

— Ça pourrait influer sur une piste que nous explorons.

— Bon Dieu, vous n'avez pas une explication encore plus obscure ? s'emporta Tania. Allez-vous-en. S'il vous plaît. »

Maidment le raccompagna dans l'entrée. « Désolé, dit-il.

— Pas la peine.

— Elle ne va pas bien.

— Je vois ça. Nous faisons de notre mieux, vous savez. »

Maidment ouvrit la porte. « Je sais. Ce qui l'inquiète, c'est que ça ne suffise peut-être pas. »

Patterson acquiesça de la tête. « Ça m'inquiète aussi. Mais on ne baisse pas les bras, monsieur Maidment. Et nous progressons vraiment. » Il regagna sa voiture, conscient du regard du père affligé sur lui, mais aussi que, quelle que soit l'issue, elle ne serait jamais satisfaisante pour Tania Maidment. D'un point de vue purement égoïste, Patterson se réjouissait de ne pas devoir vivre cet enfer.

Paula était sur le point de renoncer quand Mike Morrison ouvrit finalement la porte. Vêtu d'un T-shirt et d'un caleçon, il empestait l'alcool. Il la dévisagea d'un regard trouble. « Oh, c'est vous », grommela-t-il avant de tourner les talons.

Paula prit ce geste pour une invitation et le suivit dans le salon ravagé. Des bouteilles de whisky vides étaient alignées contre le côté du canapé. Sur la table basse trônaient sept autres bouteilles de pure malt dont le niveau variait de presque plein à presque vide. Un verre sale se trouvait à côté. Morrison s'en empara après s'être laissé tomber sur le canapé. Il prit la couette posée à côté de lui et s'en enveloppa les jambes. Il faisait froid dans la pièce, mais une odeur rance d'alcool et de crasse persistait. Paula essaya discrètement de respirer par la bouche.

L'écran de la télévision attira son attention. En arrêt sur image, Daniel et sa mère, en combinaison de sports d'hiver, faisaient des grimaces à l'objectif. À l'arrière-plan, des montagnes enneigées. Morrison se versa une dose de whisky et remarqua son regard posé sur la télé. « Les miracles de la technologie moderne. Ça les ramène à la vie, bredouilla-t-il.

— Ce n'est pas une très bonne idée, Mike », dit-elle doucement.

Il eut un rire éraillé. « Non ? Qu'est-ce qu'il y a d'autre ? J'aimais ma femme. J'aimais mon fils. J'ai plus personne d'autre à aimer dans ma putain de vie. »

C'était dur de répondre, songea Paula. Elle appellerait son médecin plus tard. Et elle appellerait son bureau. Voir s'ils savaient qui étaient ses amis. Elle ne pouvait ignorer une telle souffrance. « Je dois vous poser une question, dit-elle.

— Qu'est-ce que ça va changer ? Vous ne pouvez pas les faire revenir.

— Non. Mais on peut empêcher le meurtrier de faire ça à une autre famille. »

Morrison rit à nouveau, d'un rire quasi dément. « Vous croyez que j'ai encore envie de me préoccuper des autres ?

— Oui, Mike. Je le crois. Vous êtes un type bien, vous ne voulez pas laisser d'autres personnes vivre ça. »

Les larmes lui montèrent aux yeux, qu'il essuya violemment du revers de sa main. Il rebut une gorgée et dit : « Je vous emmerde. Posez-la, votre question. »

Allons-y. C'est le moment du sauve-qui-peut. « Est-ce que Jessica et vous avez fait appel à la procréation assistée pour concevoir Daniel ? »

Sa main s'arrêta, son verre à mi-chemin de sa bouche. « Comment est-ce que vous savez ça, putain ?

— Je ne le sais pas. C'est pour ça que je vous le demande. »

Il frotta son menton noir de barbe. « Jess faisait sans arrêt des fausses couches. Elle voulait à tout prix un gamin. Moi, ça m'était assez égal. Mais je n'ai jamais su lui dire non. » Il regarda fixement l'écran. « On a fait des analyses. » Il eut une moue dédaigneuse. « Elle était allergique à mon sperme. Vous le croyez ? On était là, à penser qu'on était faits l'un pour l'autre, et pendant tout ce temps elle ne pouvait pas me tolérer. » Il avala une nouvelle gorgée de whisky. « J'en serais resté là, mais elle ne voulait pas. On est donc allé au service de procréation assistée de Bradfield Cross pour avoir le sperme d'un autre type.

— Ça a dû être dur pour vous.

— Vous n'avez pas idée. J'avais le sentiment qu'un autre homme avait pris ma place. À l'intérieur de ma femme. » Il se gratta le crâne. « Je savais dans ma tête que ce n'était pas comme ça, mais dans mon cœur c'était différent.

— Comment ça s'est passé après la naissance de Daniel ? »

Un sourire tendre éclaira son visage dévasté. « J'ai eu le coup de foudre. Et mon amour n'a jamais faibli. Mais en même temps, je savais que c'était un étranger. Ce n'était pas la chair de ma chair. Je n'ai jamais vraiment su ce qui se passait dans sa tête. Je l'aimais à la folie, mais je ne l'ai jamais vraiment connu. » Il désigna la télé d'un geste. « C'est ce que je continue à essayer de faire. Mais je n'y arriverai jamais maintenant, n'est-ce pas ? »

Il n'y avait rien à répondre. Paula se leva et lui donna une petite tape sur l'épaule. « On vous tient au courant. » Elle ne se rappelait pas la dernière fois qu'elle avait dit quelque chose d'aussi creux.

« Ça a été le début de la fin de mon mariage, expliqua Lara Quantick avec amertume. Je pensais qu'un bébé nous réconcilie-rait. Mais c'était un vrai gorille. Il détestait Niall parce que c'était le fils d'un autre à ses yeux. Et puis, ça lui rappelait sans cesse qu'il n'était pas un homme, un vrai. Je parierais qu'il n'est même pas triste. »

Sam hocha la tête pour donner l'impression de compatir. Il avait ce qu'il était venu chercher. La confirmation que Niall Quantick était né d'une insémination et que le sperme venait de l'hôpital de Bradfield Cross. Il ne voyait pas quel autre rensei-gnement utile Lara Quantick pouvait lui apporter. À présent, il ne lui restait plus qu'à déguerpir avant qu'elle lui fasse le récit complet de son mariage foiré. Il avait presque pitié de son ex-mari. Il aurait été prêt à parier qu'à chaque fois qu'ils se dispu-taient, Lara lui renvoyait son impuissance à la figure. Il se leva. Il était flic, pas assistant social, et pendant qu'il se morfondait en sa compagnie dans cet appart merdique, c'était ailleurs que les choses se passaient.

« On vous tient au courant », dit-il, déjà à moitié ailleurs dans sa tête.

Ambrose avait toujours été partagé au sujet des mesures anti-terroristes mises en place par le gouvernement. Le policier applau-dissait à toutes les décisions qui lui donnaient le pouvoir de rendre les rues plus sûres. Mais l'homme noir s'inquiétait de tout ce qui favorisait l'isolement et la prise pour cible des minorités. Les types au pouvoir étaient censés être de gauche, mais ils étaient capables d'actions vraiment répressives. Qui savait comment ces nouvelles règles pourraient être appliquées sous un régime qui se moquait pas mal des libertés individuelles ? Il suffisait de voir les dégâts que les États-Unis avaient subis dans les années Bush. Et ils avaient un système de contre-pouvoirs bien plus élaboré que le Royaume-Uni.

Cependant, il devait reconnaître que certains aspects de cette législation lui simplifiaient grandement la tâche. Certes, il fallait parfois exagérer un peu en faisant passer quelqu'un pour bien plus dangereux qu'il ne l'était, mais il était à présent possible d'obtenir toutes sortes d'informations qui auraient autrefois demandé beaucoup de temps et plus de preuves que n'en offraient souvent les circonstances. Les listes de passagers des compagnies aériennes, par exemple. Autrefois, obtenir des compagnies qu'elles vous donnent accès aux noms des personnes ayant pris tel ou tel vol était un vrai cauchemar. Il fallait obtenir des mandats auprès de magistrats qui ne convenaient pas systématiquement que votre nécessité d'obtenir des informations prévalait sur le droit de la compagnie à la confidentialité. Puis il fallait espérer que la liste de passagers existait toujours.

Mais désormais, c'était facile. Vous preniez l'avion, vous étiez enregistré dans le système des services de sécurité. Et les gens comme Ambrose trouvaient généralement un agent bien disposé qui comprenait parfaitement que le fait d'attraper des tueurs était bien plus important qu'un vague concept de respect de la vie privée. Surtout si vous étiez le genre de flics qui s'efforçaient de se faire des amis plus que des ennemis.

C'est ainsi que, ce lundi matin, Ambrose reçut un SMS d'un numéro inconnu disant simplement : « Votre copain a raté son avion. N'a pas pris d'autre vol. »

Ambrose se félicita de son instinct. Il avait fait du bon boulot la veille. Malgré la présence d'encore quelques suspects sur sa liste à la fin de la journée, il avait eu une intuition concernant le pro de la sécurité informatique, surtout quand sa copine leur avait montré leur équipement ultrasophistiqué. Si quelqu'un avait pu traquer ses victimes sur Internet comme cela apparaissait dans cette affaire, c'était bien Warren Davy. Et quoi que crût sa petite amie, Warren Davy n'était pas à Malte. Il était quelque part dans les parages, un tueur en série effréné.

Où qu'il se trouvât, Ambrose aurait parié qu'il était en train de traquer sa prochaine victime.

Après la frustration des dernières semaines, Carol devenait presque euphorique en voyant comme les informations lui arrivaient. Des connexions commençaient à s'établir, et elle ressentait le frisson du chasseur qui trouve enfin la piste de sa proie. La découverte des parentés génétiques avait chamboulé le cours de l'enquête et confirmé la conclusion antérieure de Tony, à savoir que ce n'étaient pas des meurtres à caractère sexuel.

Ils avaient à présent la certitude que les quatre victimes étaient nées d'une insémination artificielle. Trois des mères avaient été traitées au centre d'assistance à la procréation de l'hôpital de Bradfield Cross, la quatrième dans une clinique privée de Birmingham. Sa prochaine destination devait donc être l'hôpital de Bradfield. Elle n'avait aucune idée de ce qu'ils pouvaient lui dire. Elle avait une connaissance limitée de ce que disait la loi au sujet du sperme de donneurs, mais elle savait tout de même qu'au moment où ces bébés avaient été conçus, les dons étaient anonymes.

Elle était sur le point de dire à Paula d'enfiler son manteau pour l'accompagner quand le téléphone sonna. « Stuart Patterson à l'appareil, dit-il avant même qu'elle pût s'annoncer. Je crois qu'Alvin a trouvé un suspect.

— C'est votre sergent, n'est-ce pas ? Celui qui est à Manchester ?

— Tout à fait. Ils faisaient du porte à porte hier pour essayer de faire le tri dans les immatriculations qu'on nous a données. Il avait quelques pistes, mais l'un d'eux, sa petite copine, qui est aussi son associée, elle a dit qu'il était à Malte, mais il n'y est pas. Et il a le profil parfait. Ils ont une société, SPD, qui s'occupe de sécurité informatique et de stockage de données…

— Doucement, Stuart. » Carol n'arrivait plus à suivre le fil de ses phrases décousues. « Qu'est-ce que Malte vient faire là-dedans ?

— Pardon, pardon. Je suis juste… c'est comme la première vraie découverte, vous comprenez ? Tous les moyens sont mis en œuvre – le profil, le bon vieux porte à porte, la technologie – et on arrive à ce qu'on cherche. » Elle l'entendit reprendre sa respiration. « Alors. Une des voitures qui est venue à Worcester le jour où Jennifer a été tuée était une Toyota Verso appartenant à un certain Warren Davy. Il est associé dans une entreprise de sécurité informatique, SPD. Quand Alvin s'est rendu chez lui, il s'est avéré qu'il n'y avait pas été depuis plus d'une semaine. D'après sa petite amie, il est parti à Malte installer un système de sécurité pour un client. Mais quand Alvin a vérifié la liste des passagers, il a découvert qu'il n'avait pas pris le vol qu'il avait réservé, ni aucun autre à la place. Davy a disparu de la circulation après que Jennifer s'est fait tuer mais avant les trois garçons. Il a menti à sa petite amie à propos de Malte pour pouvoir commettre les autres meurtres tranquillement.

— Et la petite amie ? Alvin pense-t-il qu'elle sait ce qui se passe ?

— Elle n'en a pas idée, d'après lui. Elle est censée demander à Davy d'appeler Alvin la prochaine fois qu'il lui fait signe. Mais il ne l'a pas fait pour l'instant.

— Vous croyez qu'il va le faire ?

— Ça dépend s'il se croit vraiment malin. Il pourrait s'estimer assez futé pour nous bluffer. » Patterson semblait toujours aussi excité. Elle comprenait ce qu'il ressentait mais savait mieux le cacher. Une silhouette se profila, et elle vit Stacey hésitant sur le pas de sa porte. Elle leva deux doigts pour lui indiquer qu'elle avait presque terminé.

« Vous pensez qu'on devrait lancer un avis à la population ? demandait Patterson. Publier sa photo, faire un appel à témoins ? Est-ce qu'on doit faire une descente à la ferme où il habite avec sa petite amie ? Voir ce qu'on peut trouver là-bas ? »

Elle voulait d'abord l'avis de Tony. Son instinct lui disait d'attendre, mais sans le moindre indice quant à la prochaine attaque présumée du tueur, c'était une stratégie à haut risque. « Est-ce que je peux vous rappeler pour ça, Stuart ? Je ne veux pas que nous prenions une décision trop précipitée. Je vous rappelle plus tard. Dites à Alvin que c'est du super boulot. »

Carol se passa la main dans les cheveux et fit entrer Stacey. « Rien pendant des jours, et tout à coup ça arrive de tous les côtés, expliqua-t-elle. J'ai besoin de tout ce que tu pourras trouver sur le réseau au sujet d'un dénommé Warren Davy qui dirige une entreprise de sécurité informatique dénommée SPD. Je veux tout. Ses relevés de comptes, ses historiques téléphoniques. »

Stacey haussa les sourcils. « Je connais Warren Davy. »

Abasourdie, Carol demanda : « Tu le connais ? Comment ?

— Enfin, quand je dis que je le connais, je veux dire par Internet. C'est un expert en sécurité. Il m'a contactée plusieurs fois au sujet de logiciels. On a chatté en ligne. Il est très fort. » Elle eut l'air inquiète. « C'est notre suspect ?

— Est-ce que ça te pose un problème ? »

Stacey fit non de la tête mais parut toujours troublée. « Ce n'est pas un problème dans le sens d'un conflit d'intérêts. Ce n'est pas un ami, ni quelqu'un avec qui j'ai des relations d'affaires... C'est juste que, s'il ne veut pas qu'on le trouve, on va avoir du mal à y arriver.

— Génial. C'est tout ce qu'il me faut », pesta Carol.

Le visage de Stacey s'éclaira. « J'en fais un défi personnel. Et j'ai un avantage, c'est qu'il ne sait pas que je suis flic. Il croit que je suis juste une *geek* de plus. S'il savait qu'il se mesurait à moi, il prendrait toutes les précautions imaginables, mais s'il pense qu'il n'a que des banals poulets aux trousses, il est possible qu'il se montre un peu plus négligent. Je m'y mets tout de suite. Mais il y autre chose que je voulais proposer. »

Ça valait toujours la peine de prêter attention quand Stacey prenait le temps de parler. « Je t'écoute.

— J'ai un peu tripatouillé, commença-t-elle. Les codes que les gens de RigMarole nous ont gentiment donnés m'ont permis d'accéder à la partie secrète de leur système. Je pourrais facilement lancer un C&A total sur Rig.

— Tu peux me traduire ça ? demanda Carol. Je croyais que C&A était une chaîne de vêtements européenne.

— Capture et analyse. On demande au serveur de rechercher une combinaison particulière de lettres puis on établit des critères éliminatoires. Je pourrais le programmer pour qu'il me trouve toutes les personnes dont le nom d'utilisateur est deux fois la même lettre. Ensuite, on peut regarder manuellement ce qu'elles disent. On pourrait peut-être identifier ainsi les prochaines cibles et les garder sous surveillance. Et on pourrait prendre le tueur sur le fait. »

Carol parut dubitative. « Ça pourrait vraiment marcher ?

— C'est parfaitement faisable sur le plan informatique. Je ne peux pas parler de ce qui se passera une fois que vous vous en servirez sur le terrain. C'est beaucoup de travail. Mais je crois que ça vaut le coup d'essayer. »

Carol réfléchit quelques instants et prit sa décision. « D'accord. Fais-le. Mais la priorité, c'est Warren Davy. Si tu peux router son portable et le localiser comme ça, ce serait un sacré plus.

— Abracadabra ! » lança Stacey en partant. Carol était presque certaine qu'elle venait de faire un trait d'humour.

CHAPITRE 37

Alvin Ambrose était en retard. On avait confié le soin à Paula de lui donner rendez-vous pour le mettre au courant de la situation, mais il venait de l'appeler pour dire qu'il avait crevé et n'arriverait pas avant quarante minutes au moins. Elle avait reçu son message sur le parking de Bradfield Cross, alors que Carol et elle sortaient d'un entretien infructueux avec la responsable médicale du service de procréation assistée. « Je vais parler à Blake, dit Carol. J'ai besoin qu'il autorise le dispositif de surveillance si Stacey découvre une victime potentielle. Pourquoi tu ne vas pas manger un morceau avant de retrouver le sergent Ambrose ? Vu comment ça se passe aujourd'hui, ce sera peut-être ta dernière occasion de la journée. »

Paula eut une idée encore meilleure. Elle envoya un message sur le pager d'Elinor : « Au Strbks. Les cafés st pr moi. » Elle n'y croyait pas trop, mais ce serait plus sympa si elle pouvait ne pas manger seule. Elle acheta deux *lattes* et un panini et s'assit près de la fenêtre. Le dos tourné à l'hôpital, par contre. Elle ne voulait pas avoir l'air désespérée.

Onze minutes plus tard – non pas qu'elle eût compté –, Elinor apparut en coup de vent dans son manteau blanc et un jean noir. « Je n'ai que vingt minutes, annonça-t-elle en se penchant pour déposer un baiser affectueux sur la joue de Paula.

— Je n'en ai pas beaucoup plus. » Elle poussa un des *lattes* vers Elinor. « Je ne savais pas si tu voulais manger quelque chose.

— Ça va. Comment s'est passé ton début de journée ?

375

— Il y a eu des hauts et des bas. J'étais au bureau jusqu'à quatre heures, et de retour là-bas à sept heures. Ton éclair de génie avec l'ADN nous a vraiment ouvert une nouvelle perspective. Merci. » Elle eut un grand sourire. « Même si on m'a bien charriée.

— Heureusement que Stacey était là pour nous couvrir, souligna Elinor, pince-sans-rire.

— Mais malgré leurs moqueries, j'ai quand même été la star de la réunion du matin. Ce qui était sympa, parce que ça a été l'horreur depuis. » Elle raconta à Elinor sa rencontre avec Mike Morrison.

« Je ne peux pas imaginer à quel point il doit être ravagé, déclara Elinor. Comment peut-on remonter la pente après avoir perdu son fils comme ça, puis sa femme aussi ? »

Paula soupira. « C'est incroyable, les choses dont on peut se remettre. »

Elinor lui jeta un regard pénétrant. « Tu pourras m'en parler un de ces jours. »

Paula sourit. « C'est dommage que tous les médecins ne soient pas aussi accommodants que toi.

— Comment ça ? » Elinor remua son café, interrogeant Paula du regard.

Paula eut un petit rire. « Pas dans ce sens-là. En fait, on vient d'avoir une confrontation exaspérante avec ta Mme Levinson. »

Elinor fit une grimace horrifiée. « Pas *ma* Mme Levinson. Heureusement, j'ai réussi à éviter son équipe. À côté d'elle, M. Denby passe pour un modeste. Tu sais ce qu'on dit des spécialistes en procréation ? » Paula fit non de la tête. « Tous les médecins aiment se prendre pour Dieu, mais les spécialistes en procréation savent qu'ils sont Dieu. Nous autres, nous n'avons de pouvoir que sur la mort. Mme Levinson et ses copains ont le pouvoir de donner la vie. Et je peux te dire qu'ils le savent.

— Mais je pense que ça explique seulement en partie pourquoi elle a été si peu coopérative, indiqua Paula. Je crois en fait que, dans ce cas précis, elle a la loi de son côté.

— Qu'est-ce que vous vouliez ?

— Eh bien, on a établi que les quatre victimes sont toutes parentes. Des demi-frères et sœur, probablement. Dans trois cas, les mères ont été inséminées ici à Bradfield Cross. On voulait savoir comment découvrir qui était le donneur. »

Elinor hoqueta de surprise. « Vous n'avez peur de rien, n'est-ce pas ?

— On essaie de le faire croire.

— Et elle vous a dit que vous n'aviez aucune possibilité de découvrir ça ?

— Oui. Jordan l'a menacée de demander une ordonnance du tribunal, et elle a simplement rigolé. Crois-moi, je n'ai jamais vu personne faire ça à Carol Jordan auparavant.

— Elle a raison, cependant. Une ordonnance du tribunal ne servirait à rien. Parce que même Mme Levinson n'a pas accès à cette information. À l'époque où tout était anonyme, chaque don portait un numéro d'identification unique. Le seul endroit où on peut trouver l'identité correspondant au numéro, c'est dans la base de données de l'Autorité pour la fécondation humaine et l'embryologie. Elle est enregistrée sur un seul ordinateur hors réseau. Même si Stacey arrivait à s'introduire dans le système de l'AFHE, elle ne pourrait y accéder. Il faut s'y rendre en personne. Et il faudrait même s'introduire dans la machine elle-même.

— Comment tu sais tout ça ? questionna Paula. Tu viens de me dire que tu n'avais jamais travaillé pour Mme Levinson.

— J'ai fait un mémoire sur le partage de l'information médicale dans l'ère du numérique pour ma licence, expliqua Elinor. Je suis une interne ambitieuse. Je suis accro aux diplômes.

— Mais il doit y avoir une sauvegarde, dit Paula. Personne ne se fierait à un seul ordinateur pour la conservation d'un tel fichier.

— Je suis sûre que oui. Mais je n'ai aucune idée d'où elle se trouve, et j'imagine que personne ne le sait en dehors de l'équipe informatique de l'AFHE. » Elinor remua pensivement son café.

« Elle aurait pu nous dire tout ça, mais elle ne l'a pas fait, protesta Paula. Elle nous a simplement envoyées balader. Elle n'a même pas voulu nous expliquer comment le même sperme avait atterri à Birmingham. » Paula mordit sauvagement dans son panini.

« Ça, je peux te le dire. Ce n'est pas un grand secret. Nous avons des directives selon lesquelles nous devons éviter de donner naissance à plus de dix enfants viables à partir d'un même donneur. La raison étant que l'on ne veut pas compromettre le patrimoine héréditaire en faisant voir le jour à des centaines de gosses qui auraient les mêmes gamètes. Mais on ne veut pas forcément non plus avoir dix gosses d'environ le même âge et du même père dans la même ville. Parce que les psychologues disent qu'on a plus de chances de tomber amoureux d'un proche parent inconnu que d'un total inconnu.

— Vraiment ? C'est dingue.

— Dingue mais vrai. Alors, quand on a un don particulièrement fertile, il est fréquent après cinq ou six grossesses réussies d'échanger ce sperme avec un centre de procréation d'une autre ville. J'imagine que c'est ce qui s'est passé ici.

— Ça se tient. » Paula regarda Elinor droit dans les yeux. « Tu sais t'y prendre pour te rendre indispensable.

— Je ne vis que pour ça. » Elle avait toujours l'air songeur. « Je sais que ça peut paraître un peu déplacé… Mais est-ce que vous soupçonnez le donneur de sperme d'être le tueur ? »

Paula se demanda où elle voulait en venir et répondit : « C'est une possibilité, d'après notre profileur.

— Je ne suis pas experte en la matière, mais il me semble qu'une personne qui se met à tuer des gens a sans doute déjà attiré votre attention dans le passé, suggéra Elinor. Si c'est le cas, est-ce qu'il ne serait pas sur le fichier national des empreintes génétiques ?

— Je suppose, convint Paula. Mais leur ADN est différent.

— Je sais. Mais je me rappelle vaguement avoir lu un article sur une affaire non classée où on a attrapé le tueur vingt ans plus tard parce son neveu a été reconnu coupable de quelque chose et que le fichier a permis de découvrir qu'ils étaient parents. » Elinor sortit son iPhone, se connecta à Internet et tourna l'écran pour qu'elles puissent voir toutes les deux.

« Et comment tu sais ça ? C'est un autre mémoire ? » la taquina Paula tandis qu'Elinor entrait sur Google et tapait « ADN meurtre parent affaire non classée » dans le champ de recherche.

« C'est ma mémoire poubelle. J'ai accumulé un tas épouvantable de bêtises dans ma tête. Je suis la meilleure pour les soirées quizz. » Elle consulta les résultats. « Voilà, c'est ça.

— "Un homme condamné quatorze ans après son crime grâce à un prélèvement génétique sur un parent" », lut Paula. Un sourire se dessina sur son visage au fil de sa lecture. « Ça fait plaisir de voir que tu n'es pas infaillible.

— C'est donc quatorze ans, pas vingt.

— Et un viol, pas un meurtre, ajouta Paula. Mais je vois ce que tu veux dire. » Elle termina son café et se leva. « Il faut que j'y aille maintenant pour parler à Stacey. » Elle jeta un coup d'œil à sa montre. « Et rencontrer un collègue de Worcester. »

Elinor la raccompagna jusqu'à la porte. « Mes vingt minutes sont écoulées aussi. Merci.

— De quoi ? De faire impitoyablement appel à tes lumières ?

— De me faire sortir de mon service et de me rappeler qu'il y a une vie dehors. » Elle s'approcha de Paula et l'embrassa, son haleine chaude lui chatouillant l'oreille. « File attraper ton meurtrier. J'ai des projets pour toi quand tout cela sera terminé. »

Un frisson délicieux parcourut Paula. « Toi, tu sais trouver les arguments pour me motiver. »

Quand Carol fut enfin de retour au commissariat, elle trouva Tony assis dans le fauteuil visiteur de son bureau. Il était étendu, les doigts croisés derrière la tête et les pieds sur la corbeille à papier, les yeux fermés. « Je suis contente de voir que quelqu'un a le temps de faire la sieste par ici », dit-elle en enlevant son manteau d'un coup d'épaules et ses chaussures d'un coup de pied. Elle baissa les stores, ouvrit le tiroir de son bureau et en sortit une mignonette de vodka.

Tony se redressa. « Je ne faisais pas la sieste, je réfléchissais. » Il la regarda ouvrir la vodka, le dévisager, puis refermer le bouchon et remettre la bouteille à sa place. Devant son regard sombre, il leva les mains en signe d'apaisement. « Je n'ai rien dit, protesta-t-il.

— Pas la peine. Tu peux donner des leçons de morale sans bouger un sourcil.

— Comment ça s'est passé avec Blake ?

— Il n'y a pas de secrets ici, on dirait ? » Carol s'effondra dans son fauteuil. « Ce boulot offre parfois des moments de pur plaisir. C'était fantastique de le regarder se débattre entre son envie dévorante de faire des économies et son désir brûlant d'entamer son mandat ici par un super coup. D'autant plus fantastique qu'il a

pris la bonne décision. Si on arrive à identifier la prochaine victime, on peut la mettre sous surveillance continue.

— Bien joué. J'ai également entendu dire que le sergent
Ambrose nous a trouvé un suspect. »

Carol avait eu le temps de réfléchir au coup de fil de Patterson.
« Oui, il a trouvé une possibilité. C'est basé sur beaucoup de suppositions. D'une, que le profil géographique de Fiona Cameron
est juste. De deux, que le tueur a utilisé son propre véhicule. Et
de trois, que Warren Davy n'est pas simplement parti en virée
pour prendre son pied avec sa maîtresse.

— Des réserves valables, toutes. Mais je pense quand même
que Davy est un suspect sérieux. Si Stacey peut identifier la prochaine victime, il y a des chances pour que cette piste se précise.
Est-ce qu'on a déjà des renseignements sur Davy ? »

Carol ralluma son écran et fit apparaître ses e-mails en attente.
Elle avait un message de Stacey. « Il n'a pas de casier. Il a une
carte de crédit dont il ne semble se servir qu'à titre professionnel.
Pas de cartes privatives. Pas de cartes de fidélité. Elle dit que c'est
le portrait typique d'un spécialiste de son domaine. Il sait à quel
point il est facile de contourner les sécurités et il se fait donc le
plus discret possible. Son téléphone est éteint depuis des jours.
La dernière fois qu'il l'a allumé, c'est quand Seth a disparu à la
gare centrale. Et il s'est connecté à l'émetteur le plus proche de…
Je te laisse deviner ?

— La gare centrale, répondit Tony.

— Bingo. Donc pas de doute, il est louche.

— Est-que quelqu'un a interrogé sa petite amie sur lui ? »

Carol fit non de la tête. « Je ne veux pas l'effrayer et l'inciter
à le prévenir. Il est parfaitement placé pour se créer une fausse
identité ou en voler une. S'il décidait de s'enfuir maintenant, on
aurait beaucoup de mal à le retrouver. Il pourrait se planquer
n'importe où. Ici ou à l'étranger. »

Tony secoua la tête. « Il ne va pas disparaître. Il a une mission
et il n'arrêtera pas avant d'avoir terminé. À moins qu'on l'arrête,
je veux dire.

— Et quelle est sa mission ? »

Tony se leva de son fauteuil et se mit à arpenter le bureau.
« Il pense être la mauvaise graine. Il s'est passé quelque chose qui

l'a rempli de peur et de haine envers lui-même. Quelque chose qui selon lui se transmet par le sang. Je ne pense pas qu'il s'agisse simplement d'un problème médical, bien que ce soit possible. Mais il est déterminé à éliminer la mauvaise graine. À être le dernier de sa lignée. Il va tuer tous ses enfants biologiques. Puis il va se suicider. »

Carol le dévisagea, horrifiée. « Combien ?

— Je ne sais pas. On a moyen de le savoir ?

— Apparemment non. D'après le médecin extrêmement peu coopératif de Bradfield Cross, toute information sur les donneurs anonymes est totalement inaccessible. À tel point que, franchement, on se demande pourquoi ils les gardent. Si c'est pour ne jamais les utiliser, pourquoi ne pas tout simplement les détruire ? Comme ça, personne ne pourrait s'en servir à mauvais escient. » Carol ressortit la vodka de son tiroir. Elle prit également une petite canette de tonic. Ayant versé les deux liquides dans le verre vide posé sur son bureau, elle le défia : « Tu en veux ?

— Oh non, pas moi. Je suis déjà assez étourdi par tout ce qui se bouscule dans ma cervelle en ce moment. Parce qu'il y a quelque chose qui cloche dans ce tableau, dit-il.

— Mais ça concorde avec tout ce que nous savons. Je ne vois pas d'autre théorie qui colle avec les faits. » Elle but une petite gorgée et la tension dans son cou commença à se relâcher.

« Moi non plus. Mais ça ne veut pas dire que j'ai raison. » Il se retourna brusquement et s'arrêta près du bureau. « Si ces informations sont si difficiles à obtenir, comment les a-t-il eues ? Et qu'est-ce qui s'est passé pour qu'il se lance dans cette croisade ? Il a passé un temps fou à gagner la confiance de ses victimes. Comment a-t-il pu mener tous ses projets de front ?

— Peut-être que ce n'est pas le cas. Peut-être que sa petite amie l'a couvert dans leur travail. » Elle termina son verre et poussa un soupir de satisfaction. « Ah, ça va mieux.

— J'aimerais parler à cette fille, marmonna-t-il.

— Je sais. Mais on doit attendre de voir ce que Stacey peut faire.

— Je comprends bien. Mais je ne suis presque jamais tombé sur un tueur en série qui ait une relation sentimentale prolongée. Si on ne se trompe pas sur Warren Davy, il y a beaucoup de questions auxquelles elle pourrait répondre. Beaucoup d'indications qu'elle pourrait nous donner malgré elle. » Il soupira.

« Le moment viendra. »

Tony fit un grand sourire. « Je serai comme un gosse dans un magasin de bonbons. »

Carol secoua la tête, amusée. « Tu es bizarre.

— Je ne vois pas comment tu peux dire ça quand il existe des gens comme Warren Davy. Comparé à lui, je suis la normalité incarnée. »

Elle rit aux éclats. « Je ne dirais pas exactement ça, Tony. »

CHAPITRE 38

Alvin Ambrose s'était immédiatement senti à l'aise dans les bureaux de la BEP. C'était le genre de flics qu'il comprenait. Paula McIntyre l'avait installé à un bureau avec un téléphone, un ordinateur et un café. Tous ceux qui étaient passés près de lui s'étaient arrêtés pour se présenter, même la petite Chinoise dans le coin qui semblait raccordée à son système informatique.

Il se réjouissait également à l'idée d'être au cœur de l'opération. Le seul problème, c'était qu'il n'avait pas vraiment grand-chose à faire là. Ils avaient tous le nez dans des tas de paperasses ou d'écrans de données, mais il savait qu'ils ne faisaient que tuer le temps. Tout le monde mourait d'impatience que Stacey émerge de derrière sa barricade d'écrans avec le filon qu'ils attendaient.

N'ayant rien de mieux pour s'occuper, il se dit qu'il ferait aussi bien de consulter ses e-mails. Il attendit que la page se charge en fredonnant tout bas. Il s'arrêta au milieu d'une mesure lorsqu'il se rendit compte de ce qu'il avait sous les yeux. Le deuxième message dans sa boîte de réception provenait de davywar1@gmail.com : « Que puis-je pour vous ? »

Ambrose déglutit avec difficulté. Il ne savait pas trop quoi faire. Il avait envie d'ouvrir l'e-mail, mais Stacey et ses confrères l'avaient tellement mis en garde contre le potentiel destructeur de ce genre de message qu'il ne voulait prendre aucun risque. Cependant, il avait une experte à disposition. Il se rendit dans le coin de Stacey et attendit pendant qu'elle enchaînait les frappes et les clics. Au

383

bout d'une minute environ, elle leva les yeux. « Vous vouliez quelque chose ?

— Je crois que j'ai un e-mail de Warren Davy, dit-il. C'est sur mon ordinateur. »

Stacey le regarda comme s'il avait l'esprit un peu lent. « Sur quel compte ?

— Celui de la police. Aambrose@westmerciapolice.org.

— Allez le fermer sur votre ordinateur, s'il vous plaît. Puis revenez vous identifier ici. »

Lorsqu'il revint, elle avait l'écran de connexion affiché devant elle. Elle se leva et détourna les yeux le temps qu'il entre son mot de passe, par pure politesse, se dit-il. Le moindre clic était probablement enregistré dans son système. Une fois connecté, il recula et la laissa se rasseoir. Elle tendit le cou et regarda l'objet du message. « Allons-y, dit-elle. Ne vous en faites pas, j'ai toutes les protections antivirus connues du genre humain et une ou deux extraterrestres sur ce système. » Il n'était pas tout à fait persuadé que ce fût une plaisanterie.

L'e-mail s'ouvrit dans la partie inférieure de l'écran central. Sur celui d'au-dessus, un flot de chiffres et de lettres se mit à défiler. Mais Ambrose n'était intéressé que par le message.

Bonjour sergent Ambrose,

Ma compagne, Diane Patrick, m'a dit que vous vouliez que je vous contacte. C'est en rapport avec ma voiture ? Désolé de ne pas vous téléphoner, je suis à Malte pour affaires et ça coûte les yeux de la tête, qui plus est je travaille presque tout le temps, donc c'est plus facile pour moi par e-mail. Si vous m'expliquez de quoi il s'agit exactement, je vous recontacterai dès que possible.

Cordialement,

Warren Davy
Systèmes SPD : www.spd.com

« Intéressant, commenta Stacey.

— Ça me paraît assez clair, répliqua Ambrose.

— Sauf que ce mail n'a pas été envoyé de Malte. » Stacey pointa du doigt l'écran du dessus, qui s'était figé sur un message très simple. « Il provient d'un ordinateur appartenant à la bibliothèque municipale de Bradfield. Il est en ville, sergent. Et soit il se moque qu'on le sache, soit c'est un connard arrogant qui nous croit beaucoup moins malins que lui.

— Dans les deux cas, il est sans doute en train de préparer son prochain coup. Comment ça avance avec votre piège ? »

Stacey haussa les épaules. « Ça se terminera quand ça se terminera. Ces choses-là sont dures à prédire. » Elle se remit à taper sur son clavier en consultant tour à tour ses différents écrans. Ambrose la regardait faire lorsqu'elle se figea tout à coup. Elle resta plusieurs secondes immobile. Il sembla même à Ambrose qu'elle avait cessé de respirer.

Puis ses doigts recommencèrent à papillonner, presque trop vite pour qu'il perçoive leur mouvement. « Je te tiens, je te tiens, je te tiens ! fit-elle crescendo. On le tient ! » cria-t-elle.

Ses paroles n'étaient pas encore tout à fait éteintes qu'ils étaient déjà tous attroupés autour d'eux. Carol Jordan se fraya un passage en jouant des coudes. Ambrose lui fit une place à l'avant. « Qu'est-ce qui se passe, Stacey ? Qu'est-ce que tu as trouvé ?

— J'en ai deux. BB et GG. BB est en haut à droite, GG en haut à gauche. Je fais défiler leurs deux pages jusqu'à l'écran du bas. »

Ils restèrent cloués sur place tandis que le texte s'affichait sous leurs yeux. BB chattait avait un dénommé L'Ange du Cross. BB semblait proposer un rendez-vous pour qu'ils aillent faire du motocross le lendemain. Il promettait de lui apprendre les secrets de ce sport. « Il repasse à l'action demain », constata Carol.

GG et son correspondant n'étaient pas connectés, mais Stacey avait retrouvé leur dernier échange. « Il se fait passer pour une fille. Il piège fille2rev en lui proposant de la relooker. Jeudi après les cours. Regardez : "Ne le di à personne. Jte montrerai le + grd secret. Tu va ê Knon après ça." Encore des secrets.

— Il joue avec eux, expliqua Tony. Il connaît leur plus grand secret, celui qu'ils ne connaissent pas sur eux-mêmes. Il les excite en leur parlant de secrets.

— Qui sont ces gosses, Stacey ?

— Je suis en train de chercher, dit-elle d'un air absent. Pourquoi ne pas tous foutre le camp et me laisser tranquille ? Je vous enverrai tout ce que le C&A a donné par e-mail. Maintenant, il faut que j'accède à ces comptes par une porte dérobée, et moins vous en saurez, mieux ce sera. »

Ils se dispersèrent. « Elle est incroyable, dit Ambrose à Paula.

— C'est la meilleure. Elle travaille ici uniquement pour s'amuser, vous savez ?

— C'est ça pour elle, s'amuser ? »

Paula eut un petit rire. « Oh oui. Elle peut aller fouiner à toutes sortes d'endroits et personne ne va jamais lui faire d'histoires pour ça. Mais quand elle n'est pas ici ? Elle est occupée à gagner des millions avec sa propre société informatique. En parlant de secrets, elle croit que personne n'est au courant de son autre vie, mais une fois, elle a laissé échapper le nom de sa société à Sam et ç'a été comme agiter un chiffon rouge. Il n'était pas question qu'il lâche prise avant d'avoir eu le fin mot de l'histoire. » Elle jeta un regard inquisiteur à Sam. « Que Dieu vienne en aide à Stacey s'il découvre un jour qu'elle est amoureuse de lui. » Elle s'arrêta soudain, l'air choqué autant que perplexe. « Pourquoi est-ce que je vous parle comme ça ? »

Tony, qui était resté derrière eux sans se faire remarquer, prit alors la parole : « Parce qu'il est comme vous, Paula. Les gens lui parlent. De la même façon qu'ils vous parlent à vous. »

Ambrose émit un rire rocailleux. « C'est un don effrayant.

— Ne le dites pas à Carol, conseilla Tony. Elle vous recruterait sur-le-champ. »

Ambrose balada son regard dans cette pièce où il se sentait déjà tellement dans son élément. « On a vu bien pire. »

Tony observa Carol qui s'adressait à Kevin, la tête penchée au-dessus de son bureau. « Certes. Mais d'un autre côté, on pourrait dire qu'elle mérite mieux que nous tous. » Et il reprit son chemin sans tenir compte le moins du monde de la petite sensation que ses mots avaient produite derrière lui.

C'était indéniablement le jour de gloire de Stacey à la BEP. Elle avait été enchantée lorsque Paula lui avait suggéré de rechercher des personnes apparentées aux ados massacrés dans le Fichier National des Empreintes Génétiques. « On peut le faire avec les garçons, dit-elle. Ne me demande pas de t'expliquer, mais ça ne marche pas pareil pour les individus de sexe féminin. »

Paula recula d'un air faussement horrifié. « Oh, je t'en prie, Stacey ! Pas l'explication scientifique, je ne suis qu'une simple fille de la ville. »

Mais Stacey était déjà en train d'envoyer une requête en urgence aux gestionnaires du fichier à laquelle elle joignit les trois empreintes génétiques. Exceptionnellement, elle suivit son e-mail d'un coup de fil à un des analystes avec qui elle avait travaillé auparavant. Paula, qui rôdait toujours dans les parages, remarqua qu'ils ne perdaient pas leur temps en menus propos. Si le personnel informatique avait eu besoin de ça pour que les choses se passent bien, il n'aurait existé aucun système efficace dans le monde occidental, songea-t-elle.

« Stacey Chen à l'appareil, Bry. Je viens de vous envoyer trois empreintes qu'on a besoin que vous contrôliez. Il faut que vous leur donniez la priorité. On a un tueur en série qui enchaîne très vite, et ces résultats pourraient nous dire qui il est avant qu'il s'empare de sa prochaine victime… Maintenant ?… Merci. Je vous revaudrai ça. » Elle raccrocha son casque-micro et, sans se tourner, annonça à Paula : « Il s'en occupe. Tu peux aller te prendre un café maintenant. »

Congédiée, Paula retourna à son bureau recouvert de la montagne de papier qui accompagnait toujours une enquête sur un meurtre. Carol et Kevin étaient en réunion avec une équipe constituée d'agents de la circulation et de la Division ouest pour organiser la filature d'Ewan McAlpine, le fan de motocross. Ils avaient débattu longuement pour décider s'ils devaient avertir le garçon et l'équiper d'un micro. Paula était pour. Elle savait comme ce type d'opération pouvait mal tourner, et elle voulait protéger l'adolescent au maximum, même si cela posait d'autres problèmes. Mais elle s'était retrouvée en minorité et avait dû se plier à l'avis des autres. Ses contradicteurs avaient argué qu'un garçon de quatorze ans ne serait pas capable d'assumer le subterfuge, que le tueur sentirait le piège, qu'il abandonnerait et les laisserait sans rien. Ils avaient sans doute raison, reconnaissait Paula. Mais au moins, avec sa méthode, le gamin aurait eu plus de chances de s'en sortir vivant.

Elle ouvrit sur son écran la transcription des conversations avec BB et la relut. Ewan avait l'air d'être un garçon charmant. Il faisait des blagues mignonnes et ne s'en prenait à personne. Stacey était parvenue à trouver qui il était grâce à son compte e-mail. Il vivait près du centre-ville avec sa mère et son père dans une petite enclave de maisons géorgiennes qui avait réussi à survivre aux promoteurs de l'après-guerre. Son père était urologue à Bradfield Cross, sa mère généraliste dans un des centres médico-sociaux des quartiers défavorisés. C'était une constante chez les familles de victimes nées d'une procréation assistée : elles étaient loin d'être fauchées. Elle connaissait un couple qui avait dépensé près de vingt mille livres en FIV sans autre résultat qu'une série de fausses couches. L'inconvénient, c'était qu'ils avaient affaire à la classe moyenne éduquée, le genre de gens qui les étriperaient et les découperaient en morceaux si quoi que ce soit tournait mal dans cette opération.

L'autre point positif, c'était que, grâce à l'infiltration de Stacey dans RigMarole, ils savaient où Ewan avait rendez-vous avec BB – vraisemblablement Warren Davy. Ewan devait prendre le bus de Manchester jusqu'à Barrowden, un petit village à environ sept kilomètres de l'agglomération de Bradfield. BB avait convenu de venir le chercher à l'arrêt du bus pour qu'ils se rendent ensemble à sa ferme située à quelques kilomètres de là. « J vi1drai t cherché avc l quad », avait-il dit. Un aiguillon de plus pour ce garçon qui rêvait d'un peu de folie dans sa vie citadine très civilisée.

« Alvin ? appela Stacey. Vous avez une minute ? »

Ambrose gagna sans se presser le coin de Stacey, suivi bientôt de Paula. « Que se passe-t-il, Stacey ? demanda-t-il.

— Le cousin de Warren Davy. Le type du garage. Comment s'appelait-il déjà ? Je ne sais pas pourquoi, mais je n'arrive pas à trouver votre rapport dans le système. »

Ambrose s'éclaircit la voix, l'air embarrassé. « Désolé, j'ai oublié. Je l'ai transmis à Manchester mais je ne vous l'ai pas envoyé en arrivant ici. Il s'appelle Bill Carr. »

Stacey désigna l'un des écrans. « Ça vient du fichier national des empreintes génétiques. Il n'y a qu'une correspondance avec nos relevés d'ADN. William James Carr, de Manchester, s'avère avoir un lien de parenté avec les trois garçons. Probablement ses cousins ou ses neveux, d'après Bry.

— Vous êtes en train de nous dire que Carr est notre homme ? s'exclama Ambrose, clairement déconcerté.

— Eh bien, c'est une possibilité, je suppose, répondit Stacey avec scepticisme. Mais ça renforce nos soupçons concernant

Warren Davy. S'ils sont cousins, alors ça signifie que les trois victimes ont aussi un lien de parenté avec Davy. Et donc on a désormais des preuves à l'appui de ce qui n'étaient que des hypothèses et des présomptions.

— Mais ce n'est toujours qu'un suspect, précisa Paula. Et on ne sait toujours pas où il est.

— Ce qui veut dire qu'on doit maintenir la filature », ajouta Ambrose.

Stacey haussa les épaules. « Comme tout le monde ici prend un malin plaisir à me le dire, on en revient toujours aux bonnes vieilles méthodes de terrain. » Elle se retourna vers ses écrans. « Je ferais mieux d'envoyer tout ça à la chef. Il n'y a rien qu'elle aime autant qu'une nouvelle pierre à l'édifice. »

CHAPITRE 39

Ewan McAlpine se réveilla le cœur battant. Aujourd'hui, c'était aujourd'hui. Il allait enfin avoir cette occasion dont il rêvait depuis si longtemps. D'ici l'heure du goûter, il serait à cheval sur un motocross en train de bondir sur des chemins de terre, dans un nuage de poussière, un foulard devant la bouche tel un cow-boy dans la prairie.

Sa mère et son père ne lui avaient jamais permis de faire quoi que ce soit qu'ils jugeaient dangereux. Ils l'avaient enveloppé dans du coton toute sa vie, comme s'il allait se briser en morceaux à la moindre chute. Il se rappelait encore l'humiliation totale de sa première classe verte. Alors âgé de huit ans, il était parti avec sa classe dans un centre d'activités de plein air dans les Pennines. En plus des instits, des parents avaient accompagné le groupe pour faire en sorte que les enfants soient suffisamment encadrés. Et bien sûr, sa mère en avait fait partie. Et chaque fois qu'il s'était apprêté à participer à une des activités – descente en rappel, escalade, kayak ou tyrolienne –, elle était intervenue pour l'empêcher de faire quoi que ce soit d'intéressant. Il avait passé deux jours sur le parcours d'obstacles et au stand de tir à l'arc. Du pain bénit pour ses ennemis.

Sa mère voulait son bien, il le savait. Mais au fil des années, elle avait fait de lui la cible de blagues innombrables et parfois pire. Heureusement pour lui, son école primaire avait été très sévère avec les petits durs et les taquins. Lorsqu'il était entré dans un collège privé, il s'était efforcé de passer inaperçu. Les mecs sportifs ne savaient pas qu'il existait et ne remarquaient donc pas qu'il n'avait pas le droit de s'adonner à quoi que ce soit d'un tant soit peu dangereux.

Mais Ewan rêvait malgré tout de s'atteler enfin à quelque chose d'excitant. Il adorait regarder la chaîne sur les sports extrêmes, et il avait fait beaucoup d'exercice durant les deux dernières années pour être bien foutu et se muscler. Sa mère ne pouvait tout de même pas protester contre le fait qu'il soulève de la fonte dans la salle de sports que son père avait installée dans la cave. Tout ce qui lui manquait, c'était l'occasion d'utiliser son corps dans une activité qui le pousserait jusqu'à ses limites.

Jusqu'à sa rencontre avec BB sur Rig. Ce chanceux vivait dans une ferme où il avait son propre quad et des motocross. Mieux, il avait choisi de devenir copain avec Ewan. Et maintenant, ce soir même, il allait avoir l'occasion de vivre en vrai ce qui n'avait jusque-là été qu'un fantasme.

Sa mère croyait qu'il allait participer à un concours de débats à Manchester. Elle ne l'attendrait pas à la maison avant neuf heures, ce qui était parfait. BB avait dit qu'il lui prêterait des vêtements et qu'il pourrait se doucher avant de repartir avec le bus de huit heures et demie. Tout allait être impec.

Ewan se demandait bien comment il allait pouvoir contenir son excitation toute la journée. Mais il y arriverait. Il était fort pour prendre sa vie en main.

À un kilomètre de là, dans le poste de police le plus proche de chez les McAlpine, Carol donnait ses dernières instructions aux équipes de surveillance, constituées de trois voitures, une moto et plusieurs piétons assistés par une camionnette où ils pouvaient modifier leur apparence en changeant de vestes, de chapeaux, de perruques et en s'affublant de différentes fausses barbes et moustaches. « La journée va être longue, indiqua Carol. Il s'agira essentiellement d'attendre tant qu'Ewan sera en cours, mais il faudra quelqu'un à l'avant et à l'arrière du collège pour nous assurer qu'il ne file pas plus tôt en douce. Il n'a aucune raison de le faire : on sait quelles dispositions ils ont prises. Mais il pourrait avoir du mal à contrôler son excitation. Nous devons donc rester vigilants. Des questions ? »

Paula leva la main. « On sait que ce tueur agit vite. Est-ce qu'on va intervenir dès qu'il aura pris Ewan ?

— Je ne veux pas prendre de décision à ce sujet tant que nous ne sommes pas au cœur de l'action, expliqua Carol. Il y a trop de variables. Ewan est notre priorité, bien entendu. Mais nous devons être sûrs de pouvoir prouver qu'il s'agit d'un enlèvement. À présent, si tout le monde est prêt, il est temps de nous mettre en place. On va avoir le temps d'imprimer son image dans nos cerveaux en le suivant jusqu'au collège, et ça nous permettra de nous préparer. Alors allons-y. Et bonne chance à tous. »

Le trajet jusqu'au collège ne posa pas de problème. L'Audi de la mère d'Ewan était encadrée par deux voitures de surveillance, et la camionnette fermait la marche. À environ quatre cents mètres du collège, Mme McAlpine déposa son fils à un coin de rue où deux des promeneurs prirent la relève. Ils laissèrent trois agents pour monter la garde – deux à pied, un en voiture – puis retournèrent au poste. Le plus pénible était toujours d'attendre. Certains jouaient aux cartes, d'autres lisaient, d'autres posaient la tête sur leurs bras et dormaient. Quand Tony arriva à trois heures et demie, ils étaient tous prêts à passer à l'action.

« Je ne m'attendais pas à te voir, dit Carol.

— J'aime te forcer à donner le meilleur de toi-même.

— Tu viens avec moi dans la camionnette-régie, lui dit-elle en l'emmenant à l'écart du reste de l'équipe.

— Parfait. Je n'essaie pas de te rendre la vie plus compliquée, précisa-t-il. J'ai simplement pensé que je pourrais peut-être t'aider. Tu sais – si tu dois prendre des décisions difficiles, choisir quand attendre et quand intervenir. Je suis assez fort pour ce genre de questions de psychologie. » Il lui adressa ce sourire de gentil petit garçon qui l'agaçait chaque fois autant qu'il l'amusait. « Ne te gêne pas pour profiter de moi. Après tout, plus je te serai utile, plus tu auras d'arguments la prochaine fois que Blake voudra te faire travailler avec Tim Parker.

— Ils sont tous aussi nuls que lui ? » demanda Carol.

Tony s'assit sur un bureau. « Non. Quelques-uns d'entre eux ont un vrai talent. Un ou deux autres sont assez compétents. Et puis il y en a certains qui ont intégré tout l'aspect normatif du travail, mais qui n'ont aucune intuition, aucune empathie. Et ceux-là, on ne peut rien leur apprendre. Soit on a le truc, soit on ne l'a pas. Quand on fait cela pour de vrai tout le temps, si on a l'empathie et l'intuition, on doit devenir clinicien. Si on n'a pas tout ça, on reste dans le circuit universitaire. » Il haussa les épaules. « Tim peut s'améliorer, mais il ne sera jamais excellent. Tu n'as simplement pas eu de chance du tout. Si Blake t'impose ça de nouveau, ne laisse personne choisir à ta place. J'ai deux ou trois noms à te donner de personnes qui te feront du bon boulot.

— Mais pas aussi bien que toi.

— Je ne vais pas te dire le contraire. Mais je ne serai peut-être pas toujours dans les parages, Carol. » Il avait l'air sérieux, ce qui effraya Carol. Elle ne savait pas vraiment ce qui lui était arrivé à Worcester, pas à l'intérieur. Mais il était assez étrange depuis son retour. Carol n'aimait pas ce qu'elle ne comprenait pas, et elle ne comprenait pas cela.

Elle tourna donc sa remarque à la plaisanterie. « Tu n'es pas un peu jeune pour prendre ta retraite ? Ou est-ce que tu mens sur ton âge depuis toutes ces années ? »

Il ricana. « Je ne suis pas du genre à prendre ma retraite. Je continuerai à faire les cent pas avec mon déambulateur en expliquant : "Vous cherchez un homme blanc, entre vingt-cinq et quarante ans, qui a du mal à former des relations", et la jeune et brillante inspectrice me prendra pour un génie.

— Eh bien, ce sera une expérience nouvelle pour toi », répliqua-t-elle d'un ton acerbe. Elle s'éloigna de lui et haussa la voix : « Allez, tout le monde. Il est temps de se mettre en position. » Elle se retourna vers Tony. « Tu es au courant qu'on a trouvé le lien entre Warren Davy et les victimes ? Le FNEG a découvert un lien de parenté avec Bill Carr, le cousin qui réceptionne les livraisons de Davy.

— C'est bon à savoir. C'est toujours un soulagement quand nous, les profileurs, vous mettons sur la bonne piste. Je dois vraiment un ou deux verres à Fiona Cameron maintenant. »

Ils se dirigèrent ensemble vers la porte. « Tu n'as jamais pensé à faire du profilage géographique ? Histoire d'avoir une corde de plus à ton arc ? »

Il secoua la tête. « Manier des chiffres ? Je serais tellement mauvais, Carol. Je passerais mon temps à me disputer avec l'ordinateur.

C'est déjà assez embêtant que je parle tout seul, alors pas besoin d'introduire des objets inanimés dans l'équation. »

Ewan gagna l'arrêt de bus sans incident. Il ne parut aucunement avoir remarqué les guetteurs. Deux d'entre eux montèrent à bord du bus avec lui : une femme de la cinquantaine en imperméable et un jeune homme vêtu d'un blouson en cuir et d'une casquette de base-ball rouge vif rabattue sur les yeux. Carol passa un coup de fil lorsque le bus démarra. Deux agents se trouvaient déjà à Barrowden. L'un d'eux prendrait le bus là-bas, l'autre le raterait de peu et resterait sous l'abri pour consulter les horaires. Ils lui assurèrent qu'ils étaient tous les deux en place et qu'il n'y avait aucun signe de vie dans le village hormis deux vieux qui jouaient aux dominos au pub.

« Ça ne va pas être facile, dit Carol à Tony. J'y suis allée en reconnaissance hier soir, c'est un vrai village fantôme. Quatre rues, une épicerie qui ferme à six heures et un pub où personne ne mettrait les pieds s'il y avait une autre option. On va devoir rester bien en retrait.

— Tu ne vas pas mettre plus de guetteurs sur les lieux ?

— Non. On a les deux du bus, ils vont descendre à Barrowden. Elle va aller au pub, et lui va s'arrêter pour discuter avec celui qui aura raté le bus. Si on en met plus, ça va commencer à avoir l'air louche. On a aussi placé une caméra dans le lierre sur la chapelle wesleyenne. » Elle pointa le doigt derrière lui. Il se retourna et découvrit un écran en noir et blanc. On y voyait l'arrière d'un abribus en plexiglas et le pignon du pub. Il n'y avait personne excepté l'homme debout sous l'abribus.

« Tu crois que Davy va venir en quad, comme il l'a dit sur Rig ?

— Je pense qu'il sera en voiture. Il voudra le maintenir dans un espace fermé. »

Ils cessèrent de parler tandis que la camionnette sillonnait la route étroite. Ils n'étaient pas visibles du bus mais les trois techniciens présents à leurs côtés étaient en contact vocal permanent avec les guetteurs. Finalement, Johnny, le technicien en chef, se tourna vers Carol et annonça : « Le bus entre dans Barrowden. » Sur l'écran, Carol et Tony virent le bus approcher de l'arrêt.

Ils étaient à présent à l'entrée du village et le conducteur se rangea dans une allée privée. « J'ai convenu ça hier, indiqua Carol. On va rester là pour observer et écouter ce qui se passe. »

Le bus s'arrêta. Ewan laissa poliment la femme descendre puis suivit. L'homme à la casquette de base-ball se courba pour renouer son lacet ; celui qui attendait à l'arrêt monta dans le bus. Ewan regarda autour de lui, plus curieux qu'inquiet. Il consulta sa montre et s'éloigna de l'arrêt de bus, puis s'arrêta entre l'abri et le pub, où on ne pouvait le rater. La femme entra dans le pub d'un air affairé et le bus redémarra. Alors qu'il prenait de la vitesse, un homme arriva en courant d'une des deux petites rues transversales. En voyant le bus disparaître, il s'arrêta, les mains sur les genoux, haletant. L'homme à la casquette le rejoignit, manifestement un ami. Ils se mirent à bavarder puis retournèrent à l'abri où ils eurent une conversation animée concernant les horaires du bus.

Moins d'une minute passa avant qu'un break Volvo de couleur sombre arrive dans le village par la route de Manchester. Lentement, il longea la place centrale et passa devant l'arrêt de bus. Il fit demi-tour devant le pub et s'arrêta à côté d'Ewan.

« C'est lui », dit Carol d'une voix sombre.

Johnny écarta un écouteur de sa tête. « C'est une femme au volant, dit-il.

— Quoi ?

— Une femme. » Il remit son écouteur en place.

Carol regarda Tony. « Une femme ? Tu n'as jamais parlé d'une femme. »

Il ouvrit les mains, aussi perplexe qu'elle. À l'écran, Ewan s'était avancé et se penchait par la fenêtre passager ouverte de la voiture. Johnny reprit la parole : « Elle explique que le quad de BB est en panne... C'est la mère de BB, venue le chercher...

— Il monte, constata Carol. Phase deux, Johnny, dis-leur.

— Le Break Volvo de couleur sombre quitte le village en direction de Manchester. La plaque commence par MM07. Je ne vois pas la suite. Les guetteurs, à la camionnette. »

Et ils se remirent en route. C'était frustrant de rester aussi loin, mais Johnny les tenait régulièrement au courant de la situation. « Toujours en route vers Manchester... Tango lima deux les suit...

La moto arrive derrière, double tango lima deux, ça fait louche... La moto est maintenant devant. C'est indéniablement une femme au volant... le garçon boit dans une canette... Ils arrivent à un carrefour... La moto va tout droit, la Volvo a tourné à gauche sans mettre son clignotant. Tango lima deux part à droite, tango lima trois prend le relais... On longe la ville vers le sud... La moto est revenue derrière tango lima trois.

— On dirait qu'on va à la ferme de Davy, observa Carol. Où il n'est pas censé avoir mis les pieds depuis vendredi de la semaine dernière.

— La petite amie est peut-être une meilleure menteuse que ne l'a cru Ambrose, suggéra Tony. En supposant que c'est elle qui conduit.

— Dis à tango lima deux de doubler. Il peut dépasser la ferme de Davy et attendre au bout de la propriété. Tango lima quatre passe en première position derrière la Volvo », ordonna Carol.

En vingt minutes, ils furent sûrs de la destination. La route à une voie sur laquelle ils roulaient menait au siège de SPD et à peu d'autres endroits. « Il faut que tango lima trois et la moto restent en arrière. Souvenez-vous, Ambrose a dit que tout le périmètre était sous vidéosurveillance. On doit rester à l'écart pour l'instant. Que tango lima quatre dépasse la ferme et rejoigne deux un kilomètre plus loin. »

Ils s'arrêtèrent derrière la moto lorsque Johnny rapporta : « La Volvo s'est arrêtée devant le portail... Tango lima trois estime être hors de portée de leurs caméras. Il est sorti de son véhicule, sur le toit... Il a pris ses jumelles. Il voit la Volvo qui se gare juste à côté de la maison... La femme est dehors... Elle ouvre la portière passager, lui semble-t-il... Elle ouvre la porte de la maison. Il ne voit personne, elle doit être en train de traîner le gosse à l'intérieur... La femme est de nouveau dehors, elle ferme la portière, remonte dans la voiture, la déplace dans la cour et bloque une porte de la grange... Elle retourne à la maison... Rentre. La porte se ferme. » Johnny regarda Carol. « On a notre enlèvement, je dirais. »

Carol ouvrit la portière arrière de la camionnette et descendit, suivie de Tony. « Tout ce qu'on a, c'est un enlèvement, déclara Carol. On ne sait pas si Warren est à l'intérieur ou s'il est en route.

— Il pourrait avoir été là quand Ambrose est venu, dit Tony. Il n'a pas fouillé l'endroit, si ?

— Non. Et ça ne servait à rien de mettre la propriété sous surveillance. Avec leur système de sécurité, on n'aurait pas pu se rapprocher assez sans se faire repérer. Et il y a des kilomètres de lande derrière chez eux. Une personne connaissant bien le terrain aurait facilement pu entrer sous couvert de la nuit. » Plus elle parlait, plus Carol se sentait prise au dépourvu. « Mais on est sûrs qu'il était à Bradfield hier matin puisqu'il a envoyé cet e-mail à Ambrose de la bibliothèque.

— Il faut que tu entres, Carol. On sait que ce tueur ne traîne pas. Le garçon est déjà inconscient. Si Warren se trouve à l'intérieur, il doit être en train de lui scotcher un sac plastique sur la tête à cet instant. Tu ne peux pas te permettre de laisser ce garçon mourir. Tu ne te le pardonneras pas. Et Paula te tuera sans doute », ajouta-t-il sans une once de légèreté.

Elle acquiesça de la tête. « Tu as raison. » Elle se retourna vers la camionnette et cria : « En route, Johnny ! Tout le monde au portail immédiatement. »

Elle remonta d'un bond dans la camionnette blanche banalisée et tendit la main à Tony pour l'aider à grimper. Ils démarrèrent devant la voiture et la moto et arrivèrent en premier au portail. Carol sortit et alla à l'interphone. « Police ! Ouvrez ! cria-t-elle. Je vais compter jusqu'à trois... Un... Deux... » Les lourds battants s'ouvrirent lentement. Carol remonta l'allée au trot. La camionnette et le reste des véhicules la suivirent au pas.

Ils abandonnèrent leurs véhicules dans la cour et se dirigèrent en masse vers la maison. Carol, qui ouvrait la marche, poussa la porte. Elle s'arrêta sur le seuil. Ewan McAlpine était couché sur une bâche en plastique au milieu de la pièce carrelée, inconscient mais respirant toujours. Sur la table se trouvaient un épais sac en plastique transparent, un rouleau de scotch d'emballage et un scalpel. Les mains sur la tête, une femme était assise à la table et sanglotait convulsivement. « Je suis vraiment désolée, gémit-elle. Vraiment désolée. »

CHAPITRE 40

Tony et Carol étaient tous deux absorbés par la scène qui se déroulait de l'autre côté du miroir sans tain. Il leur avait fallu un bon moment pour revenir de la ferme de SPD au QG de la police de Bradfield. Ils avaient d'abord dû attendre l'ambulance et les auxiliaires médicaux pour qu'ils confirment qu'Ewan McAlpine était en état d'être transporté à Bradfield Cross sous protection policière. Puis, une fois terminée sa crise de nerfs et placée en garde à vue, Diane Patrick s'était suffisamment ressaisie pour exiger un avocat. Carol et Tony avaient ainsi eu le temps de préparer l'interrogatoire.

« Je crois que tu devrais laisser Paula commencer, avait déclaré Tony sans attendre qu'elle lui demande son avis.

— C'est à moi de le faire, je suis la directrice d'enquête. Ça donne de l'importance à l'interrogatoire. Et ça trouble les gens, qu'ils soient innocents ou coupables. » Carol ouvrit la porte de son bureau et cria : « Quelqu'un, n'importe qui... On a besoin de café ici ! »

Tony se mit à faire les cent pas. « C'est précisément parce que tu diriges l'enquête que tu devrais rester en retrait. Diane Patrick a clairement joué un rôle dans ces crimes. On l'y a peut-être contrainte. Mais elle a pu y participer activement. Si c'est le cas, alors ça va la foutre en rogne qu'on ne la prenne pas assez au sérieux pour que ce soit la chef qui l'interroge. Et c'est bien qu'elle soit en rogne. Tu le sais. On aime qu'ils soient en rogne. Ça les rend plus susceptibles de perdre les pédales, au moins un peu.

— Crois-moi, je peux trouver d'autres moyens de la foutre en rogne, répliqua Carol.

— Et si on l'a forcée, il y a beaucoup plus de chances qu'elle réponde à quelqu'un qu'elle ne voit pas comme une menace. En d'autres termes, un policier de rang inférieur. Tu as tout à gagner à laisser la main à Paula. Je ne dis pas que tu n'auras pas ton tour. Mais laisse Paula commencer.

— Tu veux bien t'asseoir ? Tu me rends folle, à t'agiter sans arrêt dans ce réduit minuscule », ragea Carol.

Il s'assit dans le fauteuil le plus proche. « Ça m'aide à réfléchir. »

Quelqu'un frappa à la porte. « Café », annonça Kevin.

Carol lui ouvrit, s'empara des deux mugs et referma la porte d'un coup de hanche. « Je mettrai l'oreillette. Tu pourras me maintenir sur la bonne voie.

— Tu sais qu'il n'y a personne de meilleur que Paula pour ça. » Il avait beau reconnaître qu'il jouait avec le feu, il fallait qu'il le dise.

« Es-tu en train de dire qu'elle est meilleure que moi pour les interrogatoires ? » Elle poussa brusquement un des cafés vers lui. Elle avait failli le lui jeter à la figure, semblait-il. Il l'avait rarement vue aussi tendue par une arrestation. Il supposa que c'était parce que Warren Davy était toujours dans la nature.

« Ce n'est pas un concours, et tu le sais, expliqua-t-il. Tu n'as aucune raison de douter de tes capacités professionnelles. C'est ton travail de chef d'équipe qui a permis ce résultat. Ça fonctionne parce que tu leur laisses faire ce pour quoi ils sont bons, même si tu pourrais parfaitement prendre le relais.

— Je ne comprends pas, dit-elle, les sourcils froncés d'un air buté.

— Prends Sam, exposa-t-il. Tu sais que c'est un franc-tireur. Tu sais qu'il n'aime pas partager parce qu'il pense pouvoir tout faire mieux que quiconque. Il serait prêt à poignarder des gens dans le dos s'il pensait que ça servirait sa carrière, mais seulement quand ça ne compromet pas l'enquête. Beaucoup de directeurs d'enquête l'auraient viré parce qu'il n'a pas l'esprit d'équipe. Mais tu le gardes. Tu le laisses utiliser ses atouts. » Il marqua une pause et l'interrogea du regard.

« Bien sûr. Il a des capacités énormes.

— Ce n'est pas la seule raison. C'est aussi parce que tu te reconnais un peu en lui. Il a quelque chose de la Carol Jordan du début, la bagarreuse qui n'avait pas encore atteint son niveau véritable. Tu fais ça avec tous. » Il tiqua. « Enfin, peut-être pas Stacey. Mais tu sais que Paula est une excellente interrogatrice. Tu le sais parce que l'excellente interrogatrice qui est en toi se reconnaît en elle. Alors laisse-la faire, Carol. »

Il lut le doute sur son visage. « J'ai parfois le sentiment de faire tout le sale boulot ici et de ne jamais m'amuser », se lamenta-t-elle.

Il sourit. « J'adore te voir t'apitoyer sur ton sort. C'est très généreux de ta part. En plus, si la nouvelle petite amie de Paula n'avait pas été au bon endroit au bon moment avec les bonnes connaissances, il nous aurait peut-être fallu bien plus longtemps pour en arriver là. Paula a mérité son heure de gloire. »

Carol lui jeta un regard noir. « Je déteste quand tu me pousses à bien me comporter.

— Tu te respecteras demain matin, par contre. » Il but une gorgée de café et grimaça. « Allez, viens, c'est le moment d'aller regarder Paula en action. »

Paula laissa Diane Patrick et son avocate patienter près de vingt minutes. Elle avait pris cette décision après avoir découvert que cette dernière n'était autre que Bronwen Scott, la doyenne des avocats pénalistes de Bradfield. Scott avait forgé sa réputation en faisant gracier les coupables autant qu'en disculpant les innocents et ne serait donc jamais très appréciée des policiers. Mais elle aimait leur rappeler ses exploits. Carol ne cachait pas son mépris pour Scott, et son équipe la soutenait allègrement.

Le contraste entre les deux femmes qui faisaient face à Paula aurait difficilement pu être plus grand. Impeccable dans son tailleur dont la coupe et le tissu évoquaient tout autre chose que le statut d'avocat commis d'office, Scott arborait son air hautain coutumier, mais son visage semblait maintenant comme figé. Paula soupçonnait un excès d'injections de Botox ou un lifting un poil trop tendu. Diane Patrick, à l'inverse, était débraillée et dévastée par ses pleurs des heures précédentes, les cheveux ébouriffés, les yeux sombres bouffis et injectés de sang. Elle regardait Paula d'un air pitoyable, la lèvre inférieure tremblotante. Paula resta imperturbable.

Elle prit soin de lancer l'enregistrement avant d'informer Diane de ses droits puis ouvrit son dossier. « Vous avez enlevé et drogué un garçon de quatorze ans cette après-midi, Diane. Lorsque nous avons pénétré dans la maison où vous vivez avec votre compagnon Warren Davy, nous vous avons trouvée seule avec Ewan McAlpine. Il était inconscient. Sur la table devant vous se trouvaient un grand sac en plastique transparent, un rouleau de scotch d'emballage et un scalpel…

— Allez-vous bientôt finir par poser une question ? Nous savons tout cela. Vous nous avez déjà communiqué ces renseignements », l'interrompit Scott.

Paula refusa de se laisser importuner. « Je ne fais que rappeler à votre cliente la gravité de sa situation. Comme je le disais, les objets présents sur la table correspondent à l'attirail utilisé dans quatre meurtres commis contre des adolescents de quatorze ans au cours des deux dernières semaines. On peut difficilement ne pas en déduire que vous étiez sur le point d'assassiner Ewan McAlpine. »

Diane Patrick écarquilla les yeux autant que ses paupières gonflées le permettaient. Elle semblait horrifiée. « Je n'allais pas faire ça. Non. » Prise de panique, elle éleva la voix. « Je n'ai jamais tué personne. Vous devez me croire. C'est Warren. J'attendais Warren. Il m'a forcée à le faire. » Elle lâcha un sanglot déchirant. « Je me déteste, j'aimerais être morte. » Elle enfouit son visage dans ses mains.

Paula patienta. Diane finit par relever la tête, les joues sillonnées de larmes. « Affirmez-vous que Warren Davy a tué Jennifer Maidment, Daniel Morrison, Seth Viner et Niall Quantick ? Et qu'il avait l'intention de tuer Ewan McAlpine ? »

Diane essaya d'avaler sa salive et eut un hoquet. Elle hocha la tête. « Oui. Il les a tous tués. Il m'a forcée à l'aider. Il m'a dit qu'il me tuerait si je ne faisais pas ce qu'il me demandait.

— Et vous l'avez cru ? » Paula prit délibérément un ton incrédule.

Diane la regarda comme si elle était folle. « Bien sûr que je l'ai cru. Il a déjà tué mon bébé. Pourquoi ne l'aurais-je pas cru ?

— Il a tué votre bébé ? Quand est-ce arrivé ? »

Diane frissonna. « L'année dernière. Elle n'avait que quelques heures. » Elle poussa un long soupir qui sembla la libérer. « Il m'a

pratiquement gardée prisonnière les dernières semaines de ma grossesse. J'ai accouché à la maison. Il disait que ce n'était pas la
peine d'aller à l'hôpital, que pendant des générations, les femmes
avaient fait cela chez elles. Et il avait raison. Ça s'est bien passé.
Je l'ai appelée Jodie. Elle était la meilleure chose qui me soit jamais
arrivée. C'était tout ce que j'avais toujours voulu. Et puis il me
l'a prise, et il a mis la main sur sa bouche et son nez jusqu'à ce
qu'elle cesse de respirer. » Ses paroles se saccadèrent tel un vinyle
sous la main d'un DJ. Elle se croisa les bras sur la poitrine. « Il
l'a tuée. Il l'a tuée sous mes yeux. » Elle se mit à se balancer
d'avant en arrière, les doigts enfoncés dans sa chair.

Une nouvelle fois, Paula attendit la fin de la crise. Elle savait
que Scott voulait qu'elle y mette un terme, mais elle était bien
décidée à n'offrir aucun prétexte à l'avocate. « Pourquoi aurait-il
fait cela ? demanda-t-elle une fois que Diane eut retrouvé son
calme.

— Il avait fait quelque chose de mal. Je ne sais pas ce que
c'était. Il ne pouvait pas me dire. C'était en rapport avec les données d'un client. Il a fait quelque chose et quelqu'un est mort. »
Elle parut regarder en elle-même, comme si elle revivait une scène
gravée dans sa mémoire. « Et ça a été comme si quelque chose se
déclenchait en lui. » Elle croisa le regard fixe de Paula. « Je sais
que ça peut paraître bizarre, mais c'est l'impression que ça donnait.
Il répétait sans arrêt qu'il portait le mal en lui comme un virus.
Et il m'a dit que ma Jodie ne pouvait pas vivre pour transmettre
son virus à la génération future. Il pleurait quand il l'a fait. » Sa
main devant la bouche, elle recommença à se balancer.

Paula s'était préparée à ce que Diane rejette toute la faute sur
son compagnon, d'autant plus qu'il était passé à travers les mailles
du filet et qu'il n'était pas là pour présenter sa version des faits.
Elle était partie sceptique, mais plus l'interrogatoire avançait et
plus ses doutes s'amenuisaient. Il y avait quelque chose de terriblement convaincant dans le récit de Diane Patrick. Et elle était
vraiment retournée. On pouvait difficilement imaginer comment
elle aurait pu simuler cet état de nerfs. « Je suis désolée pour
votre fille, dit-elle. Mais voici où je ne vous suis pas. Comment
le fait d'avoir tué son propre enfant l'a mené aux meurtres de ces
adolescents ? »

Diane Patrick eut l'air tout à fait étonnée. Sa surprise se lut si visiblement sur son visage que Paula eut un doute au sujet de ce que Diane avait dit auparavant. « Parce que c'était aussi ses enfants. Vous ne le saviez pas ?

— Comment l'aurait-on su ? répliqua Paula. On savait qu'ils avaient été conçus avec le sperme du même donneur, mais nous n'avions aucun moyen de savoir que c'était Warren. Personne n'a accès à cette information. Pas même la police avec un mandat. »

Diane la dévisagea, apparemment incapable de trouver ses mots.

Paula sourit. « Ce qui soulève une question. Comment Warren a-t-il découvert qui ils étaient ? »

Il y eut un long silence. Paula aurait parié que Diane se demandait si un mensonge serait percé à jour. Elle répondit enfin. Lentement, comme si elle cherchait ses mots. « Il m'a forcée à le faire. Il a menacé de me tuer.

— J'ai compris, oui. Il a tué votre bébé puis il vous a menacée. Vous n'avez jamais pensé que vous pouviez vous enfuir ? »

Diane lâcha un petit rire grinçant. « À l'évidence, vous ne savez pas du tout comment marche le monde moderne. Dans le cyberespace, Warren est un des grands maîtres. J'aurais peut-être pu m'enfuir, mais je n'aurais jamais pu me cacher. Il aurait trouvé un moyen de me mettre la main dessus.

— Voilà qui devient intéressant, fit remarquer Paula.

— Oui. Mais vous allez l'attraper et l'empêcher de m'approcher, dit Diane, parfaitement calme pour la première fois depuis le début de l'interrogatoire.

— Mais alors, où est-il ? Où va-t-on le trouver ?

— Je ne sais pas. Il n'a pas passé la nuit chez nous depuis le premier meurtre.

— Vous avez dit à mon collègue qu'il était à Malte. »

Diane regarda son avocate. « J'avais peur, dit-elle.

— Vous avez entendu ma cliente, indiqua Scott. Elle craignait pour sa vie. Elle a agi sous la contrainte.

— On ne peut se défendre d'un meurtre en invoquant la contrainte, déclara Paula.

— Et jusqu'ici, personne ne suggère que ma cliente ait commis un meurtre ou fait une tentative de meurtre ou de trahison, qui sont les seuls cas où l'on ne puisse pas plaider la contrainte, rétorqua Scott, d'un ton aussi dur que l'était son expression.

— Je veux revenir un peu en arrière, reprit Paula en regardant Diane droit dans les yeux, qui avait semblait-il ignoré leur échange. Comment Warren a-t-il découvert les noms des enfants qu'il avait engendrés ? »

Diane ne put soutenir le regard de Paula. Elle gratta le rebord de la table avec l'ongle de son pouce et fixa sa main d'un air absorbé. « L'AFHE emploie une société de protection de données pour faire leur sauvegarde. Nous sommes une petite communauté. Tout le monde connaît tout le monde. Warren a réussi à savoir qui gérait les données de l'AFHE et il a acheté ces personnes. Il leur a dit qu'on ferait la sauvegarde, qu'on la leur donnerait et qu'on les paierait la même somme que l'AFHE. Ils gagnaient ainsi le double sans rien faire.

— Et ils ne se sont pas demandé pourquoi vous vouliez mettre la main sur ces données ? Ils n'ont pas eu peur de compromettre leur sécurité ?

— Ce n'est pas compromettre sa sécurité quand on traite avec un des nôtres. »

Paula se dit que c'était des foutaises et nota de revenir sur ce point à un autre moment. « Warren est donc entré dans les fichiers de l'AFHE et a copié leur base de données ? »

Elle se rongea l'ongle du pouce. « C'est moi qui l'ai fait. Il a pensé que ce serait moins suspect si c'était une femme.

— Vous avez donc volé les données permettant d'identifier qui avait reçu le sperme de Warren ?

— Je n'avais pas le choix, répondit-elle, d'un ton maintenant opiniâtre.

— On a tous le choix, contesta Paula. Vous avez choisi de ne pas exercer le vôtre et quatre enfants sont morts.

— Cinq, corrigea Diane. Vous croyez que je ne le sais pas ? » Scott se pencha vers elle et lui glissa un mot à l'oreille. Elle acquiesça.

« Connaissiez-vous les projets de Warren quand vous avez volé ces données ? questionna Paula.

— Je n'avais plus du tout les idées claires à ce moment-là. J'étais à moitié folle de chagrin.

— Nous devons retrouver Warren, Diane. Franchement, vous devez penser à vous à présent. Suivant le principe de coresponsabilité, que, j'en suis sûre, Mme Scott se fera un plaisir de vous expliquer, vous êtes menacée de quatre inculpations pour meurtre. Je ne peux vous faire aucune promesse car nous n'avons pas le pouvoir de faire des marchés comme on le voit à la télé. Mais si vous nous aidez maintenant, on vous aidera par la suite. Où est-il, Diane ? »

Elle refoula ses larmes d'un battement de paupières. « Je ne sais pas. Je vous le jure ! On est ensemble depuis sept ans et il n'a jamais disparu comme ça. Il ne part que pour le travail, et dans ce cas je sais dans quel hôtel il est. Il ne s'est jamais caché de moi auparavant.

— Qu'est-ce qui était prévu ce soir ? Était-il censé venir pour tuer Ewan ?

— Il aurait dû être là avant que j'aille chercher Ewan. Il m'a dit qu'il serait là bien avant. Quand l'heure est venue de partir chercher Ewan, je ne savais pas si je devais y aller ou pas. Mais j'ai eu peur de ce qu'il ferait si je foutais son plan en l'air. Alors j'y suis allée et je l'ai ramené. » Elle souriait presque. Paula décela un sentiment de triomphe. « Il ne se pointera pas maintenant que vous êtes là-bas.

— Il ne nous verra pas, affirma Paula.

— C'est ce que vous croyez. Il pourra voir tout ce que vous avez fait cette après-midi. Il a accès à distance à toutes les caméras. Il était au courant dès que vous êtes arrivés devant le portail. Il savait tout sur le grand flic noir qui est venu dimanche avant même que je lui envoie un e-mail. Où qu'il se trouve, il a une longueur d'avance sur vous.

— À vous entendre, on croirait que ça vous fait plaisir, remarqua Paula.

— Si c'est ce que vous pensez, vous devez avoir des problèmes d'audition. »

C'était le premier signe de combativité que montrait Diane, et cela intrigua Paula. « Qu'en est-il de sa famille ? Ses parents, ses frères et sœurs ? Ses amis ?

— On ne voit personne, dit-elle. Il ne s'entend pas avec ses parents. Il n'a plus de contact avec eux.

— Vous ne vous facilitez pas les choses, Diane, avertit Paula. Nous avons vos ordinateurs à présent. Vous disiez que Warren était un des maîtres de l'univers en informatique. Eh bien, j'ai une collègue qui est encore meilleure que ça. Elle doit déjà être en train de consulter vos carnets d'adresses à cet instant.

— Ça m'étonnerait, dit Diane. Nous sommes des spécialistes de la sécurité. Si elle essaie d'entrer dans notre système, toutes les données vont se transformer en charabia. »

Paula ricana. « N'y comptez pas trop. » Elle recula sa chaise. « Si vous n'êtes pas disposée à nous aider, je ne veux pas perdre mon temps. On vous tient pour enlèvement, détention illégale et tentative de meurtre.

— Dans ce cas, inculpez ma cliente ou relâchez-la. Vous n'avez rien. Le garçon est venu avec elle de son plein gré. Il s'est évanoui. Ma cliente ne peut être tenue responsable de ce que son compagnon a laissé traîner sur la table de leur cuisine. » Scott jouait l'indignée, mais Paula l'arrêta.

« Allez raconter ça aux magistrats demain matin. J'en ai fini pour le moment. Nous aurons d'autres questions plus tard, alors je vous remercierais de rester disponible, madame Scott. »

CHAPITRE 41

Tony sortit les mains de ses poches et croisa les bras. « Elle est forte. Elle est très forte. Elle ne ment que quand elle y est contrainte, et donc on ne remarque pas vraiment ses mensonges. Elle n'a pas non plus de tics qui la trahissent. »

Il se retourna quand Paula entra. Elle s'appuya au mur, l'air épuisé. « C'est une dure à cuire, dit-elle.

— Tout juste, approuva Tony. C'est une menteuse de premier ordre. Une de ceux qui se persuadent qu'ils disent la vérité.

— Qu'est-ce que tu as pensé d'elle ? demanda Carol à Paula.

— Au départ, je la suivais totalement. Je croyais tout. Je pensais qu'elle avait vraiment été terrorisée. Puis il y a eu un moment – je crois que c'est quand je lui ai posé cette question qui laissait croire qu'on ne savait pas que Warren était le père des victimes. Elle a eu une réaction si spontanée que j'ai reconsidéré son attitude jusque-là, et je me suis rendu compte qu'elle était loin d'être aussi franche qu'elle veut nous le faire croire. » Paula repoussa la mèche qui lui tombait sur le front. « Je n'en ai rien tiré. Que dalle.

— Je ne dirais pas ça, dit Tony. On en sait beaucoup plus qu'avant. On commence à y voir plus clair.

— Mais il faut qu'on trouve Warren, signala Carol. J'ai demandé à Stacey de vérifier ses relevés de carte bancaire, toutes ses adresses e-mail connues, son permis de conduire et son passeport. Sa photo sera diffusée ce soir aux infos.

— Il sera parti depuis longtemps, estima Paula.

— Tony pense que non. Tony pense qu'il a une mission à terminer, n'est-ce pas ? »

Perdu dans sa rêverie, Tony la regarda en fronçant les sourcils. « Pardon ?

— Une mission. Il a une mission à achever. »

Il se gratta la tête. « C'est ce que j'ai dit, oui. Mais vous ne le trouverez pas, Carol. » Il prit sa veste sur le fauteuil où il l'avait jetée. « Il faut que j'aille parler à quelqu'un. »

Il gagna la porte.

« Parler à qui ? De quoi ? », demanda Carol. Mais elle s'adressait à une porte en train de se fermer.

Stacey n'était pas la seule à pouvoir profiter de l'ère de l'information. Désormais, une fois que vous aviez un mandat, les choses pouvaient se faire à une vitesse incroyable. Avec les opérateurs téléphoniques, par exemple. Dès qu'ils étaient revenus aux bureaux de la BEP, Kevin avait été chargé de se procurer les relevés téléphoniques de SPD et de Diane Patrick. Il avait réussi à trouver dans l'heure un magistrat pour signer le mandat, qu'il avait scanné et délivré par courrier électronique. Les opérateurs mobile et fixe avaient répondu tout aussi rapidement pour une fois.

Il fut surpris par le peu d'appels répertoriés pour les numéros et en fit part à Stacey. « Tu crois qu'elle utilise un téléphone dont on ne connaît pas l'existence ? Un téléphone à cartes prépayées ?

— Peut-être, répondit Stacey. Mais la plupart des gens qui travaillent dans l'informatique préfèrent utiliser les e-mails ou la messagerie instantanée. C'est beaucoup plus facile à encrypter. Les téléphones sont affreusement peu sûrs. » Puis elle lui donna accès à un petit logiciel qui servait d'annuaire inversé. Il n'eut qu'à presser une touche pour que la liste des noms et adresses associés aux numéros se déroule sur l'écran devant lui.

Il la parcourut et constata qu'il s'agissait essentiellement d'entreprises, sans doute toutes des clients de SPD, se dit-il, mais il devait les contrôler une à une pour s'en assurer. Il y avait quelques appels au garage Carr. Il semblait à Kevin que c'était le cousin qui réceptionnait les colis de SPD, mais il prit note de vérifier auprès d'Ambrose.

Un des numéros sortait du lot : la ligne directe du service des encombrants du conseil régional. Diane Patrick leur avait téléphoné le jeudi matin. L'appel avait duré huit minutes. Sur une impulsion, Kevin le plaça en tête de sa liste et le composa. Il tomba inévitablement sur un menu automatique. Il lui fallut passer trois étapes pour entrer en contact avec un être humain. Il se présenta et dit : « Je m'intéresse à un appel passé à votre service jeudi matin. Il pourrait concerner des preuves dans une enquête sur des meurtres. » Il s'était aperçu au fil des années que le mot « meurtre » occasionnait une vivacité remarquable chez les employés de bureau.

« Des meurtres ? s'exclama la femme à l'autre bout de la ligne. Nous n'avons aucune information sur des meurtres.

— J'en suis sûr. » Kevin prit le ton le plus apaisant qu'il put. « Il faudrait que vous consultiez vos registres. Je crois qu'un suspect dans une affaire de meurtre vous a appelés jeudi et a demandé qu'on vienne chercher un objet chez lui. J'ai besoin de savoir si j'ai raison et, le cas échéant, quel était cet objet.

— Je ne sais pas si j'ai le droit de faire ça, dit-elle d'un ton dubitatif. Avec la loi sur la protection des données, vous comprenez. » Kevin se retint de grogner. La loi sur la protection des données était devenue le rempart systématique de tous les petits fonctionnaires procéduriers du pays. « Et puis, comment puis-je être sûre que vous êtes bien de la police ?

— Pourquoi ne pas noter les références de l'appel, consulter votre chef puis me rappeler quoi qu'il arrive au QG de la police de Bradfield ? Je ne veux vraiment pas perdre de temps à me procurer un mandat pour cela, mais si votre directeur insiste, je le ferai. Qu'est-ce que vous en pensez ?

— C'est envisageable », fit-elle à contrecœur. Kevin lui donna les coordonnées de Diane Patrick et le numéro du standard et lui répéta son nom et son grade. Lorsqu'il raccrocha le téléphone, il se fit le pari que, étant donné qu'il était déjà presque quatre heures et demie, il n'aurait pas de nouvelles du conseil régional avant le lendemain matin. Par conséquent, autant s'attaquer au secteur privé.

Il en était à son deuxième appel à un client de SPD lorsque Sam lui fit un signe de la main. « J'ai quelqu'un du service des encombrants pour toi, cria-t-il. Une histoire de congélateur ? »

Kevin mit fin à son appel et prit l'autre ligne. « Sergent Matthews. Merci de me rappeler.

— James Meldrum à l'appareil, chef de service aux encombrants, annonça une voix nette. Vous avez parlé à l'une de mes employées tout à l'heure.

— Tout à fait. Au sujet d'un appel passé par Diane Patrick ou SPD.

— J'ai consulté notre règlement et je crois pouvoir vous fournir le renseignement que vous avez demandé. » Il marqua une pause, comme s'il attendait des applaudissements.

« Merci. Je vous en suis reconnaissant, répondit Kevin, qui comprit tardivement que son interlocuteur attendait une réaction de sa part.

— Une dénommée Diane Patrick nous a demandé de venir chercher chez elle un congélateur-bahut. Nous l'avons fait hier matin.

— Un congélateur-bahut ? » L'excitation gagna Kevin. « Était-il vide ?

— S'il ne l'avait pas été, nos techniciens ne l'auraient pas enlevé.

— Savez-vous où il se trouve à présent ?

— Nous avons un espace consacré au stockage des frigos et congélateurs. Suivant la loi, nous sommes obligés de prendre des précautions particulières pour leur destruction. Cet objet aura donc été déposé là. » À l'évidence, Meldrum prenait plaisir à décrire son travail en détail. Et avec quel style.

« Et il serait encore à cet endroit ? Il n'aura pas été détruit ?

— Malheureusement, nous avons un certain retard sur le plan de la destruction des objets. Donc oui, il est encore là. Parmi beaucoup d'autres, dois-je préciser.

— Pouvez-vous identifier lequel vient de chez Diane Patrick ? demanda Kevin en croisant les doigts.

— Personnellement non, vous comprenez. Mais il se peut que les techniciens qui l'ont récupéré soient en mesure de vous indiquer avec assurance quel appareil provient de chez Mme Patrick.

— Seraient-ils encore au travail, ces techniciens ? »

Meldrum ricana. Il n'y avait pas d'autre mot, jugea Kevin. « Grands dieux, non. Pas à cette heure tardive. Ils commencent à sept heures du matin. Si vous pouvez être à notre dépôt à cette heure-là, je suis sûr qu'ils seront ravis de vous renseigner. »

Kevin nota les indications pour se rendre au dépôt et les noms des « techniciens » auxquels il devait s'adresser. Il remercia Meldrum, puis s'adossa à son fauteuil, un grand sourire sur son visage plein de taches de rousseur.

« Tu as l'air content de toi, dit Sam.

— Quand un tueur se débarrasse d'un congélateur-bahut au milieu d'une série de meurtres, je pense qu'on peut supposer sans trop s'avancer qu'on va trouver des traces intéressantes à l'intérieur, tu ne crois pas ? »

Tony trouva Alvin Ambrose au bureau de la BEP en train d'éplucher la liste de clients que SPD avait affichée sur son site. « J'essaie de trouver des gens qui ont eu des rapports autres que professionnels avec Warren Davy, expliqua-t-il quand Tony lui demanda ce qu'il faisait. Jusqu'ici, rien.

— Je me demandais… Ça vous dérangerait de me conduire au garage du cousin de Davy ? Comment s'appelle-t-il déjà ? »

Ambrose le regarda d'un drôle d'air. « D'accord, d'accord. J'aurais dû vous remettre le rapport à vous aussi. Bill Carr. C'est son nom. » Il lui adressa un sourire contrit. « Toutes les brigades ont leur boulet, non ? »

Tony sourit faiblement. « Si vous le dites. Vous pouvez m'y emmener ? »

Ambrose souleva sa lourde carcasse. « Pas de problème. Je ne pense pas qu'il sache où se trouve Davy, par contre. Je lui ai déjà parlé l'autre après-midi.

— Je ne pense pas non plus, admit Tony. Mais ce n'est pas ça dont je veux lui parler. J'irais bien seul, mais croyez-moi, personne au monde n'a un aussi mauvais sens de l'orientation. Je serais encore en train de tourner dans le sud de Manchester dans trois jours si j'y allais seul.

— Et vous croyez que je vais mieux m'en sortir ? Je suis de Worcester, vous vous souvenez ?

— Ça ne vous empêchera pas d'être meilleur que moi. »

En chemin, Tony questionna Ambrose sur sa vie à Worcester. Comment était la brigade de la West Mercia. Ce qu'il pensait de Worcester – une petite ville super, l'endroit parfait pour élever des enfants. Assez petite pour être au courant de ce qu'il s'y passait,

413

assez grande pour ne pas être étouffante. Cela passait le temps, et il n'avait pas besoin de réfléchir à ce dont il voulait parler avec Bill Carr. Il le savait déjà.

Ambrose s'engagea dans l'impasse et lui montra le garage. Ils arrivaient juste à temps, semblait-il : Bill Carr, leur tournant le dos, était en train de baisser le lourd rideau de fer. « Ne vous méprenez pas, Alvin, mais je m'en sortirai mieux tout seul », déclara Tony, puis il sortit de la voiture et rejoignit Carr au trot avant qu'il ne s'en aille.

« Bill ? » appela-t-il.

Carr se retourna et secoua la tête. « Trop tard, mon vieux. J'ai fini pour aujourd'hui.

— Non, pas de problème, ce n'est pas pour ça. » Tony lui tendit la main. « Je m'appelle Tony Hill. Je travaille avec la police de Bradfield. Je me demandais si nous pourrions discuter un peu ?

— C'est pour cette histoire de l'autre jour au sujet de la voiture de Warren ? Mais j'ai déjà expliqué à l'autre type. Je ne fais que filer un coup de main à un cousin. Je n'ai rien à voir avec leur société. » Son regard se promenait, à la recherche d'une échappatoire derrière Tony. Il releva le col de sa veste en jean et enfonça ses mains dans les poches de son pantalon. Aussi hostile qu'un gamin fautif.

« Ce n'est pas grave, je veux juste vous poser quelques questions sur Warren et Diane, indiqua Tony d'une voix chaleureuse et confiante. Je peux peut-être vous offrir une pinte ?

— Il a des ennuis, hein ? Notre Warren ? » Carr parut inquiet mais pas étonné.

« Je ne vais pas vous mentir. Il semble bien. »

Il soupira profondément. « Ce n'était plus le même ces derniers temps. Comme si quelque chose lui pesait. Je pensais que c'était juste ses affaires, vous voyez ? Il y a beaucoup de gens qui en bavent ces temps-ci. Mais il ne m'en aurait pas parlé. On n'était pas proches.

— Venez quand même boire une pinte, proposa gentiment Tony. Où est-ce qu'il y a un bon pub dans le coin ? »

Les deux hommes marchèrent en silence jusqu'à un pub situé au coin d'une rue, un ancien bar d'ouvriers désormais transformé en refuge de lecteurs du *Guardian*. Tony imagina qu'il avait été entièrement refait par une brasserie dans les années 1970 puis qu'on lui avait artificiellement redonné son allure d'antan, avec ses planchers en pin usé et ses chaises inconfortables en bois courbé. « C'est bourré d'étudiants plus tard, mais ça va à cette heure de la journée, expliqua Carr tandis qu'accoudés au bar, ils entamaient une bonne pinte de *bitter* de microbrasserie au nom ridicule.

— Ça fait longtemps qu'ils sont ensemble, Diane et Warren ? » demanda Tony.

Carr réfléchit quelques instants, la pointe de la langue dépassant au coin de sa bouche. « Ça doit faire six ou sept ans maintenant. Ils se connaissaient avant, ça a été une de ces histoires qui traînent en longueur, vous voyez ? »

Tony était calé en matière d'histoires traînantes et de passions contenues. Et savait que parfois elles ne se déchaînaient jamais. « Ça a dû aider, qu'ils aient cette affaire en commun, se contenta-t-il de dire.

— Je ne pense pas que notre Warren aurait pu avoir une relation avec une femme qui ne soit pas une mordue d'informatique. Il n'a jamais parlé que de ça. Il a eu son premier ordinateur quand il était encore à l'école primaire et il ne s'est plus jamais intéressé à rien d'autre. » Il but une gorgée de bière et essuya du dos de la main la mousse sur sa lèvre. « Je suppose qu'il a eu la cervelle et moi le physique.

— Ça se passait bien entre Diane et Warren ?

— On aurait dit. Comme je vous disais, on ne se voyait pas beaucoup pour le plaisir. On n'avait pas grand-chose en commun, vous comprenez ? Warren n'aimait même pas le foot. » À entendre Carr, on aurait cru que c'était une monstruosité biologique.

« Je suis moi-même supporter du Vic de Bradfield », déclara Tony. Ce qui les mena dans une longue digression au cours de laquelle Manchester United, Chelsea, l'Arsenal et Liverpool en prirent pour leur grade. Lorsqu'ils en eurent terminé, Tony s'était fait un nouveau copain. Alors qu'ils sirotaient leur seconde pinte, Tony reprit : « Mais ils n'ont jamais eu de gosses.

— Vous en avez ? »

Tony fit non de la tête.

« J'en ai deux, de mon ex. Je les vois un week-end sur deux. Ils me manquent, vous savez ? Mais je ne peux pas nier que la vie est plus simple sans avoir à m'occuper d'eux vingt-quatre heures sur vingt-quatre sept jours sur sept. Warren n'aurait jamais supporté ça. Il avait besoin de sa liberté, et c'est une chose qu'on n'a pas avec des gosses.

— Trop de gens font des gamins puis ont l'air stupéfait de se rendre compte qu'il faut s'en soucier constamment.

— Exactement, opina Carr en tapant le doigt sur le bar pour souligner son approbation. Warren était assez malin pour comprendre que ce n'était pas pour lui. Il a fait tout ce qu'il fallait pour que ça n'arrive pas.

— Qu'est-ce que vous voulez dire ? » Tony était tout ouïe.

« Il a eu une vasectomie, quand il était étudiant. On se voyait plus souvent à cette époque. Il a toujours eu une idée très claire de ce qu'il voulait faire de sa vie, Warren. Il savait qu'il était intelligent et qu'il avait de bons gènes. Mais sachant qu'il ferait un très mauvais père, l'idée lui est venue de donner son sperme. Il a rempli leur petit récipient en plastique, pris l'argent, puis il est allé se faire stériliser. Comment il a dit, déjà, à l'époque ? Je me souviens que c'était bien trouvé comme formule… "La postérité sans les responsabilités." C'était ça.

— Et il n'a jamais regretté ?

— Pas que je sache. Il n'a jamais osé le dire à Diane, par contre. Elle crevait d'envie d'avoir un bébé, surtout ces trois ou quatre dernières années. Warren disait qu'elle lui prenait la tête avec ça. Sans arrêt. Elle ne parlait que de ça. Mais vu qu'il ne lui avait pas parlé de sa vasectomie au départ, la situation était telle qu'il ne pouvait plus lui avouer. Surtout qu'il lui avait dit avant qu'il avait donné son sperme. C'était vraiment ridicule. Ils étaient là, à courir au service de procréation assistée sans qu'il crache le morceau sur sa vasectomie. Elle a fini par essayer d'utiliser le sperme d'un donneur, mais c'était trop tard à ce moment-là. Elle avait six ans de plus que lui, donc elle avait déjà dépassé la quarantaine et ses ovules étaient bel et bien foutus.

— Et elle n'a jamais découvert son secret ? demanda Tony avec désinvolture.

— Vous rigolez ? Si elle l'avait appris, elle l'aurait massacré. »

Tony baissa les yeux sur sa pinte. « C'est exactement ce que je me disais », indiqua-t-il.

CHAPITRE 42

Carol dévisagea Tony, clairement étonnée. « Une vasectomie ? T'es sérieux ?

— Plus que jamais. Warren Davy a subi une vasectomie quand il avait la vingtaine. » Il avait trouvé Carol dans la salle d'observation avec Paula, en train de mettre au point une stratégie pour le prochain interrogatoire de Diane Patrick.

« Mais alors, comment a-t-elle réussi à avoir un enfant de lui l'an dernier ? demanda Paula.

— Elle n'en a pas eu, répondit Tony. C'est l'énorme mensonge qui est à la base de tous ses autres mensonges. Si on enlève ça, toute son histoire s'écroule. Plus de raisons de craindre pour sa vie. Et pourquoi est-ce qu'elle aide Warren à tuer ses enfants ? » Il les regarda toutes deux d'un air impatient en agitant ses mains ouvertes comme un prof encourageant ses élèves à répondre.

Les deux femmes échangèrent des regards perplexes. « Elle ne l'aide pas ? hasarda Paula.

— Bonne réponse, signala Tony.

— Mais elle est allée chercher Ewan McAlpine et elle l'a drogué, remarqua Paula. On ne peut pas nier ça. »

Tony feignit la déception. « Bonne réponse, mauvais raisonnement. Elle n'aide pas Warren. C'est elle qui les tue. » La tête en arrière, il fixa un coin du plafond. « Elle a sans doute commencé par tuer Warren, réflexion faite.

— Il va falloir que tu reviennes un peu en arrière, dit Carol. J'ai du mal à te suivre.

— C'est horrible, mais simple. Son horloge biologique a commencé à s'affoler. Elle veut un bébé, mais pas de n'importe qui. L'idée d'avoir un bébé de Warren tourne à l'obsession. Quand je dis obsession, c'est pour de bon. Le genre d'obsession qui donne envie de foncer dans les voitures avec un autocollant "bébé à bord" parce que ces gens ont ce qu'elle n'a pas. Elle sait que Warren a un jour été capable d'avoir des enfants puisqu'il a donné son sperme, et c'est donc nécessairement un candidat de premier choix. Ils essaient obstinément d'avoir un bébé, mais les années passent et ça ne marche pas. Ils se rendent donc dans un centre de procréation assistée et, tôt ou tard, elle découvre que Warren est stérile. Ils utilisent alors le sperme d'un donneur, mais ce n'est pas vraiment ce qu'elle veut. Elle veut un enfant de Warren. Mais ils ont trop attendu, et ses ovules ont fait leur temps. Elle est anéantie. Sans doute suicidaire. Tu me suis jusque-là ?

— Je crois que j'y arrive tout juste, indiqua ironiquement Carol.

— On en vient maintenant au point dont je ne suis pas sûr. D'une manière ou d'une autre, Diane a découvert le vilain petit secret de Warren : à savoir, qu'après avoir donné son sperme, il s'est fait stériliser.

— Elle s'est peut-être demandé comment il avait perdu sa fertilité. Ou elle n'a peut-être pas pu s'en empêcher. C'est la reine du piratage, non ? Toutes sortes d'archives médicales sont désormais en ligne, souligna Paula. Elle aime peut-être tout simplement tout savoir sur les gens qui l'entourent.

— Peut-être. Mais l'important, c'est qu'elle ait fini par le découvrir. Et ça la déconnecte de la réalité. Elle pète complètement les plombs. Cet homme dont elle est si amoureuse qu'elle voulait un bébé de lui et de personne d'autre l'a trahie. Non seulement il ne peut pas lui donner d'enfant, mais il l'a en réalité empêchée d'en avoir un d'un autre parce qu'ils ont passé tant de temps à essayer. À essayer en vain. Et pour couronner le tout, il a déjà donné vie à Dieu sait combien de petits bâtards. » Tony criait presque à présent. « Aucun d'eux ne mérite de vivre. Ni ce sale menteur de Warren, ni sa nichée de bâtards. »

Carol battit des mains, se moquant gentiment. « Très belle performance. Et comment on prouve tout ça ? »

Tony haussa les épaules. « En trouvant le corps de Warren ?

— Elle est trop forte pour ça, affirma Carol. Si tu as raison, elle a probablement prévu depuis longtemps de tout mettre sur le dos de Warren et soit de faire croire à un suicide, soit de prétendre qu'il est entré dans la clandestinité. On ne trouvera pas son corps si facilement. »

Personne ne parla pendant un bon moment tandis qu'ils réfléchissaient à leur problème. Paula suggéra finalement : « Vous pouvez toujours la faire avouer par la manière forte, chef. »

Carol esquissa un sourire fatigué. « On n'est pas dans *Life on Mars*[6], Paula. Ces méthodes-là ne sont plus très bien vues. »

Tony traversa la pièce et prit Paula dans ses bras, qui parut surprise. « Mais elle a raison, Carol, dit-il en reculant. Pas avec les poings mais avec les mots.

— Tu es le seul à pouvoir faire ça, dit Carol. Et Diane Patrick a Bronwen Scott à ses côtés. Elle ne te laissera jamais entrer dans la pièce.

— Elle ne peut pas m'empêcher de te parler à l'oreille, par contre. »

Tony observait la scène tandis que Carol et Paula pénétraient dans la salle d'interrogatoire. Bronwen Scott, qui s'était penchée vers sa cliente pour lui parler à voix basse, se redressa. Carol s'assit et jeta brutalement son dossier sur la table. « Quand avez-vous découvert que Warren avait subi une vasectomie ? » demanda Carol.

Diane Patrick écarquilla les yeux.

« Splendide ! commenta Tony dans le micro. Remets-en une couche.

— Laissez-moi vous reposer la question. Quand avez-vous découvert que Warren Davy avait subi une vasectomie ?

— Je ne vois pas de quoi vous parlez. » Diane avait opté pour une attitude effrayée et pitoyable. Tony ne pensait pas que cela durerait longtemps.

« Warren Davy a subi une vasectomie il y a quinze ans. Vous savez ce qu'est une vasectomie, Diane ?

---

6. Série télévisée britannique dans laquelle un inspecteur de police, ramené surnaturellement de 2006 à 1973, est confronté aux méthodes policières de l'époque. (*N.d.T.*)

— Bien sûr que oui, répondit-elle. Mais je ne vous crois pas. J'ai eu un bébé de lui. »

Carol eut un petit rire moqueur. « Mais oui. Ce bébé mythique. Je serais curieuse de voir ce que votre dossier médical dit là-dessus.

— Ma cliente a déjà expliqué que M. Davy lui a interdit toute intervention médicale pendant sa grossesse, coupa Scott. Je ne vois aucun besoin de revenir là-dessus.

— Dis-lui qu'il n'y a jamais eu de bébé, conseilla Tony. Dis-lui, ne lui demande pas.

— Il n'y a jamais eu de bébé. Il ne peut pas y avoir eu de bébé car Warren Davy a subi une vasectomie à vingt et un ans.

— Vous harcelez ma cliente, déclara Scott. Posez votre question et continuez.

— Demande-lui comment elle a fait, glissa Tony à l'oreille de Carol.

— Comment avez-vous eu un bébé avec Warren après sa stérilisation ?

— Ça arrive. Je l'ai lu. Certaines personnes ont des bébés après ça, affirma Diane. Si vous dites vrai, ce que je ne crois pas, c'est ce qui a dû se passer.

— Ignore sa réponse, Carol. Insiste sur le fait qu'elle n'a pas pu avoir de bébé, qu'elle n'en aura jamais.

— La vérité, c'est que vous n'avez jamais eu d'enfant avec Warren. Vous n'avez jamais eu d'enfant. Et vous ne pouvez plus en avoir. Regardez les choses en face, Diane. Vous n'aurez jamais d'enfant. Et si vous ne pouvez pas avoir d'enfant de Warren, personne d'autre non plus, n'est-ce pas ? » Carol parlait d'un ton implacable, le regard froid et immobile. Lorsque Bronwen Scott prit la parole, Carol ne la regarda même pas.

« Vous persécutez ma cliente, inspecteur en chef Jordan. J'insiste pour que vous posiez une question, exigea Scott.

— Je viens de le faire, rétorqua Carol. Mais je vais la reformuler. Vous voulez que personne d'autre n'ait d'enfant de Warren, n'est-ce pas, Diane ?

— Ces enfants n'ont rien à voir avec moi, murmura Diane.

— Rappelle-lui qu'elle n'aura jamais d'enfant de lui, souffla Tony. Parce qu'il ne l'aimait pas assez.

— Ce sont les enfants que vous n'aurez jamais. Les enfants dont vous rêviez. Les enfants qu'il a donnés à d'autres femmes. Mais pas à vous. Croyez-vous qu'il vous a caché la vérité parce qu'il ne vous aimait pas vraiment ?

— Il m'aimait », objecta Diane. Tony crut déceler les premières traces de colère sur son visage.

« Il ne vous aimait pas assez pour vous dire la vérité. Il ne vous aimait pas assez pour faire inverser la vasectomie. Il ne voulait pas avoir d'enfant avec vous, si ? Il a préféré une parfaite inconnue à vous pour porter son enfant, non ?

— Inspecteur, si vous ne cessez pas ce harcèlement, je vais exiger que nous mettions immédiatement fin à cet interrogatoire », avertit Scott en posant la main sur le bras de Diane pour la faire taire.

Tony fut distrait un instant par Kevin, qui passa la tête dans l'embrasure de la porte. « Je crois que je viens de dénicher quelque chose qui pourrait servir à Carol.

— Qu'est-ce que c'est ? » Tony s'efforça de se concentrer sur deux choses en même temps.

« Le service des encombrants a récupéré hier un congélateur-bahut à détruire chez SPD. On l'aura entre nos mains demain matin à la première heure. »

Tony se fendit d'un large sourire. « Tu es génial, Kevin. Merci. » Il se remit à l'écoute de ce qui se passait dans la salle d'interrogatoire. Carol et Scott se querellaient toujours. Il ne pensa pas avoir raté grand-chose. Il attendit une pause dans leur accrochage pour transmettre à Carol l'information apportée par Kevin.

Elle sourit méchamment. « Vous voulez des questions, Bronwen ? D'accord. Allons-y pour les questions. J'aimerais demander à votre cliente pourquoi elle a demandé au service des encombrants de venir retirer un congélateur-bahut chez elle hier. »

Cette fois-ci, la stupéfaction qui frappa Diane Patrick se lut facilement sur son visage. « Parce que... parce qu'il était cassé. Il ne marche plus.

— Toute notre équipe d'experts de la police scientifique va examiner chaque centimètre carré de ce congélateur, indiqua Carol. Va-t-on trouver des traces du sang de Warren ?

— Je vous l'ai dit. » La voix était stridente à présent. « Je ne sais pas où est Warren.

« — Quand l'avez-vous tué, Diane ?

— Je ne sais pas de quoi vous parlez. Dites-lui, maître Scott. Je ne sais pas où est Warren et je ne l'ai pas tué. Je l'aime !

— Demande-lui si elle a remarqué à quel point les enfants ressemblaient à Warren. Ce à quoi aurait ressemblé le sien, glissa Tony.

— Vous avez remarqué comme les enfants ressemblaient tous à Warren ?

— Bien sûr qu'ils lui ressemblaient. C'étaient ses enfants. Ses mauvaises graines, c'est comme ça qu'il les appelait. C'est lui qui disait qu'ils devaient mourir, pas moi. » Elle criait désormais, malgré la main de Scott sur son épaule.

« En les voyant, vous vous êtes demandé à quoi aurait ressemblé votre enfant ? S'il vous avez laissée avoir un enfant de lui ? »

Scott recula sa chaise. « Ça suffit. J'en ai assez de ce cirque. Ma cliente est victime de cet homme malfaisant. Vos méthodes d'intimidation sont tout à fait inacceptables. Quand vous aurez des preuves, venez nous parler.

— Rappelle-lui qu'elle a échoué, insista Tony. Elle n'aura pas de descendance, mais lui, il survivra. »

Carol ignora Scott et regarda Diane Patrick droit dans les yeux. « Vous avez échoué, n'est-ce pas ? Vous n'en avez eu que quatre. Les autres, ils sont toujours là. Ils vous narguent. Ces enfants que vous ne pourrez jamais avoir. Ils vont grandir, les enfants de Warren. Ils vont faire perdurer sa lignée. Mais quand vous mourrez, on tirera un trait. La mauvaise graine disparaît avec vous. Vous et votre ventre stérile. »

Diane gronda, toutes dents dehors, et se jeta sur Carol par-dessus la table. Mais Bronwen Scott fut plus rapide et retint sa cliente. « Ça va aller, Diane. Calmez-vous. Ne vous laissez pas pousser à bout. Ils n'ont rien, c'est pour ça qu'elle essaie de vous provoquer. »

La tension fut rompue par un coup frappé à la porte. Stacey entra et s'identifia pour les besoins de l'enregistrement. « Je dois vous parler un instant, madame », déclara-t-elle sur un ton solennel.

Carol arrêta le magnétophone et suivit Stacey dans le couloir. Tony se hâta de quitter la salle d'observation pour les rejoindre. « Que se passe-t-il, Stacey ? demanda Carol.

— Kevin a interrogé des clients de SPD, expliqua-t-elle. Il véri-fiait les appels passés depuis les téléphones de SPD pour s'assurer qu'ils concernaient bien des clients et pas quelque chose de plus sinistre. En tout cas, Kevin s'est dit que, tant qu'à être là-dessus, il allait en profiter pour demander quand ils avaient vu Warren Davy pour la dernière fois. Et il a noté toutes les dates et heures. Quand je me suis rendu compte de ce qu'il avait fait, j'ai entré ces données dans un logiciel pour les comparer avec les moments où l'on sait que le tueur était sur Rig en train de chatter avec ses victimes. Et avec les lieux d'où il envoyait ses messages. Et les résultats sont clairs. Warren a de solides alibis pour au moins vingt des sessions sur Internet. Il n'a pas pu traquer les victimes. Il se trouvait chez des clients à des endroits complètement différents. » Elle tendit une liasse de papiers à Carol. « Voici les endroits où se trouvait Warren. Et là, les lieux d'où les messages ont été envoyés au même moment. »

Carol renversa la tête en arrière. « Alléluia !

— C'était bien la peine d'utiliser la psychologie pour la faire parler », ironisa Tony.

Carol lui tapota l'épaule. « On l'a intimidée. Maintenant, c'est le moment de l'uppercut. Je sens que je vais prendre mon pied. »

Chapitre 43

Tony ôta sa cravate en franchissant le pas de sa porte et la jeta sur la rampe d'escalier. Il se rendit directement dans la cuisine et se servit un grand verre d'eau qu'il vida d'un trait. Il resta appuyé sur l'évier, le regard dans le vide. Il avait laissé Carol et son équipe en pleines réjouissances dans l'arrière-salle de leur restaurant thaï préféré. Il comprenait qu'ils aient besoin de faire retomber la pression effroyable que provoquait une enquête sur des meurtres en série, mais il ne pouvait prendre part à la fête.

Pour lui, il n'y avait rien d'heureux dans la désagrégation finale de Diane Patrick. Cette épave vociférante et à bout de nerfs avait autrefois été une femme compétente et brillante qui s'était bâti une carrière et avait fondé un couple. Elle s'était retrouvée accablée sous le joug d'une obsession, qui avait pris le dessus sur le reste de son existence. Et lorsqu'elle avait fini par comprendre que cet enfant dont elle rêvait non seulement ne viendrait jamais mais qu'il lui avait été enlevé par la seule personne qu'elle aimait vraiment, elle avait disjoncté. Pour la plupart des gens dans cet état, le fait de tuer Warren Davy aurait suffi. Et si elle en était restée là, le système judiciaire aurait peut-être jugé que son équilibre mental avait été bel et bien ébranlé par la trahison épouvantable de l'homme qu'elle aimait et fait preuve d'une certaine clémence.

Mais l'obsession de Diane Patrick était devenue un besoin si pressant et si profondément ancré en elle qu'elle avait dû anéantir totalement cet homme. Et cela signifiait détruire les enfants issus de ses gènes. C'était tout à fait absurde et cependant parfaitement compréhensible. Mais le système ne prévoyait pas de prendre en compte la complexité des fixations humaines, pas quand elles impliquaient la mort d'enfants. Diane Patrick ne connaîtrait jamais plus la liberté. Elle finirait dans un lieu comme Bradfield Moor, si elle avait de la chance, dans une prison de haute sécurité si elle en avait moins.

Non pas que Tony considérât qu'elle ne méritait pas de payer pour ses crimes d'une façon ou d'une autre. Mais il ne pouvait s'empêcher de ressentir de la pitié plus que de la haine. Il se demanda si lui serait parvenu à surmonter cette obsession qui s'était emparée d'elle.

Mieux valait ne pas y penser.

Tony enleva sa veste et la posa sur le dossier d'une de ses chaises de cuisine. Il prit une bière dans le frigo et s'assit. Un objet à moitié enfoui au milieu des papiers amoncelés sur la table réfléchissait la lumière des spots encastrés sous les hauts placards. Sans réfléchir, il l'en extirpa et découvrit le dictaphone numérique qu'Arthur lui avait laissé. Il le fixa longuement et intensément. Toute cette affaire avait été une histoire de pères et d'enfants. Et le fond du problème avait été l'ignorance.

Ce n'était absolument pas intelligent de vouloir éviter la vérité. Il le savait depuis le début. Il ne s'était simplement pas senti prêt à s'y confronter. Il prit sa bière et se rendit dans son bureau. Tony brancha ses confortables écouteurs rembourrés sur le minuscule dictaphone et s'installa dans son fauteuil préféré. L'autre fauteuil se trouvait toujours en face, resté là depuis son exercice visant à pénétrer l'esprit du tueur l'autre soir. Il s'imagina Arthur assis dedans et appuya sur Lecture.

« Bonjour, Tony. C'est Arthur. Ou Eddie, comme on m'appelait à l'époque où je fréquentais ta mère à Halifax », commença-t-il. Sa voix était légère et musicale, toujours marquée par son accent d'enfant du Yorkshire. « Merci d'avoir accepté d'écouter ce que j'ai à te dire.

« Il n'y a rien que je puisse dire ou faire pour rattraper le fait que j'ai été absent de ta vie. Au départ, je ne savais pas que tu existais. Lorsque j'ai quitté Halifax, j'ai coupé les ponts avec tout le monde. Je t'expliquerai bientôt pourquoi. Je n'étais donc absolument pas au courant de ta naissance. Quatorze ans plus tard, j'étais en vacances à Rhodes quand, par pur hasard, je suis tombé sur un couple qui avait travaillé à mon usine d'Halifax. Bien sûr, ils m'ont reconnu tout de suite. Ça ne servait à rien d'essayer de nier. Ils ont insisté pour m'offrir un verre et me raconter ce qu'étaient devenus tous mes anciens employés.

« Ils avaient déménagé à Sheffield avec la nouvelle société, mais ils avaient de la famille à Halifax et étaient donc restés au courant de ce qui s'y passait. Ils se souvenaient que j'avais été fiancé à Vanessa, et ils m'ont décrit le garçon bien élevé que son fils était devenu. Pas comme la plupart des adolescents, m'ont-ils fait remarquer. Je n'ai pas eu besoin de réfléchir longtemps pour me rendre compte que, si le fils de Vanessa était déjà adolescent, il y avait de grandes chances que tu sois de moi.

« Mais je n'ai jamais été du genre à tirer des conclusions hâtives. Aussi, je ne me suis pas permis d'espérer, pas vraiment. Quand je suis rentré de vacances, j'ai engagé un détective privé pour qu'il se renseigne sur ton compte. Il s'est procuré ton acte de naissance et a pris des photos de toi. Les dates correspondaient, et tu me ressemblais énormément au même âge. J'étais stupéfait. J'étais enchanté. Il n'y avait pas de doute dans mon esprit : tu étais mon fils. » La voix d'Arthur trembla et Tony appuya sur Pause. Il avait les yeux humides et la gorge serrée. Il se força à avaler une gorgée de bière et reprit son écoute.

« Puis je me suis rendu compte que je ne pouvais rien faire. Vanessa avait manifestement décidé que nous ne devions pas connaître l'existence l'un de l'autre. Je craignais que, si j'essayais d'entrer dans ta vie, elle retourne ça contre toi. Et je savais qu'elle en était capable. » Il s'éclaircit la voix. « J'avais aussi peur de l'effet que cela pouvait avoir sur toi. Tu t'en sortais bien à l'école et je ne voulais pas que cela te perturbe à ce niveau-là. Quatorze ans, c'est un âge difficile. Tu ne m'aurais peut-être pas accueilli avec joie dans ta vie. Tu aurais eu de bonnes raisons d'en vouloir à l'homme qui t'avait abandonné à la garde de Vanessa. Alors, j'ai gardé mes distances. J'aime à penser que c'était dans ton intérêt, mais c'était sans doute en partie par lâcheté de ma part. Et je t'expliquerai pourquoi j'avais là aussi mes raisons.

« C'est la partie difficile pour moi. Tu pourrais penser que j'invente ce que je vais te raconter. Tu pourrais penser que j'ai perdu la tête. Mais c'est la vérité. Je le jure. Tu peux le croire ou non, c'est ton choix. Tu connais ta mère au moins aussi bien que moi. Tu peux juger si mon histoire sonne vrai ou non.

« À cette époque, j'étais un jeune homme intelligent qui faisait son chemin. J'ai toujours eu un don d'inventeur. La plupart de mes idées ne mènent nulle part, mais certaines ont donné de beaux résultats. Ma première entreprise a bien marché car j'avais conçu un procédé unique pour plaquer par galvanoplastie les instruments chirurgicaux de précision. Je m'en sortais bien, et il y avait quelques grandes sociétés prêtes à payer de très grosses sommes pour racheter mon brevet. J'étais très content de moi. Je savais que j'étais sur le chemin du succès et de la richesse, ce qui n'était pas rien pour un garçon issu de la classe ouvrière de Sowerby Bridge.

« Je fréquentais ta mère à l'époque. J'étais fou amoureux de Vanessa. Je n'avais jamais rencontré une femme comme elle. Elle avait l'allure d'une star. À côté d'elle, toutes les autres filles d'Halifax semblaient ternes. Je savais qu'elle était coriace. Ta grand-mère était une vraie dure à cuire et elle avait élevé Vanessa à son image. Mais quand notre relation est devenue sérieuse, elle a semblé s'adoucir. Elle était d'une compagnie très agréable. Et elle était belle. » Il parlait à présent d'une voix passionnée, chaude et enthousiaste. Tony avait suffisamment vu le charme de sa mère agir sur d'autres pour comprendre comme elle avait pu mener Arthur par le bout du nez.

« Quand je l'ai demandée en mariage, j'étais quelque part convaincu qu'elle allait refuser tout net. Mais elle a accepté. J'étais aux anges. On a parlé d'organiser cela au printemps, et Vanessa a proposé que chacun rédige un testament en faveur de l'autre. Elle travaillait alors chez un notaire, cela ne nous aurait donc rien coûté. Et comme il était prévu qu'elle arrête de travailler après notre mariage, il était logique de le faire à ce moment-là. » Il eut un petit rire plein d'ironie. « Tu dois te dire que je suis un gars du Yorkshire typique. Un vrai radin, hein ? À vrai dire, les testaments étaient peut-être gratuits, mais ça a failli me coûter très cher d'une autre manière.

« On a donc fait nos testaments, laissant tout à l'autre. À peu près au même moment, une entreprise de Sheffield m'a approché.

428

Ils voulaient racheter mon affaire sur-le-champ, ainsi que mon brevet. Ils me proposaient une somme énorme plus des royalties à vie sur le procédé. Ç'aurait été une bonne affaire pour un homme qui n'avait pas l'ambition d'aller beaucoup plus loin. Mais je l'avais. J'avais toutes sortes de rêves et d'espoirs pour l'avenir, et ils incluaient mon entreprise et mon personnel. Vanessa m'a pris pour un dingue. Pour elle, je devais vendre et vivre comme un pacha grâce à cet argent. "Mais qu'est-ce qu'on fera quand on aura tout dépensé ?" Je voulais savoir. Elle m'a répondu qu'elle me connaissait, j'aurais une idée lumineuse et on recommencerait la même chose. Mais je n'étais pas convaincu. J'avais lu trop d'articles sur des inventeurs qui n'avaient jamais eu une deuxième idée qui marche.

« Maintenant, je suppose que tu sais comment est ta mère quand elle se met une idée en tête. C'est comme de se confronter à un rouleau compresseur. Mais j'ai campé sur ma position. C'était mon affaire et je n'allais pas céder. Je me suis dit que je devais tenir bon ou que je passerais le restant de mes jours à céder à ses désirs. On en était donc là, dans cette impasse. Du moins je le croyais.

« Puis un soir, nous rentrions chez nous par Savile Park. Il faisait noir, il était tard et il n'y avait personne en vue. Vanessa me tannait une nouvelle fois pour que je vende. Je me rappelle lui avoir dit "Plutôt mourir", et avoir tout à coup ressenti une douleur fulgurante dans la poitrine. Puis ça a été comme si tout se passait au ralenti. Vanessa était là devant moi, et elle avait un couteau à la main, couvert de sang. J'ai baissé les yeux et vu une grosse tache rouge sur mon plastron. Je me suis senti tomber et je jure l'avoir entendue dire : "Tu l'as dit, Eddie."

« Quand j'ai rouvert les yeux, j'étais à l'hôpital avec le docteur qui me disait que c'était un miracle que je sois en vie. Et Vanessa était là en train de me tenir la main avec un doux sourire. Je croyais perdre la tête. Mais quand le médecin nous a laissés seuls, elle m'a dit : "J'ai dit à la police qu'on nous avait agressés. Si tu essaies de leur raconter autre chose, ils te prendront pour un fou."

« J'étais censé mourir, tu comprends. Pour qu'elle arrive à ses fins. Mais je ne suis pas mort. Je suis parti. Une fois remis, j'ai vendu mon entreprise et j'ai foutu le camp. J'ai passé une année à étudier la métallurgie au Canada, puis je suis revenu m'installer à Worcester. Ça avait l'air d'être une ville agréable, et je ne connaissais personne qui y ait de la famille. Je ne me suis jamais remis avec une autre femme, pas de manière sérieuse. Vanessa m'en avait coupé l'envie. C'est difficile de tomber amoureux encore une fois quand la dernière personne que vous avez aimée a tenté de vous tuer.

« Mais je me suis refait une belle vie. Puis j'ai découvert ton existence. Une fois que je l'ai su, j'ai gardé discrètement un œil sur toi. J'ai suivi ta carrière avec fierté. Je sais que je n'ai aucun mérite à m'attribuer, mais je suis fier de ce que tu es devenu. J'aurais aimé te voir t'installer avec ta propre famille, mais il n'est pas trop tard. J'ai appris que tu étais proche de cette femme inspecteur avec qui tu travailles, Carol Jordan. Si c'est la bonne, ne la laisse pas filer.

« Enfin. Je t'ai dit tout ce que je voulais te dire. Et je suis toujours désolé de ne jamais avoir été un père pour toi. J'espère que tu comprends maintenant, même si tu n'as pas le cœur à me pardonner. Et j'espère que tu prendras plaisir à dépenser l'argent que je t'ai laissé. Profite bien de ta vie, mon fils. » Puis le silence. Le dernier mot était évidemment le coup de grâce.

Tony enleva le casque et se mordit la lèvre, écrasé par le chagrin qui lui comprimait la poitrine et lui serrait la gorge. Il ne savait pas ce qui était le pire – d'avoir entendu ce qu'il venait d'entendre, ou de ne pas douter de la véracité de ces propos. Une révélation aussi insoutenable sur votre mère aurait mis en rage la plupart des hommes. Il ne leur serait pas venu à l'idée d'y croire. Leur première réaction aurait été de considérer cette histoire comme un ignoble mensonge. Parce que la plupart des hommes n'avaient pas une mère comme Vanessa.

D'aussi loin qu'il se souvienne, Tony avait eu le sentiment d'être l'homme décrit par Diane Patrick. La mauvaise graine. L'homme qui savait porter le mal en lui. L'une des raisons pour lesquelles il faisait ce travail était qu'il avait toujours eu la conviction qu'il aurait facilement pu devenir le genre de personne qu'il passait sa vie à traquer puis à essayer d'aider. Son empathie devait bien venir de quelque part, et il avait toujours cru qu'elle lui venait de sa tendance à choisir un chemin différent des autres.

Et bien sûr, Vanessa n'avait jamais raté une occasion de lui donner le sentiment d'être un nul. Il avait assez de psychologie pour comprendre à quel point elle l'avait diminué, mais sa formation professionnelle ne l'autorisait cependant pas à tout mettre sur le compte de son éducation et des circonstances. Il devait aussi y avoir une composante génétique. Un dosage entre l'inné et l'acquis, le conditionnement et les circonstances. Et il savait désormais exactement dans quelles proportions la mauvaise graine était en lui.

Mais pour la première fois, il savait également que l'image qu'il s'était faite de son père était fausse. Il avait toujours considéré qu'un homme capable d'abandonner son enfant devait avoir un vice rédhibitoire. Tony avait cru être le produit de deux personnes profondément détraquées, un héritage qui lui offrait peu de possibilités de dépasser leur niveau sur le plan affectif. Il devait à présent réétudier ce qu'il pouvait attendre de lui-même. Car la moitié de ce qui l'avait créé était un homme bien qui savait à quel point il l'avait déçu. Et qui avait été fier de lui.

Ça allait être une grosse remise en question. Et alors même qu'il se disait cela, Tony se rendit compte que ce changement nécessitait un cadre particulier. Quelque part dans sa vie, il allait devoir trouver un symbole extérieur de cette transformation.

CHAPITRE 44

Carol se réveilla bien plus tôt qu'elle ne l'avait prévu. Ça lui faisait désormais cet effet quand elle buvait trop. Plus jeune, lorsqu'elle se couchait bourrée, elle était sûre de rester huit heures inconsciente. À présent, si elle avait trop bu, elle dormait de façon intermittente et pas assez longtemps. Une raison de plus de suivre le conseil de Tony et de réduire sa consommation. Elle avait la tête comme une pastèque et l'esprit embrumé, l'estomac retourné et fragilisé, avec le vague souvenir d'avoir vomi quand elle est finalement rentrée au petit matin.

Mais elle n'avait pas de regrets. Cette soirée avait été une grande fête pour l'équipe. Les meurtres élucidés, des vies sauvées, Bronwen Scott remise à sa place. La cerise sur le gâteau avait été le coup de fil que Sam avait reçu de Brian Carson, le gérant du camping-caravaning Belle Vue. Il avait été étonné de reconnaître la photo de Nigel Barnes aux infos de la télé locale. Il s'était rappelé que celui-ci était arrivé un soir au camping avec un pneu crevé. Carson avait insisté pour l'aider à changer son pneu, malgré les protestations de l'homme qui assurait pouvoir se débrouiller. Il se souvenait en particulier de la balle de plastique transparent, du paquet de sacs-poubelle noirs et des rouleaux de scotch d'emballage dans le coffre de la Volvo break, car ils avaient dû les déplacer pour pouvoir sortir la roue de secours.

Une femme ne pouvait vraiment rien demander de plus. Carol se coucha sur le dos et s'étira comme une étoile de mer. Elle entendit un léger grognement puis quelque chose vint lui chatouiller

433

langoureusement l'oreille. « Nelson », dit-elle affectueusement en grattant le cou de son chat. Il ronronna et lui donna un coup de tête. « D'accord, maugréa-t-elle. Je vais te donner à manger. »

Ses deux portables, personnel et professionnel, étaient posés sur le plan de travail au-dessus du tiroir à couverts. Alors qu'elle prenait une cuillère, elle remarqua un message sur son téléphone personnel : « Petit déj ? Ecris-moi qd tu lis ça, suis debout. Merci. »

Elle consulta l'horloge. Elle ne s'était pas trompée la première fois, il était seulement six heures et quart. Ce n'était pas le genre de Tony d'être debout à cette heure-ci. Carol ne l'avait pas vu quitter le restaurant mais elle savait que leur fête improvisée n'était pas commencée depuis très longtemps. Elle l'avait cherché vers neuf heures, quand ils avaient commandé à manger. Mais il était resté introuvable. Elle avait demandé à Paula, la personne la plus susceptible de remarquer son départ, mais celle-ci avait eu l'esprit trop occupé par Elinor Blessing. Ce qui était une bonne chose, naturellement, mais qui ne l'avait pas arrangée sur le moment.

Elle remplit la gamelle de Nelson et répondit : « Chez toi ou au café ? »

« Chez moi. Je peux faire d saucisses et d œufs. »

« Une demi-heure ». Elle mit la bouilloire en marche et alla prendre sa douche.

Trente-cinq minutes plus tard, douchée, habillée, soignée au Nurofen et légèrement caféinée, elle grimpa l'escalier de son appartement du sous-sol à la maison de Tony. La porte intermédiaire était déjà ouverte et elle le trouva dans la cuisine en train de sortir un plat de saucisses du four et de les inspecter d'un air soupçonneux. « Je crois qu'il leur faut encore cinq minutes, dit-il. Ce qui est juste assez pour faire les œufs. » Il désigna la cafetière d'un geste. « Il est prêt, tu veux ? »

Elle se servit. Tandis qu'il brouillait les œufs dans la poêle, elle prépara deux cafés au lait et les amena à table. « Je n'arrive pas à croire que tu sois debout à cette heure, et avec tout ce qu'il faut pour un vrai petit déjeuner », ajouta-t-elle en remarquant l'assiette de *crumpets*[7] grillés dégoulinants de beurre.

---

7. Sorte de petites crêpes épaisses typiquement britanniques. (*N.d.T.*)

« Je n'ai pas dormi de la nuit. Je suis allé me balader et le supermarché était ouvert et il fallait que je te parle, alors je me suis dit : petit déj. »

Carol sauta sur la partie clé de sa réponse. « Il faut que tu me parles ? Ne me dis pas que tu penses qu'il y a un problème avec Diane Patrick ?

— Non, non, rien de tel », dit-il avec impatience en servant les œufs et en sortant les saucisses du four. Il déposa théâtralement une assiette garnie devant elle. Carol retint un frisson désagréable. « Et voilà. Œufs de poules élevées en plein air et saucisses locales.

— Je ne me rappelle pas la dernière fois que tu m'as préparé à manger », répondit-elle avant de goûter timidement les œufs. Ils étaient meilleurs qu'elle ne l'avait imaginé.

« Non, dit-il, songeur. Moi non plus. » Il engloutit une saucisse et la moitié de ses œufs. « C'est bon, constata-t-il d'un air surpris. Je devrais faire ça plus souvent. »

Carol s'en sortait lentement mais sûrement avec son assiette. « Alors, de quoi est-ce qu'il faut que tu me parles ?

— Tu dois écouter quelque chose. Mais finissons d'abord de manger.

— C'est très intriguant.

— Tu ne vas pas en revenir, dit-il, soudain sombre. Et pas dans le bon sens. »

Carol se força à avaler sa dernière bouchée et repoussa son assiette. « Fini. Je suis calée.

— Pas mal pour une femme qui est arrivée ici avec la gueule de bois du siècle », déclara sèchement Tony en débarrassant les assiettes. Il revint avec le dictaphone et le casque. « C'est ça qu'il faut que tu écoutes.

— Qu'est-ce que c'est ?

— Pas besoin d'explications. » Il lui plaça les écouteurs sur les oreilles et appuya sur Lecture.

Lorsqu'elle se rendit compte de ce qu'elle écoutait, Carol resta bouche bée. « Oh mon Dieu. » Puis, le regardant les larmes aux yeux : « Oh, Tony... » Et encore : « Incroyable ! Putain ! » Tony resta coi et se contenta d'observer ses réactions, impassible.

Lorsqu'elle arriva au bout, elle enleva le casque et prit la main de Tony. « Pas étonnant que tu n'aies pas dormi de la nuit, dit-elle. Tu parles d'un choc !

— On s'est dit tous les deux qu'on avait des doutes sur la version de Vanessa. Qu'elle devait cacher quelque chose. Il s'avère qu'on avait vu juste. » Sa voix était sourde et dure.

« Ouais, mais je ne m'attendais vraiment pas à avoir vu juste de cette manière, précisa Carol. Qu'est-ce que tu comptes faire ? Tu vas lui demander des explications ? »

Il soupira. « Je ne vois pas l'intérêt. Elle se contentera de nier. Ça n'aura aucune incidence sur sa manière de vivre sa vie.

— Mais tu ne peux pas la laisser s'en tirer comme ça ! » s'indigna Carol. Ce qu'il laissait entendre allait à l'encontre de toutes ses convictions sur l'importance de la justice.

« Elle s'en est déjà tirée. Rien ne peut changer ça maintenant. Carol, je ne veux plus jamais la revoir. Tout ce que je veux, c'est la faire sortir de ma vie comme elle a fait sortir Arthur de la mienne.

— Je ne comprends pas comment tu peux prendre ça avec autant de calme.

— J'ai eu toute la nuit pour y réfléchir, dit-il. Cette affaire de meurtres, ça n'a pas été mon heure de gloire. La seule vraie piste qu'ait donnée le profilage, ça a été où chercher. Et c'est le résultat du travail de Fiona Cameron, pas du mien.

— Tu as compris que Warren était mort. Et c'est toi qui as découvert la vasectomie en interrogeant Carr, protesta-t-elle.

— Tu aurais fini par y arriver. Mais j'ai dû me rendre à l'évidence et admettre que je ne suis peut-être pas aussi bon que je veux le croire. Ces dernières semaines m'ont fait me rendre compte que je dois totalement réévaluer qui je suis. J'ai fait des choix dans ma vie à partir de données inexactes. J'ai besoin de tout repenser, Carol. »

Son sérieux avait quelque chose de si absolu que Carol ne pouvait le combattre. Elle recourut plutôt à la tactique qu'elle connaissait le mieux. Celle qui avait fait d'elle une flic aussi redoutable. En cas de doute, il faut attaquer. « Qu'est-ce que ça veut dire, Tony ? On croirait entendre un homme politique. Des belles paroles et rien de concret. »

Il lui adressa un petit sourire triste. « Je peux être concret, Carol. Je voulais simplement m'expliquer d'abord. J'ai l'intention de donner ma démission à Bradfield Moor. J'ai l'intention de vendre la péniche parce que je ne l'aime pas. Et j'ai l'intention de m'installer dans la maison d'Arthur à Worcester car c'est le seul endroit dans ma vie où j'ai dormi en me sentant chez moi. Au-delà de ça, je ne sais pas. »

Elle comprit chacun des mots, mais l'ensemble paraissait incohérent. C'était comme si elle était allée se coucher dans un monde et qu'elle se réveillait dans un autre. « Tu vas aller vivre à Worcester ? À *Worcester* ? Tu as passé une nuit là-bas et maintenant tu pars t'y installer ? Tu as perdu la boule ? »

Il secoua la tête, le visage empreint de tristesse. « Je savais que tu réagirais comme ça. Je n'ai pas perdu la boule, non. J'essaie simplement de comprendre comment avancer dans ma vie en sachant ce que je sais désormais sur mes origines. Il y a énormément de choses que je croyais savoir et qui s'avèrent fausses. Et j'ai besoin de déterminer comment je me situe par rapport à ça. »

Elle avait envie de crier « Et moi dans tout ça ? ». Elle dut faire un effort physique pour s'en retenir. Elle serra le bord de la table entre ses mains et crispa les lèvres.

« Il n'y a pas de mal, Carol. Tu peux le dire. "Et toi là-dedans ?" C'est ça que tu as envie de me demander, n'est-ce pas ?

— Et c'est pour ça que j'ai envie de te le demander, ajouta-t-elle, épouvantée d'entendre sa voix étranglée. Parce que tu le sais sans que je te le dise.

— Je ne peux pas faire les choix qui te concernent à ta place, dit-il. C'est à toi de décider. Tu as gagné cette partie contre Blake, mais il n'est pas près de partir. Tu as rencontré Alvin Ambrose, tu as parlé à Stuart Patterson. Ce sont des types bien qui attachent de l'importance à ce qu'ils font. Si tu voulais changer d'air, West Mercia sauterait probablement sur l'occasion. » Il fit un petit geste de la main, comme pour proposer quelque chose.

Il était incapable de lui demander de l'accompagner, se dit Carol. Il ne s'était jamais cru digne d'elle. Mais elle avait besoin de plus que ça. « Pourquoi devrais-je venir, Tony ? Qu'est-ce que j'ai à y gagner ? » Elle lui jeta un intense regard de défi.

Il détourna les yeux. « C'est une grande maison, Carol. Il y a largement la place pour deux.

— De la place pour deux comme il y a de la place pour deux ici ? Ou de la place pour deux d'une autre manière ? » Elle observa son visage, guettant un signe d'espoir.

Tony ramassa finalement le dictaphone chromé et le soupesa. « Ce matin, dit-il lentement, tout me paraît possible. »

REMERCIEMENTS

Le Dr Gillian Lockwood a suscité l'idée première de ce livre par une remarque fortuite. Kelly Smith, sur la plage, a fait un rapprochement crucial qui m'a ouvert toutes sortes de possibilités. Comme toujours, le professeur Sue Black s'est avérée d'une aide inestimable sur toutes les questions concernant la pathologie et l'identité. Merci également à Brian et Sue de Huddersfield, dont le blog sur les balades en péniche fait partie de ces sites qui me font aimer Internet.

Je tiens à remercier tout le personnel de chez Little Brown, qui a rendu cette nouvelle aventure si gratifiante, en particulier mon inébranlable éditeur, David Shelley. Anne O'Brien reste la Maîtresse Yoda de la relecture de copies. Jane Gregory et son équipe chez Gregory & Co m'ont permis d'arriver à bon port à travers des eaux houleuses.

Enfin, merci à Kelly et Cameron, qui me font rire.